I DDEFFRO YSBRYD Y WLAD

I Ddeffro Ysbryd y Wlad

Robert Everett a'r Ymgyrch yn erbyn
Caethwasanaeth Americanaidd

Jerry Hunter

Argraffiad cyntaf: 2007

Rhif rhyngwladol: 1-84527-068-1
978-1-84527-068-1

Mae'r cyhoeddwr yn cydnabod cefnogaeth ariannol
Cyngor Llyfrau Cymru

Cyhoeddwyd gan
Wasg Carreg Gwalch,
12 Iard yr Orsaf, Llanrwst, Conwy, LL26 0EH.
Ffôn: 01492 642031 Ffacs: 01492 641502
e-bost: llyfrau@carreg-gwalch.co.uk
lle ar y we: www.carreg-gwalch.co.uk

Argraffwyd a chyhoeddwyd yng Nghymru.

i Megan a Luned

Cynnwys

Diolchiadau

Hoffwn ddiolch yn gyntaf oll i Michael ac Anne Everett am adael i mi ddefnyddio eu casgliad anhygoel o bapurau teuluol. Yn ogystal, bu brwdfrydedd yr Everettiaid yn hwb sylweddol ar hyd y daith. Rwyf yn ddyledus iawn i brif haneswyr Cymry Swydd Oneida, Bob Jones a Leonard Wynne, am lawer o gymwynasau dros y blynyddoedd. Mae'n bleser cydnabod cefnogaeth nifer o ysgolheigion a chyfeillion sy'n ymddiddori yn y maes hwn: Daniel Williams, E. Wyn James, Bill Jones, Richard Wyn Jones, Rhys ap Rhisiart, Huw Griffiths a Gethin Matthews. Yn yr un modd, hoffwn ddiolch i'm cydweithwyr yn Adran y Gymraeg, Prifysgol Cymru, Bangor. Mawr ddiolch i Densil Morgan am ddarllen y gyfrol a chynnig sylwadau gwerthfawr. Diolch i S4C am gomisiynu'r rhaglen ddogfen *America Gaeth a'r Cymry*. Diolch hefyd i bawb yn Cwmni Da ac i Gareth Owen, Rolant Jones a Steve Martin. Hoffwn ddiolch yn enwedig i Ifor ap Glyn am ymroi'n llwyr (unwaith eto!) wrth gyfarwyddo a chynhyrchu'r rhaglen ac am ddarllen y gyfrol hon. Rwyf yn ddiolchgar iawn i staff nifer o lyfrgelloedd a sefydliadau: Llyfrgell ac Archifdy Prifysgol Cymru, Bangor; Llyfrgell Genedlaethol Cymru; Llyfrgelloedd Prifysgol Harvard; Llyfrgell y Gyngres; Canolfan Ymchwil yr Amistad, Prifysgol Tulane; Llyfrgell Newberry; Cymdeithas Hanes Kansas; Cymdeithas Hanes Remsen a Steuben; Cymdeithas Hanes Utica. Hoffwn ddiolch i Myrddin ap Dafydd a holl staff Gwasg Carreg Gwalch am eu gwaith a'u gofal ac hefyd i Robat Trefor am fod yn aelod gwerthfawr o'r tîm golygyddol. Ac yn olaf, carwn ddiolch i Judith, Megan a Luned am adael imi dreulio amser yng ngwmni Robert Everett ac am eu cefnogaeth ddiysgog.

Prolog: Dydd Gŵyl Ddewi 1875

Yn ôl llawer, ef oedd Cymro enwocaf yr Unol Daleithiau, a phriodol oedd cynnal ei gynhebrwng ar Ddydd Gŵyl Ddewi. Claddwyd y Parchedig Ddoctor Robert Everett ar 1 Mawrth 1875 ym mynwent Capel Uchaf; bu'n gofalu am y capel Cymraeg hwnnw yn Steuben, swydd Oneida, talaith Efrog Newydd, am 36 o flynyddoedd. Cafwyd storm o eira ddiwrnod y cynhebrwng, a diflannodd lonydd gwledig swydd Oneida o dan y lluwchfeydd. Ond er gwaethaf y tywydd garw, daeth tyrfa sylweddol i fynwent Capel Uchaf, gan gynnwys nifer o alarwyr a oedd wedi teithio filltiroedd lawer drwy'r eira.

Er ei fod yn 84 oed adeg ei farwolaeth, bu Robert Everett yn weithgar hyd y diwedd, gan barhau i olygu'r cylchgrawn a ddechreusai yn ôl yn 1840, *Y Cenhadwr Americanaidd*. Hyd yn oed ar ei wely angau, roedd yn trafod cynnwys y *Cenhadwr* gyda'i fab Lewis. Roedd y wasg deuluol yr oedd Robert Everett a'i feibion yn ei rhedeg yn un o gonglfeini diwylliant Cymraeg yr Unol Daleithiau. Yn ogystal â'r *Cenhadwr,* cyhoeddai'r Everettiaid rychwant eang o gylchgronau, llyfrau a phamffledi Cymraeg, ac roedd y cyfan yn helpu Cymry America i greu a chynnal eu diwylliant eu hunain drwy gyfrwng eu mamiaith. Er iddo wneud cymaint i wasanaethu'r iaith Gymraeg yn America, mae Robert Everett yn cael ei gofio'n bennaf am ei ymroddiad i nifer o achosion moesol a chrefyddol. Gweithiai'n ddiflino dros achos dirwest ac roedd hefyd yn siarad o blaid hawliau merched. Ond cysegrodd y rhan fwyaf o'i amser a'i egni i un achos penodol, sef yr ymgyrch yn erbyn caethwasanaeth.

Ers i'r wlad ddatgan ei hannibyniaeth o Brydain yn 1776 mae'r Unol Daleithiau wedi ymffrostio yn 'rhyddid' ei dinasyddion. *'All men are created equal'* oedd geiriau syml a chofiadwy Thomas Jefferson, un o sylfaenwyr yr Unol Daleithiau. Ond roedd Jefferson ei hun yn berchen ar gaethweision duon. Roedd gan George Washington, arlywydd cyntaf y wlad, dros ddau gant o gaethweision; yn wir, roedd wyth o ddeuddeg arlywydd cyntaf yr Unol Daleithiau yn gaethfeistri. Erbyn 1860 roedd poblogaeth o 32 miliwn gan yr Unol Daleithiau, ac roedd un allan o bob wyth ohonynt – sef pedair miliwn o bobl dduon – yn gaeth ac felly'n eiddo i Americanwyr eraill.

Ac erbyn 1860 roedd dros 45,000 o bobl a oedd wedi'u geni yng Nghymru bellach yn byw yn yr Unol Daleithiau. Gan fod llawer o'r ymfudwyr hyn wedi trosglwyddo'u mamiaith i'r plant a anwyd iddynt yn eu gwlad newydd, roedd y nifer o Americanwyr a siaradai Gymraeg yn uwch o lawer. Ymgyrchai Robert Everett am ddegawdau er mwyn radicaleiddio'r Americanwyr Cymraeg hyn a'u byddino yn erbyn caethwasanaeth. Talcen caled iawn ydoedd ar y dechrau, a dioddefodd Robert Everett lawer oherwydd ei ymroddiad i'r ymgyrch. Ond llwyddodd yn rhyfeddol yn y diwedd. Ceir hanes yr ymgyrch honno yn y llyfr hwn.

Termau

Nid wyf wedi newid iaith wreiddiol y dyfyniadau, ond fel arall rwyf wedi ceisio cysoni'r termau perthnasol. Er enghraifft, ceir **caethwasiaeth** yn ogystal â'r gair **caethwasanaeth** mewn ffynonellau o'r cyfnod, ond rwyf yn defnyddio'r olaf yn unig.

Er fy mod i'n arddel y term **diddymwr** (am rywun a oedd am ddiddymu caethwasanaeth), roedd Cymry'r bedwaredd ganrif ar bymtheg yn defnyddio nifer o wahanol enwau, gan gynnwys **gwrthgaethiwydd** a **gwrthgaethiwedydd** (ac, ar adegau, y gair Saesneg *abolitionist*). Yn yr un modd, rwyf yn arddel **diddymiaeth** (am y cysyniad; *abolition* yn Saesneg). Ar y llaw arall, rwyf yn defnyddio'r ansoddair **gwrthgaethiwol** *(anti-slavery, abolitionist)* yn hytrach na 'diddymol.'

PENNOD 1:
'Everett Bach o Ddimbych'
(Cymru, 1791-1823)

Dechreuwn â stori am Robert Everett. Roedd yr anecdot hon yn boblogaidd yn ystod ail hanner y bedwaredd ganrif ar bymtheg; fe adroddid hi yng Nghymru ac yn yr Unol Daleithiau, yn Gymraeg ac yn Saesneg. Credai pawb a adroddai'r stori ei bod hi'n wir, ond – yn unol â natur chwedlau gwerin – roedd yr union fanylion yn amrywio o adroddiad i adroddiad. Tra oedd rhai'n dyddio'r hanesyn i'r cyfnod pan oedd Robert Everett yn fyfyriwr diwinyddol yn Wrecsam, roedd eraill yn ei gysylltu â'r blynyddoedd pan oedd yn weinidog ifanc yn Ninbych. Gallwn gasglu felly fod y stori hon wedi'i seilio ar rywbeth a ddigwydodd ryw dro rhwng 1812 a 1823. Yn ôl un fersiwn, roedd y Cymro ifanc yn teithio'n ôl o Ffrainc, ond honna fersiwn arall (a mwy credadwy) mai croesi afon Caer ydoedd wrth ddychwelyd i Gymru o Lerpwl. Bid a fo am yr amrywiadau a'r anghysondebau hyn, man cychwyn pob fersiwn o'r stori yw taith mewn cwch, gyda'r Robert Everett ifanc yn dychwelyd adref gyda grŵp o weinidogion (neu fyfyrwyr diwinyddol) eraill. Dyma fersiwn a gofnodwyd gan Gymro a oedd yn adnabod Robert Everett yn ystod y cyfnod cynnar hwnnw, sef 'S.R.' (neu Samuel Roberts, Llanbrynmair):

> yr oedd y gwynt yn ysgwyd eu cwch yn arswydus, a'r tonau yn ymluchio drosto yn ddiorphwys, nes oedd y rhwyfwyr mewn dychryn y darfyddai am danynt. Yr oedd... [y] brodyr eraill... yn ymwasgu at eu gilydd i gyd-weddio am nawdd ac arbediad... Yr oedd Dr. Everett hefyd yn gweddio, ond yr oedd heblaw hyny yn eistedd yn dawel at ei haner mewn dwfr, yn nghanol gwaelod y cwch, lle yr oedd eisiau ychwaneg o *ballast*, er ei gadw rhag troi ar ei ochr. Dylasai y brodyr ereill yr un modd gofio fod eisiau *ballastio* y cwch yn gystal a gweddio; ond yr oeddynt wedi dychrynu ac ymwylltio gormod i feddwl am hyny.[1]

Yng ngeiriau un o wyrion Robert Everett a gofnododd ei fersiwn ef o'r stori ar ddechrau'r ugeinfed ganrif, '[he] had taken his place at that spot so as to let his weight be felt where it was most needed.'[2]

Mae'r rheswm dros boblogrwydd y stori hon yn amlwg gan ei bod hi'n crisialu'r modd yr oedd Cymry ar ddwy ochr yr Iwerydd yn cofio Robert Everett. Dengys inni ddiwinydd ifanc sy'n cyfuno'r ysbrydol a'r ymarferol; mae'n balastio'r cwch yn ogystal â gweddïo. Mae'n cyflwyno hanfod gyrfa Robert Everett; roedd yn weinidog a gyfunai'i ffydd Gristnogol ag ymdrechion ymarferol i ddod â'r cwch i'r lan. Mewn gwirionedd, llafuriai Robert Everett i ddod â nifer syfrdanol o wahanol gychod i'r lan: achos crefydd ymysg y Cymry yn gyffredinol, a mudiad yr ysgolion Sul yn arbennig; dirwest; hawliau merched; yr ymdrech i greu a chynnal traddodiad llenyddol Cymraeg yn yr Unol Daleithiau. Ond roedd Cymry America yn ei gofio'n bennaf am ei waith diflino dros un achos, sef diddymiaeth, yr ymgyrch i ddiddymu caethwasanaeth yn yr Unol Daleithiau. Am dros 40 mlynedd bu Robert Everett yn taflu'i bwysau moesol a deallusol y tu ôl i'r ymgyrch honno, gan ddefnyddio'r pulpud, yr ysgrifbin, y wasg argraffu a'r blaid wleidyddol i frwydro yn erbyn caethwasanaeth, cyfundrefn a oedd yn ei dyb ef yn drosedd ddifrifol yn erbyn dynoliaeth ac yn bechod difrifol yn erbyn Duw. Ond cyn trafod ymgyrch Robert Everett yn erbyn y drefn anfoesol honno yn America, fe dâl inni edrych yn gyntaf ar yr hyn a wyddom am ei flynyddoedd cynnar yng Nghymru. Pwy oedd y Cymro ifanc hwnnw a fu'n gweddïo tra oedd yn *balastio'r* cwch?

Er bod llawer o Gymry'n ei gysylltu â Dinbych, roedd Robert Everett yn enedigol o Sir y Fflint. Ganed ef yng Ngronant, plwyf Llanasa, Sir y Fflint, ar 2 Ionawr 1791.[3] Dyma gyfnod pan oedd cymdeithas ac economi gogledd-ddwyrain Cymru yn cael eu trawsffurfio gan nifer o ddiwydiannau, ac roedd teulu Robert Everett yng nghanol y berw cymdeithasol hwnnw. Albanwr oedd ei hen daid, Mordecai Everett; daeth i Gymru i weithio fel *mechanic* neu beiriannydd yn un o weithfeydd yr ardal. Saesnes oedd gwraig Mordecai, a chyn diwedd y bedwaredd ganrif ar bymtheg byddai o leiaf un awdur Cymraeg yn cyfeirio at hanes teuluol Robert Everett fel prawf fod 'cymysgu gwaed' y Cymry â gwaed y Saeson a'r Albanwyr yn beth llesol.[4] Ni cheir manylion ynglŷn ag union natur swydd Mordecai Everett, ond nid oedd prinder gwaith i beiriannydd yn Sir y Fflint yn ystod chwarter olaf y ddeunawfed ganrif. Yn ogystal â thoreth o fwyngloddiau plwm, roedd gan y sir weithfeydd smeltio er mwyn trin y sinc a'r arian a ddeuai yn sgil y mwyngloddio. Agorwyd gwaith cotwm yn Nhreffynnon yn 1777, ac roedd gan y sir ei phyllau glo hefyd.[5] Roedd Lewis Everett – ŵyr Mordecai a thad Robert Everett – yn oruchwyliwr mewn gwaith plwm yn ardal Gronant, ac yn ôl atgofion y teulu bu'n gweithio am gyfnod mewn pwll glo hefyd.[6] Gweithiai Robert Everett yntau dan ddaear gyda'i dad pan oedd yn blentyn.[7]

Goruchwylio'r mwynglawdd oedd ffon fara Lewis Everett, ond aeth materion crefyddol â llawer iawn o'i amser hefyd. Roedd yn bregethwr cynorthwyol gyda'r Annibynwyr, ac roedd Lewis a'i wraig Jane yn aelodau selog yn Eglwys Annibynnol Newmarket (Trelawnyd).[8] Ganed un ar ddeg o blant i Lewis a Jane Everett, ac aeth dau ohonynt – Robert a'i frawd iau Lewis – yn weinidogion gyda'r Annibynwyr. Ymaelododd Robert Everett yntau ag Eglwys Newmarket yn 1808 a phregethodd am y tro cyntaf mewn cyfarfod gweddi adeg y Nadolig, 1809. Gwyddom beth oedd testun ei bregeth gyntaf, sef Hebreaid 2:11: 'Canys yr hwn sydd yn sancteiddio, a'r rhai a sancteiddir, o'r un y maent oll. Am ba achos nid yw'n gywilyddus ganddo eu galw hwy yn frodyr.'[9] Dim ond deunaw mlwydd oed oedd y cyw pregethwr y Nadolig hwnnw, ond roedd eisioes wedi cyffwrdd â rhai o'r themâu a fyddai'n nodweddu'i weinidogaeth yn America, sef brawdoliaeth a'r hawliau sanctaidd yr oedd Duw wedi'u rhoi'n gyfartal i bawb.[10]

Ychydig yn ddiweddarach traddododd Robert Everett ei bregeth gyhoeddus gyntaf, gan gymryd Salm 130: 3-4 yn fan cychwyn: 'Os creffi ar anwireddau, Arglwydd, O Arglwydd, pwy a saif? Ond y mae gyda thi faddeuant fel y'th ofner.' Byddai'n cyhoeddi'r union bregeth hon yn yr Unol Daleithiau ryw hanner canrif yn ddiweddarach. Er na soniodd am gaethwasanaeth yn 1809, roedd prif thema'r bregeth gynnar honno'n rhagweld y math o ddadleuon crefyddol y byddai Robert Everett yn eu defnyddio i ymosod ar yr hyn a alwai'n 'orseddfainc anwiredd' y caethfeistri Americanaidd.[11] A oedd yn ystyried caethwasanaeth yn rhan o orseddfainc anwiredd yn 1809? Ni wyddom, ond rhaid ei fod yn gwybod am y fasnach mewn caethion y pryd hynny.

Roedd y gaethfasnach Brydeinig yn ei hanterth pan oedd Robert Everett yn blentyn. 1792 oedd y flwyddyn unigol brysuraf yn hanes y fasnach honno, gyda thua phedair llong yn gadael porthladdoedd megis Bryste a Lerpwl bob wythnos er mwyn cipio neu brynu caethweision ar arfordir Affrica a'u cludo i'r gorllewin.[12] Byddai'r fasnach yn prysuro eto ar droad y ganrif nesaf; yn ôl yr hanesydd David Eltis, '[t]he largest number of slave ships to leave Britain in any five-year period was in 1798-1802.'[13] Camgymeriad fyddai meddwl nad oedd Cymry'r cyfnod yn gwybod am y fasnach hon. I'r gwrthwyneb, roedd rhai Cymry wedi bod ynghlwm wrth y gaethfasnach Brydeinig ers y dechrau. Rhwng y morwyr Cymreig a oedd yn gweithio ar y caethlongau eu hunain, y Cymry a weithiai mewn porthladdoedd megis Lerpwl a oedd yn gwasanaethu'r llongau hyn, a'r ffaith bod brethyn a chopr Cymreig yn chwarae rhan allweddol yn y fasnach, rhaid bod cyfran sylweddol o boblogaeth Cymru'n gwybod am yr arian a ddeuai i'w teuluoedd a'u hardaloedd yn sgil y fasnach mewn caethion Affricanaidd.[14]

Yn sicr, ceid cysylltiadau masnachol amlwg rhwng diwydiannau Sir y Fflint â'r fasnach honno yn ystod plentyndod Robert Everett. Nodwyd yn barod fod gwaith cotwm wedi agor yn Nhreffynnon yn 1777; agorwyd un arall yn yr Wyddgrug yn 1792.[15] Deuai cyfran o'r cotwm a borthai'r diwydiant hwn o dde'r Unol Daleithiau, ac roedd yn wybodaeth gyffredin ym Mhrydrain mai caethweision a oedd yn cynhyrchu'r cotwm hwnnw. Yn ogystal, roedd rhai masnachwyr yn ffeirio cynnyrch y gweithfeydd cotwm hyn am gaethweision ar arfordir Affrica.

Rhaid pwysleisio hefyd yr holl gysylltiadau diwylliannol ac economaidd rhwng gogledd-ddwyrain Cymru a Lerpwl. Lerpwl oedd prif ganolfan y gaethfasnach Brydeinig erbyn genedigaeth Robert Everett; er gwaethaf y ffaith fod Llundain a Bryste ill dwy wedi chwarae rhan flaenllaw yn ei hanes, roedd masnachwyr, crefftwyr a morwyr Lerpwl yn hawlio'r rhan fwyaf o'r fasnach erbyn 1791.[16] Mae E. Wyn James wedi tynnu sylw'n ddiweddar at arwyddocâd llythyr a ysgrifennodd y pregethwr enwog John Elias. Dyma dystiolaeth sy'n profi bod rhai o Gymry Lerpwl yn ymelwa o'r gaethfasnach mor ddiweddar â 1806:

> Buom yn L[iver]pool yn dywedyd llawer am bechadurusrwydd y *Slave Trade* . . . Cawsom fod rhai o'r brodyr yn gweithio ar y Llongau sydd yn y *trade* melltigedig hwn, ie, un ohonynt yn gweithio Cadwynau i'w rhoddi am y Caethion truain; anogasom ef i roddi y Gorchwyl i fynu yn ddioed; anogasom bawb i beidio ag ymdrin a dim sydd yn perthyn i'r Gorchwyl Creulon hwnnw . . . Gwell marw o newyn na chael llawnder o fara wrth fod yn gyfranogion o waed!!![17]

Mae'r geiriau hyn yn dweud cyfrolau. Bu'n rhaid i John Elias annog Cymry Lerpwl yn y fath fodd a dweud mai gwell fyddai 'marw' nag ennill bara o'r gaethfasnach am y rheswm syml mai'r fasnach honno oedd ffon fara cynifer ohonynt. Roedd Robert Everett yn bymtheng mlwydd oed ar y pryd.

Prin bod teulu yn Sir y Fflint na Sir Ddinbych heb berthynas o ryw fath a oedd yn byw yn Lerpwl, ac roedd cyfoeth y ddinas honno wedi'i adeiladu i raddau helaeth ar elw'r gaethfasnach.[18] Yn ogsytal â'r holl drigolion a oedd yn gysylltiedig â'r diwydiant llongau yn uniongyrchol, tyrrai mân fasnachwyr Lerpwl i fuddsoddi yn 'y fasnach Affricanaidd.' Fel yr ysgrifennod un o drigolion y ddinas ym 1795, *'almost every man in Liverpool is a merchant,'* ac roedd y rhan fwyaf o'r llu cyfalafwyr hyn yn edrych i gyfeiriad Affrica am elw:

> The attractive African meteor has so dazzled their ideas that almost every order of people is interested in a Guinea cargo. It is well known that many of the small vessels that import about a hundred slaves are

fitted out by attorneys, drapers, ropers, grocers, tallow-chandlers, barbers, taylors etc.[19]

Yn ogystal â'r crefftwyr Cymreig a wasanaethai'r llongau, rhaid bod nifer o Gymry ymhlith y masnachwyr a oedd yn buddsoddi yn y mentrau hyn.

Erbyn i John Elias fynd ati i annog Cymry Lerpwl i beidio ag ymelwa o'r gaethfasnach, roedd nifer o arweinwyr gwleidyddol a chrefyddol Chymru a Phrydain wedi bod wrthi'n ymgyrchu yn ei herbyn ers blynyddoedd. Dechreuasai'r ymgyrch gyda'r Crynwyr. Roedd nifer sylweddol ohonynt wedi bod yn masnachu mewn caethion yn ystod yr ail ganrif ar bymtheg a hanner cyntaf y ddeunawfed ganrif, ond erbyn y 1750au roedd Crynwyr ar ddwy ochr yr Iwerydd yn dechrau protestio yn erbyn y drefn gaeth.[20] Ffurfiodd Crynwyr Americanaidd y polisïau gwrthgaethiwol cyntaf yn y 1770au, a dilynwyd hwy gan Grynwyr Prydain yn y 1780au. Yn 1787 dechreuwyd ymgyrch ryngwladol i ddiddymu'r gaethfasnach. Yn fuan iawn daeth aelodau o eglwysi Ymneilltuol eraill i ymuno â'r Crynwyr, ac erbyn 1790 roedd yr ymgyrchwyr hyn wedi dechrau cyflwyno deisebau i lywodraeth Prydain yn galw am ddiddymiad *(abolition)*.[21]

William Wilberforce oedd arweinydd yr ymgyrch hon i ddiddymu'r gaethfasnach Brydeinig. Ond roedd Wilberforce a'i gynghreiriaid yn gorfod brwydro yn erbyn nifer o garfanau pwerus; roedd y brenin, Siôr III, yn erbyn diddymu'r fasnach, a'i fab ef, Dug Clarence (a fyddai'n dod yn Siôr IV maes o law), oedd yn arwain y gwrthwynebiad i Wilberforce yn Nhŷ'r Arglwyddi. Un arall o elynion Wilberforce oedd Richard Pennant, Arglwydd Penrhyn. Codwyd Castell Penrhyn – yn ogystal â llawer o ddiwydiant llechi Gogledd Cymru – gydag arian yr oedd y teulu hwn wedi'i wneud drwy gyfrwng llafur caeth ar eu planhigfeydd yn Jamaica.[22] Gyda'r grymoedd hyn yn eu herbyn, nid yw'n syndod na lwyddodd Wilberforce a'i gefnogwyr i ddiddymu'r gaethfasnach yn ystod y ddeunawfed ganrif. Ond pasiwyd rhai mesurau'n cyfyngu rywfaint arni; yn ngheiriau'r hanesydd Herbert Klein:

> In 1788 Parliament passed the Dolben's Act, which established for England the first limits on the manner of carrying slaves aboard English slavers. This act in turn was further modified in 1799 giving greater space for each slave on English vessels.[23]

Erbyn dechrau'r bedwaredd ganrif ar bymtheg roedd nifer o unigolion yn codi'u lleisiau yn erbyn y gaethfasnach mewn nifer o wledydd a threfedigaethau Ewropeaidd. Yn 1802 cyflwynodd y daearyddwr

Sbaenaidd, Isidoro Antillón, draethawd gerbron Academi Gyfreithiol Sbaen ym Madrid yn dadlau'n erbyn y gaethfasnach. Rai blynyddoedd ynghynt, cafodd aelod o Urdd yr Iesuwyr, Fray José Jesús Parreno, ei alltudio o Giwba am bregethu'n erbyn y drefn anfoesol, ac yn 1794 roedd aelod o Urdd y *Capuchin*, José de Bolonha, wedi'i alltudio o Fahia am resymau tebyg.

Dechreuodd y rhod droi yn Ewrop. Denmarc oedd y wlad gyntaf i ddiddymu'i chaethfasnach, a hynny yn 1803.[24] Cynyddodd Wilberforce a'i debyg eu hymdrechion ym Mhrydain, ac o'r diwedd daeth llwyddiant i'w rhan:

> After several failed attemps at passing a definitive prohibition of the trade, the abolitionists in Parliament, under the leadership of William Wilberforce, moved toward partial restrictions by closing down parts of the trade. In 1805 the government banned the importation of slaves into the recently acquired territories of British Guiana and Trinidad. Then in May 1806 legislation prohibiting British subjects from engaging in the slave trade with foreign colonies was passed. Finally, in March 1807 came the definitive abolition of the British slave trade itself, which was forced to end by the first day of 1808.[25]

Roedd bellach yn anghyfreithlon i ddefnyddio llongau Prydain i gludo caethweision i'w gwerthu. Er i'r gaeth*fasnach* gael ei diddymu ym Mhrydain yn 1807, nid oedd caethwasanaeth ei hun wedi'i gorffen. Parhaodd Prydain i ymelwa o'r drefn gaeth gan fod planhigfeydd siwgwr ei threfedigaethau yn y Caribî yn dibynnu bron yn gyfan gwbl arni. Parhaodd y diddymwyr i ymgyrchu, ond dim ond yn 1833 y byddai'r *Abolition of Slavery Act* yn cael ei phasio, sef y mesur a ddaeth â diwedd i gaethwasanaeth yn holl drefedigaethau Prydain.[26]

Roedd gan Gymru ei diddymwyr hefyd yn ystod y blynyddoedd tyngedfennol hyn, gyda radicaliaid megis Iolo Morganwg a Morgan John Rhys yn codi'u lleisiau'n erbyn y drefn gaeth.[27] Ac yntau'n fyfyriwr diwinyddol (ac wedyn yn weinidog ifanc) yn ystod yr ymgyrch i ddidymu caethwasanaeth yn y trefedigaethau Prydeinig, rhaid bod Robert Everett yn gwybod am waith y diddymwyr. Eto, ychydig iawn a wyddom amdano yn ystod y blynyddoedd hyn.

Wedi cael ei addysg gynnar yn Ysgol Ramadeg Dinbych, aeth y darpar weinidog i Athrofa Wrecsam yn Ionawr 1811.[28] Ffurfiai'r coleg hwn ran bwysig o rwydwaith addysgiadol yr Annibynwyr. Roedd William Williams o'r Wern wedi'i dderbyn i'r Athrofa yn 1803, ac erbyn i Robert Everett ddechrau astudio yno roedd Williams o'r Wern wrthi'n ennill enw fel pregethwr a fyddai'n ei wneud – ynghyd â John Elias a Christmas Evans – yn un o 'dri chedyrn y pulpud Cymraeg.'[29] Tra oedd Robert Everett yn fyfyriwr yn Wrecsam daeth George Lewis i ofalu am yr Athrofa.[30] 'Fel esboniwr Ysgrythurol a diwinydd, safai George Lewis o'i ysgwyddau yn uwch na neb arall o'i gyfoeswyr,' meddai'r *Bywgraffiadur Cymreig* amdano.[31] Cafodd y cyw pregethwr o Sir y Fflint felly gwblhau'i addysg o dan ofal un o brif ddiwinyddion Cymreig yr oes. Tybed a fu i'r athro ddylanwadu ar wleidyddiaeth ei ddisgybl hefyd?

Yn ôl R. T. Jenkins, roedd George Lewis ymysg y Cymry cyntaf i goleddu'r syniadau radicalaidd newydd a oedd yn cylchredeg adeg y Chwyldro Americanaidd a'r Chwyldro Ffrengig:

> Tua 1794, cawn amlygiad . . . o annibyniaeth barn George Lewis . . . . Yr oedd hi . . . yn amser rhyfel, a'r ychydig Gymry – y dyrnaid o Undodiaid, y dyrnaid llai fyth o Annibynwyr ac o Fedyddwyr – a broffesai egwyddorion Rhyddid yn 1789 yn ei gweld hi'n mynd yn dywyllach arnynt bob dydd. Aeth Morgan John Rhys i America; penderfynodd George Lewis hefyd fynd yno, oblegid gweriniaethwr oedd yntau.[32]

Nid ymfudodd i'r Unol Daleithiau yn y diwedd; 'fe'i darbwyllwyd i aros yma' a dilyn ei yrfa yng Nghymru.[33] Ond mae'n bosibl iawn fod George Lewis wedi trafod ei freuddwyd Americanaidd gyda'i fyfyrwyr. Roedd Robert Everett ymysg y mwyaf disglair ohonynt; meistrolodd Hebraeg, Groeg a Lladin, a chyn gorffen ei astudiaethau yn 1815 cynigiodd George Lewis swydd iddo yn yr Athrofa. Am ba reswm bynnag, penderfynodd Robert Everett i beidio â dilyn gyrfa academaidd, ond aeth yn athro rhan amser am gyfnod gan ofalu am ddosbarth Rhethreg.[34]

Dyna'r ffeithiau moel am fywyd cynnar Robert Everett, ac ychydig iawn o fanylion am y cyfnod hwnnw sydd ar gael. Nid ysgrifennodd hunangofiant, ac yn ôl ei deulu a'i gyfeillion nid oedd yn brolio'i lwyddiannau'i hun, ac felly dim ond yr hanesion a gofnodwyd gan eraill sydd wedi goroesi ar y cyfan.[35] Ychydig iawn o'i hanes personol yn ei eiriau ef ei hun sydd ar glawr. Ond gan ei fod yn hoff iawn o drafod byd natur, byddai'n dweud wrth ei wyrion Americanaidd yn ei henaint mai gwylio adar oedd ei brif ddiléit pan oedd yn blentyn yn Sir y Fflint, a'i fod wedi treulio oriau lawer yn 'gwylio'r ehedydd yn codi uwchlaw'r caeau cyfagos.'[36] Gwyddom am yr un rheswm fod ganddo ganeri mewn cawell pan oedd yn fyfyriwr yn Wrecsam. Ond fel arall, ychydig iawn a wyddys am ei fywyd personol yn ystod y blynyddoedd cynnar hynny.

Mae'n haws cael hyd i wybodaeth am Robert Everett ar ôl iddo fynd yn weinidog. Cafodd ei alwad gan Eglwys Annibynnol Dinbych, ac urddwyd ef yn weinidog gyda'r Annibynwyr yng Nghapel Lôn Swan, Dinbych, ym mis Mehefin 1815.[37] Ac felly fel 'Everett Bach o Ddimbych' y daeth Cymry eraill i adnabod y gweinidog ifanc. Gelwid ef yn 'Everett bach' am reswm da; roedd yn ddyn bychan iawn o gorff na safai 'lawer dros 5 troedfedd,' ac nid oedd 'maint ei draed yn fwy na phlentyn deng mlwydd oed.'[38] Yn ôl rhai, ymddangosai'n ddyn 'eiddil,' ac roedd llawer yn synnu wrth nodi bod y dyn bach 'musgrell' hwn yn berchen ar angerdd ac egni mor sylweddol.

Yn Lôn Swan y daeth y Parch. Everett i adnabod Elizabeth Roberts, merch un o ddiaconiaid y capel.[39] Priododd y ddau ar 28 Awst 1816, a byddai Elizabeth yn cydlafurio â'i gŵr am agos at 60 o flynyddoedd er mwyn hybu rhychwant eang o wahanol achosion crefyddol, moesol, gwleidyddol a diwylliannol. Yn ôl Cymry Dinbych, roedd hi'n ferch ddiwylliedig a hoffai drafod llenyddiaeth, athroniaeth a chrefydd. Yn wir, roedd Elizabeth wedi derbyn addysg gan y Parch. Arthur Jones, D.D., Bangor, ac wedi'i haddysgu yn Lerpwl hefyd tra oedd hi'n byw am gyfnod yn nhŷ ei hewythr yn y ddinas honno.[40] Fferm o'r enw Rosa Fawr, ger Dinbych, oedd cartref Elizabeth, a bu'r cwpl ifanc yn byw yno ar ôl iddynt briodi.

Rhaid bod mudo i America yn destun aml i sgwrs ar aelwyd Rosa Fawr. Un o naw o blant oedd Elizabeth, ac erbyn canol y ganrif byddai pump ohonynt wedi ymfudo i'r Unol Daleithiau. Erbyn i'r cwpl priod ifanc ymgartrefu yn Rosa Fawr, roedd dau o frodyr hŷn Elizabeth, John a David, eisoes wedi croesi'r Iwerydd gan ymgartrefu yn swydd Oneida, talaith Efrog Newydd, sef yr ardal y byddai Elizabeth a Robert hwythau'n ymfudo iddi yn 1823. Fe ymddengys fod John a David Roberts yn gymeriadau tra adnabyddus ymysg Cymry America; roedd y brodyr wedi llwyddo mewn nifer o fentrau busnes yn eu gwlad newydd, ac roedd John wedi'i gyflogi gan nifer o Gymry amlwg *Oneida County* i deithio i'r gorllewin ar drywydd 'yr Indiaid Cymreig.'[41] Wedi archwilio glannau'r Mississippi, dychwelodd i swydd Oneida gan adrodd nad oedd wedi llwyddo i ddod o hyd i'r 'Madogiaid'.[42] Ar ôl yr anturiaeth fawr hon, aeth John Roberts yn ôl i Gymru am gyfnod i ymweld â'i deulu, ac felly roedd yn aros yn Rosa Fawr pan oedd Elizabeth a'i gŵr yn byw yno. Cafodd Robert Everett gyfle felly i glywed llawer am America gan ei frawd-yng-nghyfraith newydd.[43]

Yn ogystal â thynnu sylw Robert Everett at y cymunedau Cymraeg a oedd yn cael eu sefydlu gan ymfudwyr yng ngogledd America, mae'n bosibl iawn fod rhai o'r sgyrsiau ar aelwyd Rosa Fawr wedi cyffwrdd â chaethwasanaeth. Priododd chwaer Elizabeth, Jane, â'r Parch. Edward

Williams, 'un o'r cenhadon cyntaf . . . yn Affrica Ddeheuol.' Byddai Robert Everett ei hun yn disgrifio Edward Williams mewn print chwarter canrif yn ddiweddarach fel 'cenhadwr ffyddlawn a llwyddianus yn mhlith yr Hottentotiaid a'r Negroaid, y rhai a waredwyd o gaethiwed.'[44]

Roedd gan deulu Rosa Fawr reswm arall dros drafod caethwasanaeth hefyd. Roedd ewythr Elizabeth, Edward Lewis, ymysg y masnachwyr hynny a fuddsoddai yn y fasnach yn Lerpwl. Cofnodwyd yr hanes gan un o wyrion Robert ac Elizabeth Everett:

> She . . . had an Uncle who lived in Liverpool . . . He was a businessman and had a good home and some considerable wealth. Having no children . . . Grandma was in his home much in this way and had the advantage of schooling in Liverpool . . . It is said that this Liverpool Uncle made his money at least partly in the slave trade.[45]

Bu farw'r ewythr hwn yn y 1830au ar ôl i Robert ac Elizabeth Everett ymfudo i'r Unol Daleithiau. Roedd yr hen fasnachwr yn ddi-blant, a gadawodd ran o'i ystâd i'w nith Elizabeth. Cyfrifid gwerth yr etifeddiaeth rhwng 2,000 a 3,000 o ddoleri – cyfoeth sylweddol yr adeg honno. Roedd Elizabeth yn ddyledus i'w hewythr am lawer o'i haddysg, ac felly nid yw'n syndod nad oes cofnod ar glawr ei bod wedi'i feirniadu yn ystod ei oes. Ond yn ôl hanesion y teulu, dywedodd Mrs. Everett yn ddiweddarach wrth gyfeirio'r arian i'r ymgyrch yn erbyn caethwasanaeth ei bod hi'n hynod falch fod elw a wnaed drwy brynu a gwerthu caethweision bellach wedi'i droi'n gyfrwng i ymladd yn erbyn yr union fasnach honno.[46]

Mae'n amhosibl gwybod pryd yn union y dechreuodd Robert Everett feddwl o ddifrif am gaethwasanaeth; ni ddechreuodd gyhoeddi ar y pwnc tan ar ôl iddo ymfudo i'r Unol Daleithiau, ac fel y crybwyllwyd eisoes, ni chofnododd ei hanes personol ei hun. Ond dengys y dystiolaeth sydd gennym am flynyddoedd cyntaf ei weinidogaeth fod 'Everett Bach o Ddimbych' wedi ennill enw iddo'i hun yn gynnar yn ei yrfa fel dyn a fynnai ieuo'i ffydd Gristnogol â gweithredoedd ymarferol. Yn y cyswllt hwn, mae'n werth edrych eto ar y modd y cofnododd Samuel Roberts o Lanbrynmair yr anecdot honno am 'falastio'r cwch,' gan sylwi'r tro hwn ar rai o fanylion eraill y stori:

> Pan oedd unwaith yn croesi afon Caer wrth ddychwelyd o Gymanfa yn Liverpool, gyda mintai o'i gyd-weinidogion, yr oedd y gwynt yn ysgwyd eu cwch yn arswydus, a'r tonau yn ymluchio drosto yn ddiorphwys, nes oedd y rhwyfwyr mewn dychryn y darfyddai am

danynt. Yr oedd yr hen John Roberts a Williams o'r Wern, a Jones, Treffynon, a'r brodyr eraill oeddynt yno, yn ymwasgu at eu gilydd i gyd-weddio am nawdd ac arbediad, os oedd gan y Meistr mawr ryw waith yn ychwaneg iddyn wneyd drosto. Yr oedd Dr. Everett hefyd yn gweddio, ond yr oedd heblaw hyny yn eistedd yn dawel at ei haner mewn dwfr, yn nghanol gwaelod y cwch, lle yr oedd eisiau ychwaneg o *ballast*, er ei gadw rhag troi ar ei ochr. Dylasai y brodyr ereill yr un modd gofio fod eisiau *ballastio* y cwch yn gystal a gweddio; ond yr oeddynt wedi dychrynu ac ymwylltio gormod i feddwl am hyny.[47]

Ac yntau'n weinidog gyda'r Annibynwyr hefyd, mae S. R. yn adrodd y stori mewn modd sy'n dyrchafu Robert Everett ar draul rhai o fawrion yr enwad. Tra oedd yr enwog Williams o'r Wern, Jones Treffynnon, a'r 'hen John Roberts' – sef tad S. R. – yn gweddïo, roedd y Robert Everett ifanc yn ieuo gweddi â gweithred ymarferol a allai helpu achub eu bywydau.[48]

Bid a fo am weithredoedd – neu ddiffyg gweithredoedd – y gweinidogion eraill a fuasai'n cyd-deithio ag ef yn y cwch hwnnw, bu rhai ohonynt yn cydlafurio â Robert Everett er mwyn gwthio cwch diwinyddol i'r dŵr. Nodweddid Ymneilltuaeth Gymreig y cyfnod gan Uchel-Galfiniaeth i raddau helaeth iawn, ac roedd y Robert Everett ifanc ymysg y 'rhai blaenaf yn ei amser i wrthwynebu yr hen syniadau hyny.'[49] Yn hynny o beth, roedd yn ochri â nifer o'r gweinidogion hŷn sy'n cael eu henwi gan S. R., sef Williams o'r Wern a'r 'hen John Roberts.'[50]

Un o drobwyntiau'r gwrthryfel diwinyddol yn erbyn 'hen syniadau' Uchel-Galfiniaeth oedd llyfr a gyhoeddwyd gan John Roberts yn 1820, *Galwad Ddifrifol ar Ymofynwyr am y Gwirionedd.*[51] Yn ôl R. Tudur Jones, 'dyma faniffesto'r Calfiniaid Cymedrol.'[52] Cywaith oedd y gyfrol hon i raddau, gan ei bod yn cynnwys traethodau gan chwech o arloeswyr y 'System Newydd,' fel y gelwid y mudiad diwinyddol newydd ar y pryd.[53] Cyfrannodd Robert Everett ysgrif ar 'Brynedigaeth' (sef y gred fod 'pechaduriaid' wedi'u prynu'n rhydd 'drwy waed Crist'). Roedd y diwinyddion hyn – pleidwyr y 'System Newydd' – yn cyflwyno math o 'Galfiniaeth Gymedrol'; tra oedd yr hen Uchel-Galfiniaid yn credu bod y rhai 'etholedig' wedi'u hethol ymlaen llaw gan Dduw, ni waeth beth fo natur eu hymddygiad ar y ddaear, roedd 'gwŷr y system newydd' yn rhoi pwyslais ar weithredoedd y Cristion unigol. Fel y dengys cymaint o'i waith diweddarach, credai Robert Everett yn gryf y dylid priodi myfyrdod crefyddol â gweithredodd moesol ymarferol er mwyn gwella cyflwr y byd, ac felly mae'n hawdd gweld pam yr oedd y System Newydd hon yn apelio ato. Ar ôl ei farwolaeth byddai'n cael ei gofio'n bennaf fel prif arweinydd yr ymgyrch Gymreig yn erbyn caethwasanaeth

Americanaidd, ond fel un o 'wŷr y System Newydd' y daeth Cymry eraill (y tu allan i gylch capel Lôn Swan) i synio am 'Everett Bach o Ddimbych' yn ystod y 1820au cynnar.

Ymroes Robert Everett i nifer o weithgareddau llenyddol eraill cyn ymadael â'i wlad enedigol a fyddai'n sicrhau fod cylchoedd eang iawn o ddarllenwyr Cymraeg yn gwybod amdano. Cyhoeddodd *Addysgydd neu'r Catecism Cyntaf*, holwyddoreg ar gyfer ysgolion Sul yr Annibynwyr a fyddai'n mynd drwy nifer syfrdanol o ad-argraffiadau gan aros mewn print am ganrif gyfan. Cyhoeddwyd yr argraffiad cyntaf yn Ninbych yn 1815, a byddai un o ferched Robert Everett yn dal i dderbyn archebion ar gyfer y *Catecism* hwn mor ddiweddar â 1912![54]

Yn 1821 penderfynodd grŵp o weinidogion yr Annibynwyr yn ardal Dinbych ddechrau cylchgrawn i wasanaethu'r enwad. Y canlyniad fu lansio *Y Dysgedydd*; daeth y rhifyn arbrofol cyntaf o'r wasg ym mis Tachwedd 1821, ac yn sgil ei lwyddiant dechreuwyd cyhoeddi'r cylchgrawn yn fisol o Ionawr 1822 ymlaen (a byddai'n parhau i wasanaethu Annibynwyr Cymru tan 1969). Yn aelod o'r grŵp hwnnw o weinidogion llengar, bu Robert Everett wrthi o'r cychwyn cyntaf yn helpu i olygu a chyhoeddi *Y Dysgedydd*. Yn ogystal â gwneud y gwaith caib a rhaw yma, cyhoeddodd nifer o'i ysgrifau gwreiddiol ei hun yn rhifynnau cyntaf y cylchgrawn newydd.

Roedd y wasg gyfnodol Gymraeg yn ei dyddiau cynnar yr adeg honno. Dim ond yn y 1790au yr oedd y cylchgronau Cymraeg cyntaf wedi ymddangos, gyda chyhoeddiad Morgan John Rhys, *Y Cylch-grawn Cynmraeg*, yn arloesi'r ffordd, ac arbrofion cynnar eraill megis *Y Drysorfa Gymysgedig* ac *Y Geirgrawn* yn dilyn yn dynn ar ei sodlau.[55] Erbyn canol y bedwaredd ganrif ar bymtheg byddai gwasg enwadol Cymru'n rym diwylliannol sylweddol, ond roedd yn dal yn syniad newydd yn 1821; dechreuasai'r Wesleyiaid gyhoeddi *Yr Eurgrawn Wesleyaidd* yn 1809, gyda'r Bedyddwyr yn dilyn gyda *Seren Gomer* yn 1814.[56] Ac yna daeth yr Annibynwyr â'u cylchgrawn hwythau, *Y Dysgedydd*, yn 1821. Rhaid cyfrif Robert Everett felly ymysg arloeswyr y wasg enwadol – a'r wasg gyfnodol – Gymraeg. Am ryw hanner canrif byddai 'gwasg Everett' yn un o gonglfeini diwylliant llenyddol Cymraeg yr Unol Daleithiau, ffaith nad yw'n syndod o gofio'i weithgareddau ym myd cyhoeddi cyn ymadael â Chymru.

Y Cenhadwr Americanaidd fyddai prif gylchgrawn gwasg Americanaidd Robert Everett, ac o ystyried y teitl hwnnw mae'n bosibl awgrymu unwaith eto fod rhai o'i weithgareddau yn ystod ei gyfnod cynnar yng Nghymru wedi rhagweld agweddau ar ei yrfa yn yr Unol Daleithiau. Yn debyg i'w chwaer-yng-nghyfraith a'i gŵr, Jane ac Edward

Williams, dechreuodd y gweinidog ifanc ymgyrchu dros y mudiad cenhadol. Yn rhifyn cyntaf *Y Dysgedydd* cyhoeddodd Robert Everett hanes cyfarfod o'r 'Gymdeithas Genhadawl' a oedd wedi'i gynnal yng Nghaernarfon dros ddau ddiwrnod ym mis Hydref 1821.[57] Fe ymddengys i Robert Everett ei hun chwarae rôl ganolog yn y trefniadau; yn ogystal â chadw'r cofnodion ar gyfer y gymdeithas, roedd yn un o ddau weinidog a agorodd y cyfarfod â phregeth ar ddechrau'r diwrnod cyntaf.[58]

Mae'n werth nodi fod Williams o'r Wern a'r 'hen John Roberts' wedi camu i'r llwyfan yn ystod y cyfarfod hwnnw hefyd. Dyma felly'r un cylch o weinidogion sy'n ymddangos yn fersiwn S. R. o'r stori am 'falastio'r cwch,' a'r un cylch a fu wrthi'n arloesi syniadau'r 'System Newydd.' Dyma hefyd rai o'r awduron a'r golygyddion a fyddai'n cynnal *Y Dysgedydd* yn ystod blynyddoedd cynnar y cylchgrawn newydd hwnnw. Gallwn felly ddechrau ymgydnabod â grŵp o weinidogion egnïol, carfan o Annibynwyr arloesol a weithiai'n galed dros nifer o achosion mewn rhychwant o feysydd, gan bontio rhwng y diwinyddol, y llenyddol a'r gweithredol-ymarferol. Robert Everett oedd yr ieuengaf – ac o bosibl y mwyaf gweithgar – o'r grŵp deinamig hwn.

Fel y gwelir yn y bennod nesaf, byddai un o blant Robert Everett, Jennie, yn dweud nad oedd ei thad wedi dechrau meddwl o ddifrif am yr ymgyrch i ddiddymu caethwasanaeth tan ar ôl iddo ymfudo i'r Unol Daleithiau yn 1823. Eto, mae'n debyg iawn fod ei waith gyda'r Gymdeithas Genhadol wedi gorfodi'r gweinidog ifanc i o leiaf ystyried y pwnc yn ystod y cyfnod cynnar hwnnw. Roedd nifer o'r diddymwyr Prydeinig cyntaf wedi dechrau ymgyrchu gyda'r mudiad cenhadol, ac mae'n debyg iawn fod ymwneud y Parch. Everett â'r Gymdeithas Genhadol wedi bod yn fodd iddo ymgyfarwyddo â syniadau a gweithgareddau'r diddymwyr cynnar hynny. Yn wir, yn wahanol i'w ferch Jennie, honnai mab hynaf Robert Everett, John, fod ei dad wedi coleddu'i syniadau gwrthgaethiwol cyn iddo ymfudo i'r Unol Daleithiau:

> I think father's feelings were strongly anti-slavery from the very beginning of active modern anti-slavery effort. It was not his habit to speak much of himself, but from his modes of expression, I was satisfied that he was interested in the anti-slavery sentiment before he left the old country. You know the first form of opposition to slavery in England was against the slave trade. Father, in speaking, frequently said *slave trade*, when an American would have said *slavery*.[59]

Ac roedd rhai o hoelion wyth y Gymdeithas Genhadol Gymreig hefyd yn ymgyrchu yn erbyn y gaethfasnach. Gwelir awgrym o'r cysylltiad rhwng yr ymdrech i ledaenu Cristnogaeth a'r ymgyrch yn erbyn y fasnach mewn caethweision yn yr ysgrif honno a gyhoeddwyd gan Robert Everett yn 1821. Nododd ar dudalennau *Y Dysgedydd* fod 'D. Williams, Yswain, Bronheulog' wedi'i alw i'r gadair yn ystod y cyfarfod hwnnw yng Nghaernarfon er mwyn adrodd peth o hanes y mudiad cenhadol ym Madagasgar:

> Yn ynys fawr Madagasgar y mae yr Arglwydd yn gweithredu pethau rhyfedd. Gwerthwyd oddiyno filoedd yn gaethweision *(slaves)* ond yn awr y mae hyny wedi darfod – y cyfamod wedi ei wneyd rhwng yr ynys hono ag Ynys Brydain i roi heibio yn gwbl y creulondeb y buont yn byw ynddo am oesoedd, ac un o'r amodau ydyw FOD yn rhaid i ninnau ddanfon yr Efengyl iddynt hwythau, a dysgu rhyw nifer o'u gwyr ieuaingc yn y celfyddydau, &c.[60]

Yn ogystal, mae cofnodion printiedig y cyfarfod yn cynnig rhagflas o thema a fyddai'n nodweddu ymgyrchoedd Robert Everett yn yr Unol Daleithiau, sef pwysigrwydd cydweithio ar draws ffiniau enwadol. Roedd y pwyntiau a gyflwynodd y gweinidog ifanc o Ddinbych gerbron y Gymdeithas Genhadol yn cynnwys sylw 'fod amrywiol Gymdeithasau Cenhadawl yn y byd crefyddol heblaw yr hon yr ydym ni mewn modd neillduol yn awr yn dal perthynas â hi,' gan ychwanegu gyda llawenydd 'nad ydyw y rhai hyn ddim yn gwrthwynebu eu gilydd, ond' yn hytrach yn cydweithio er mwyn cyrraedd y nod.[61]

Pwysleisiodd Robert Everett yr egwyddor sylfaenol hon ar dudalennau *Y Dysgedydd*. Cyhoeddodd ysgrif yn Ionawr 1822 'Ar Frawdgarwch Rhwng gwahanol Bleidiau Crefyddol.'[62] Er bod llawer o frwydrau enwadol mawr y bedwaredd ganrif ar bymtheg eto heb eu hymladd, roedd enwadaeth eisoes wedi profi'n bla ar Ymneilltuaeth Gymreig, gydag ymosodiadau'r naill enwad ar y llall yn disgyn i ddyfnderoedd enllibus o Anghristnogol ar adegau. Ac felly gofynnodd y Parch. Everett i'w ddarllenwyr 'fyned dan adduned, i wnëyd a allom . . . i feithrin undeb a chariad rhwng pawb o ddilynwyr yr Oen â'u gilydd,' gan awgrymu fod brwydrau enwadol yn tanseilio Cristnogaeth yn gyflymach nag unrhyw ymosodiad 'o'r tu allan i gylch yr eglwys':

> ond y mae un peth, a hyny o fewn cylch yr eglwys ei hun, yn ymddangos i mi yn debyg o wneyd mwy o niweid iddi yn hyn, na'r holl wrthwynebiadau allanol a all ymosod arni o uffern ac o'r byd annuwiol; hyny ydw, *Anfrawdgarwch rhwng gwahanol bleidiau crefyddol a'u gilydd.*[63]

Dyma thema y byddai'n dychwelyd ati dro ar ôl tro yn ystod yr hanner canrif nesaf. Er iddo wasanaethu'r Annibynwyr ar hyd ei yrfa, roedd Robert Everett hefyd yn gweithio'n gyson i sicrhau cydweithrediad rhwng y gwahanol enwadau. Yn wir, y cydweithrediad traws-enwadol hwn fyddai un o sylfeini ymarferfol ei ymgyrch yn erbyn caethwasanaeth yn yr Unol Daleithiau.

Gan fod plant Robert Everett yn anghytuno ynglŷn â phryd yn union y dechreuodd eu tad feddwl o ddifri am gaethwasanaeth a'r ffordd orau o ymgyrchu yn ei herbyn, mae'n werth craffu ar yr ysgrifau cynnar eraill a gyhoeddodd pan oedd yn byw yng Nghymru gan chwilio ymhellach am arwyddion ac awgrymiadau. Ym mis Mawrth 1822 cyhoeddodd erthygl yn *Y Dysgedydd* yn dwyn y teitl 'Gwasanaethgarwch.' Ni chrybwyllodd na chaethwasanaeth na'r gaethfasnach, ond cyflwynodd awgrym o thema a fyddai'n ganolog i'w ysgrifau gwrthgaethiwol maes o law, sef y gred fod Duw wedi gwneud pob cenedl a hil yn gydradd: 'O un gwaed y gwnaeth Duw bob cnawd oll[.]' Ymhen ugain mlynedd byddai'n galw ar Gymry America i edrych ar gaethweision duon fel eu 'brodyr a'u chwiorydd,' a chafwyd rhagflas o'r ddadl foesol honno ar dudlaennau *Y Dysgedydd* yn 1822:

> Dysgwn beidio *diystyru* neb, ond edrych ar bawb o'n hamgylch; bydded eu sefyllfa mor wael ac y byddo, fel ein brodyr a'n chwiorydd. Aelodau ydym oll o'r un teulu mawr. Pob cardotyn yn myned o ddrws i ddrws, ein brawd ydyw; . . . brodyr i ni sydd yn Affric boeth; brodyr i ni sydd yn mhellafoedd America[.][64]

Ychwanegodd fod 'y naill *genedl* i wasanaethu y genedl arall, oes ar ol oes,' gan ragweld y modd y byddai'n dadlau mai dyletswydd cenedl y Cymry oedd ymroi i wasanaethu – ac felly rhyddhau – cenedl gaeth yr Affricaniaid. Ac yn debyg i nifer helaeth o ysgrifau y byddai'n eu cyhoeddi yn ystod ei ymgyrch yn erbyn caethwasanaeth Americanaidd, galwodd y Robert Everett ifanc ar ei gyd-Gymry i 'ddeffro' a gwasanaethu pobloedd eraill y ddaear: 'Deffrown ninnau o segurdod a chysgadrwydd i wareiddio ychwaneg ar y byd, er budd y cenhedlaethau eto a enir.'[65]

Nid oedd yn sôn yn *uniongyrchol* am yr ymgyrch i ddiddymu caethwasanaeth y pryd hynny, ond mae nifer o'r delweddau a'r themâu a fyddai'n ganolog i'w waith gwrthgaethiwol eisoes yn britho'i ysgrifau a'i bregethau ar ddechrau'r 1820au. Yn y cyswllt hwn, mae'n werth craffu ychydig ar y traethawd diwinyddol a gyhoeddodd yng nghyfrol John

Roberts, *Galwad Ddifrifol*, yn 1820. Fel y nodwyd uchod, prif thema'r ysgrif yw 'prynedigaeth pechaduriaid drwy waed Crist,' ac wrth iddo fynd i'r afael â'r pwnc hwnnw dechreuodd Robert Everett wyntyllu adnodau Beiblaidd a chysyniadau crefyddol a fyddai'n ganolog i'w ddehongliad o'r drefn gaeth. Er enghraifft:

> Y mae yn amlwg fod dau fath o brynu yn bod y'mhlith dynion. Un yw, prynu drwy *fasnachu*, megis prynu tîr, anifeiliaid, lluniaeth, &c. drwy roddi uniawn werth am danynt, dim mwy a dim llai. Yr ail yw, prynu yr *euog o gaethiwed*, drwy roddi iawn drosto i'r gyfraith, a'i ollwng yn rhydd o'i gadwynau ar gyfrif yr iawn. Yn awr, y golygiad ysgrythyrol ar brynedigaeth ydyw, *Personol ryddhad troseddwr oddiwrth ryw ddrwg, naturiol neu foesol, ar gyfrif . . . [y] gyfraith. . . .* [Y] mae yn ymddangos i mi o'r pwys mwyaf i gadw mewn golwg mae yn gyfeiriol at brynu caethion o'u sefyllfa golledig, ac nid yn yr ystyr fasnachol, y mae yr ysgrythyrau yn darlunio[.][66]

Nid sôn am 'gaethweision' yn ystyr arferol y term y mae yma, ond troseddwyr sydd wedi'u gwneud yn 'garcharorion' oherwydd eu troseddau. Cyd-destun cyfreithiol sydd ganddo dan sylw, sef mynd yn feichiau dros droseddwr gan felly ei 'brynu'n rhydd' (gan symud, wrth gwrs, o'r cyd-destun hwnnw i'r gred fod Crist wedi 'prynu' pawb sy'n 'euog' o bechod yn 'rhydd' drwy aberth Ei waed). Na, nid trafod caethweision duon yr Unol Daleithiau yr oedd yn yr ysgrif gynnar hon. Eto, mae'n amlwg fod ieithwedd, delweddau a chysyniadau yn ymwneud â'r ymrafael rhwng caethiwed a rhyddid wedi dechrau cydio yn ei ddychymg tra oedd yn weinidog ifanc yn Ninbych.

Yn yr un modd, fe dâl inni graffu'n fanylach ar y bregeth agoriadol a draddododd Robert Everett i'r Gymdeithas Genhadol yng Nghaernarfon ym mis Medi 1821. Ei fan cychwyn oedd Eseia 49, 24-25, sef geiriau y byddai'n dychwelyd atynt yn y dyfodol. Mae'r adnod hon yn gofyn cwestiwn: 'a ryddheir carcharor o law'r gormeswr?' Tybed a wnaeth Robert Everett gysylltiad rhwng rhyddhau'r math hwn o 'garcharor' a rhyddhau caethweision Affricanaidd y diwrnod hwnnw yng Nghaernarfon? Ni wyddom gan nad yw'r bregeth gyflawn wedi goroesi.

Felly, er nad oes gennym dystiolaeth i brofi bod Robert Everett wedi dechrau ymgyrchu yn erbyn caethwasanaeth cyn ymadael â Chymru, mae'n amlwg fod y gweinidog ifanc wedi dechrau gofyn rhai o'r cwestiynau moesol a fyddai'n ei ysgogi i ymuno â'r ymgyrch honno. Bid a fo am ei safbwynt mewn perthynas â'r ymgyrch cyn ymfudo i'r Unol Daleithiau, gallwn gasglu bod Robert Everett wedi magu'r sgiliau yng

Nghymru a fyddai'n sicrhau ei fod yn ymgyrchydd effeithiol yn erbyn caethwasanaeth yn y dyfodol. Yn ddiwinydd addawol ac yn ysgolhaig gyda gafael eithriadol ar rethreg, roedd gan y gweinidog ifanc adnoddau deallusol a oedd yn gymorth wrth gyflwyno (ac ennill) dadleuon. Yn ogystal, roedd y Parch. Everett wedi hen arfer â thrin a thrafod geiriau ar lafar ac ar bapur cyn ymfudo i'w wlad newydd; roedd yn weinidog profiadol ac roedd wedi cyhoeddi nifer o ysgrifau. Ac yntau ymysg sylfaenwyr a golygyddion cynnar *Y Dysgedydd*, roedd hefyd wedi dysgu lansio cylchgrawn newydd. A thrwy weithio gyda'r Gymdeithas Genhadol, roedd wedi dysgu llawer am drefnu ymgyrch. Roedd 'Everett Bach o Ddimbych' yn gwybod sut i wthio cwch i'r dŵr, ac – yn bwysicach na hynny – roedd ganddo'r crebwyll i falastio'r cwch yn iawn er mwyn sicrhau'i fod yn cyrraedd pen ei daith.

NODIADAU

[1] D. Davies [Dewi Emlyn] (gol), *Cofiant y Diweddar Barch. Robert Everett, D. D. a'i Briod, Steuben, Swydd Oneida, N Y. Yn Nghyd a Detholion o'i Weithiau Llenyddol* (Utica, 1879), 18-19. Ceir rhai o'r fersiynau eraill a gofnodwyd dros y blynyddoedd ymysg y papurau a geir yng nghasgliad M. Everett.

[2] 'Pressed Leaves From the Everett "Bush" By Rev. J. E. Everett Written for his son Roberts in or about 1912,' 5. Papur anghyhoeddedig yng nghasgliad M. Everett.

[3] D. Davies (gol), *Cofiant y Diweddar Barch. Robert Everett*, 9.

[4] Ibid., 9. Mae'n ddiddorol nodi bod S. R., a oedd yn adnabod Robert Everett, wedi trafod y cysyniad mewn ysgrif; gw. Daniel Williams, 'Hil, Iaith a Chaethwasanaeth: Samuel Roberts a "Chymysgu Achau," *Y Traethodydd* (Ebrill, 2004).

[5] Gw., e.e., John Davies, *Hanes Cymru* (Llundain, 1990), 313.

[6] 'Pressed Leaves,' 1. Dywed am Mordecai Everett (neu Everitt): '. . . he was a Scotchman. Family tradition says that he left Scotland because of religious persecution or something akin to it. He went to England and married an English woman. . . . a master mechanic or contractor. He was given a position in Wales in a mill or machine shop.' Mab Mordecai oedd Robert (taid ein Robert Everett ni), a'i fab yntau oedd Lewis, tad Robert Everett.

[7] 'Pressed Leaves,' 2.

[8] Fel 'Eglwys Newmarket' y mae holl ysgrifau'r Everettiaid yn cyfeirio at yr eglwys hon; felly rwyf yn arddel yr enw hwnnw yma.

[9] Fel rheol, rwyf yn dyfynnu adnodau yn null Robert Everett yn hytrach na dilyn cyfieithiad Cymraeg diweddarach o'r Beibl.

[10] D. Davies (gol), *Cofiant y Diweddar Barch. Robert Everett*, 12.

[11] Cyhoeddwyd pregeth Robert Everett, 'Gorseddfainc Anwiredd,' yn *Y Cenhadwr Americanaidd*, Ebrill 1859.

[12] David Eltis, *The Rise of African Slavery in the Americas* (Caergrawnt, 2000), 265.

[13] Ibid., 265.

[14] Mae Thomas Phillips – ac yntau'n Gymro a oedd yn gapten ar gaethlong – yn cyfeirio at y brethyn Cymreig yr oedd yn ei ffeirio am gaethweision; *Welsh plains* yw'r ymadrodd y mae'n ei ddefnyddio yn ei ddyddiadur Saesneg ef. Gw. Thomas Phillips, *A Journal of a Voyage Made in the Hannibal of London 1693-1694*; cyhoeddwyd yn *Churchill's Voyages* (Llundain, 1738), 173-239. Gw. hefyd Hugh Thomas, *The Slave Trade [:] The Story of the Atlantic Slave Trade* (Efrog Newydd, 1997), 319-31 a 406-7.

[15] John Davies, *Hanes Cymru*, 313.

[16] Gw., e. e., S. I. Martin, *Britain's Slave Trade* (Llundain, 1999), 54: 'By the 1780s . . . two out of every five British slavers were built in Liverpool and the port had become the largest slave-ship construction site in England. . . . Effectively Bristol was squeezed out of the trade by the bigger and more profitable ships from Liverpool that could operate on lower costs.'

[17] E. Wyn James, 'Caethwasanaeth a'r Beirdd', *Taliesin* (Haf 2003), 51. Mae Wyn James yntau'n dyfynnu

Goronwy P. Owen, 'John Elias y Llythyrwr', *Cylchgrawn Hanes Cymdeithas Hanes y Methodistiaid Calfinaidd*, 14-15 (1990/91), 22.
[18] Hugh Thomas, *The Slave Trade*, 246: 'The rise of Liverpool is a remarkable history, in which the slave trade played an important, perhaps even a decisive, part.'
[19] J. Wallace (1795), wedi'i ddyfynnu gan S. I. Martin, *Britain's Slave Trade*, 55.
[20] Hugh Thomas, *The Slave Trade*, 458-61 a 471-3.
[21] Herbert S. Klein, *The Atlantic Slave Trade* (Caergrawnt, 1999), 186. Am enghraifft gynnar o Gymro a oedd yn aelod o Gymdeithas Wrthgaethiwol Pennsylvania, gw. William Richards, *Geiriadur Saesneg a Chymraeg* (Caerfyrddin, 1798). Dywed ar wyneb-ddalen y llyfr hwn fod William Richards yn aelod 'of the Pensylvania [sic] Society, For Promoting the Abolition of Slavery.'
[22] Hugh Thomas, *The Slave Trade*, 508 a 513.
[23] Herbert S. Klein, *The Atlantic Slave Trade*, 186.
[24] Hugh Thomas, *The Slave Trade*, 549.
[25] Herbert S. Klein, *The Atlantic Slave Trade*, 186. Gw. hefyd David Murray, *Odious Commerce [:] Britain, Spain and the abolition of the Cuban slave trade* (Caergrawnt, 1980), 22-6.
[26] S. I. Martin, *Britain's Slave Trade*, 82-98. Pasiwyd y Ddeddf yn Awst 1833; daeth i rym ar y cyntaf o Awst 1834.
[27] Gw. E. Wyn James, 'Caethwasanaeth a'r Beirdd'.
[28] D. Davies (gol), *Cofiant y Diweddar Barch. Robert Everett*, 12.
[29] John Edward Lloyd, R. T. Jenkins a William Llewelyn Davies (goln), *Y Bywgraffiadur Cymreig Hyd 1940* (Llundain, 1953), 1016.
[30] Ibid., 517. Daeth George Lewis i Athrofa Wrecsam yn 1812, pan oedd Robert Everett ar ei ail flwyddyn yno.
[31] Ibid., 517-8.
[32] R. T. Jenkins, *Hanes Cynulleidfa Hen Gapel Llanuwchllyn* (Y Bala, 1937), 120.
[33] Ibid., 120.
[34] Papurau M. Everett.
[35] Er nad ysgrifennodd hunangofiant, mae llawer o bapurau personol Robert Everett (llythyrau, nodiadau, a.y.b.) o'r cyfnod 1838-1875 wedi goroesi hyd heddiw. Fel y gwelir ym mhennod 3, llosgodd y cartref teuluol yn 1838, ac felly ni cheir cynifer o ffynonellau o'r cyfnod cyn 1838.
[36] D. Davies (gol), *Cofiant y Diweddar Barch. Robert Everett*, 180. Hefyd papurau M. Everett.
[37] D. Davies (gol), *Cofiant y Diweddar Barch. Robert Everett*, 14: 'Derbyniodd yr alwad [i Eglwys Dinbych], ac urddwyd ef yno ym mis Mehefin, 1815.
[38] Papurau M. Everett. Gw., e. e., 'Pressed Leaves,' 15.
[39] D. Davies (gol), Cofiant y Diweddar Barch. Robert Everett, 144-155.
[40] Ibid., 147.
[41] 'Pressed Leaves', 32, ac eraill o bapurau M. Everett.
[42] *Y Dysgedydd*, Ebrill 1822: 'Ynghylch tair blynedd yn ol bu cynnwrf nid ychydig, yn Swydd Oneida, G[ogledd] A[merica], fel lleoedd ereill yn mhlith y Cymry, ym mherthynas i eppil Madog ap Owen, Gwynedd. Cytunwyd ar i ddau ddyn i fyned i dref St. Louis . . . i wneuthur ymofyniadau . . . Myfi a dyn ieuanc o'r ewn W. Perry a neillduwyd i'r daith. . . . Yr wyf fi yn awr wedi cael boddlonrwydd oddiar dystiolaethau y rhai a fuant yn tramwy y wlad nad ydynt yn preswylio ar afon Missouri. Er hyny anhawdd genyf benderfynu yn ngwyneb yr holl ddywediadau . . . nad ydynt mewn bod.'
[43] Mae'r modd y cyflwynodd ei lythyr i'r wasg yn profi'i fod yn aros yn Rosa Fawr y pryd hynny: 'Ydwyf, &c., J. T. Roberts, Rosa Fawr, gerllaw Dinbych, 13 Mawrth 1822.' Aeth yn ôl i America ychydig ar ôl hyn, a chyfeiriodd at ei fwriad yn y llythyr: 'Yr ydwyf yn bwriadu dychwelyd yn ol i America yn fuan, ac os caf unrhyw hanes o bwys yn mherthynas i'r Indiaid Cymreig, ni fyddaf yn ol o'i fynegi i'm cyd-genedl.' Y Dysgedydd, Ebrill 1822.
[44] *Y Cenhadwr Americanaidd*, Hydref 1842: 'Cofiant Byr Am Mrs Elizabeth Roberts [sef mam-yng-nghyfraith Robert Everett], o Rosa Fawr, ger Dinbych, Gogledd Cymru': 'Y ferch ieuengaf sydd yn Affrica Deheuol, yn briod a Mr. Edward Williams, cenhadwr ffyddlawn a llwyddianus yn mhlith yr Hottentotiaid a'r Negroaid, y rhai a waredwyd o gaethiwed gan lywodraeth Lloegr ychydig flynyddau yn ol.'
[45] 'Pressed Leaves', 47-8.
[46] ibid., 48, ac eraill o bapurau M. Everett.
[47] D. Davies (gol), *Cofiant y Diweddar Barch. Robert Everett*, 18-19.
[48] Annibynwyr oedd y gweinidogion a enwir yma. 'Yr hen John Roberts' yw John Roberts, Mochdre, sir Drefaldwyn (1767-1834), awdur nifer o ysgrifau diwinyddol dylanwadol. Gw. Y Bywgraffiadur, 813-4; Fel 'Thomas Jones, Dinbych,' yr oedd eraill yn adnabod y dyn y mae S. R. yn ei alw'n 'Jones Treffynnon'.

[49] Y Parch. E. Davies (Waterville, Efrog Newydd), 'Dr. Everett fel Diwygiwr,' yn D. Davies (gol), *Cofiant y Diweddar Barch. Robert Everett*, 112-13.
[50] *Y Bywgraffiadur*, 1016: William Williams o'r Wern (1781-1840).
[51] John Roberts, *Galwad Ddifrifol ar Ymofynwyr am y Gwirionedd, i ystyried Tystiolaeth yr Ysgrythyrau ynghylch Helaethrwydd Iawn Crist, yn cynnwys Sylwadau ar Lyfr o waith y Parch. Thomas Jones, o Ddinbych, ar Brynedigaeth* (Dolgellau, ni cheir dyddiad ar ei wyneb-ddalen, ond y mae'r cyflwyniad wedi'i ddyddio, 'Llanbrynmair, Mawrth 19, 1820'). Gelwid y llyfr hwn 'Y Llyfr Glas' gan mai glas oedd lliw clawr y gyfrol. (Ni ddylid meddwl ei fod yn un o'r llyfrau gleision eraill hynny y mae'r ymadrodd 'Brâd y Llyfrau Gleision' yn cyfeirio atynt.)
[52] R. Tudur Jones, *Hanes Annibynwyr Cymru* (Abertawe, 1966), 174.
[53] Owen Thomas, *Cofiant Y Parchedig John Jones, Talsarn* (Wrecasm, dim dyddiad), 447: 'Mae y llyfr hwn hefyd yn hynod yn Hanes Dadleuon crefyddol Cymru, yn arbenig oblegyd ei fod yn cael ei ystyried fel Mynegiad neu Ddatganiad o syniadau y gweinidogion hyny, yn mhlith yr Annibynwyr yn ein gwlad, ag oeddent wedi derbyn ac yn pregethu yr hyn a elwid yn *"System Newydd."*'
[54] 'Pressed Leaves,' 9: 'before Grandpa left Wales he prepared and published a catechism . . . in both Welsh and English. Later it was published only in Welsh. In my boyhood there was a large demand for these both in this country and in Wales. It was handled in the family and many a package of them have I carried to the post office. [. . . .] [T]hey are still in stock [sef, yn 1912], and Aunt Mary still occasionally has orders for them, though the orders now are but few.'
[55] Gw. Aled Jones, 'The Welsh Newspaper Press,' yn Hywel Teifi Edwards (gol), *A guide to Welsh literature c. 1800-1900* (Caerdydd, 2000), 2-3. Gellid dadlau mai cyhoeddiad Lewis Morris, *Tlysau yr Hen Oesoedd* (1735) oedd yr ymdrech gynharaf i gyhoeddi cylchgrawn Cymraeg.
[56] Ibid., 2.
[57] *Y Dysgedydd*, Tachwedd 1821: 'Y Gymdeithas Genhadawl.'
[58] Ibid.
[59] 'Family Reminiscenes' (gan y plant), yn D. Davies (gol), Cofiant y Diweddar Barch. Robert Everett, 183.
[60] *Y Dysgedydd*, Tachwedd 1821.
[61] Ibid..
[62] *Y Dysgedydd Crefyddol*, Ionawr 1822; ceir 'R. Everett, Dimbych, Rhagfyr 13, 1821' ar ddiwedd yr erthygl.
[63] Ibid.
[64] *Y Dysgedydd*, Mawrth 1822.
[65] Ibid.
[66] *Galwad Ddifrifol*, 92.
[67] *Y Dysgedydd*, Tachwedd 1821.

PENNOD 2:
Cerrig Milltir
(Utica, 1823-1832)

Ar ôl saith mlynedd yng nghapel Lôn Swan, derbyniodd Robert Everett alwad gan Eglwys Gynulleidfaol Gymraeg Utica yng ngogledd talaith Efrog Newydd[1]. Ymfudodd y teulu i'r Unol Daleithiau yn haf 1823. Roedd gan Elizabeth a Robert dri o blant bychain y pryd hynny: Elizabeth, a oedd yn bum mlwydd oed; John, a oedd yn dair; a'r babi Robert nad oedd eto wedi cael ei flwydd. Mae'n rhaid bod y rhieni wedi teimlo cryn dipyn o ryddhad wrth i'w llong gyrraedd porthladd dinas Efrog Newydd ar ôl y fordaith hir. Ond er eu bod hwy ill pump wedi croesi'r Iwerydd yn iach, roedd gan y teulu ffordd bell i fynd cyn cyrraedd eu cartref newydd.

Y cam nesaf oedd teithio mewn wagen i Utica, siwrnai o dros 150 o filltiroedd a gymerai wythnos gyfan. Flynyddoedd lawer wedyn byddai plentyn arall, Jennie (a aned yn Utica), yn ysgrifennu hanes y daith dyngedfennol honno: 'Pan ddaeth fy rhieni i America, buont wythnos yn teithio o New York i Utica, ac yr oedd yn daith flinderus iawn, yn enwedig i fy mam, gyda'i thri phlentyn bychain.'[2] A hithau'n ceisio cadw'r plant yn ddiddig yng nghefn y wagen glonciog, rhaid bod Elizabeth Everett yn cyfri'r cerrig milltir ar hyd y ffordd. Ond byddai'r daith honno'n cael ei chofio'n bennaf fel carreg filltir o fath arall. Ac yntau'n awyddus i ddysgu cymaint â phosibl am eu gwlad newydd cyn cyrraedd Utica, eisteddai'r Parchedig Everett ar y sêt flaen gyda'r gyrrwr gan sgyrsio'r holl ffordd. Ond un pwnc yn anad dim a aeth â'i sylw yn ystod y sgwrs hir honno:

> Y gyrwr ydoedd ddyn du – un oedd, neu a fuasai, yn gaethwas yn un o'r Talaethau Gogleddol. Adroddodd wrth fy nhad lawer iawn yn nghylch caethiwed, a chymaint yn waeth eto ydoedd yn y De. Ni wybuasai fy nhad gymaint cyn hyny am y gyfundrefn, a chafodd ei gydymdeimlad dwfn ei enill.[3]

Ac felly wrth i olwynion y wagen droi dechreuodd meddwl Robert Everett droi o gwmpas y pwnc pwysfawr hwnnw – caethwasanaeth Americanaidd. Yn ôl ei ferch Jennie, dyma'r adeg y dechreuodd fyfyrio'n ddwys yn ei gylch.

Ond roedd peth anghytundeb ymysg plant Robert Everett ynglŷn â phryd yn union y dechreuodd ystyried caethwasanaeth o ddifrif; tra oedd Jennie Everett yn meddwl mai'r daith honno yng nghwmni'r gyrrwr du oedd y trobwynt, credai un o'i brodyr hi, John, fod eu tad wedi coleddu daliadau gwrthgaethiwol 'er pan oedd yn ifanc iawn.'[4] Fel y gwelwyd yn y bennod ddiwethaf, er bod pregethau ac ysgrifau cynnar Robert Everett yn dangos ei fod wedi dechrau trafod rhai o'r themâu a fyddai'n ganolog i'w ymgyrch yn erbyn caethwasanaeth, ni cheir tystiolaeth bendant ei fod wedi dechrau meddwl o ddifrif am y pwnc cyn ymadael â Chymru. Bid a fo am ei safbwynt cyn ymfudo, ni ellir gwadu'r ffaith fod y daith honno o ddinas Efrog Newydd i Utica yn garreg filltir bwysig yn hanes personol Robert Everett; achubodd ar y cyfle hwnnw yn 1823 i ddysgu am gaethwasanaeth gan lygad-dyst, dyn a oedd wedi profi gormes y gyfundrefn gaeth yn uniongyrchol. Mae'n debyg iawn mai dyma'r tro cyntaf iddo gyfarfod â chaethwas neu gyn-gaethwas.

Erbyn i Ryfel Cartref yr Unol Daleithiau ddechrau yn 1861 byddai Efrog Newydd ymhlith taleithiau rhydd y gogledd. Ond pan ymfudodd Robert Everett i Efrog Newydd yn 1823, nid oedd y gyfundrefn gaeth wedi'i llwyr ddileu eto o'r dalaith honno. Roedd llywodraeth Efrog Newydd wedi pasio deddf yn 1799 a fyddai'n rhyddhau caethweision y dalaith yn raddol; *gradual emancipation* oedd y term a ddefnyddid yn y cyfnod am y math hwn o strategaeth ddeddfwriaethol. Byddai pob caethwas gwrywaidd a aned yn y dalaith ar ôl 1799 yn cael ei ryddhau ar ei ben blwydd yn 28 oed, a byddai pob un ferch gaeth a aned yno'n cael ei rhyddhau ar droi'n 25 oed. Yn ogystal, byddai 1827 yn dod â *general emancipation*, sef rhyddid cyffredinol i holl gaethweision y dalaith unwaith ac am byth.[5] Wrth ddisgrifio'r daith o ddinas Efrog Newydd i Utica, dywedodd merch Robert Everett fod y gyrrwr du hwnnw'n gyn-gaethwas neu'n gaethwas yn un o'r taleithiau gogleddol; mae'n bosibl iawn felly mai un o gaethweision olaf Efrog Newydd ydoedd.

Roedd y gwahanol daleithiau gogleddol a fyddai'n ymrestru yn rhengoedd y *free states* erbyn dechrau'r Rhyfel Cartref wedi dilyn llwybrau deddfwriaethol gwahanol iawn er mwyn cyrraedd y cyflwr hwnnw. Yn gynnar iawn y datganodd rhai o'r taleithiau gwreiddiol – hynny yw, y rhai a ffurfiai'r Unol Daleithiau newydd adeg y chwyldro yn erbyn Prydain – nad oeddynt am ganiatáu caethwasanaeth. Aeth Vermont yn dalaith rydd mor gynnar â 1777, gyda Hampshire Newydd yn dilyn yn 1779. Datganodd Massachusetts hithau yn 1783 fod caethwasanaeth yn anghyfreithlon oddi mewn i'w ffiniau, gyda Phennsylvania a Rhode Island hefyd yn cymryd yr un cam yn y 1780au. Yn 1804 pasiodd Jersey Newydd ddeddf yn debyg i'r un yr oedd Efrog Newydd wedi'i mabwysiadu yn 1799.[6]

James Monroe oedd arlywydd yr Unol Daleithiau pan ddaeth y teulu Everett i'w cartref newydd yn 1823, ac fel tri o'r pedwar arlywydd a oedd wedi dal y swydd cyn Monroe, roedd yn berchen ar gaethweision.[7] Er bod tensiynau rhwng y taleithiau rhydd a'r taleithiau caeth wedi bod yn rhan o wleidyddiaeth yr Unol Daleithiau i wahanol raddau ers y dechrau, dwysaodd y sefyllfa yn ystod arlywyddiaeth Monroe. Yn 1818 roedd cydbwysedd perffaith yn Senedd y wlad, gyda 22 seneddwr yn cynrychioli'r 11 talaith rydd – gan fod gan bob talaith ddau seneddwr, ni waeth beth fo poblogaeth y dalaith – a 22 seneddwr hefyd yn cynrychioli'r 11 talaith gaeth. Roedd y wlad yn tyfu, gyda thaleithiau newydd yn cael eu hychwanegu at Undeb yr Unol Daleithiau, ac felly er mwyn cadw'r ddysgl yn wastad dyfeisiodd llywodraeth Monroe gyfaddawd, sef ychwanegu un dalaith gaeth newydd, Missouri, gan ei gwrthbwyso â thalaith rydd newydd hefyd, Maine (a ffurfiwyd allan o diriogaeth a fuasai'n rhan o hen dalaith Massachusetts). Pasiwyd 'Cyfaddawd Missouri' *(The Missouri Compromise)* yn 1820. Gan wybod y byddai dadleuon tebyg yn codi eto yn y dyfodol, ychwanegwyd mesur arall at y ddeddf yn datgan na ddylid o hynny allan dderbyn taleithiau caeth newydd i'r gogledd o linell *(latitude)* 36.30 ar y map.

Tra oedd gwleidyddion gwyn y wlad wrthi'n hoelio'r cyfaddawd deddfwriaethol hwn i lawr ar bapur yn Washington, roedd rhai o bobl dduon y de yn gweithredu'n uniongyrchol er mwyn ceisio ennill eu rhyddid. Yn 1822 yr aeth Denmark Vesey – cyn-gaethwas a drigai yn ardal Charleston, De Carolina – ati i gynllunio gwrthryfel. Methodd cyn iddo hyd yn oed gychwyn yn iawn, a chafodd Vessey a 37 o gaethweision eu crogi ychydig o fisoedd yn unig cyn i'r Everettiaid gyrraedd yr Unol Daleithiau.

Yn ystod y daith honno o ddinas Efrog Newydd i Utica, adroddodd gyrrwr y wagen 'lawer' wrth Robert Everett 'yn nghylch caethiwed, a chymaint yn waeth eto ydoedd yn y De.' Ni wyddom ragor o fanylion, ond gan fod sgil-effeithiau Cyfaddawd Missouri yn sicrhau fod yr agendor rhwng taleithiau rhydd y gogledd a thaleithiau caeth y de'n tyfu'n fwy, a chan fod adladd gwrthryfel Denmark Vesey wedi rhoi min ar yr holl drafodaethau ynghylch caethwasanaeth ar y pryd, roedd gan y Cymro gwyn a'r Americanwr du ddigon i'w drafod yn ystod yr wythnos honno yn 1823. Beth bynnag fu ymwneud y Parch. Everett â'r ymgyrch i ddiddymu caethwanaeth cyn ymfudo i'r Unol Daleithiau, erbyn iddo gyrraedd Utica yn haf 1823 yr oedd – yng ngeiriau Cymro Americanaidd a ddaeth yn gyfaill agos iddo – wedi dechrau coleddu 'atgasrwydd . . . at y gyfundrefn anghyfiawn' honno.[8]

Dechreuodd Robert Everett yn swyddogol ar ei weinidogaeth yn Utica ar 21 Gorffennaf 1823. Byddai'n gofalu am Annibynwyr Cymraeg y ddinas tan 1832, ac yn ystod y naw mlynedd hynny byddai'n ffurfio cysylltiadau hirbarhaol â nifer o gylchoedd cymdeithasol yn yr ardal. Roedd gan Utica, yn swydd Oneida, Efrog Newydd, gymuned Gymraeg hyfyw. Daethai'r grwpiau cynharaf o ymfudwyr Cymreig i'r ardal yn ystod y 1790au gan ymsefydlu'n gyntaf yn ardal Steuben a Remsen, cymunedau gwledig yn *Oneida County* nid nepell o Utica.[10] Erbyn 1801 roedd nifer o Gymry yn byw yn Utica ei hun, a elwid y pryd hynny'n Fort Schuyler.[11] Mae'n anodd gwybod faint o Gymry a oedd yn byw yn yr ardal (ac, yn wir, yn yr Unol Daleithiau) yn y 1820au; nid oedd cyfrifiad y wlad yn cofnodi manylion am fewnfudwyr y pryd hynny.[12] Ond yn ôl un Cymro a wnaeth ei gyfrifiad answyddogol ei hun yn 1812, roedd tua 700 o ymfudwyr Cymreig yn byw *'in a territory fifteen miles long and ten miles wide about Utica'*; mae'n debyg felly fod y nifer yn uwch o lawer erbyn 1823, ac o bosibl yn agos at 1,000.[13] Tra oedd ffermwyr yn ymgartrefu ar fryniau swydd Oneida mewn ardaloedd fel Remsen a Steuben, crefftwyr, llafurwyr a mân fasnachwyr oedd y rhan fwyaf o'r Cymry a ddaeth i fyw yn Utica ei hun.[14] Roedd gwaith wedi dechrau ar yr *Erie Canal* bum mlynedd cyn i'r Everettiaid gyrraedd Utica. Ystyrid y gamlas newydd hon yn brif ryfeddod diwydiannol Efrog Newydd, yn croesi 363 o filltiroedd er mwyn cysylltu Buffalo yng ngogledd-orllewin y dalaith ag Utica a'r gogledd-ddwyrain. Gweithiai nifer sylweddol o Gymry ar y prosiect uchelgeisiol hwn – yn seiri coed, yn seiri maen, ac yn llafurwyr cyffredin – a dewisodd y rhan fwyaf ohonynt ymgartrefu yn Utica.[15]

'Eglwys Gynulleidfaol Gymreig Utica' oedd enw swyddogol capel newydd Robert Everett. Roedd wedi'i sefydlu gan Annibynwyr Cymraeg yr ardal yn ôl ym mis Ionawr 1802, ac 'Everett bach o Ddimbych' oedd y seithfed gweinidog i ofalu am yr achos.[16] Ar gynnydd oedd yr achos hwnnw pan ddechreuodd y Parch. Everett yno; roedd yr Annibynwyr ar ganol adeiladu capel newydd yng nghanol y dref gan fod dros gant o bobl bellach yn mynychu'r hen addoldy.[17] Gallai Bedyddwyr Utica ymffrostio mai eu hachos nhw oedd y capel Cymraeg hynaf yn y dref, gan ei fod wedi'i agor ym mis Medi 1801. Ac yn ystod blynyddoedd cyntaf y teulu Everett yn America byddai nifer sylweddol o achosion Cymraeg eraill yn cael eu sefydlu yn Utica a'r pentrefi cyfagos.

Gellid meddwl mai'r capeli hyn a ffurfiai asgwrn cefn diwylliant Cymraeg yr ardal yn y 1820au. Ond ni chyfyngid bywyd cyhoeddus Cymry Utica i'r capeli'n gyfan gwbl; er enghraifft, ffurfiwyd Cymdeithas Lesol yr Hen Frutaniaid – neu'r *Ancient Britons' Benefit Society* – yn Utica yn 1814.[18] Cyfuniad o elusen ac undeb credyd oedd y gymdeithas; cyfrannai'r aelodau arian yn flynyddol a byddai'r gymdeithas hithau'n eu cefnogi pan ddeuai adfyd i'w rhan. Roedd gan y gymdeithas hon ei gwedd gymdeithasol hefyd; cynhaliai'r aelodau wledd bob Dydd Gŵyl

Ddewi. Mae'n amlwg i Robert Everett dreiddio i ganol bywyd Cymreig Utica; erbyn 1828 roedd wedi'i ethol yn llywydd ar y gymdeithas hon, a byddai'n gweithio fel ysgrifennydd ar gyfer yr *Ancient Britons* am flynyddoedd wedyn.[19] Cyn diwedd y 1820au roedd y Parch. Everett yn llywydd ar un arall o gymdeithasau'r Cymry hefyd, fel y dengys cofnod dwyieithog a gyhoeddwyd yn yr *Utica City Directory* yn 1829:

> *The Welsh Bible Society of Steuben and Utica* . . . Cymdeithas Feiblaidd Steuben ac Utica a'u cymmydogaethau, a ffurfiwyd Rhagfur 28, 1816, er cynnorthwyo a chydweithredu a'r Gymdeithas Feiblaidd Americanaidd i gyfieuthu, argraphu, a dosparthu yr Ysgrythyrau Sanctaidd heb sylwad nac esponiad, yn gartrefol ac mewn gwledydd tramor. Y Cyfarfod blynyddol yn Steuben ac Utica yn gylchynol, y dydd Mawrth cyntaf yn Ionawr . . . Robert Everett, Utica, llywydd.[20]

Mae'n bwysig nodi mai menter ryngenwadol oedd y gymdeithas hon. Cydweithiai Annibynwyr, Bedyddwyr, Wesleyaid a Methodistiaid Calfinaidd Cymraeg yr ardal er mwyn hybu ymdrechion y Gymdeithas Feiblaidd Americanaidd.

Fel y gwelwyd yn y bennod ddiwethaf, un o'r safiadau cyhoeddus a gymerodd Robert Everett yn ystod ei ddyddiau fel gweinidog ifanc yng Nghymru oedd ymdrech i bontio rhwng y gwahanol enwadau; ymddangosodd ei ysgrif 'Ar Frawdgarwch Rhwng gwahanol Bleidiau Crefyddol' ar dudalennau *Y Dysgedydd* flwyddyn cyn iddo ymfudo i'r Unol Daleithiau.[21] Ac fel y gwelir yn nes ymlaen yn y llyfr hwn, tra oedd enwadaeth yn aml yn bla ar ddiwylliant crefyddol Cymry America (fel yn yr Hen Wlad), ymdrechai Robert Everett yn gyson i osgoi dadleuon sectyddol er mwyn creu rhwydwaith effeithiol a allai fanteisio ar adnoddau holl gapeli Cymraeg yr Unol Daleithiau. Byddai'r rhwydwaith rhyngenwadol hwn yn ganolog i'w ymdrechion i radicaleiddio Cymry America a'u byddino yn erbyn caethwasanaeth, ac roedd eisoes wedi dechrau ffurfio'r rhwydwaith hwnnw yn ystod ei flynyddoedd cyntaf yn Utica.

Gan mai cyfieithu, cyhoeddi a dosbarthu llyfrau oedd priod waith y Gymdeithas Feiblaidd hon, mae'n debyg iawn mai profiadau Robert Everett gyda'r wasg a barodd i Gymry swydd Oneida ei ethol yn llywydd y gymdeithas; wedi'r cwbl, yn ogystal â helpu i gychwyn *Y Dysgedydd,* roedd wedi cyhoeddi'i *Holwyddoreg* a'i *Hyfforddwr* cyn ymadael â'r Hen Wlad. Ar y llaw arall, nid ef oedd yr unig Gymro yn yr ardal a oedd yn gwybod rhywbeth am y diwydiant llyfrau; roedd Utica'n prysur ddatblygu'n un o brif ganolfannau'r wasg Gymraeg yn America. Er na fyddai gan Gymry America eu gwasg gyfnodol eu hunain tan y 1830au, roedd nifer o lyfrau a phamffledi Cymraeg wedi'u cyhoeddi yng ngogledd America ers dros ganrif.[22] Hyd y gwyddys, y llyfr Cymraeg cyntaf i gael ei argraffu yn Utica oedd cyfrol o emynau, *Pigion o Hymnau*, a gyhoeddwyd yno yn 1808.[23]

Tyfai gwasg Gymraeg Utica yn ystod y cyfnod hwn, ac roedd Utica ei hun yn tyfu hefyd. Yn ôl cyfrifiad talaith Efrog Newydd, cynyddodd poblogaeth y dref o 2,972 yn 1820 i 8,323 yn 1830.[24] Er bod rhai o'i thrigolion wedi arddel yr enw ers tro, yn 1832 y dyfarnwyd i Utica yr hawl swyddogol i fod yn ddinas.[25] Erbyn 1860 byddai poblogaeth Utica'n cyrraedd 22,529; roedd Cymry fel yr Everettiaid a ymfudodd i Utica yn ystod y blynyddoedd hyn felly'n rhan o'r broses a oedd, yng ngeiriau Mary Ryan, yn newid y lle 'from a frontier trading post into a small city of twenty-two thousand people in a variegated urban economy.'[26] Yn ogystal ag agor y gamlas fawr newydd yn 1825, roedd cyfres o reilffyrdd yn dechrau cysylltu swydd Oneida ag ardaloedd mwy poblog yn y dwyrain. Deuai mewnfudwyr o dramor fel Robert Everett a'i deulu, ond yr hyn a oedd yn gyfrifol am y rhan fwyaf o'r cynnydd mewn poblogaeth oedd y ffaith fod Americaniaid o hen daleithiau 'Lloegr Newydd' (Massachussetts, Connecticut, Hampshire Newydd a Vermont) yn mudo i swydd Oneida ac ardaloedd eraill yn *Up-state New York.*

Nid twf mewn poblogaeth oedd yr unig beth i drawsffurfio'r rhan hon o dalaith Efrog Newydd yn ystod y cyfnod hwn. Dechreuwyd un o'r trawsffurfiadau pwysicaf gan ddyn o'r enw Charles Grandison Finney. Yn enedigol o swydd Jefferson (i'r gogledd o swydd Oneida), cyfreithiwr ifanc oedd Finney yn 1821 pan brofodd droedigaeth efengylaidd. Aeth ati i bregethu'n gyhoeddus gan esgor yn fuan ar ddiwygiad crefyddol. Yn debyg i ddiwygwyr mawr eraill mewn cyfnodau eraill, roedd cyfuniad o ffactorau'n gyfrifol am lwyddiant Finney – ei bersonoliaeth apelgar, ei ddull egnïol o bregethu, a'i ffordd newydd o ddehongli'i ffydd. Agorodd Diwygiad Finney bennod newydd yn hanes crefyddol yr Unol Daleithiau, fel yr eglura Nathan O. Hatch:

> Orthodox Presbyterians were shocked that the world beat a path to Finney's doorstep. His methods were a jarring repudiation of century-old Calvinist ideals. He spoke in crude and vernacular speech. He used techniques of hard-sell persuasion such as the 'anxious seat,' a special bench in the front of the meeting hall for those who were concerned for the state of their souls. An overall atmosphere of informality, including the active participation of women, was part of his frenzied religious services, night after night.[27]

Roedd gweithgareddau cynnar Finney wedi'u lleoli i raddau helaeth yn y rhan honno o dalaith Efrog Newydd sy'n cynnwys swydd Oneida. Gan fod tanau diwygiad wedi llosgi mor aml yn sgil cyfarfodydd pregethu Finney a'i ddilynwyr, daethpwyd i alw'r ardal hon wrth enw newydd, sef *the Burned-Over District*.

Bu Robert Everett a'i deulu yn dystion i wreichion cyntaf tân Finney; dechreuodd y diwygiwr mawr bregethu yn swydd Oneida yn 1824, ryw flwyddyn ar ôl iddynt ddod i Utica.[28] Hyrwyddai Finney ei *'new measures'* gan ymosod yn chwyrn ar un o gredoau Uchel Galfiniaeth, 'Rhagordeiniad.' Yn wahanol i'r hen Galfiniaid, dadleuai Finney nad oedd tynged yr enaid wedi'i 'rhagordeinio' a bod gweithredoedd y Cristion unigol ar y ddaear yn hollbwysig. Mae'n hawdd gweld pam oedd neges Finney'n apelio at Robert Everett; ac yntau'n un o 'wŷr y system newydd' yng Nghymru, roedd y Cymro wedi symud i'r cyfeiriad diwinyddol hwn rai blynyddoedd cyn ymfudo i'r Unol Daleithiau. Yn ôl teulu a chyfeillion agos Robert Everett, 'teiml[odd ddi]ddordeb mawr yn . . . mudiadau crefyddol' Finney a'i gyd-ddiwygwyr Americanaidd; roedd 'ei galon yn cyd-guro â hwy yn gynes' ac roedd 'y pethau hyn oll yn dylanwadu yn rymus ar feddwl Dr. Everett, nes ei lenwi â brwdfrydedd diwygiadol.'[29] Yn ystod y chwarter canrif nesaf byddai Robert Everett yn cyfieithu nifer o ysgrifau Finney i'r Gymraeg a'u cyhoeddi'n rhan o'i ymdrech i hyrwyddo crefydd ymysg Cymry America.[30]

Mae'r berthynas rhwng 'Diwygiad Finney' a gweinidogaeth Robert Everett yn swydd Oneida yn destun sy'n galw am ymchwil bellach.[31] Ar y naill law, mae'r dystiolaeth a drafodwyd uchod yn dangos yn glir iawn fod Finney wedi dylanwadu'n drwm ar y Cymro, ond ar y llaw arall nid yw union natur y dylanwad hwnnw'n glir. Er enghraifft, gwedd amlwg ar Finneyiaeth yw'r cysylltiad rhwng diwygiad crefyddol a diwygiad cymdeithasol, ond gwyddom fod Robert Everett wedi dechrau arddel y math yma o Gristnogaeth ddyngarol cyn ymadael â Chymru. Yn ogystal â chwestiynau'n ymwneud â syniadau a chredoau, rhaid gofyn hefyd beth fu union ddylanwad *dulliau* Finney arno. Fel y gwelir yn y bennod nesaf, mae hanes 'Diwygiad Cymreig' 1838 yn dangos fod y Parch. Everett wedi arddel rhai o dechnegau Finney ar o leiaf rai achlysuron – technegau megis dadffurfioli trefn y cyfarfod gweddi a lleihau'r ffin rhwng y gweinidog a'i gynulleidfa. Ar y llaw arall, ni chafodd y Parch. Everett erioed ei ystyried yn bregethwr Finneyaidd. I'r gwrthwyneb, er bod 'hwyl' y pregethwyr Cymraeg yn debyg ar un olwg i arddull garismataidd yr efengylydd Americanaidd, roedd Robert Everett yn ymwrthod â'r math yma o 'berfformio o'r pulpud.'[32] Yn ôl rhai a glywodd

Robert Everett yn pregethu, roedd yn traddodi pregeth mewn dull deallusol, rhesymegol a thawel gan felly osgoi rhai o'r castiau perfformiadol yr oedd pregethwyr eraill – yng Nghymru ac yn yr Unol Daleithiau – yn eu mabwysiadu ar y pryd.[33]

Na, nid yw'r berthynas gymhleth rhwng Diwygiad Finney a gweinidogaeth Americanaidd Robert Everett wedi'i datrys a'i diffinio'n foddhaol. Ond gallwn gynnig rhai casgliadau: yn gyntaf, gwyddom fod Robert Everett wedi mabwysiadu rhai agweddau ar ddiwylliant efengylaidd radicalaidd y *Burned-Over District* er ei fod hefyd yn torri'i gwys grefyddol ei hun i raddau helaeth. Gallwn awgrymu ymhellach fod llawer o'r agweddau 'Americanaidd' hyn wedi apelio ato yn y lle cyntaf gan eu bod yn debyg i syniadau a safbwyntiau yr oedd wedi dechrau eu harddel cyn ymfudo i'r Unol Daleithiau.

Daw hyn â ni'n ôl at y cysylltiad rhwng diwygiad crefyddol a diwygiad cymdeithasol. Fel y tân sy'n llosgi brwgaets gan glirio'r tir ar gyfer tyfiant newydd, gadawodd tanau Diwygiad Finney dir ffrwythlon yn y *Burned-Over District* a ddeuai'n fagwrfa ar gyfer nifer o fudiadau radicalaidd newydd. Un ohonynt oedd y mudiad dirwestol. Ceir tuedd heddiw i weld yr ymgyrch yn erbyn diodydd meddwol fel mudiad 'sych' mewn mwy nag un ffordd, ond rhaid cofio'i fod yn fudiad radicalaidd – ac ar sawl ystyr, yn fudiad rhyddfreiniol – yn ystod hanner cyntaf y bedwaredd ganrif ar bymtheg. Ymgyrchai'r dirwestwyr yn erbyn y problemau cymdeithasol a ddeuai'n sgil goryfed a cheid cysylltiad amlwg rhwng y mudiad hwn a'r ymgyrch dros hawliau merched.[34] Yn ôl ei gofiannydd, ymunodd Robert Everett â'r mudiad newydd hwn yn fuan iawn:

> Yr oedd yn teimlo yn garedig at y mudiad dirwestol er pan glywodd am dano gyntaf, a phan gafodd gyfle yn 1827, aeth yn mlaen yn gyhoeddus yn Utica i arwyddo yr ardystiad, a bu yn gefnogwr cyhoeddus, gweithgar a phenderfynol i'r achos o hyny i'w fedd.[35]

Ffurfiodd y Parch. Everett gymdeithas ddirwestol Gymraeg yn Utica yn 1830. Byddai dwsinau o gymdeithasau tebyg yn cael eu sefydlu mewn cymunedau Cymraeg ar draws yr Unol Daleithiau yn ystod yr hanner canrif nesaf, ond hon oedd y gyntaf ohonynt oll.[36] Dyma arloesi patrwm a fyddai hefyd yn nodweddu ymdrechion Robert Everett i fyddino Cymry America yn erbyn caethwasanaeth. Yn ogystal ag ymuno â mudiad Americanaidd radicalaidd, roedd yn Cymreigeiddio'r mudiad hwnnw gan geisio'i wneud yn rhan o ddiwylliant cyhoeddus ei 'gydgenedl.' Dyma ychwanegu at ei brofiadau a'i sgiliau fel ymgyrchydd hefyd.

Roedd Robert Everett eisoes wedi dysgu llawer am sut i drefnu a rhedeg ymgyrch tra oedd yn gweithio gyda'r Gymdeithas Genhadol yng Nghymru; trwy sefydlu'r gymdeithas ddirwestol Gymraeg gyntaf dysgodd sut beth oedd *dechrau* ymgyrch newydd.

Hybai'r mudiad dirwestol yn bell y tu hwnt i ffiniau swydd Oneida. Erbyn diwedd y bedwaredd ganrif ar bymtheg byddai dirwest yn rhan amlwg iawn o ddiwylliant Cymru, ond peth dieithr ydoedd yn y 1820au. Fel yr awgrymodd R. Tudur Jones, mae'n debyg mai Robert Everett oedd y cyntaf i gyflwyno'r mudiad Americanaidd i'r Hen Wlad:

> Daeth tro ar fyd rhwng 1830 a 1840. O America y daeth y mudiad dirwestol. Ymrestrodd Robert Everett fel llwyrymwrthodwr ym 1827 a ffurfiodd Gymdeithas Ddirwestol yn Utica ym 1830. Lledodd y sôn am y gweithgarwch hwn tros fôr Iwerydd ac ym Manceinion ar 7 Hydref 1831 y ffurfiwyd y Gymdeithas Gymedroldeb Gymraeg gyntaf a dilynwyd ei hesiampl mewn llu o leoedd.[37]

Cyhoeddodd y Parch. Everett lythyr yn hyrwyddo'r mudiad newydd yn ei hen gylchgrawn, *Y Dysgedydd*, a chyn diwedd y degawd nesaf byddai'n pregethu dirwest yn ei hen gynefin yn ystod ymweliad â Chymru.[38] Dengys hanes cynnar y mudiad dirwestol fod Robert Everett yn rhan o rwydwaith o weinidogion radicalaidd a oedd yn sianelu syniadau'n ôl ac ymlaen rhwng Cymru a'r Gymru Americanaidd; cyn hir byddai'r rhwydwaith hwn yn ei helpu yn ei ymgyrch yn erbyn caethwasanaeth.

Os oedd 1827 yn garreg filltir o safbwynt y mudiad dirwestol Cymreig, roedd y flwyddyn honno hefyd yn garreg filltir yn hanes caethwasanaeth Americanaidd. Yn unol â'r ddeddf yr oedd llywodraeth y dalaith wedi'i phasio yn ôl yn 1799, daeth holl gaethweision Efrog Newydd yn rhydd ar 4 Gorffennaf 1827 ac felly cafodd tua deng mil o bobl dduon eu rhyddid y diwrnod hwnnw.[39] Rhwng 1840 a diwedd y Rhyfel Cartref byddai Robert Everett yn cyhoeddi ysgrifau a edrychai'n ymlaen yn awchus at y 'Jiwbili Gyffredinol' pan ddeuai holl gaethweision yr Unol Daleithiau'n rhydd; yn 1827 yr oedd yn dyst i ddigwyddiad a roddai ragflas iddo o'r jiwbilî honno.

Cyrhaeddodd Robert Everett garreg filltir o fath arall y flwyddyn ganlynol. Erbyn 1828 roedd wedi bod yn byw yn yr Unol Daleithiau ers pum mlynedd ac felly yn ôl cyfraith y wlad gallai ddod yn ddinesydd. Mae'r dystysgrif a lofnodwyd ganddo ar 11 Medi 1828 wedi goroesi hyd heddiw:

> BE IT REMEMBERED, That Robert Everett of the county of Oneida

> who hath resided within the limits and jurisdiction of the United States for the term of five years . . . appeared in the Court of Common Pleas of Oneida County . . . Thursday the Eleventh day of September, in the year of our Lord one thousand eight hundred and twenty eight and . . . having in the said Court taken the oath prescribed by law, to support the Constitution of the United States, and did in open Court, absolutely and entirely renounce and abjure all allegiance and fidelity to every foreign Prince, Potentate, State, or Sovereignty; and particularly to the King of the United Kingdom of Great Britain and Ireland, of whom he was then a subject. The said Robert Everett was thereupon . . . admitted by the said Court to be, and he is accordingly to be considered A CITIZEN OF THE UNITED STATES.[40]

Achubodd Robert Everett ar y cyfle cyntaf a ddaeth i'w ran i fynd yn Americanwr, ac mae'r ffaith hon yn ddadlennol. Er bod nifer o weinidogion Cymraeg eraill yn treulio cyfnod yn yr Unol Daleithiau cyn dychwelyd i'r Hen Wlad i fyw, fe ymddengys mai aros am byth yn eu gwlad newydd oedd bwriad yr Everettiaid o'r cychwyn cyntaf (awgrym a ategir gan y ffaith fod cynifer o deulu Elizabeth Everett wedi ymfudo i swydd Oneida hefyd).

Fe dâl inni graffu'n fanylach ar y modd yr aeth y Cymro hwn yn ddinesydd Americanaidd. Mae'n ein galluogi i ddod i rai casgliadau ynglŷn â'r berthynas rhwng hunaniaeth genedlaethol Robert Everett a'r modd y byddai'n mynd ati i ymgyrchu'n erbyn caethwasanaeth yn ei wlad newydd. Noder yn gyntaf ei fod wedi tyngu llw 'i gefnogi Cyfansoddiad yr Unol Daleithiau.' Ymosodai nifer o ddiddymwyr y wlad ar y Cyfansoddiad hwn gan honni – yng ngeiriau un o'r enwocaf ohonynt, William Lloyd Garrison – mai *'pro-slavery document'* ydoedd.[41] Yn wir, er mwyn pwysleisio'r ffaith ei fod yn wfftio'r ddogfen yn gyfan gwbl, llosgodd Garrison gopi o'r *U. S. Constitution* mewn cyfarfod cyhoeddus. Ond nodweddid ymgyrch Robert Everett gan strategaeth rethregol arall o ran y berthynas rhwng y Cyfansoddiad a chaethwasanaeth; yn hytrach na diystyru'r *Constitution,* maentumiai o hyd fod rhyddhau'r caethion yn ffordd o wireddu'r 'rhyddid' yr oedd y Cyfansoddiad wedi'i addo i holl drigolion yr Unol Daleithiau.[42] Ac yntau wedi'i eni'n ddinesydd Americanaidd, ni fu'n rhaid i William Lloyd Garrison dyngu llw ger bron Duw a'i gyd-ddinasyddion ei fod yn cefnogi'r Cyfansoddiad. Ar y llaw arall, bu'n rhaid i'r Cymro dyngu llw o'r fath wrth fynd yn Americanwr, ac roedd daliadau Cristnogol Robert Everett yn golygu nad mater dibwys fyddai cefnu ar y llw a dyngodd ym mis Medi 1828. Mae'n bosibl iawn felly fod hyn yn gyfrifol o leiaf yn rhannol am y wedd hon ar ei ymgyrch.

Noder hefyd fod y Cymro wedi sefyll ger bron y llys yn Utica a diarddel yn gyhoeddus unrhyw deyrngarwch i'r *'King of the United Kingdom of Great Britain . . . of whom he was then a subject.'* Fel cynifer o ymfudwyr Cymreig eraill, aeth Robert Everett ati i ddyrchafu democratiaeth neu 'weriniaeth' yr Unol Daleithiau ar draul brenhiniaeth Prydain mewn nifer o'i ysgrifau. Ac yn aml roedd yn gwneud hyn mewn perthynas â thrafodaeth ar gaethwasanaeth, gan ei fod yn gweld yr ymgyrch yn erbyn y drefn anfoesol fel modd i berffeithio'r system wleidyddol Americanaidd. Yn ystod y 40 mlynedd nesaf byddai'r thema hon yn codi dro ar ôl tro yn ei ysgrifau wrth iddo frolio'i gred fod ethol arlywydd mewn dull democrataidd yn well na darostwng i'r 'pencoronog' yn null 'yr Hen Wledydd.'[43]

Wedi mynd yn ddinesydd ym mis Medi 1828, aeth y gweinidog ati'n syth i fwrw gwreiddiau dyfnach yn ei wlad newydd. Ym mis Tachwedd y flwyddyn honno prynodd Robert Everett ddarn o dir *'on Fayette Street'* yn Utica gan gomisiynu adeiladwr i godi tŷ newydd yno.[44] Roedd yn gartref iddo ef a'i deulu am ryw bum mlynedd. Ac mae'n hawdd gweld bod angen tŷ mwy arnynt pan symudodd yr Everettiaid o'r cartref hwnnw; roedd y teulu o bump a oedd wedi croesi'r môr yn 1823 wedi troi'n deulu o naw erbyn diwedd 1832 gan fod y plant hŷn – Elizabeth, John a Robert – wedi croesawu brawd newydd, Lewis, yn 1825, a thair chwaer fach, Jennie, Mary a Sarah (yn 1828, 1830 a 1832).

Gan fod tystiolaeth o'r cyfnod yn brin, ni wyddom ragor am weithgareddau Robert Everett tra oedd yn weinidog yn Utica. Ymadawodd â chapel Annibynwyr Cymraeg Utica – ei ofalaeth Americanaidd gyntaf – tua diwedd 1832. Aeth i bregethu dros dro yn Ail Eglwys Bresbyteraidd Utica cyn derbyn galwad i ofalu am eglwys Saesneg yn West Winfield, nid nepell o Utica.[45] Nid yw'r rhesymau dros y newid wedi'u cofnodi, ond nid oedd yn beth anghyffredin i weinidogion symud bob hyn a hyn. Wedi'r cwbl, roedd wedi bod yn gwasanaethu'r un capel ers dros naw mlynedd. Ar y llaw arall, rhaid gofyn un cwestiwn sylfaenol: pam dewis gadael achos Cymraeg yn Utica er mwyn gofalu am eglwys Saesneg?

Tybed a oedd ei braidd yn dechrau anesmwytho erbyn hyn? Fel y gwelsom yn y bennod hon, roedd rhai agweddau ar ddiwylliant crefyddol y *Burned-Over District* yn apelio'n fawr at Robert Everett. Er bod nifer gynyddol o drigolion yr ardal yn coleddu'r math newydd hwn o Gristnogaeth, Americanwyr Saesneg eu hiaith oedd y rhan fwyaf ohonynt ar y dechrau. Ar y llaw arall, ceir tystiolaeth fod capeli Cymraeg swydd Oneida yn fwy ceidwadol yn y cyfnod ac felly'n arafach wrth dderbyn y syniadau a'r credoau newydd hyn. Tybed ai ystyriaeth o'r fath a barodd i Robert Everett adael ei ofalaeth Gymraeg yn Utica er mwyn mynd yn weinidog ar eglwys Saesneg West Winfield?

NODIADAU

[1] Yn ôl Dewi Emlyn, daeth yr alwad yn 1823. Gw. D. Davies [Dewi Emlyn] (gol), *Cofiant y Diweddar Barch. Robert Everett, D. D. a'i Briod, Steuben, Swydd Oneida, N Y. Yn Nghyd a Detholion o'i Weithiau Llenyddol* (Utica, 1879), 20. Eto, o ystyried yr holl gronoleg – y ffaith fod Robert Everett wedi derbyn yr alwad, wedi croesi'r môr, ac wedi dechrau'r swydd ym mis Gorffennaf 1823 – mae'n anodd credu mai yn 1823 y daeth y llythyr ato. Wrth gwrs, mae'n bosibl iawn fod trafodaethau ynglŷn â'r posibiliad wedi digwydd yn barod, ac felly dim ond cadarnhau'r cynnig yr oedd y llythyr hwnnw. Mae'r ffaith fod brodyr-yng-nghyfraith Robert Everett yn gymeriadau amlwg yn Utica erbyn hyn yn cryfhau'r awgrym fod trafodaethau answyddogol wedi rhagflaenu'r cynnig swyddogol. Gan fod John T. Roberts – yr anturiaethwr hwnnw a fuasai'n chwilio am y 'Madogiaid' ar lannau'r Mississippi – bellach wedi dychwelyd i'r Unol Daleithiau, roedd gan Robert Everett ddau frawd-yng-nghyfraith yn byw yn Utica. Ac yn ôl Dewi Emlyn, bu'r ddau'n 'yn ei wahodd yn daer i gydsynio â'r alwad' i fugeilio'r Eglwys Gynulleidfaol Gymraeg yno (*Cofiant*, 20). Gyda dau o'i brodyr yn byw yno eisoes, ac eraill o'i theulu, fe ymddengys, yn bwriadu ymfudo'n fuan, mae'n bosibl iawn fod teimladau Elizabeth wedi chwarae rhan bwysig ym mhenderfyniad yr Everettiaid i dderbyn yr alwad ac ymfudo i'r Unol Daleithiau.

[2] D. Davies (gol), *Cofiant y Diweddar Barch. Robert Everett*, 121-2. Ceir cyfeiriadau hefyd ymysg papurau M. Everett.

[3] Ibid., 121-2.

[4] John Everett yn D. Davies (gol), *Cofiant y Diweddar Barch. Robert Everett*, 183. Traddododd John y farn hon i'r genhedlaeth nesaf hefyd (fel y nodir ymysg papurau M. Everett).

[5] Peter Kolchin, *American Slavery* (Llundain, 1993), 78; Iver Bernstein, 'The Volcano under the City: The Significance of Draft Rioting in New York City and State, July 1863', yn Harold Holzer (gol), *State of the Union* [:] *New York and the Civil War* (Efrog Newydd, 2002), 19.

[6] Byddai caethweision gwrywaidd a aned yn Jersey Newydd yn cael eu rhyddhau ar droi'n 25 a merched caeth ar droi'n 21; Kolchin, *American Slavery*, 78.

[7] Nid oedd ail arlywydd yr Unol Daleithiau, John Adams, yn berchen ar gaethweision, ond roedd pedwar o'r pump arlywydd cyntaf yn gaethfeistri: George Washington, Thomas Jefferson, James Madison a James Monroe. Byddai nifer o arlywyddion ar ôl Monroe'n berchen ar gaethweision hefyd.

[8] Y Parch. E. Davies, yn D. Davies (gol), *Cofiant y Diweddar Barch. Robert Everett*, 122.

[9] Ibid., 2.

[10] R. D. Thomas, *Hanes Cymry America* (Utica, 1872), 73 a 82.

[11] Paul D. Evans, 'The Welsh in Oneida County, New York', (traethawd M.A., Prifysgol Cornell, 1914), 14-15.

[12] Dechreuwyd cynnal cyfrifiad yr Unol Daleithiau yn 1790, ond ni fyddai'r *census* cenedlaethol yn cofnodi gwledydd gwreiddiol ymfudwyr tan 1850.

[13] Ibid., 50.

[14] Ibid., 16; Emrys Jones, 'Some Aspects of Cultural Change in an American Welsh Community,' *Trafodion Anrhydeddus Gymdeithas y Cymmrodorion* (1952), 37.

[15] David Maldwyn Ellis, 'The Assimilation of the Welsh in Central New York', *New York History* (Gorffennaf, 1972), 312.

[16] R. D. Thomas, *Hanes Cymry America*, 83.

[17] Gorffennwyd yr adeilad newydd yn 1824, flwyddyn ar ôl i Robert Everett ddechrau ar ei weinidogaeth yno. Safai'r capel ar gongl strydoedd Whitesborough a Washington.

[18] *Utica City Directory* (Utica, 1828), 94: 'The Ancient Britons' Benefit Society, was formed April 13, 1814, and incorporated in 1815. The object of the society is simply the support of its members in time of afflication; and is confined to the Welsh nation and their descendants. Each member pays towards the funds 25 cents a month; and received in times of sickness $2 a week. At the decease of a member $20 is paid to the widow or nearest relatives . . . . Present number of members, 86 Funds $650. Annual meetings St. Davids. Rev. Robert Everett, President.'

[19] *Utica City Directory* (Utica, 1832), 159: 'Ancient Britons' Benefit Society. . . . . Rev. Robert Everett,

secretary.'
[20] *Utica City Directory* (Utica, 1829), 18.
[21] *Y Dysgedydd Crefyddol*, Ionawr 1822.
[22] Hyd y gwyddys, y llyfr Cymraeg cyntaf i gael ei argraffu yn America oedd: Ellis Pugh, *Anerch i'r Cymry i'w Galw Oddiwrth y llawer o bethau at yr un peth angenrheidiol er mwyn cadwedigaeth eu heneidiau* (Philadelphia, 1721).
[23] Paul D. Evans, 'The Welsh in Oneida County, New York', 30.
[24] *Census of the State of New York* (Albany, Efrog Newydd, 1867). Ni rydd y cyfrifiad taleithiol hwn fanylion ynglŷn â niferoedd y Cymry.
[25] Mary P. Ryan, *Cradle of the Middle Class* [:] *The Family in Oneida County, New York, 1790-1865* (Caergrawnt, 1981), 8.
[26] Mary P. Ryan, *Cradle of the Middle Class*, 5; gw. hefyd Emrys Jones, 'Some Aspects of Cultural Change in an American Welsh Community'.
[27] Nathan O. Hatch, *The Democratization of American Christianity* (New Haven, 1989), 196.
[28] Richard Carwardine, 'The Welsh Evangelical Community and "Finney's Revival,"' *Journal of Ecclesiastical History* (Hydref, 1978), 464.
[29] D. Davies (gol), *Cofiant y Diweddar Barch. Robert Everett*, 21-2. Dewi Emlyn biau'r geiriau, ond roedd wedi'i arwain yn hyn o beth gan nifer o gyfeillion agos Robert Everett. Tebyg yw sylwadau'r plant; papurau M. Everett ac hefyd John Everett yn D. Davies (gol), *Cofiant*, 183: 'Our religious newspaper in the year 1835, and before, was the New York *Evangelist*, then edited by Rev. Joshua Leavitt. The strong points of the paper, that took hold of father's mind then, were the reports of Charles G. Finney's labours in New York, and the anti-slavery articles.'
[30] Gw., e.e., *Y Cenhadwr Americanaidd*, Chwefror a Mawrth 1845.
[31] Fel y dengys gwaith diweddar Dyfed Wyn Roberts, cafodd Finney ddylanwad sylweddol ar grefydd yng Nghymru; gw. Dyfed Wyn Roberts, 'Dylanwad diwygiadaeth Charles Finney ar ddiwygiad 1858-60 yng Nghymru' (traethawd Ph.D., Prifysgol Cymru, Bangor, 2005). Ond er bod nifer o weinidogion Cymraeg wedi mabwysiadu syniadau a thechnegau Finney erbyn canol y bedwaredd ganrif ar bymtheg, fe ymddengys mai Robert Everett (ac o bosibl gwpl o weinidogion Cymraeg eraill a fu'n gweithio yn swydd Oneida yn ystod ail hanner y 1820au) oedd y cyntaf i gyflwyno agweddau ar Finneyiaeth i'r Cymry.
[32] Gw. Sioned Davies, 'Perfformio o'r Pulpud: Rhagarweiniad i'r Maes,' *Y Traethodydd* (Hydref, 2000).
[33] 'Pressed Leaves From the Everett "Bush" By Rev. J. E. Everett Written for his son Robert in or about 1912,' 6. Papur anghyhoeddedig yng nghasgliad M. Everett.
[34] Gw. Jane Aaron, *Pur Fel y Dur* [:] *Y Gymraes yn Llên Menywod y Bedwaredd Ganrif ar Bymtheg* (Caerdydd, 1998), 147-56.
[35] D. Davies (gol), *Cofiant y Diweddar Barch. Robert Everet*t, 23.
[36] Ibid., 24.
[37] R. Tudur Jones, *Hanes Annibynwyr Cymru* (Abertawe, 1966), 216.
[38] D. Davies (gol), *Cofiant y Diweddar Barch. Robert Everett*, 24.
[39] Dyma ddisgrifiad y Parch. E. Davies, un o gyfeillion Robert Everett a oedd hefyd yn weinidog yn nhalaith Efrog Newydd: 'rhyddhawyd deng mil o gaethion mewn un diwrnod, ac y rhoddwyd terfyn am byth ar gaethiwed o fewn y Dalaeth[.]' D. Davies (gol), *Cofiant y Diweddar Barch. Robert Everett*, 121.
[40] Papurau M. Everett.
[41] Gw., e.e., Mason Lowance: 'Garrison was from the beginning of his career an opponent of the U. S. Constitution, primarily because he believed it to be a proslavery document.' Mason Lowance (gol), *Against Slavery* [:] *An Abolitionist Reader* (Efrog Newydd, 2000), 112.
[42] Ceir trafodaeth fanylach ym mhennod 7.
[43] E.e., *Y Cenhadwr Americanaidd*, Rhagfyr 1864.
[44] Ceir y ddogfen wreiddiol hon ymysg papurau M. Everett (wedi'i ddyddio 'Nov. 1828'): 'It is this day agreed between Jonas Fay and Robert Everett as followeth (viz) Jonas Fay is at his own expence to build for Robert Everett on the lot belonging to said Everett on Fayette Street, next the lot sold to J. Fay by said Everett as soon as practicable the next season, say by the 1st or in all the month of June next a House similar to the House where R. Everett now lives and to dig a well, and have it fixed similar to Everett's Well; and make similar improvements in sheds and fence, or to the value of the same as is on R. Everett's lot. In consideration of which Robert Everett is to give to Jonas Fay a good and sufficient Deed of the House and Lot where he now lives, that is to say, it being sixty and six feet on old Whitesborough and sixty feet in depth on the Westerly line[.]'
[45] D. Davies (gol), *Cofiant y Diweddar Barch. Robert Everett*, 24; papurau M. Everett.

PENNOD 3:

Terfysg a Thân

(West Winfield, 1833-1838)

Dechreuodd Robert Everett ar ei weinidogaeth yn West Winfield ryw bryd yn ystod gwanwyn 1833.[1] Byddai'n aros yn yr eglwys Saesneg honno am bum mlynedd, a byddai'r blynyddoedd hynny'n gyfnod cwbl ffurfiannol yn ei hanes am nifer o resymau. A oedd yn anodd i gyn-weinidog capel Lôn Swan, Dinbych, a chapel Annibynwyr Cymraeg Utica ofalu am achos Saesneg? Nac oedd, mae'n debyg. Yn wahanol i lawer o'r Cymry Cymraeg uniaith a ymfudodd i'r Unol Daleithiau yn ystod y bedwaredd ganrif ar bymtheg, roedd gan Robert Everett afael sicr iawn ar y Saesneg. Roedd wedi profi ei hun yn ieithegydd galluog pan oedd yn fyfyriwr yn Athrofa Wrecsam, ac er mai Cymraeg oedd iaith ei gyhoeddiadau, dengys gohebiaeth Saesneg Robert Everett ei fod yn hyderus iawn wrth drin yr iaith fain. Yn wir, er mai Cymraeg oedd iaith yr aelwyd, Saesneg gan mwyaf oedd cyfrwng llythyrau'r teulu (ac yn hynny o beth, nid oedd yr Everettiaid yn wahanol i lawer o Gymry addysgedig eraill yn y cyfnod).[2]

Roedd wedi ymadael â'r capel Cymraeg, ond ni chefnodd ar ei 'gydgenedl' yn America. Cadwai'i gysylltiad â Chymry Utica; tystia dogfennau sydd wedi goroesi fod nifer ohonynt wedi gofyn i Robert Everett weithio fel ysgutor ar gyfer eu hewyllysiau neu dystiolaethu drostynt mewn cyd-destunau cyfreithiol eraill. Parhaodd hyn ar ôl iddo symud i West Winfield.[3] Parhaodd hefyd yn ysgrifennydd i'r *Welsh Benevolent Society of Utica* (fel y gelwid yr *Ancient Britons* bellach), ac yn yr un modd parhaodd yn llywydd Cymdeithas Feiblaidd Gymraeg y ddinas.[4] Yn ogystal â mynychu cyfarfodydd y ddwy gymdeithas hyn, teithiai'r ugain milltir rhwng West Winfield a'i hen gartref yn gyson er mwyn helpu cynnal digwyddiadau Cymraeg yn Utica. Er enghraifft, ar Ddydd Nadolig 1833 cawn Robert Everett yn Utica 'yn cynal cylchwyl y Gymdeithas Feiblaidd, ac yn yr hwyr yn cadw cyfarfod Dirwestol.'[5] Traddododd araith yn Gymraeg y noson Nadolig honno, a chafodd ei hargraffu ar ffurf pamffled yn fuan wedyn. Hyd y gwyddom, yr araith ddirwestol hon oedd yr ysgrif wreiddiol gyntaf i Robert Everett ei chyhoeddi yn yr Unol Daleithiau.

Fel yr awgrymwyd ar ddiwedd y bennod ddiwethaf, mae'n bosibl fod Robert Everett wedi gadael capel Cymraeg Utica er mwyn gofalu am achos Saesneg a oedd yn fwy parod i dderbyn gweinidog a fynnai ddefnyddio'i bulpud er mwyn hyrwyddo ymgyrchoedd cymdeithasol newydd. Gellid awgrymu ymhellach fod Robert Everett wedi setlo ar strategaeth a fyddai'n ei alluogi i ymgyrchu ymhlith Cymry America heb beryglu'i weinidogaeth. Hynny yw, cynigiai'r eglwys Saesneg sicrwydd iddo; gallai fentro o gadernid y sicrwydd hwnnw i blith y Cymry a cheisio hyrwyddo mudiadau radicalaidd na fyddent o bosibl yn caniatáu i'w gweinidog eu hunain eu hyrwyddo o bulpud eu capel hwy. Dim ond theori ydyw, ond mae'n theori sy'n cydfynd â'r manylion cymharol brin sydd gennym ynglŷn â bywyd Robert Everett yn ystod y cyfnod hwn. Mae'n amlwg fod yr Americanwyr a fu dan ei ofal yn West Winfield yn ystod y 1830au wedi'i gefnogi, a hynny'n wresog iawn. Flynyddoedd ar ôl i Robert Everett ymadael â'r eglwys Saesneg hon yn 1838, nododd Cymro Americanaidd arall a ymwelodd â West Winfield fod 'rhai o'r hen ddiaconiaid' yno dan deimlad wrth gofio 'ei ymddygiad llednais a boneddigaidd, a'i weinidogaeth alluog ac efengylaidd.'[6]

Mae'r araith ddirwestol a grybwyllwyd uchod yn dangos ei fod yn ceisio pontio rhwng diwylliant crefyddol Cymry America ac agweddau mwy radicalaidd ar grefydd y *Burned-Over District*. Yn ogystal â chyfeirio at natur unigryw 'cenedl' y Cymry yn America, anogodd y genedl honno i gydweithio ag Americanwyr eraill: 'Y mae yn achos o lawenydd weled ein cenedl, er yn ddieithriaid ar dir estronol mewn ystyr, yn cydweithredu gyda chenhedloedd eraill yn yr hyn sy'n tueddu at ddaioni dynolryw yn gyffredin.'[7]

Nid dirwest oedd yr unig achos yr oedd Robert Everett yn ei gefnogi'n gyhoeddus yr adeg honno. Er na wyddom yr holl fanylion, mae'n amlwg ei fod wedi ymdaflu i'r ymgyrch yn erbyn caethwasanaeth cyn symud i West Winfield. James Griffiths a ddilynodd Robert Everett yng nghapel Annibynwyr Cymraeg Utica. Yn debyg i'r Parch. Everett yntau, dyma weinidog Cymraeg a gymerodd safiad cyhoeddus yn erbyn caethwasanaeth Americanaidd yn ystod y cyfnod cynnar hwnnw. Eto, roedd y Parch. Griffiths ychydig yn fwy gochelgar; er enghraifft, fe ymddengys nad oedd o blaid pregethu ar y Sul ar bwnc 'gwleidyddol' fel diddymiaeth y pryd hynny. Mae disgrifiad James Griffiths o'r cyfnod hwn yn dystiolaeth hynod bwysig sy'n dweud llawer wrthym am y modd yr oedd Robert Everett yn ymdrechu i radicaleiddio Cymry'r ardal yn ystod y 1830au. Dechreua drwy ddisgrifio daliadau'r ddau weinidog:

> Bu amrywiol bethau yn foddion i wneyd mwy na'r cyffredin o anwyldeb rhyngom; sef, ein bod yn hollol o'r un golygiadau athrawiaethol . . . yr oeddem yn cydlafurio gyda'r achos dirwestol; ac yr oeddem hefyd ein dau fel Cymry ar flaen y dòn gyda golwg ar yr achos gwrth-gaethiwol. Nid un ohonom enillodd y llall at y pethau

hyn; ond . . . yr oeddem ein dau yn llawn o'r egwyddorion hyny cyn i ni erioed gael y fraint o adnabod ein gilydd; ac yn radd o gymorth a chysur i'n gilydd . . . pan, er ein gofid a'n galar, yr oedd gweinidogion yr efengyl yn y gwahanol enwadau yn mysg Cymry America, yn ol yn mhell iawn gyda y pethau yna, ac yn gwbl glauar a difater yn eu cylch; a rhai mor belled yn ol nes bod yn hollol elynol.[8]

Nid yw James Griffiths yn awgrymu bod gweinidogion Cymraeg eraill yn America yn cefnogi caethwasanaeth yr adeg honno; dywed yn hytrach eu bod nhw'n 'ddifater' ynghylch y math o safiad yr oedd Robert Everett ac yntau yn ei goleddu. Ni ddylem synnu wrth ddarllen yr hyn a ysgrifennodd am agweddau Cymry America ar ddechrau'r 1830au ychwaith. Fel y gwelir yn y penodau nesaf, am o leiaf ddeng mlynedd eto byddai'r rhan fwyaf o Americanwyr Cymraeg eu hiaith yn ymateb mewn modd 'difater' ar y gorau – ac yn wirioneddol elyniaethus ar adegau – pan ymdrechai Robert Everett a'i debyg i radicaleiddio'u capeli.

Awgrymodd James Griffiths nad oedd eto wedi mynd mor bell â'i ragflaenydd yng nghapel Utica; ni welai Robert Everett wahaniaeth o gwbl bellach rhwng ei briod waith yn pregethu'r Efengyl a'r ymgyrch i ddiddymu caethwasanaeth. Ond er gwaethaf gwahaniaeth barn ynglŷn â chymysgu crefydd a gwleidyddiaeth ar y Sul, roedd gweinidog newydd Cymry Utica yn gadael i Robert Everett annerch ei gynulleidfa – a phwy bynnag arall a oedd yn fodlon gwrando – yn ystod yr wythnos.[9] Felly er nad oedd Cymry Utica ar y cyfan yn barod i glywed pregeth wleidyddol yn erbyn caethwasanaeth ar y Sul, roeddynt yn fwy agored na llawer o drigolion y ddinas gan eu bod o leiaf yn gadael i'w capel gael ei ddefnyddio ar gyfer cyfarfodydd o'r fath. Gyda chymorth James Griffiths, roedd Robert Everett wedi dod o hyd i lwybr canol y gallai'i droedio er mwyn dechrau ennill Cymry Utica i'r achos. Ond nid oedd y daith honno'n hawdd bob amser, fel y nododd y Parch. Griffiths flynyddoedd wedyn mewn llythyr at y teulu:

> Oblegid fy mod i a rhai o flaenoriaid y gynulleidfa yn Utica yn caniatau i'ch parchus dad [sef Robert Everett], Mr. Alvan Stewart, ac ambell un arall, i ddyweyd eu meddwl ar gaethiwed yn yr addoldy yn Utica, yn awr ac yn y man, ar nosweithiau o'r wythnos, pan nad oedd yn bosibl cael un capel arall na *hall* at y fath wasanaeth yn yr holl ddinas, cyfododd digter creulawn i'n herbyn gan rai o'r trigolion.[10]

Er nad oedd y rhan fwyaf o ddinasyddion di-Gymraeg Utica yn cefnogi caethwasanaeth yn fwy na'r rhan fwyaf o Gymry'r ddinas, roedd llawer o Americanwyr hyd yn oed yn nhaleithiau rhydd y gogledd yn casáu'r diddymwyr. Credai'r lliaws ceidwadol fod ymgyrch y radicaliaid i ddiddymu caethwasanaeth yn y taleithiau deheuol yn fygythiad i sefydlogrwydd yr Unol Daleithiau. Ac felly er bod James Griffiths wedi ceisio cadw'r ddysgl yn wastad drwy agor ei gapel i'r diddymwyr yn ystod yr wythnos yn hytrach nag ar y Sul, aeth y gweinidog, fel y diddymwyr a siaradai yn ei gapel, yn darged i 'ddigter creulawn' llawer o'i gymdogion Americanaidd newydd.

Mae'r darlun o weithgareddau Robert Everett yn ystod ei gyfnod yn West Winfield felly'n ehangu. Yn ogystal â theithio'n ôl i Utica'n gyson er mwyn mynychu cyfarfodydd y Gymdeithas Feiblaidd Gymraeg a'r Gymdeithas Elusennol Gymraeg, roedd hefyd yn helpu i gynnal gweithgareddau er mwyn hybu dirwest ymysg trigolion Cymraeg y ddinas. A diolch i James Griffiths, gwyddom ei fod yn mynd yn ôl i'w hen gapel 'yn awr ac yn y man' yn ystod yr wythnos er mwyn '[d]weud ei feddwl ar gaethiwed' yn gyhoeddus. Wrth ddisgrifio'r cyfarfodydd gwrthgaethiwol hyn, dywed y Parch. Griffiths fod Robert Everett yn rhannu'r un llwyfan (neu bulpud) ag Alvan Stewart. Dengys nifer o ffynonellau eraill fod y ddau ddyn yn cydweithio'n agos; er enghraifft, nododd Jennie Everett fod ei thad a Stewart 'yn gyf[eillion] a chydlafurw[yr] yn yr achos gwrthgaethiwol.'[11]

Ac yntau wedi'i eni yn 1790, roedd Stewart tua'r un oed â Robert Everett. Roedd y ddau ddyn canol oed wedi dod i goleddu'r un safbwynt ynglŷn â chaethwasanaeth, er eu bod wedi teithio ar hyd llwybrau tra gwahanol cyn cyrraedd y safbwnt hwnnw. Tra oedd y Cymro ifanc yn paratoi ar gyfer y weinidogaeth yn Athrofa Wrecsam roedd yr Americanwr yn astudio'r gyfraith, a thra oedd y Parch. Everett yn dechrau'i yrfa yng nghapel Lôn Swan, roedd Stewart wrthi'n mynd yn gyfreithiwr cyfoethog yn Utica a'r cyffiniau. Er na wyddom ba bryd yn union y dechreuodd Robert Everett arddel daliadau gwrthgaethiwol, gwelsom yn y bennod gyntaf fod ei bregethau a'i gyhoeddiadau cynharaf yn dangos ei fod wedi dechrau gofyn y cwestiynau a fyddai'n ei arwain at y daliadau hynny pan oedd yn ddyn ifanc.

Ar y llaw arall, enillwyd Alvan Stewart i'r achos dros nos yng ngwres troedigaeth a gafodd yn ystod Diwygiad Finney. Cyn diwedd 1832 roedd wedi dechrau siarad yn gyhoeddus o blaid dirwest ac yn erbyn caethwasanaeth.[12] Er i'r ddau fynd yn gyfeillion wrth iddynt gydlafurio 'yn yr achos gwrthgaethiwol' yn ystod y 1830au, arhosodd y ddau'n gymeriadau gwahanol iawn i'w gilydd. Byddai Robert Everett yn defnyddio'i ddawn fel awdur yn ogystal â'i sefyllfa fel gweinidog i geisio dylanwadu ar wleidyddiaeth Cymry America, ond ni fyddai byth yn chwenychu swydd wleidyddol. Ar y llaw arall, gobeithiai Alvan Stewart lamu o'i yrfa gyfreithiol lewyrchus i yrfa wleidyddol, ac yn wir, cyn canol y bedwaredd ganrif ar bymtheg byddai uchelgais gwleidyddol Stewart yn esgor ar rwyg oddi mewn i'r mudiad gwrthgaethiwol yn nhalaith Efrog Newydd.[13]

Yn ogystal â chynnal cyfarfodydd gwrthgaethiwol ar y cyd â'r Parch. Everett yn Utica, deuai Alvan Stewart i West Winfield i helpu'i gyfaill hyrwyddo'r ymgyrch yno. Flynyddoedd lawer yn ddiweddarach byddai plant Robert Everett yn mwynhau disgrifio ymweliad y dyn cyfoethog hwn â'u cartref dirodres:

> Mr. Stewart was a large, tall man, living in one of the finest residences in Utica. He came to lecture at an anti-slavery meeting in our church, and spent the night with us. At that time our house was small, and that he might be as handsomely accomodated as possible, father and mother gave their room to him. In the morning, when father inquired how he rested, he replied: 'Very nicely – only I had to lie quiet, For the bed is shorter than that a man can stretch himself on it.'[14]

Dyma un o ddynion cyfoethocaf Utica; roedd Stewart yn byw mewn plasty crand ar Stryd Gennessee yng nghanol y ddinas ac roedd ganddo fys mewn sawl brywes masnachol. Mae'n debyg mai'r cyfuniad o'i frwdfrydedd dros yr achos a'i adnoddau economaidd sylweddol a sicrhaodd le mor amlwg iddo oddi mewn i'r mudiad gwrthgaethiwol yn Utica. Yn ogystal, roedd Alvan Stewart hefyd yn ffigiwr o bwys ar y lefel genedlaethol gan mai'r cylch o radicaliaid yr oedd yn rhan ganolog ohono oedd yn arwain yr ymgyrch yn nhalaith Efrog Newydd i raddau helaeth. Roedd un o bapurau newyddion Utica, y *Standard and Democrat*, yn cefnogi'r ymgyrch yn erbyn caethwasanaeth, ac felly roedd gan Stewart a'i gydweithwyr gyfrwng hylaw er mwyn cyrraedd cylchoedd ehangach. Mae'n debyg fod y cyfreithiwr cyfoethog wedi cyfrannu'n ariannol hefyd er mwyn helpu'r cyhoeddwr, Quartus Graves, i argraffu'r *Standard and Democrat*.[15]

Stewart oedd un o drefnwyr y gynhadledd fawr a gynhaliwyd yn Utica yn 1835. Teithiodd tua 600 o ddiddymwyr o bob rhan o'r dalaith yno er mwyn sefydlu Cymdeithas Wrth-Gaethiwol Talaith Efrog Newydd (*The New York State Anti-Slavery Society*).[16] Ymgynullodd y cynadleddwyr yn Ail Eglwys Bresbyteraidd Utica ar 21 Hydref 1835; dyma'r eglwys a oedd wedi cynnig pulpud dros dro i Robert Everett am rai misoedd ar ôl iddo ymadael ag Eglwys Gynulleidfaol Gymraeg Utica a chyn iddo ddechrau ar ei ofalaeth newydd yn West Winfield.[17]

Dechreuodd Robert Everett yn gynnar y bore hwnnw, gan deithio'r ugain milltir rhwng West Winfield ac Utica 'gyda'r ceffyl a'r cerbyd.'[18] Aeth ei fab John, a oedd yn bymtheng mlwydd oed, gydag ef. John oedd y mab hynaf, ac roedd eisoes wedi datblygu diddordeb yn ymgyrch y diddymwyr; yn wir, roedd wedi cyd-deithio â'i dad i nifer o gyfarfodydd gwrthgaethiwol eraill yn yr ardal yn gynharach y flwyddyn honno.[19] Tra oedd y tad a'r mab yn teithio o West Winfield, a thra oedd cannoedd o ddiddymwyr yn tyrru i'r Ail Eglwys Bresbyteraidd, roedd tyrfa fwy yn ymgasglu ar y stryd y tu allan i'r eglwys. Gwrth-ddiddymwyr oedd y bobl hyn – *anti-abolitionists* a wrthwynebai ymdrechion y diddymwyr i wthio achos y caethwas i ganol y llwyfan wleidyddol – a'u bwriad y bore hwnnw oedd rhwystro'r cynadleddwyr.[20] Llafurwyr cyffredin oedd y rhan fwyaf ohonynt, ond roedd rhai o ddynion mwyaf dylanwadol Utica ymysg eu harweinwyr, gan gynnwys nifer o gyfreithwyr, gwleidyddion a masnachwyr amlycaf y ddinas. Yng ngeiriau un o gyfeillion Robert Everett: 'Dynion mwyaf parchus dinas Utica yn uno i dori fyny a *mobio* cwrdd rheolaidd a thawel a gynelid yn y ddinas gan gyfeillion y caethwas!'[21] Byddai John Everett yn gwneud sylw tebyg dros 40 mlynedd yn ddiweddarach:

> [the] mob [was] led by such men as Samuel Beardsley, afterwards Congressman; A. G. Dauby, Postmaster of Utica; R. B. Miller, &c., &c., *'gentlemen of property and standing,'* as their friends called them.[22]

Perthynai'r *gentlemen of property and standing* hyn i'r un dosbarth economaidd a chymdeithasol ag Alvan Stewart ei hun, ond roedd agendor wleidyddol wedi ymagor rhwng Stewart a'i gydfoneddigion. Ar y llaw arall, roedd dyn cyfoethocaf *up-state New York,* Gerrit Smith, yn eistedd y tu mewn i'r eglwys gyda'r diddymwyr. Nid oedd Smith wedi troi'n ddiddymwr eto, ond nid oedd ychwaith yn cefnogi'r gwrth-ddiddymwyr. Gan fenthyca geiriau a ddefnyddiodd Saunders Lewis wrth ddisgrifio cymeriad yn un o'i ddramâu, 'un yn aros argyhoeddiad' ydoedd.[23] Roedd drwy hap a damwain yn Utica y bore hwnnw, ac felly aeth Gerrit Smith i'r gynhadledd, *'more out of curiosity than conviction,'* fel y nododd Milton Sernett.[24]

Agorwyd y cyfarfod yn swyddogol gan Alvan Stewart tua 10 o'r gloch. Fe ymddengys fod Robert Everett yn meddwl mai yn y prynhawn y byddai'r gynhadledd yn dechrau, ac felly roedd yn dal ar y lôn pan anerchodd Stewart y cynadleddwyr. Gyda'r dorf y tu allan yn ceisio boddi'r gweithgareddau gyda'u twrw bygythiol, traddododd Stewart araith bwerus yn manylu ar y modd yr oedd caethwasanaeth yn tanseilio *'[the] liberty of discussion, of conscience, and the press.'*[25] Daeth Stewart i ben a dechreuodd y diddymwyr drafod cyfansoddiad y mudiad gwrthgaethiwol newydd yr oeddynt yn ceisio'i sefydlu'r diwrnod hwnnw. Ond cyn iddynt gael cyfle i orffen y gwaith, gwthiodd llawer o'r dorf derfysglyd drwy ddrysau'r eglwys gan darfu ar y gynhadledd. Roedd yr *Utica Riot* wedi dechrau. Nid ceisio rhwystro'r diddymwyr yn unig oedd y *rioters*; roeddynt hefyd yn bygwth eu bywydau. Galwodd y terfysgwyr am Alvan Stewart ac eraill o arweinwyr y gynhadledd, a phe bai'r cynadleddwyr wedi ildio Stewart a'i gyfeillion i'r dorf mae'n bosibl iawn y byddai'r diddymwyr wedi'u llofruddio yn y fan a'r lle. Ac yntau'n gwylio'r cyfan o'i sedd yng nghefn yr eglwys, daeth Gerrit Smith i sefyll yn y bwlch:

> As the threat of violence escalated, Gerrit Smith took action: he had heard and seen enough. Smith's 'resonant and clear voice' rose above the clamor and confusion. He made an appeal for fairness and free speech, though he declared that he was 'no abolitionist.' As Smith was insulted by the mob's behaviour, he invited the delegates to reassemble in the sanctuary of his Peterboro estate, twenty-seven miles to the southwest of Utica. The delegates dispersed, only to be hounded through the city streets and evicted from their lodgings.[26]

Er iddo honni 'nad oedd yn ddiddymwr,' roedd y dyn a arhosai argyhoeddiad wedi'i osod ei hun ar ben y ffordd a fyddai'n ei arwain yn fuan i'r argyhoeddiad hwnnw.

Roedd Gerrit Smith wedi helpu i achub bywyd Alvan Stewart, ond ni roddodd stop ar y *riot*. Aeth y terfysgwyr drwy strydoedd Utica gan chwilio am dargedau eraill cyn setlo ar swyddfa'r papur newydd lleol a fuasai'n cefnogi ymgyrch y diddymwyr, y *Standard & Democrat*. Bu'r Parch. James Griffiths yn y gynhadledd wrthgaethiwol ac felly'n dyst i drais y dorf:

> clywsom ryw swn ofnadwy yn ngodre y dref, nid pell iawn oddiwrthym, a beth oedd yn bod ond y *mob* oedd wedi rhuthro i *office* y Standard yn tori yr argraffwasg, ac yn ei thaflu hi a'r holl *dypes*, a'r papyr, a'r holl gelfi, allan i Whitesboro street i'w llosgi.[27]

Fel y nodwyd yn gynharach yn y bennod hon, roedd James Griffiths yn gadael i Robert Everett ac Alvan Stewart gynnal cyfarfodydd gwrthgaethiwol yn ei gapel, ac felly roedd addoldy Annibynwyr Cymraeg Utica hefyd yn darged i'r terfysgwyr. Dim ond o drwch blewyn y dihangodd hen gapel Robert Everett rhag tân y *mob*; os Gerrit Smith a achubudd y dydd yn gynharach y diwrnod hwnnw, James Griffiths a lefarodd y geiriau a rwystrodd drais y dorf y tro hwn. Roedd un o arweinyr y terfysgwyr yn gymydog i'r gweinidog a phenderfynodd y Parch. Griffiths ddwyn cymwynas yr oedd wedi'i gwneud ag ef i gof:

> yr oeddwn ar ddwy o'r nosweithiau oeraf y gauaf blaenorol, wedi codi o fy ngwely a galw arno i achub ei geffyl oedd ar fin trengu. Cefais ar ddeall iddo feddwl beth fuasai pobl yn ddweyd am dano os gwnaethai losgi addoldy un oedd wedi gwneyd iddo ef gymaint o ddaioni; ac felly fe arbedwyd y drwg oedd rhai o'r *mob* yn fwriadu[.][28]

Wedi'u rhwystro ond heb eu tawelu, penderfynodd y terfysgwyr nad oedd arweinydd diddymwyr Utica wedi'i gosbi'n ddigon eto.

> Aeth y 'mob' ymlaen at dy Mr. Alvan Stewart, yr hwn oedd un o'r tai mwyaf o bridd-feini ar ben uchaf [stryd] Genessee yr amser hwnw, gyda bwriad o'i lwyr ddinystrio. Er nad oedd Mr. Stewart yn dygwydd bod gartref, cawsant y lle wedi ei gauad i fyny yn gadarn. Daeth Mrs. Stewart i un o ffenestri y lloft uchaf, a dywedodd nad oedd modd iddynt ddyfod i mewn heb gael mwy o niwed nag oeddynt yn ewyllysio, am fod yno haner cant o ynau llwythog, a phump-ar-hugain o ddynion galluog i'w defnyddio; yr hyn a wangalonodd y *mob* gymaint nes iddynt ymwasgaru.[29]

Ac felly er i *riot* Utica adael llawer o ddifrod yn ei sgil, roedd yn wahanol i ddigwyddiadau tebyg a ffrwydrodd mewn trefi Americanaidd eraill gan na chafodd yr un diddymwr ei lofruddio'r diwrnod hwnnw. Tra oedd Gerrit Smith wedi manteisio ar ei rym yn y gymuned a'r ffaith nad oedd (eto) yn un o'r diddymwyr wrth draddodi araith fyrfyfyr yn yr Ail Eglwys Bresbyteraidd, tacteg y diddymwr James Griffiths oedd tynnu sylw at y ffaith ei fod yn gymydog da i un o'r prif derfysgwyr. A chan nad oedd llu arfog go iawn yn gwarchod ei thŷ, grym dychymyg Mrs. Stewart a achubodd ei chartref – ac, o bosibl, ei bywyd.

Mae'r modd y twyllodd Mrs. Stewart y terfysgwyr gyda'r geiriau hyn yn esgor ar gwestiwn pwysig ynglŷn â dyfodol yr ymgyrch. Roedd grym dychymyg y diddymwyr ymysg eu harfau mwyaf pwerus yn yr ymgyrch yn erbyn caethwasanaeth. Ond, fel y gwelir yn nes ymlaen yn y llyfr hwn, deuai'n gynyddol anodd i ddefnyddio grym geiriau'n unig yn wyneb ymosodiadau treisgar y gwrth-ddiddymwyr.

Ble oedd Robert Everett a'i fab John yn ystod y *riot*? Fel y nodwyd uchod, nid oeddynt yn meddwl y byddai'r gynhadledd yn dechrau tan ar ôl cinio, ac felly nid oeddynt wedi ymuno â'u cyd-gynadleddwyr yn yr eglwys pan ffrwydrodd y terfysg. 'Ni chyrhaeddasant y ddinas hyd agos ganol dydd, ac aethant i dy Mr. Henry Roberts (brawd-yn-ynghyfraith Dr. Everett), a chlywsant yno fod y cyfarfod wedi cael ei dori i fyny gan y *mob*[.]'[30] Ni chofnododd Robert Everett hanes y diwrnod yn ei eiriau'i hun, ac mae peth anghysondeb ymhlith y ffynonellau sydd wedi goroesi. Mae felly'n anodd inni ganfod beth fu symudiadau Robert a John Everett yn ystod ail hanner y diwrnod tyngedfennol hwnnw. Honnai James Griffiths flynyddoedd yn ddiweddarach fod y Parch. Everett wedi aros yn ei gartref ef y noson honno, ond credai John Everett wrth edrych yn ôl ei fod ef a'i dad wedi aros yn nhŷ'i ewythr Henry Roberts.[31]

Fe gofir i Gerrit Smith estyn gwahoddiad i'r diddymwyr ailymgynnull ar ei stad ef. Ni wyddom ychwaith a aeth Robert Everett i'r cyfarfod hwnnw, ond mae'n hysbys fod tua hanner o'r cynadleddwyr wedi teithio'r 27 milltir o Utica i gartref Smith ger Peterboro. Mae'r ffaith iddo gynnig llety i 300 ohonynt yn tystio i gyfoeth a haelioni Smith. Ailddechreuwyd y Gynhadledd Wrthgaethiwol y diwrnod wedyn, 22 Hydref 1835, yn Eglwys Bresbyteraidd Peterboro. Erbyn i'r gynhadledd ddirwyn i ben, roedd Gerrit Smith wedi'i argyhoeddi; disgrifiodd derfysg Utica fel *'an instructive providence'* a agorodd ei lygaid i wir natur y sefyllfa yn yr Unol Daleithiau:

> The enormous and insolent demands of the South, sustained, I am deeply ashamed to say, by craven and mercenary spirits at the North, manifest beyond all dispute, that the question now is not merely, nor mainly whether the blacks of the South shall remain slaves – but whether the whites at the North shall become slaves also.[32]

Ac felly byddai Robert Everett yn cydweithio â Gerrit Smith hefyd, dyn a fyddai'n defnyddio'i gyfoeth sylweddol er mwyn noddi ymgyrchoedd rhai o ddiddymwyr enwocaf – a mwyaf radicalaidd – y cyfnod.[33]

Er gwaethaf ymdrechion y terfysgwyr, llwyddodd y cynadleddwyr – gyda chymorth Gerrit Smith – i sefydlu'r *New York Anti-Slavery Society* ym mis Hydref 1835. Aeth yr argraffydd Quartus Graves ati'n syth i glirio'r llanast a adawyd yn swyddfa'r *Standard and Democrat* yn sgil y *riot*, ac felly'n arwydd o fuddugoliaeth y diddymwyr byddai'r union wasg a anrheithiwyd gan y *mob* ar 21 Hydref 1835 yn cael ei defnyddio i argraffu trafodion y Gynhadledd Wrthgaethiwol.[34] Ac yn 1836 byddai'r gymdeithas newydd yn dechrau'i phapur gwrthgaethiwol ei hun, *The Friend of Man*.[35] Amlygodd terfysg Utica ùn o wersi pwysicaf y cyfnod: os oedd y wasg argraffu ymysg arfau mwyaf pwerus y rhai a ymgyrchai yn erbyn caethwasaneth, roedd gweisg y diddymwyr hefyd yn dargedau i'w gelynion. Byddai Robert Everett ei hun yn dechrau cyhoeddi deunydd gwrthgaethiwol ymhen pum mlynedd, a rhaid bod gwersi 1835 wedi aros yn fyw iawn yn ei gof.

Yn wir, cyn diwedd y flwyddyn dymhestlog honno bu Robert Everett yn dyst unwaith eto i wrthwynebiad ffyrnig y gwrth-ddiddymwyr. Daeth ei gyfaill Alvan Stewart i draddodi darlith wrthgaethiwol yng nghapel Robert Everett yn West Winfield y gaeaf hwnnw. Gan ailadrodd yr hyn a ddigwyddasai ar strydoedd Utica yr Hydref blaenorol, casglodd torf y tu allan i'r addoldy. Disgrifiodd John Everett yr ymosodiad ar eglwys ei dad:

> Alvan Stewart delivered an anti-slavery lecture in the Congregational Church in Winfield, of which father was pastor . . . rotten eggs were thrown at Mr. Stewart in the pulpit, and stones thrown through the windows.[36]

Fel y dengys y dystiolaeth a drafodwyd uchod, mae'n debyg fod cynulleidfa Robert Everett yn West Winfield yn gefnogol i'w gweinidog ar y pryd. Ond roedd digon o bobl eraill yn yr ardal a oedd yn fodlon ymgasglu'n dorf er mwyn ceisio rhwystro'r cyfarfod a dangos nad oeddynt yn croesawu'r math yna o beth yn eu cymuned hwy. Beth oedd ymateb Robert Everett i'r ymosodiad hwn? Rhaid dibynnu unwaith eto ar sylwadau'i fab John: 'Such outrages, you may well believe, failed to convince father that slavery was right, or that those who were arraying the battle against it were wrong.'[37]

Ac wrth gwrs, roedd y math o derfysg a welwyd yn Utica a West Winfield yn 1835 hefyd yn bygwth diddymwyr mewn trefi a dinasoedd eraill ar draws yr Unol Daleithiau. Er bod y digwyddiadau hyn yn isafbwyntiau yn hanes Robert Everett a'i gyfeillion, ddwy flynedd yn ddiweddarach cafwyd terfysg arall a daflodd gysgod dros holl ddiddymwyr y wlad. Roedd y Parch. Elijah Lovejoy wedi bod yn ymgyrchu am gyfnod yn Missouri, cyn cael ei yrru allan o'r dalaith gaeth honno. Symudodd dros y ffin – sef dros yr afon Mississippi – i Alton, yn nhalaith rydd Illinois, ond ni chafodd lonydd yno ychwaith. Difethwyd ei argraffwasg deirgwaith gan y terfysgwyr, ond dechreuodd y ddiddymwr o'r newydd bob tro gan ddatgan: 'It is because I fear God that I am not afraid of all who oppose me in this city.' Erbyn i'r dorf dreisgar ddod i'w ddrws ar 7 Tachwedd 1837 i ddinistrio'i wasg am y pedwerydd tro, roedd Lovejoy wedi ymarfogi a phan geisiodd un o'r terfysgwyr osod yr adeilad ar dân, cododd y diddymwr ddryll i'w rwystro.[38] Saethwyd Lovejoy yn farw yn y fan a'r lle gan un arall o'r terfysgwyr. Nid oedd lladd y diddymwr ei hun yn ddigon i'w elynion; taflasant ei argraffwasg i'r Mississippi cyn gorffen eu gwaith y noson honno. Amlygwyd un o wersi *riot* Utica eto; gwyddai gelynion y diddymwyr fod llenyddiaeth – a'r cyfrwng gorau a oedd ganddynt er mwyn lledaenu llenyddiaeth, y wasg argraffu – yn rhan bwysig o'u hymgyrch yn erbyn caethwasanaeth.

Yng ngolwg rhai diddymwyr roedd Elijah Lovejoy yn ferthyr. Yn briodol ddigon o ystyried ei enw cyntaf, roedd ei farwolaeth megis aberth proffwyd a arwyddai ddyfodiad merthyron eraill. Cynhaliwyd cyfarfodydd gweddi i goffáu marwolaeth Lovejoy ac i ddiolch am ei aberth mewn nifer o daleithiau gogleddol. Mewn eglwys Gynulleidfaol yn Hudson, Ohio, traddododd un o ddiwinyddion amlycaf y dalaith honno, Laurens Hickok, bregeth ar arwyddocâd y merthyrdod: 'The crisis has come. The question now before the American citizens is no longer alone, "Can the slaves be made free?" but, "are we free, or are we slaves under Southern mob law?"'[39] Adleisiodd ei eiriau ef y modd yr oedd Gerrit Smith wedi disgrifio'i ymateb i derfysg Utica; roedd caethwasanaeth[40] yn drosedd ddifrifol yn erbyn pobl dduon y wlad, ond roedd y grymoedd a gefnogai'r drefn gaeth hefyd yn ymosod ar hawliau trigolion gwyn y gogledd. Ond nid am bregeth y Parch. Hickock y mae haneswyr yn cofio'r cyfarfod hwnnw yn Ohio, ond oherwydd y ffaith fod diddymwr arall wedi dod i wrando ar ei bregeth. Eisteddai dyn tal esgyrnog yng nghefn yr eglwys, a 'golwg gwyllt' yn ei lygaid. Ar ôl i'r diwinydd orffen ei bregeth, safodd y dyn hwn gan godi'i law a datgan ger bron y gynulleidfa ei fod yn cysegru'i fywyd i'r ymgyrch yn erbyn caethwasanaeth. John Brown oedd ei enw, ac ymhen chwarter canrif ef fyddai merthyr enwocaf – a mwyaf dadleuol – yr ymgyrch honno.

Cofir John Brown yn anad dim fel diddymwr a benderfynodd godi arfau a defnyddio trais yn erbyn trais y caethfeistri. Wrth gwrs, roedd Elijah Lovejoy wedi cymryd cam bach ar y llwybr hwnnw ychydig o eiliadau cyn cael ei ladd. Yn ogystal â John Brown a gweddill y gynulleidfa yn Hudson, Ohio, roedd nifer o radicaliaid y *Burned-Over District* yn nhalaith Efrog Newydd hefyd yn dyrchafu Lovejoy yn ferthyr, gan gynnwys nifer o gyfeillion Robert Everett.[41] Ond nid felly pob diddymwr yn yr Unol Daleithiau; yn wir, yn yr ymatebion cymysg i farwolaeth Lovejoy y gwelir rhai o arwyddion cynharaf rhwyg a fyddai'n ymagor rhwng cyfeillion y Parch. Everett yn Efrog Newydd a chylch dylanwadol o ddiddymwyr a drigai yn ninas Boston.

William Lloyd Garrison oedd arweinydd y Bostoniaid hyn. Erbyn canol y 1830au ef oedd diddymwr enwocaf yr Unol Daleithiau, gyda'i gefnogwyr a'i elynion fel ei gilydd yn ei weld fel *'abolition incarnate.'*[42]

Roedd Garrison wedi agor pennod newydd yn hanes diddymiaeth Americanaidd wrth gyhoeddi rhifyn cyntaf ei bapur, *The Liberator,* yn 1831. Canolbwynt y rhifyn cyntaf hwnnw oedd maniffesto o ysgrif gan Garrison ei hun yn datgan natur ddi-ildio ei safiad: 'I am in earnest – I will not equivocate – I will not excuse – I will not retreat a single inch – AND I WILL BE HEARD.'[43] Yn ogystal â'i daerineb tanbaid, yr hyn a nodweddai safiad Garrison oedd *'immediatism,'* sef y gred y dylid diddymu caethwasaneth yn ddiamod ac heb oedi. Yn wahanol i lawer o Americanwyr a fuasai'n dadlau'n erbyn y drefn gaeth gan ddweud y gellid ei diddymu'n raddol, roedd Garrison a'i ddilynwyr yn ei gweld fel pechod ofnadwy yn erbyn Duw a dynoliaeth, pechod yr oedd yn ddyletswydd arnynt ei ddileu ar unwaith.[44] Crisialwyd dadl y Garrisoniaid gan un o feirdd enwocaf yr Unol Daleithiau, y Crynwr John Greenleaf Whittier, ar dudalennau'r *Liberator:* 'We do not talk of gradual abolition, because, as Christians, we find no authority for advocating a gradual relinquishment of sin. We say to slaveholders – "Repent *NOW – today – IMMEDIATELY."'*[45] Noder mai ieithwedd y diwygiwr efengylaidd sydd yma; os oedd tân Diwygiad Finney wedi helpu i baratoi'r ffordd ar gyfer y ddiddymiaeth radicalaidd a gydiai yn swydd Oneida, roedd syniadau crefyddol tebyg hefyd yn ysbrydoli cylch Garrison yn ardal Boston.

Ond esgorodd marwolaeth Lovejoy ar rwyg rhwng y Garrisoniaid a rhai o ddiddymwyr Efrog Newydd; tra oedd nifer o gyfeillion Robert Everett yn swydd Oneida yn dyrchafu Elijah Lovejoy yn ferthyr, ni hoffai Garrison y ffaith fod y 'merthyr' wedi marw â dryll yn ei law. Yng ngeiriau Robert Fanuzzi, 'In Garrison's mind, Lovejoy disqualified himself as an abolitionist martyr when he used a rifle in self-defense.'[46] Heddychwr digymrodedd oedd Garrison; gwrthwynbai'r drefn gaeth yn ddi-baid, ond nid 'ym mhob dull a'r modd' os oedd y moddion hynny'n cynnwys trais.[47] Ni wyddom beth oedd teimladau Robert Everett yn sgil marwolaeth Lovejoy, ond gellid tybio mai teimladau cymysg oeddynt; byddai'n cyhoeddi deunydd yn pleidio achos y Gymdeithas Heddwch yn y 1840au a'r 1850au gan felly arddel safbwynt heddychol ei hun.[48] Ni chymerodd Robert Everett ran yn y cyfarfodydd cyhoeddus a drefnwyd yn sgil marwolaeth Lovejoy yn 1837, ond nid ei ddaliadau personol eithr amgylchiadau hollol ymarferol a oedd yn gyfrifol am hyn; ymwelodd â Chymru'r flwyddyn honno ac felly nid oedd yn yr Unol Daleithiau pan 'ferthyrwyd' y diddymwr yn Illinois.[49]

Fe ymddengys mai hyrwyddo'r mudiad dirwestol oedd prif reswm y Parch. Everett dros gynnal taith bregethu yng Ngymru yn 1837, ond ceir tystiolaeth ei fod yn hybu'r ymgyrch yn erbyn caethwasanaeth hefyd.

Cyhoeddodd lythyr dwyieithog yn annog Cymry America i ymroi i'r achos yng nghylchgrawn Cymdeithas Wrthgaethiwol Efrog Newydd, *The Friend of Man*, y flwyddyn honno; cyflwynodd Robert Everett yr epistol hwn i'r wasg, ond roedd wedi'i gyfansoddi gan nifer o Gymry yn yr Hen Wlad.[50] Tybed a oedd hefyd yn casglu arian yng Nghymru er mwyn helpu cynnal gweithgareddau'r Gymdeithas Wrthgaethiwol? Yn sicr, ymwelodd nifer o ddiddymwyr Americanaidd â Phrydain yn ystod y cyfnod hwn am y rheswm hwnnw, gan gynnwys rhai caethweision ffoëdig neu *fugitive slaves*.[51]

Mae'r dystiolaeth brin sydd gennym ynglŷn â gweithgareddau Robert Everett yn ystod ei gyfnod yn West Winfield yn awgrymu'i fod yn croesawu caethweision ffoëdig yno. Disgrifiodd ei fab John un o'r achlysuron hyn flynyddoedd wedyn wrth geisio diffinio safiad moesol ei dad:

> Father's action against slavery seemed to have two roots – one, that slaveholding was a sin and should be immediately abandoned; the other, that the slave was a man for whom Christ, our Lord, died. I remember when I was a boy, a poor negro, illy clad, came to our house in Winfield. I was deeply struck with the respect, even tenderness, with which father treated him; as if he looked on him as the representative of the down-trodden race.[52]

Er nad yw'n manylu ar yr amgylchiadau, mae'n bosibl iawn mai *fugitive slave* oedd y dyn hwn. Fel y gwelir ym mhennod 5, mae dogfennau sydd wedi goroesi o'r 1840au cynnar yn ategu'r darlun a gawn yma, ac mae hyn oll yn awgrymu bod y gweinidog yn gweithio gyda'r *Underground Railroad*. Nid rheilffordd go iawn oedd y *Railroad* yma, eithr rhwydwaith o ddiddymwyr a roddai gymorth i gaethweision a oedd yn ffoi o daleithiau caeth y de. Gan fod swydd Oneida yn agos iawn i'r ffin rhwng yr Unol Daleithiau a Chanada (lle y ceid rhyddid diymwad i'r caethweision ffoëdig), roedd yn ardal bwysig ar gyfer gweithgareddau'r rhwydwaith hwn. Hyd yn oed pe bai rhagor o ddogfennau yn llaw Robert Everett wedi goroesi o flynyddoedd West Winfield, mae'n annhebyg iawn y byddent yn cynnig gwybodaeth inni ynglŷn â gweithgareddau'r 'Rheilffordd Danddaearol,' gan mai cyfrinachol oeddynt.[53]

Ond, fel y nodwyd nifer o weithiau'n barod, mae manylion am weithgareddau Robert Everett yn ystod y cyfnod hwn yn brin iawn. Nid ysgrifennodd hunangofiant, ac ni ddechreuodd gyhoeddi'i gylchgrawn ei hun tan 1840. Yn ogystal â diffyg deunydd printieidg, ni cheir ond ychydig o ddogfennau ysgrifenedig sy'n deillio o gyfnod West Winfield (yn wahanol iawn felly i'r cannoedd o lythyrau a chofnodion wedi'u hysgrifennu gan Robert Everett a'i deulu sydd wedi goroesi o flynyddoedd diweddarach). Y rheswm dros y diffyg hwn yw'r ffaith fod cartref Robert Everett yn West Winfield wedi llosgi yn gynnar yn 1838:

> cafodd yno golled fawr trwy i'w dy fyned ar dân yn y nos, pryd y llosgwyd y rhan fwyaf o'r dodrefn, y dillad, y llyfrau a'r ysgrifeniadau, a phrin y diangodd ef a'i deulu heb ond ychydig o ddillad am danynt. Yr oedd yn golled fawr i fyfyriwr caled a gweithgar fel Dr. Everett, iddo gael ei amddifadu o'i holl lyfrau ar unwaith. . . . heb sôn am y golled am holl law-ysgrifau boreuddydd ei fywyd a'i weinidogaeth. Diameu y buasai genym lawer yn ychwaneg o ddefnyddiau at hanes boreuol ei fywyd, oni b'ai yr anffawd hon.[54]

Cofnododd un o wyrion Robert Everett ei olwg bersonol ar y drychineb hon: 'the loss of the library was keenly felt, and that he never had such a good library afterward. Though in my boyhood I remember counting about 700 books in his study at one time.'[55] Er na wyddom beth yn union a achosodd y tân hwnnw, mae'n debyg mai damwain ydoedd ac nid gwaith y gwrth-ddiddymwyr (a fuasai'n bygwth llosgi tai diddymwyr eraill yn yr ardal). Er bod rhai o'i bapurau o'r cyfnod wedi goroesi, mae'r ffaith fod y rhan fwyaf o lawysgrifau personol Robert Everett wedi'u colli yn 1838 yn golygu nad oes gennym ei nodiadau ar gyfer y rhan fwyaf o'r pregethau a'r areithiau a draddododd yn Utica a West Winfield rhwng 1823 a dechrau 1838.[56]

Ym mis Chwefror 1838 y bu'r tân hwnnw. Y mis nesaf y câi tân o fath arall ei gynnau a fyddai'n dod â Robert Everett yn ôl i ganol bywyd Cymraeg swydd Oneida gan ddod â'i gyfnod yn eglwys Saesneg West Winfield i ben.

NODIADAU

[1] D. Davies [Dewi Emlyn] (gol), *Cofiant y Diweddar Barch. Robert Everett, D. D. a'i Briod, Steuben, Swydd Oneida, N Y. Yn Nghyd a Detholion o'i Weithiau Llenyddol*, 24. Mae deunydd perthnasol ymhlith y papurau a geir yng nghasgliad M. Everett hefyd.

[2] Yn wir, cafodd Robert Everett ei addysg mewn cyfnod pan oedd llythyrau Cymraeg yn brin iawn; ceir llawer o dystiolaeth sy'n dangos bod Cymry a oedd fel arall yn gweithredu drwy gyfrwng yr iaith Gymraeg yn ysgrifennu'u gohebiaeth bersonol yn Saesneg. Gw. E. Wyn James, '"The New Birth of a People": Welsh Language and Identity and the Welsh Methodists, c.1740-1820,' yn Robert Pope (gol), *Religion and National Identity: Wales and Scotland, c.1700-2000* (Caerdydd, 2001), ac hefyd 'Pererinion ar y Ffordd: Thomas Charles ac Ann Griffiths,' *Cylchgrawn Hanes Cymdeithas Hanes y Methodistiaid Calfinaidd* (2005-06), 92, n.11.

[3] Er enghraifft, dogfen a geir ym mhapurau M. Everett (wedi'i dyddio 'this 9th day of October A. D. 1834'): 'Know all men . . . present, that we Robert Everett of the town of Winfield . . and Henry Roberts of the

City of Utica [sef brawd-yng-ynghyfraith y Parch. Everett] . . . , Executors of the last will and Testament of James Jones.'

[4] *Utica City Directory* (Utica, 1833).

[5] D. Davies (gol), *Cofiant y Diweddar Barch. Robert Everett*, 24.

[6] Erasmus Jones, 'Coffadwriaeth Dr. Everett yn West Winfield, N. Y.' yn D. Davies (gol), *Cofiant y Diweddar Barch. Robert Everett*, 92-4. Cymerwyd casgliad hefyd yn West Winfield er mwyn gosod ffenest 'eang a phrydferth' yn yr eglwys 'ac arni mewn llythyrenau euraidd eglur' y geiriau 'IN MEMORIAM REV. ROBERT EVERETT, D.D.' Gellid nodi bod Erasmus Jones wedi cofnodi 'coffadwriaeth Dr. Everett yn West Winfield' yn 1879, dros 40 mlynedd ar ôl y cyfnod dan sylw a'i bod hi'n bosibl felly fod yr enw da a enillasai ef erbyn y 1860au wedi effeithio ar y modd yr oedd Americanwyr Saeseng yr ardal yn ei gofio yn y 1870au. Ar y llaw arall, mae'r ffaith ei fod wedi aros yn yr ofalaeth am bum mlynedd – a hynny er gwaethaf ei waith yn ymgyrchu'n gyhoeddus dros fudiadau radicalaidd (dirwest a diddymiaeth) – yn awgrymu'n gryf iawn fod y gynulleidfa yn West Winfield yn cefnogi neu o leiaf yn derbyn y gweithredoedd hyn.

[7] *Anerchiad ar Gymmedrolder a Draddodwyd yn Utica gan Robert Everett, 25 Rhagfyr 1833.* Ceir copi ar feicroffilm LlGC 2.468. Gw. hefyd Robert Huw Griffiths, 'The Welsh and the American Civil War c.1840-1865' (traethawd Ph.D., Prifysgol Caerdydd, 2004), 16.

[8] 'Adgofion . . . gan y Parch. James Griffiths, Sandusky, N. Y.' yn D. Davies (gol), *Cofiant y Diweddar Barch. Robert Everett*, 65-66. Ymfudodd James Griffiths i Utica yn 1832; dyma felly brawf sicr fod Robert Everett wedi dechrau coleddu diddymiaeth cyn y flwyddyn honno.

[9] Ibid., 66: 'byddwn i ac eraill yn edrych i fyny arno ef fel tad a blaenor, ac i ryw raddau yn ymdrechu dilyn ei gamrau, ac ar amserau eraill dewisem rai llwybrau gwahanol i geisio dwyn yn mlaen yr achos gwrth-gaethiwol[.]'

[10] Ibid., 67. Dyma ddyfyniad o lythyr at blant Robert Everett; dyna sy'n egluro'r ymadrodd 'eich parchus dad.'

[11] Ibid., 121-2: 'Ysgrifena ei ferch Jennie atom: "Ar ôl hyny bu yn gyfaill a chydlafurwr yn yr achos gwrthgaethiwol â'r Parch. Beriah Green, yr Anrhydeddus Gerrit Smith, Alvan Stewart, Theodore Weld, ac eraill a gymerasant safleoedd mor gyhoeddus gyda'r achos yn y tymor boreuol hwnw."'

[12] Milton C. Sernett, *North Star Country* [:] *Upstate New York and the Crusade for African American Freedom* (Syracuse [Efrog Newydd], 2002), 73.

[13] Sernett, Milton C., *Abolition's Axe: Beriah Green, Oneida Institute, and the Black Freedom Struggle* (Syracuse [Efrog Newydd], 1986), 101 a 118.

[14] D. Davies (gol), *Cofiant y Diweddar Barch. Robert Everett*, 178.

[15] http://www.rootsweb.com/~nyoneida/news.htm: 'The *Oneida Standard* was commenced at Waterville in 1833. It was subsequently removed to Utica, and after the Democrat was discontinued it assumed the name of *The Standard and Democrat*, Quartus Graves, publisher.'

[16] Milton C. Sernett, *North Star Country*, 49. Er mai 'gwrthgaethiwol' yw'r ffurf fodern, ceir 'gwrth-gaethiwol' (gyda'r cysylltnod) mewn ffynonellau Cymraeg o'r cyfnod (gan gynnwys ysgrifau Robert Everett). 'Y Gymdeithas Wrth-Gaethiwol' (ac nid 'Gwrthgaethiwol') a welir gan amlaf yn y ffynonellau cynradd.

[17] Safai'r eglwys hon ar Stryd Bleeker yn Utica.

[18] D. Davies (gol), *Cofiant y Diweddar Barch. Robert Everett*, 122-3.

[19] Ibid., 183. Hefyd papurau M. Everett.

[20] Lorman Ratner, *Powder Keg: Northern Opposition to the Antislavery Movement, 1831-1840* (Efrog Newydd, 1968); Leonard Richards, *"Gentlemen of Property and Standing": Anti-Abolition Mobs in Jacksonian America* (Efrog Newydd, 1970).

[21] Erasmus Jones yn D. Davies (gol), *Cofiant y Diweddar Barch. Robert Everett*, 77.

[22] Ibid., 184

[23] Saunders Lewis, 'Rhagair,' *Gymerwch Chi Sigaret?* (Llandybïe, 1956), 6 ('un sy'n aros argyhoeddiad' yw'r union ymadrodd).

[24] Milton C. Sernett, *North Star Country*, 49.

[25] *Proceedings of the New York Anti-Slavery Convention, Held at Utica, October 21, and at Peterboro, October 22, 1835* (Utica, 1835), 21.

[26] Milton C. Sernett, *North Star Country*, 50.

[27] D. Davies (gol), *Cofiant y Diweddar Barch. Robert Everett*, 68.

[28] Ibid., 68.

[29] Ibid., 68.

[30] Papurau M. Everett. Gw. hefyd, D. Davies (gol), *Cofiant y Diweddar Barch. Robert Everett*, 123.

[31] Gw., e.e., James Griffiths mewn llythyr at blant Robert Everett: 'Yr oedd eich tad wedi d'od o'r cwrdd

gyda mi i gael llety, a dyna lle'r oeddem, mor ddystaw a'r bedd, yn ofni ac yn crynu, ac yr wyf yn meddwl iddo ef anfon llawer saeth weddi i fyny i'r nef.' D. Davies (gol), *Cofiant y Diweddar Barch. Robert Everett*, 68. Ond mae'n debyg fod y Parch. Griffiths – a oedd yn hen iawn pan ysgrifennodd y geiriau hyn – wedi drysu a chymysgu dau ddigwyddiad; yn hytrach na sôn am y terfysgwyr a gododd yn erbyn y Gynhadledd Wrthgaethiwol, dechreua'r hanesyn yma drwy ddweud fod Robert Everett wedi dod 'ryw ddydd Llun . . . yn y flwyddyn 1835 . . . atom i'r cyfarfod gweddi misol.' (66). Gan fod John Everett gyda'i dad y diwrnod hwnnw ac yn ddigon hen i gofio'r hyn a ddigwydodd (15 oed), a chan nad oedd ond canol oed pan gofnododd ei fersiwn yntau o'r hanes, credaf fod ei dystiolaeth ef yn fwy dibynadwy. Fel y nodir yn gynharach yn y bennod hon, rhoddai James Griffiths lwyfan yn ei gapel i Robert Everett bregethu yn erbyn caethwasanaeth yn ystod yr wythnos. Mae'n hollol bosibl felly fod torf o wrth-ddiddymwyr wedi casglu y tu allan i'r capel Cymraeg yr adeg honno hefyd a bod James Griffiths felly wedi cymysgu'r digwyddiad hwnnw â'r hyn a ddigwyddodd ar 21 Hydref 1835.

[32] Milton C. Sernett, *North Star Country*, 50-2.

[33] Gellir nodi, er enghraifft, y cysylltiadau rhwng Gerrit Smith, Frederick Douglass a John Brown. Gw. Edward J. Renehan, *The Secret Six [:] The True Tale of the Men Who Conspired with John Brown* (Columbia [De Carolina], 1997); John Stauffer, *The Black Hearts of Men [:] Radical Abolitionists and the Transformation of Race* (Cambridge [Mass.], 2002). Cofiai plant Robert Everett fod eu tad wedi cydweithio â Smith. Gw., e.e., Jennie Everett, yn D. Davies (gol), *Cofiant y Diweddar Barch. Robert Everett*, 121-2.

[34] *Proceedings of the New York Anti-Slavery Convention, Held at Utica, October 21, and at Peterboro, October 22, 1835.*

[35] Dechreuwyd cyhoeddi *The Friend of Man* ar 23 Mehefin 1836. Gw. Milton C. Sernett, *North Star Country*, 53 ac *Abolition's Axe*, 165, nodyn 49.

[36] John Everett yn D. Davies (gol), *Cofiant y Diweddar Barch. Robert Everett*, 184. Nid oedd John yn dyst i'r digwyddiad; roedd yn crynhoi tystiolaeth aelodau eraill o'r teulu.

[37] Ibid., 184.

[38] Gw.,e. e., Milton C. Sernett, *Abolition's Axe*, 70-71.

[39] Stephen B. Oates, *To Purge This Land With Blood [:] A Biography of John Brown* (Amherst, 1970), 41.

[40] Ibid., 41-2, ac hefyd 368-9. Cofnodwyd geiriau Brown gan nifer o unigolion a oedd yn bresennol, ond mae'r manylion yn amrywio.

[41] Yr enghraifft amlycaf yw Beriah Green. Gw. y drafodaeth ym mhennod 4.

[42] Robert Fanuzzi, *Abolition's Public Sphere* (Minneapolis, 2003), xxix. Gw. hefyd William S. McFeely, *Frederick Douglass* (Efrog Newydd, 1991), 83: (wrth drafod y 1830au) 'William Lloyd Garrison . . . had become the leader of the abolitionists'; ac hefyd Richard S. Newman, *The Transformation of American Abolitionism* (Chapel Hill, 2002), 86: 'In both popular imagination and in many scholarly accounts, Garrison's debut remains the benchmark of abolitionism.' Ond, fel y mae Newman ei hun yn ei bwysleisio, roedd Garrison a'i ddilynwyr gwyn cynnar wedi'u hysbrydoli i raddau helaeth gan nifer o Americanwyr duon nad oedd wedi ennill y fath enwogrwydd yn sgil eu hymgyrchoedd hwythau.

[43] *The Liberator*, 1 Ionawr 1831.

[44] Ar y llaw arall, roedd nifer o wleidyddion wedi bod yn annog *'the gradual emancipation of slaves'*, a hynny ers dyddiau cynnar yr Unol Daleithiau ar ddiwedd y ddeunawfed ganrif.

[45] *The Liberator*, 17 Awst 1833.

[46] Robert Fanuzzi, *Abolition's Public Sphere*, 30.

[47] *'Nonresistance'* oedd y term a arddelai Garrison a'i ddilynwyr ar gyfer y dull di-drais hwn o ymgyrchu. Gw. John Demos, 'The Antislavery Movement and the Problem of Violent Means,' *New England Quarterly 36* (Rhagfyr 1964).

[48] Gw. Pennod 10 a'r cyfeiriadau a geir ynddi at ysgrifau a gyhoeddwyd gan Robert Everett cyn y cyfnod dan sylw yn y bennod honno.

[49] D. Davies (gol), *Cofiant y Diweddar Barch. Robert Everett*, 24-7. Papurau M. Everett; mae llythyr gan William Williams (wedi'i ddyddio ' Wern, 29 April 1836') yn dangos fod Williams o'r Wern wedi gobeithio gweld Robert Everett yng Nghymru yn 1836; dyma dystiolaeth sy'n awgrymu bod yr ymweliad â'r Hen Wlad wedi'i gynllunio ers talm a bod rhai o Annibynwyr mwyaf dylanwadol Cymru'n edrych ymlaen at y daith bregethu hon. Fe gofir mai Williams o'r Wern oedd un o'r gweinidogion hynny a drafodwyd yn y bennod gyntaf. Yn wir, cyfeiria Williams yn y llythyr hwn (a oedd, fel llawer o ohebiaeth gweinidogion Cymraeg y cyfnod, yn Saesneg) at waith cynnar Robert Everett yng Nghymru: 'What we call [the] modern system prevails very general . . . now . . . even amongst the Calvinistic Methodists.'

[50] *The Friend of Man* (1837); gw. hefyd *The Philanthropist*, 7 Tachwedd 1837.

[51] Ymwelodd neb llai na Frederick Douglass â Phrydain (a Chymru). Cyhoeddwyd hanes un o'r caethweision ffoëdig hyn yn Gymraeg: *Hanes Bywyd a Ffoedigaeth Moses Roper o gaethiwed Americanaidd* (Bangor, 1841).

[52] D. Davies (gol), *Cofiant y Diweddar Barch. Robert Everett*, 185.
[53] Gw., e. e., Larry Gara, *The Liberty Line* [:] *The Legend of the Underground Railroad* (Lexington [Kentucky], 1961). Yn wahanol i nifer o ddiddymwyr yn y gorllewin, awgrymodd Frederick Douglass fod y rhai a oedd yn gyfrifol am y Rheilffordd Danddaearol yn Efrog Newydd yn cadw'u cyfrinachau; gw. William S. McFeely, *Frederick Douglass*, 69-70.
[54] D. Davies (gol), *Cofiant y Diweddar Barch. Robert Everett*, 27.
[55] 'Pressed Leaves From the Everett "Bush" By Rev. J. E. Everett Written for his son Roberts in or about 1912,' 7. Papur anghyhoeddedig yng nghasgliad M. Everett.
[56] Mae papurau M. Everett yn cynnwys nifer o ddogfennau sy'n tystio i'r holl gefnogaeth a gafodd y teulu ar ôl y tân. Er enghraifft, mae un wedi'i ddyddio 'Planfield March 5th 1838' yn dechrau 'Beloved and respected Friends [:] I have lately heard of your misfortune and feel to sympathize deeply with you in all your affliction. The loss of your property is great, but the loss of one dear child would have been far greater. O what a mercy that your family is all spared.' Ceir hefyd yng nghasgliad M. Everett restr yn llaw Robert Everett o bawb a roddodd gymorth i'r teulu yr adeg honno.

PENNOD 4:
'Dyn o Ddylanwad Ymysg ei Bobl'
(Steuben, 1838-1839)

Aeth Robert Everett i Utica ym mis Mawrth 1838. Roedd Annibynwyr Cymraeg swydd Oneida yn cynnal eu cwrdd chwarterol, cyfarfod a fyddai'n profi'n drobwynt yn hanes Cymry'r ardal ac yn hanes Robert Everett ei hun. Gellid meddwl ar un olwg y byddai ystyriaethau eraill wedi cadw gweinidog West Winfield rhag mynd gan fod ganddo ddigon ar ei blât ar y pryd; dim ond yn ddiweddar yr oedd wedi dychwelyd o'i ymweliad â Chymru ac ychydig wythnosau cyn y cwrdd roedd ei dŷ wedi llosgi a'r rhan fwyaf o eiddo'r teulu wedi diflannu yn y fflamau. Ond roedd ganddo reswm arbennig dros fynd i'r cwrdd, a Morris Roberts oedd y rheswm hwnnw.

Yn enedigol o Lanuwchllyn, ymfudodd Morris Roberts i Utica yn 1831. Yn y ddinas Americanaidd honno yr ordeiniwyd ef yn weinidog gyda'r Methodistiaid Calfinaidd, ond roedd wedi bod yn gwasanaethu fel pregethwr lleyg ers dros ddeng mlynedd cyn ymadael â Chymru. Disgrifiodd y Methodist y modd y bu i'r Annibynnwr Robert Everett ei helpu wrth iddo ddechrau cynefino â bywyd yn ei wlad newydd: 'cefais gyfle [i g]lyfrinachu ag ef . . . a rhoddodd aml gyngor i mi fel un newydd ddyfod i'r wlad.'[1] Roedd y ddau weinidog yn coleddu llawer o'r un daliadau; yn wir, cawsai Morris Roberts ei ddisgyblu gan y Methodistiaid Calfinaidd yn ôl yng Nghymru am arddel y 'system newydd' yr oedd Robert Everett a'i gyd-Annibynwyr wedi bod yn ei hyrwyddo yno.[2] Cydlafuriai'r Methodist a'r Annibynnwr er mwyn hybu dirwest a diddymiaeth yn Utica. Ond symudodd y Parch. Everett i West Winfield yn 1833 ac ni fyddai'r ddau'n cael cyfle i gydweithio am ryw saith mlynedd. Yn y cyfamser roedd y Parch. Roberts wedi mynd i drafferth gyda'i enwad; nid yw holl fanylion yr ymrafael wedi'u cofnodi, ond mae'n bosibl fod ei waith yn pregethu dirwest a diddymiaeth o'r pulpud yn rhannol gyfrifol am yr anghydfod. Y canlyniad fu iddo gael ei ddiarddel gan y Methodistiaid Calfinaidd am wrthdaro 'â rhai henuriaid ar faterion o ddisgyblaeth eglwysig ac athrawiaeth.'[3] Er gwaethaf y ffaith ei fod wedi gadael ei hen enwad dan ffasiwn gwmwl – neu *oherwydd* y ffaith ei fod wedi pechu'r Methodistiaid drwy sefyll yn ddi-ildio dros ei egwyddorion – croesawyd Morris Roberts gan yr Annibynwyr. Dyna a ddigwyddodd yn y cwrdd hwnnw ym mis Mawrth 1838, ac yn ystod ei dderbyniad ffurfiol i'w enwad newydd y cafodd Morris Roberts gyfle i weld ei hen gyfaill Robert Everett eto: 'Y pryd cyntaf i mi ei gyfarfod ar ol hyny oedd yn Utica, ym mis Mawrth, 1838, mewn cwrdd chwarter gan yr Annibynwyr, a minau yn myned yno i ymuno a'r Undeb hwnw fel gweinidog.'[4]

Yn ogystal â'i groesawu'n ffurfiol i'r enwad, rhaid bod gweinidog West Winfield yn edrych ymlaen at glywed holl hanes Morris Roberts. Tra oedd Robert Everett yn ymweld â Chymru yn 1837 roedd Morris Roberts wrthi'n symud yr ymgyrch yn swydd Oneida yn ei blaen. Mae ymchwil arloesol a gyflwynwyd mewn traethawd Ph.D. diweddar gan Huw Griffiths yn taflu goleuni ar weithgareddau Morris Roberts:

> The first evidence of general Welsh-American support for political action against slavery can be found in a petition sent from the Welsh inhabitants of Steuben and Remsen, Oneida County, New York, to the House of Representatives in February 1837. The petition itself was organised by the Revd. Morris Roberts, a close colleague and friend of Everett and was signed by a hundred and sixty seven people.[5]

Roedd y ddeiseb hon yn rhan o ymgyrch Cymdeithas Wrthgaethiwol Efrog Newydd, y gymdeithas honno yr oedd Alvan Stewart a Gerrit Smith wedi helpu i'w sefydlu yn 1835. Dogfen brintiedig ydyw, gyda'r geiriau '*Welsh Inhabitants of Steuben and Remsen, Oneida County*' wedi'u hysgrifennu yn y bwlch:

> We, the undersigned, *Welsh Inhabitants of Steuben and Remsen, Oneida County* in the State of New York, believing that SLAVERY as it exists in America, is a heinous sin against God, and a flagrant violation of the rights consistent with Christianity, with our National Declaration of Indepence, and with our Republican Institutions . . . Do solemnly and importunately petition and implore your Honorable bodies, to take all measures within . . . your constitutional powers, for the abatement and removal of this great evil.[6]

Daw'r holl lofnodion ar ôl y rhagymadrodd printiedig hwn, a Morris Roberts oedd y cyntaf o'r 167 i dorri'i enw ar y ddeiseb hanesyddol hon.

A fu i'r ddau weinidog drafod yr ymgyrch hon yn ystod y cwrdd chwarterol yn mis Mawrth 1838? Ni chofnodwyd sgwrs o'r fath gan yr un o'r ddau, ond mae'n hawdd dychmygu bod Robert Everett wedi holi Morris Roberts am ei waith gwrthgaethiwol diweddar. Ar y llaw arall, gwyddom i sicrwydd fod testun arall wedi mynd â'u sylw yn ystod y cyfarfod, sef cyflwr capeli Cymraeg yr ardal: 'Yr oedd golwg isel a di-lewyrch ar achos crefydd ymysg pob enwad o'r Cymry ar y pryd.'[7] Tybed ai'r drafodaeth hon a bigodd gydwybod Gymreig Robert Everett gan esgor ar benderfyniad i ddod â'i gyfnod yn eglwys Saesneg West Winfield i ben ac ymroi'n gyfan gwbl i 'achos crefydd' y Cymry unwaith eto?

Bid a fo am benderfyniad Robert Everett i adael West Winfield, mae un ffaith yn hysbys: penderfynodd ef a Morris Roberts fynd i'r afael â'r broblem yn y fan a'r lle wrth drefnu cyfarfod pregethu'r wythnos honno. Cawsant gymorth gan James Griffiths, olynydd Robert Everett yng nghapel Annibynwyr Cymraeg Utica.[8] Roedd pregethwr poblogaidd o'r enw Jacob Knapp wedi bod yn megino tân Diwygiad Finney yn ardal Utica a dywedodd y Parch. Griffiths wrth ei gyd-weinidogion fod llawer o Gymry'r ddinas yn mynychu'r cyfarfodydd gweddi Saesneg hyn.[9] Fel hyn y cofiodd Morris Roberts ei gyngor ef:

> yr hwyr . . . nesaodd y Parch. James Griffiths, gweinidog y lle, ataf, a dywedodd wrthyf, ei fod yn dysgwyl y caem ni gwrdd da, ac adroddodd i mi am y cyfarfodydd a gynelid gan Knapp yn mysg y Saeson [h.y., Americanwyr Saesneg eu hiaith], a bod amryw o aelodau ei eglwys ef yn eu mynychu, a than radd o deimlad.[10]

Mae'n amlwg iddo rannu'r wybodaeth â Robert Everett hefyd. Gellir gweld yr hyn a ddigwyddodd yn ystod y cyfarfod pregethu 'ryw ddydd Mercher' ym mis Mawrth 1838 fel ymdrech fwriadol o ran y tri gweinidog Cymraeg – y Parchn. Griffiths, Roberts ac Everett – i ddefnyddio dulliau llwyddiannus un o ddiwygwyr Saesneg Utica i esgor ar ddiwygiad a fyddai'n cryfhau capeli Cymraeg yr ardal. Dyma un o'r enghreifftiau mwyaf amlwg o'r modd y dylanwadodd Cristnogaeth efengylaidd y *Burned-Over District* yn uniongyrchol ar y gymuned grefyddol Gymreig yr oedd Robert Everett yn helpu i'w bugeilio:

> am 2 [o'r gloch y diwrnod hwnnw], yr oedd yr ysgrifenydd [sef Morris Roberts] a Dr. Everett i bregethu. Yr wyf yn cofio fy nhestyn, "Na ddiffoddwch yr Ysbryd." Wrth siarad am bwysigrwydd dylanwadau yr Ysbryd Glan, eu hanog i'w maethu, a dangos y mawr berygl o'u gwrthwynebu . . . neu eu diffodd, daeth gryn deimlad ar y bobl a'r pregethwr, a chollid llawer o ddagrau. Ar ddiwedd y bregeth, dyma Mr. Everett yn cyfodi yn y pwlpud, ac yn dyweyd na wnai ef bregethu, ond yr aem ni i lawr, ac y byddai iddo ef gynyg dull y Saeson [h. y., yr Americanwyr Saesneg eu hiaith] o gynal y cyfarfod, gan fod y bobl o dan deimlad fel yr oeddent. I lawr o dan yr areithfa yr aed, ac agorodd y Parch. R. Everett y cwrdd, trwy alw y bobl i edifeiriwch am eu

clauarineb mewn crefydd, eu bydolrwydd, eu hesgeulesdra, a'u difaterwch . . . .[11]

Lluniodd Morris Roberts ei bregeth mewn modd a awgrymai dân diwygiadol, gan ddisgrifio'r 'Ysbryd' yn drosiadol fel fflam y dylid 'ei maethu' yn hytrach na'i 'diffodd.' Yn dilyn pregeth Morris Roberts, aeth ei gyfaill ati i gynnal cyfarfod gweddi ar ffurf *'Finney's irregular methods'*; yn debyg i'r *'overall atmosphere of informality'* a nodweddai ddulliau'r diwygiwr enwog hwnnw, gadawodd Robert Everett ffurfioldeb ei bulpud er mwyn mynd 'i lawr' – yn llythrennol – o lwyfan y pregethwr er mwyn cymysgu â'r cyd-addolwyr.[12]

Manteisiodd ar un arall o dechnegau Finney, sef yr '"anxious seat" . . . a special bench in the front . . . for those who were concerned for the state of their souls:'[13]

> Aeth y gynulleidfa ar eu gliniau, a daeth yr aelodau o'r llofft i lawr, a llanwyd yr *aisles* rhwng yr eisteddleoedd yn dyn, a phawb ar eu gliniau . . . . Yna cynigiodd rhyw un ar fod rhai o'r eisteddleoedd ar y dde yn cael eu gwaghau, i roddi prawf ar wahodd rhai oedd dan deimlad i ddyfod yn mlaen iddynt yn ngwydd pawb, a'r brawd Everett a wnaeth wahoddiad grymus i wrthgilwyr ac eraill i ddangos eu penderfyniad[.][14]

Roedd y rhod wedi dechrau troi'n barod gan fod rhai o'r capelwyr Cymreig a fuasai'n wrthwynebus i'r dulliau newydd hyn ar un adeg wedi dechrau mynychu cyfarfodydd diwygiadol Saesneg yn y ddinas. Gyda'i fys ar byls diwylliant crefyddol Cymry Utica, gwyddai James Griffiths eu bod bellach yn agored i'r math yma o weithgaredd. Ac felly pan fabwysiadodd Robert Everett a Morris Roberts ddulliau 'anghonfensiynol' Finney a'i ddilynwyr, cawsant gymorth gan aelodau o'r gynulleidfa a 'gynigiodd' wagio rhai o'r meinciau a pharatoi'r ffordd ar gyfer y 'gwrthgilwyr' a ddeuai'n ôl 'i ddangos eu penderfyniad.' Cydiodd y tân yn syth:

> Yn y fan penderfynwyd i'r cwrdd barhau dros ddyddiau yn mlaen; dechreu pob oedfa â chwrdd gweddi; ac ar ol pregethu, rhoi cyfleustra i rai o'r newydd ddod yn mlaen i'r meinciau gweigion, a pharhaodd felly am wyth o ddyddiau – tair oedfa bob dydd; ac erbyn yr wythfed dydd yr oedd llawr y capel hwnw yn llawn o rai newydd; cynwysai, yn ddiau, o dri i bedwar cant o rai newydd.[15]

Ac felly y dechreuodd 'Diwygiad Mawr 1838' fel y gelwid ef gan Gymry America. Byddai'u cymdogion di-Gymraeg yn ei gofio'n syml fel *'The Welsh Revival.'*[16] Ymledodd yn fuan o Utica i'r cymunedau Cymreig yn y pentrefi cyfagos.

Er bod Robert Everett yn gymeriad pur adnabyddus yn barod, aeth yn *celebrity* o'r rheng flaenaf yng ngolwg capelwyr Cymraeg America. Cofiai'r diddymwr Erasmus Jones mai 'yn nghwrdd mawr y diwygiad yn y Capel Ucha' yn Steuben y clywodd y Parch. Everett yn pregethu am y tro cyntaf.[17] Yn y 'cwrdd mawr' yn Steuben y gwelodd Evan Davies ef gyntaf hefyd. Plentyn oedd Evan Davies yr adeg honno, bachgen a oedd wedi'i ddysgu gan ei rieni 'i ystyried Mr. Everett yn un o ddynion mwyaf rhagorol y ddaear.'[18] Ond da y cofiai holl fanylion yr achlysur ryw 40 mlynedd yn ddiweddarach:

> Y tro cyntaf erioed i mi weled Mr. Everett ydoedd yn Steuben, yn amser yr adfywiad crefyddol mawr a fu yno yn 1838. Nid oeddwn y pryd hwnw ond ieuanc iawn; eto yr wyf yn cofio yn dda, fy mod yn eistedd wrth ffenestr, yn ochr orllewinol yr hen *gallery* oedd y pryd hwnw yn y capel, pan ddaeth Mr. Everett mewn cerbyd i'r buarth . . . ac y mae yr argraff a adawodd ei ymddangosiad cyntaf arnaf yn aros yn fyw yn fy meddwl hyd y dydd hwn. . . . . Ac yr wyf yn cofio fod cryn son fod Mr. Everett i fod yno ar y diwrnod crybwylledig, fel yr oedd fy nysgwyliadau wedi eu codi yn uchel iawn y diwrnod hwnw; oblegid yr oeddwn yn cael fy nysgu yn y teulu gartref i goledd syniadau uchel iawn am Mr. Everett, cyn ei weled erioed. [. . . .] Nid oedd neb, byw na marw, yn America, nac yn Nghymru chwaith, ond Dr. George Lewis, Llanuwchlyn a'r Parch. W[illiam] Williams, o'r Wern, mor berffaith yn ngolwg fy nhad [â] Mr. Everett; ac ni flinai fy mam ychwaith yn son am ei ragoriaethau digyffelyb. . . . . A darfu i'r olwg gyntaf hono a gefais arno trwy y ffenestr, yn hen 'Gapel Uchaf,' Steuben, ar unwaith i'm meddwl plentynaidd y syniadau uchel a goleddaswn am dano.[19]

Os dyna oedd 'ymddangosiad cyntaf' y Parch. Everett o flaen llygaid yr Evan Davies ifanc, profodd llawer iawn o Gymry swydd Oneida 'ymddangosiad' tebyg yr adeg honno wrth i'r gweinidog enwog deithio o gwmpas yr ardal yn 'maethu' tân y diwygiad. 1838 oedd blwyddyn epiffani Robert Everett fel diwygiwr Cymreig Americanaidd, a byddai'r statws a ddaeth i'w ran y flwyddyn honno yn gwbl allweddol i'r ymgyrch wrthgaethiwol newydd yr oedd ar fin ei dechrau.

Ychydig o wythnosau ar ôl iddo bregethu yng 'nghwrdd mawr'

Steuben, symudodd Robert Everett a'i deulu yno i fyw. Roedd wedi derbyn galwad i weinidogaeth Capel Uchaf a Phenymynydd, dau gapel cysylltiedig a wasanaethai Annibynwyr Cymraeg Steuben, nid nepell o Utica.[20] Ar ôl pum mlynedd mewn eglwys Saesneg, roedd yn ymdaflu eto i'r weinidogaeth Gymraeg, ac yno y byddai'n aros weddill ei oes. Gellid ar un olwg feddwl ei fod yn ceisio lloches ymhlith ei bobl ei hun ar ôl cyfnod anodd yn y wlad fawr y tu allan i gylch cyfyngedig Cymry America. Wedi'r cwbl, blynyddoedd tra helbulus oedd cyfnod Robert Everett yn West Winfield; roedd gwrth-ddiddymwyr wedi ymosod ar ei gapel yno ac roedd y teulu wedi colli'u tŷ a'u heiddo mewn tân. Bid a fo am dreialon West Winfield, nid cilio oedd Robert Everett wrth symud i Steuben; i'r gwrthwyneb, roedd yn dychwelyd i'r weinidogaeth Gymraeg yn fuddugoliaethus ar frig ton llwyddiant diwygiad 1838. Roedd yn hyderus, roedd yn egnïol, ac roedd ganddo genhadaeth: ar ôl diogelu'r tir a enillasai yn ystod y diwygiad a chryfhau achos crefydd yn Steuben, byddai'n troi'i ddau gapel newydd yn syfleini ar gyfer ei ymgyrch i radicaleiddio Cymry America a'u byddino yn erbyn caethwasanaeth.

Yn deilwng o weinidog a oedd bellach mor enwog, roedd gan ofalaeth newydd Robert Everett statws hanesyddol arbennig. Steuben oedd y gymuned Gymreig hynaf yn swydd Oneida. Yn y 1790au y mentrodd y Cymry cyntaf i'r bryniau coediog a enwyd ar ôl Baron von Steuben, cadfridog Prwsiaidd a oedd wedi helpu'r Americanwyr yn eu chwyldro yn erbyn Prydain.[21] Dechreuwyd cynnal cyfarfod gweddi Cymraeg bob Sul yn Steuben ym mis Mehefin 1798, ac yn fuan wedyn trefnwyd cymdeithas eglwysig a seiat.[22] Erbyn 1805 roedd yr ymfudwyr cynnar hyn wedi adeiladu addoldy gan ddefnyddio deunydd nodweddiadol y *frontier* Americanaidd, boncyffion coed – caban pren, felly, oedd capel cyntaf Steuben. Cyn diwedd 1820 roedd adeilad cerrig mawr wedi'i godi ar y safle. Rhoddwyd yr enw 'Ebenezer' arno, ond 'Capel Uchaf' yr oedd pawb yn galw'r addoldy a safai ar gopa un o fryniau lluosog Steuben.[23] Er bod rhai Methodistiaid yn cydaddoli yno, capel yr Annibynwyr oedd hwn.[24]

Parhâi'r ymfudwyr i lifo i mewn i'r ardal ac yn 1832 penderfynodd 29 o Annibynwyr Cymraeg a oedd wedi ymgartrefi mewn rhan arall o Steuben adeiladu capel arall; codwyd yr addoldy newydd ar godiad tir arall a'i enwi'n 'Gapel Penymynydd'. Nid ymddengys fod tensiynau rhwng y ddau gapel; i'r gwrthwyneb, roedd cynulleidfa Capel Uchaf wedi bod yn cynnal eu gwasanaethau cymun bob yn ail yn un o gartrefi Penymynydd cyn i'r capel newydd gael ei adeiladu, ac felly roedd yr un gweinidog wedi gwasanaethu'r ddau gapel cysylltiedig o'r cychwyn cyntaf.[25] Nid pentref fel y cyfryw oedd Steuben ond plwyf neu – yn

Saesneg Americanaidd y cyfnod – *township*. Roedd Cymry'r ardal yn byw ar ffermydd bychain gwasgaredig; disgrifai'r rhan fwyaf ohonynt eu cartrefi eu hunain fel 'tyddynnod'.[26] Ychydig o lonydd gwledig gwael a gysylltai'r tyddynnod hyn, a phan ddeuai stormydd gaeaf â throedfeddi o eira i'r ardal, roedd yn anodd iawn teithio ar hyd llwybrau cyntefig Steuben. Mae'n rhaid mai ystyriaethau ymarferfol felly oedd y tu ôl i'r penderfyniad i godi ail gapel yn y *township*.

Ac felly i'r ddau gapel yma y daeth Robert Everett tua diwedd Ebrill 1838. Ei orchwyl cyntaf oedd sicrhau bod momentwm y diwygiad yr oedd wedi helpu i'w ddechrau'n gynharach y flwyddyn honno yn parhau i ysbrydoli Annibynwyr Steuben. Rhwng y ddau gapel, roedd ganddo ryw 110 o aelodau llawn pan ddechreuodd Robert Everett ei weinidogaeth yno.[27] Bu bron i'r aelodaeth ddyblu yn ystod ei ddwy flynedd gyntaf, gyda chynifer â 200 yn cael eu cofnodi yn 1840.[28] Yn arwydd allanol o'r cynnydd hwn, 'helaethwyd, adgyweiriwyd, ac addurnwyd addoldy Steuben [sef Capel Uchaf] yn y blynyddoedd 1839 a 1840.'[29] Roedd yr aelodau hynny a gofiai'r hen gaban pren wedi bod yn dystion i dro sylweddol ar fyd eu capel. Dros drigain mlynedd yn ddiweddarach byddai un o ferched Robert Everett, Mary, yn cofio union natur y gwaith hwn:

> the church was repaired, enlarged and beautified. It was then that the artistic gallery was constructed, gracefully curving underneath, supported by cylindrical columns, and seats rising from front to rear, so that all could see, and be seen by the ministers, who, having mounted the numerous steps, were perched in the picturesque pulpit, from which they could look down on the audience below, and up to every hearer in the gallery. Doors also were at the sides of the pulpit to close, as if to shut in the eloquence, that it might pour forth with more power from above.[30]

Mae'r modd y disgrifiodd Mary Everett bulpud newydd ei thad yn ei ddarlunio fel llwyfan aruchel, esgynlawr arbennig a helpai'r gweinidog i hoelio sylw'i wrandawyr a 'thywallt huodledd' arnynt.

Yn ogystal â Robert Everett ei hun, deuai llawer o bregethwyr a siaradwyr eraill i dywallt eu huodledd ar Gymry Steuben o'r pulpud newydd hwn yn ystod y blynyddoedd nesaf. Ar ddechrau'r ugeinfed ganrif manylodd Mary Everett ar yr hyn a glywsai yng nghapel ei thad ddiwedd y 1830au a dechrau'r 1840au:

> the impassioned eloquence of so many of our old Welsh ministers . . .

thrilling addresses from the immortal Finney, in behalf of temperance, of Alvan Stewart, Beriah Green and others of the anti-slavery note, and even the plaintive story of the fleeing bondman, who, when he had told his tale, was secretly hurried to the next station on the underground railroad.[31]

Noder bod 'yr anfarwol Charles Finney' wedi pregethu o bulpud newydd Capel Uchaf; dyma brawf o barhâd y cysylltiad rhwng Diwygiad Finney a'r modd yr oedd Robert Everett yntau'n hyrwyddo'i ddiwygiad Cymreig ef.

Rhydd merch y gweinidog dipyn o sylw i'r cyfarfodydd gwrthgaethiwol a gynhelid yn y capel hefyd. Gwelwyd yn y bennod ddiwethaf fod tystiolaeth o gyfnod West Winfield yn awgrymu bod Robert Everett wedi gweithio gyda'r *underground railroad*, y rhwydwaith cyfrinachol hwnnw a estynnai gymorth i gaethweision a oedd yn dianc o daleithiau caeth y de. Dyma Mary Everett yn dweud yn blwmp ac yn blaen fod rhai o'r caethweision ffoëdig – neu'r *fleeing bondmen* – a ddaeth i swydd Oneida drwy gyfrwng y 'Rheilffordd Danddaearol' wedi siarad yng nghapel ei thad (ac fel y gwelir yn y bennod nesaf, cofnododd Robert Everett yntau o leiaf un o'r achlysuron arbennig hyn).

Yn ogystal, cyfeiria Mary Everett at ddau o ddiddymwyr enwocaf swydd Oneida, sef Alvan Stewart a Beriah Green. Er bod gweithgareddau Robert Everett o 1838 ymlaen yn canolbwyntio ar radicaleiddio Cymry America, dengys nifer o ffynonellau ei fod wedi parhau i gydweithio â diddymwyr amlwg y tu allan i'r cylchoedd Cymreig. Ceir ymysg y ffynonellau hyn lythyr a ysgrifennodd Alvan Stewart ryw dri mis a hanner ar ôl i Robert Everett ddechrau ar ei weinidogaeth yn Steuben.

9th Aug. 1838 Utica
Confidential
Dear & Rev. Mr. Everett,
Sir,

However imperfectly I may communicate my thoughts, & however weak the impression may be, which through the medium of this letter I shall in its conclusion finally leave, on your mind; I have not the least doubt, all things considered, that this is the most important communication ever receivd by you from a poor fellow being: God has made you for his own glory, a man of influence among your own people, as well as others.

In view of the Judgement, I beg you to cast aside all worldly notions

> of time serving expedient (not that I ever knew or heard that you had any) & for the next fortnight devote that influence which God has given you for the relief of the forlorn, forsaken, abused, wailing, heart-broken & the religion-bereaved slave: The slave stretches to you, & me, as our perishing brother, his imploring hands. Read the Friend of Man of the 8th of this month, yesterday[.][32]

The Friend of Man oedd papur Cymdeithas Wrthgaethiwol Efrog Newydd, ac roedd yr erthygl y tynnodd Stewart sylw Robert Everett ati yn trafod datblygiad newydd yn hanes y gymdeithas honno. Roedd y diddymwyr hyn am geisio dylanwadu ar wleidyddion drwy ddatgan na fyddai aelodau o'r Gymdeithas yn pleidleisio dros neb nad oedd o blaid diddymu caethwasanaeth.[33] Crisialodd Stewart y safiad newydd yn ei eiriau ei hun yn y llythyr 'cyfrinachol' hwn: 'we would not vote for a member of Congress unless he was an advocate of immediate emancipation, or in other words a true Abolitionist.'[34] Cyfeiriodd wedyn at y ddwy brif blaid a reolai wleidyddiaeth y wlad ar y pryd:

> This is without distinction of party. If the Whigs put up abolitionists for Congress we will vote them, but if the Whigs refuse to nominate, and the VanBueren party do, then we who are Whig Abolitionists will vote for VanBueren Abolitionists. It is irrespective of party.[35]

Y Democratiaid oedd y *'Van Buren party'*; eu hymgeisydd hwy, Martin Van Buren, a gawsai'i ethol yn arlywydd yr Unol Daleithiau yn 1836. Y Chwigiaid – neu'r *Whigs* – oedd yr unig wir wrthblaid.

Mae'n debyg na fydd llawer o ddarllenwyr heddiw yn deall arwyddocâd geiriau Alvan Stewart. Beth oedd mor bwysig am y ffaith fod diddymwr yn datgan na fyddai'n pleidleisio dros neb nad oedd am ddiddymu caethwasanaeth? Onid dyna oedd hanfod diddymiaeth o'r cychwyn cyntaf? A oedd penderfyniad diweddar Cymdeithas Wrthgaethiwol Efrog Newydd yn haeddu sylw? Oedd, mi oedd y datblygiad hwn yn haeddu sylw; roedd y tactegau a fabwysiadwyd gan Stewart ac aelodau eraill o'r Gymdeithas yn 1838 yn arwyddo cyfeiriad hollol newydd yn eu hymgyrch. Fel y gwelwyd yn y bennod ddiwethaf, roedd arch-ddiddymwr yr Unol Daleithiau, William Lloyd Garrison, yn arwain yr *immediatists*, y diddymwyr digymrodedd hynny a oedd am weld caethwasaneth yn cael ei diddymu'n syth ac yn ddiamod (ac yn hynny o beth roedd llawer o ddiddymwyr Efrog Newydd – gan gynnwys Beriah Green, Alvan Stewart a Robert Everett – yn cydsynio'n llwyr â Garrison). Cofir hefyd fod y Garrisoniaid yn arddel *nonresistance*, sef y dull di-drais o weithredu. Un arall o gysyniadau canolog Garrisoniaeth oedd *moral suasion* neu 'berswâd moesol'; credai'r *moral suasionists* y dylid defnyddio grym geiriau ar lafar ac mewn print er mwyn perswadio gweddill y wlad mai diddymu caethwasanaeth oedd yr unig beth moesol i'w wneud. Ac yn ôl Garrison, grym geiriau oedd unig gyfrwng dilys y perswâd moesol hwn; credai na ddylai diddymwyr ymhel â gwleidyddiaeth o gwbl. Ym marn William Lloyd Garrison roedd caethwasanaeth wedi llygru'r holl drefn wleidyddol Americanaidd, ac felly'r unig ffordd ymlaen oedd ymwrthod â gwleidyddiaeth yn gyfan gwbl a dibynnu'n llwyr ar strategaeth ymgyrchu a ddiffiniwyd gan *nonresistance* yn ogystal â *moral suasaion*.

Os oedd rhai o ddiddymwyr talaith Efrog Newydd wedi dangos parodrwydd i ymbellhau oddi wrth un o ddaliadau Garrison yn sgil marwolaeth Elijah Lovejoy, roedd Alvan Stewart a'i gyfeillion bellach wedi penderfynu cefnu ar un arall o gonglfeini Garrisoniaeth: yn hytrach nag ymwrthod â gwleidyddiaeth, byddai'r diddymwyr hyn yn gweithio'n galed bellach er mwyn ceisio troi dyfroedd y ddwy brif blaid wleidyddol i'w melin eu hunain. Cyhuddodd Garrison hwy o ddyrchafu *political action* ar draul *moral suasion*, ac anfonodd un o'i ffyddloniaid yr holl ffordd o ddinas Boston i swydd Oneida er mwyn ceisio troi Stewart a'i gyd-ymgyrchwyr oddi ar y llwybr gwleidyddol hwn. Ni chafodd nemor ddim effaith.[36]

Dyna gyd-destun y llythyr a ysgrifennodd Alvan Stewart at Robert Everett ar 9 Awst 1838. Gwyddai fod gan y gweinidog ddylanwad sylweddol oddi mewn i'r cylchoedd Cymreig *('a man of influence among your own people'* oedd union eiriau Stewart), ac felly gofynnodd i'r Parch. Everett sicrhau bod Cymry'r ardal yn cefngoi'r ymgyrch wleidyddol newydd. Gan fod y Chwigiaid a'r Democratiaid ar fin enwebu'u hymgeiswyr ar gyfer yr etholiad Seneddol a ddeuai'r mis Tachwedd hwnnw, roedd yn fater o frys:

> Now my dear Sir, We deem it of the most importance, to get as many as we can to sign this pledge, so that we may show it to both parties, before they nominate, so they may be induced to nominate abolitionists, on both sides, or at least on one side.[37]

Wrth ddod â'i lythyr i ben pwysleisiodd Alvan Stewart ei farn mai dyma oedd yr unig ffordd o 'ddadwneud' caethwasanaeth gan gyfuno'r pwynt hwnnw ag apêl bersonol emosiynol:

> Oh! dear brother do help the slave – oh! do: slavery has been created

Portread Robert Everett (engrafiad; dyddiad anhysbys). Rhoddwyd plufyn ysgrifennu yn ei law er mwyn pwysleisio'r wedd lenyddol ar ei yrfa (ffynhonnell: Casgliad Cymdeithas Hanes Remsen-Steuben)

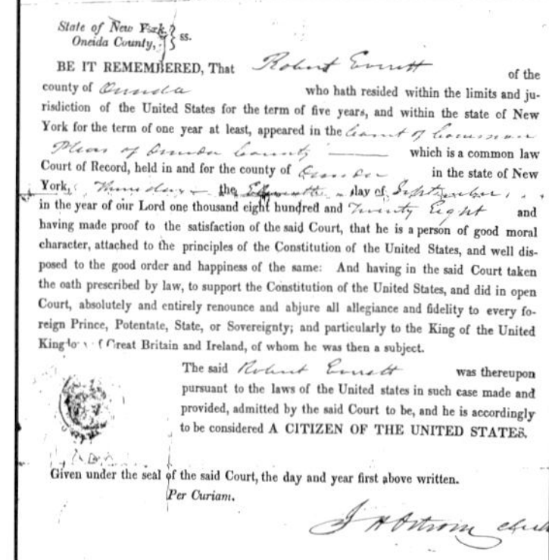

State of New York,
Oneida County, } ss.

BE IT REMEMBERED, That Robert Everett of the county of Oneida who hath resided within the limits and jurisdiction of the United States for the term of five years, and within the state of New York for the term of one year at least, appeared in the Court of Common Pleas of Oneida County —— which is a common law Court of Record, held in and for the county of Oneida in the state of New York, Thursday the [illegible] day of September in the year of our Lord one thousand eight hundred and Twenty Eight and having made proof to the satisfaction of the said Court, that he is a person of good moral character, attached to the principles of the Constitution of the United States, and well disposed to the good order and happiness of the same: And having in the said Court taken the oath prescribed by law, to support the Constitution of the United States, and did in open Court, absolutely and entirely renounce and abjure all allegiance and fidelity to every foreign Prince, Potentate, State, or Sovereignty; and particularly to the King of the United Kingdom of Great Britain and Ireland, of whom he was then a subject.

The said Robert Everett was thereupon pursuant to the laws of the United states in such case made and provided, admitted by the said Court to be, and he is accordingly to be considered A CITIZEN OF THE UNITED STATES.

Given under the seal of the said Court, the day and year first above written.
Per Curiam.

J H Ostrom clerk

Tystysgrif yn cadarnhau dinasyddiaeth Robert Everett (ffynhonnell: Casgliad M. Everett)

Robert ac Elizabeth Everett (dyddiad anhysbys). Ysgrifennai edmygwyr Robert Everett yn aml er mwyn gofyn am lun; er bod lluniau eraill ohono ar gael, byddai wastad yn anfon y llun cyfansawdd hwn. (ffynhonnell: Casgliad Cymdeithas Hanes Remsen-Steuben)

John Everett.
(ffynhonnell: Casgliad M. Everett)

Un o ferched Robert ac Elizabeth Everett; tybir mai Jennie ydyw.
(ffynhonnell: Casgliad M. Everett)

Y tŷ teuluol yn Steuben. (ffynhonnell: Casgliad Cymdeithas Hanes Remsen-Steuben). Disgrifiodd un o wyrion Robert Everett eu cartref fel hyn: 'My Grandfather's home … was what would be called 'rambling.' Besides halls, closets and pantry, it had seven rooms downstairs and three upstairs … Grandfather and his family had settled there in 1838 … The house was small then, but was at two or three different times enlarged … In the house was the printing office'
(Papur anghyhoeddedig yng nghasgliad M. Everett)

Addoldai Robert Everett

Capel Uchaf.
(ffynhonnell: Casgliad Cymdeithas Hanes Remsen-Steuben

Capel Penmynydd
(ffynhonnell: Casgliad Cymdeithas Hanes Remsen-Steuben)

George French, a fugitive slave, from Tennessee ~~made some~~ gave a short sketch of his life, family, & escape from slavery.
Followed by Mr George Lawson.

Pledges of time to circulate petitions, & disseminate anti-slavery truth.

Rev.	Robert Everett	10 days
Rev.	John Howes	10
Mr	David Roberts	6
"	David Prichard	6
"	Robert D. Davis	6
"	David Evans	6
"	Griffith W. Griffiths	6
"	John S. Griffiths	6
"	Evan George	6
"	John Edwards	3
"	Griffith E. Griffiths	6
"	James Powell	3
"	William Prichard	6
"	Lewis Lewis	6
"	Edward Williams	6
Mrs.	E. Everett	2
Miss	Gwen Prichard	2
Miss	Elizabeth Williams	2
Mr.	Meredith H. Meredith	2
Mrs.	Eleanor Pugh	3
Mr.	William Roberts Prichard	6
Mr.	Humphrey Pugh	3
"	Zephaniah Jones	3
Mrs.	Howes	3

Dogfen yn llaw Robert Everett; cofnodion y cyfarfod gwrthgaethiwol a gynhaliwyd yng Nghapel Uchaf (ffynhonnell: Casgliad M. Everett)

Whitesboro', Feb. 14. 1839.

My dear Brother, Our term begins this day. We had about 40 students in the Chapel this morning — quite as many as I expected. I was glad to see your dear sons, as they entered the Chapel. Robert, it seems, is engaged in teaching. By examining the course of study as drawn out on this sheet you will see how important it must be for Robert to be with us, when, as we expect to do the first March, we enter on the study of Intl. Philosophy. The importance of this study can hardly be overrated. You will see that we make much more of Reviewing than heretofore. We hope by the blessing of God to make this a profitable, as we are willing it should be a busy year. We had a good Convention Tuesday. An Assoc. Library Company was formed. Are you aware that an adj. meeting of the Or. Pres. is expected at Utica, March 12? I hope that you will be there.

With affec. regards for Mrs. Everett & your children, I remain, Yours affec. B. Green

Llythyr Beriah Green
(ffynhonnell: Casgliad M. Everett)

CABAN F'EWYTHR TWM

NEU,

Fywyd yn mhlith yr Iselradd.

GAN HARRIET BEECHER STOWE.

Gyda Naw-ar-hugain o Gerfluniau.

CYFIEITHIAD HUGH WILLIAMS, GYNT GOLYGYDD Y "CYMRO."

A ADOLYGWYD AC A DDIWYGIWYD GAN ROBERT EVERETT.

Clawr Caban F'Ewythr Twm. Cyhoeddwyd y gyfrol hon gan yr Everettiaid yn 1854
(ffynhonnell: Casgliad Cymdeithas Hanes Remsen-Steuben)

FYWYD YN MHLITH YR ISELRADD. 15

—dim llun, mwy na ff' hen glocsan i—ffwr' a chi."

A chyda'r diystyrwch yma ar blentynrwydd Sali, fe gododd Modryb Cloe y caead oddi ar y cettal-pobi, lle y gwelid teisen ysgafn, ddigon i demtio dyn claf, ac na fuasai raid i bobydd pena'r ddinas wrido o'i phlegid, a chan mai dyma oedd canolbwynt y wledd, dechreuodd Modryb Cloe hwylio swper o ddifrif.

"'Rwan, Mose a Pete, ewch 'ddiar y ffordd, chi niggars! Ffwrdd a chi, Poly, nghariad i; roith mammi rywbeth i'w babi yn y man. 'Rwan Mas'r George, rhowch y llyfra naill du, a 'steddwch gyda f' hen ŵr i, a mi ro i'r sassages a llon'd y radell o leicacs ar ych plât chi mewn winciad llygad."

"'Roedd arnyn nhw eisio i mi fyn'd i'r tŷ i swper," ebe George, "ond mi wyddwn i yn well na hyny, Modryb Cloe."

"Felly gwyddach chi—felly gwyddach chi, machgen i," ebe Modryb Cloe, gan lwytho'r cacenau ar ei blât; "wyddach chi fod yr hen fodryb yn cadw'r gora i chi bob amser. O, 'dewch lonydd iddo fo—dos o'na!"

A chyda hyn rhoddodd Modryb Cloe bwniad i George dan ei asenau, gan geisio bod yn hynod o ddigrif, ac a drodd drachefn at y radell.

"'Rwan am y gacen," ebe George, ar ol arafu uwch ben cynyrchion y radell; a chyda hyn ysgydwodd gyllell fawr uwch ben y tamaid rhag-ddywededig.

"O 'rhoswch, Mas'r George," ebe Modryb Cloe, gan afaelyd yn ei fraich, "ydach chi ddim yn meddwl tori'r gacen â'r gyllell fawr drom yna! Hi eiff yn dipia mân—chi 'spwyliwch y codiad clws! Dyma i chi hen gyllell dena, a min arni hi, ydw i yn gadw o bwrpas. Dyna hi, 'rwan, welwch chi—'dwad i lawr fel y bluan. Ffwrdd a hi, bytwch, ni chewch ddim i guro 'nyna."

"Mae Tom Lincoln yn dend," ebe George, a'i gêg yn llawn, "fod i Shani nhw yn well coges na chi."

"Dydi'r Lincons yna ddim o gyfri, ffordd yn y byd!" ebe Modryb Cloe, yn ddirmygus, "yn ymyl 'n pobl *ni* ydwi 'n feddwl. Mae'n nhw 'n burion pobol mewn ffordd gyffredin; ond am gael dim mewn '*style*' 'dydan nhw ddim wedi dechra gwelad y ffordd. Rho'wch Mas'r Lincon, 'rwan, wrth ochor Mas'r Shelby. Druan oedd o! a Missis Lincon, fedyr hi ddwad i mewn i'r *room* fel mistras, fel gwraig foneddig, wyddoch! O, ffwrdd a chi, peidiwch a siarad a fi am y Lincons yna!" Ac fe drodd Modryb Cloe ei phen fel un oedd yn gobeithio ei bod yn gwybod gwell pethau.

"Wel, wel," ebe George, "mi clywais chwi yn dweyd fod Shani yn goges weddol."

"Felly dar'u mi," ebe Modryb Cloe. "Mae Shani yn burion coges mewn ffordd blaen gyffredin; hi bobiff ffyrniad o fara—hi eill ferwi tattws yn burion—nid ydi leiciacs hi ddim byd neillduol 'rwan, leiciacs Shani felly, ond mae'n nhw'n weddol—ond dowch chi at y petha ucha, a beth fedyr hi neud? Hi fedyr neud pasta, digon gwir hi fedyr; ond ffasiwn grystyn? Fedyr hi neud y crystyn ysgafn sy'n toddi yn 'ch cég chi, ac yn codi fel swigen yn gramenau teneuon? Mi eis i drosodd yno i briodas Miss Mary, ac mi ddangosodd Shani y caceni priodas i mi. Mae Shani a fina yn burion ffryndia, wyddoch. 'Ddendas i ddim byd; ond, dos o'na, Mas'r George! F'aswn i ddim yn cau fy llygad am wsnos p'daswn i wedi gneud y fath

Un o dudalennau Caban F'Ewythr Twm.
(ffynhonnell: Casgliad Cymdeithas Hanes Remsen-Steuben)

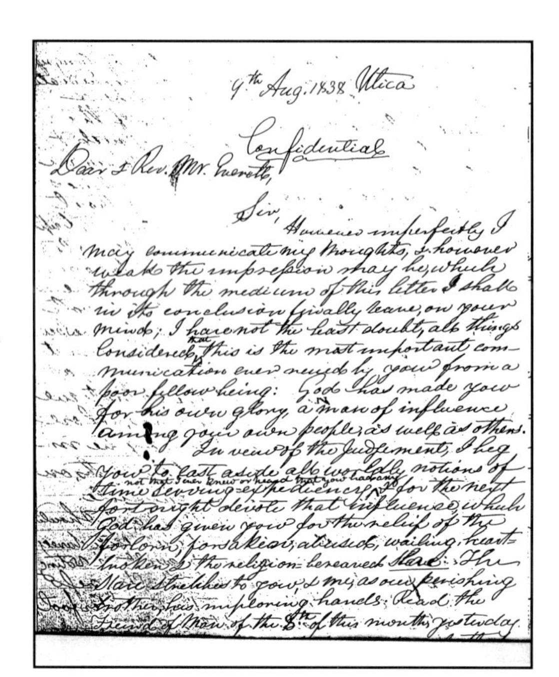

9th Aug. 1838 Utica

Confidential

Dear & Rev. Mr. Everett,

Sir, However imperfectly I may communicate my thoughts, & however weak the impression may be, which through the medium of this letter I shall in its conclusion finally leave, on your mind; I have not the least doubt, all things considered, that this is the most important communication ever recd by you from a poor fellow being: God has made you for his own glory, a man of influence among your own people, as well as others. In view of the judgement, I beg you to cast aside all worldly notions of time serving expediency (not that I ever knew or heard that you had any) & for the next fortnight devote that influence which God has given you for the relief of the forlorn, forsaken, abused, wailing, heart-broken & the religion-bereaved Slave. The Slave stretches to you, & me, as our perishing brother, his imploring hands. Read the Friend of Man of the 8th of this month, yesterday

Llythyr 'cyfrinachol' Alvan Stewart (ffynhonnell: Casgliad M. Everett)

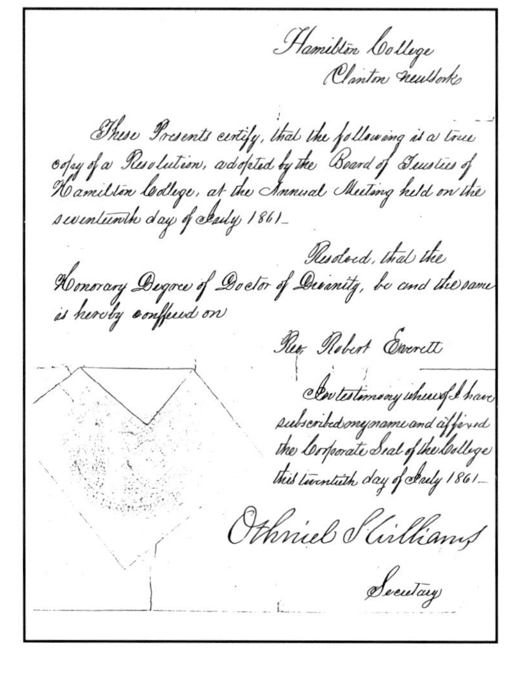

Hamilton College
Clinton New York

These Presents certify, that the following is a true copy of a Resolution, adopted by the Board of Trustees of Hamilton College, at the Annual Meeting held on the seventeenth day of July, 1861.

Resolved, that the Honorary Degree of Doctor of Divinity, be and the same is hereby conferred on

Rev. Robert Everett

In testimony whereof I have subscribed my name and affixed the Corporate Seal of the College this twentieth day of July 1861.

Othniel S. Williams

Secretary

Tystysgrif yn cadarnhau fod Athrofa Hamilton wedi dyfarnu doethuriaeth mewn diwynyddiaeth er anrhydedd i Robert Everett. (ffynhonnell: Casgliad M. Everett)

> by law & must be unmade by Law – Farewell, your friend & bound for the Brokenhearted slave, Alvan Stewart.[38]

Mae'n bwysig cofio bod y ddau ddiddymwr yn hen ffrindiau erbyn hyn. Wedi dechrau ffurfio cyfeillgarwach yn ystod ail hanner y 1820au, roedd y ddau wedi rhannu'r un llwyfan mewn nifer o gyfarfodydd gwrthgaethiwol dros y blynyddoedd. Buasai Stewart yn aros dros nos yn nhŷ'r Everettiaid, ac roedd gan y ddau ddyn y berthynas agos honno a ddaw o gyd-brofi adfyd: onid oeddynt wedi sefyll ochr yn ochr yn eglwys West Winfield pan oedd torf o wrth-ddiddymwyr yn taflu cerrig drwy'r ffenestri ac yn gweiddi am eu gwaed? Roedd Alvan Stewart yn adnabod Robert Everett yn dda iawn, a dewisodd eiriau a fyddai'n mynd yn syth at galon y Cymro. Er nad yw'r ateb i lythyr Stewart wedi'i gofnodi, mae'n debyg ei fod wedi cydsynio; fel y gwelir yn y bennod nesaf, ceir tystiolaeth o ddechrau'r 1840au sy'n dangos yn glir fod Robert Everett wedi ymroi i'r math yma o wleidydda.

Yn sicr, roedd y cylch o ddiddymwyr yr oedd Robert Everett yn rhan ohono'n symud yn ddigamsyniol i'r cyfeiriad hwnnw yn 1838. Aelod arall o'r cylch hwn oedd y Parch. Beriah Green, prifathro – neu, yn Saesneg yr Unol Daleithiau, *president* – coleg lleol. Wedi'i leoli yn Whitesboro, dair milltir i'r gorllewin o Utica, roedd yr *Oneida Institute* wedi'i sefydlu yn 1827. Cynigiwyd *presidency* y coleg i Beriah Green yn 1833, a derbyniodd y swydd ar ddau amod. Yn gyntaf, roedd am ddefnyddio'r *Oneida Institute* er mwyn hyrwyddo diddymiaeth. Ail amod y *president* newydd oedd polisi derbyn a fyddai'n agor drysau'r coleg i fyfyrwyr duon.[39] Dyma safiad a oedd yn gwbl chwyldroadol ar y pryd; fel y dywed ei gofiannydd, Milton Sernett, 'Beriah Green's plans to offer higher education to blacks in an interracial setting at Oneida Institute must be reckoned as both daring and historically significant.'[40] Draw yn Ohio roedd Coleg Oberlin yn symud i'r un cyfeiriad, ond roedd y chwyldro addysgiadol hwn yn ei ddyddiau cynnar:

> In an age when most Northern blacks had no formal education at all, or had to be content with charity schools run by whites, higher education was a dream deferred. Several New England colleges tolerated the presence of a black or two. Amherst, Bowdoin, and Dartmouth had each graduated one black by 1830. But these were exceptional cases. More commonly, colleges denied admission to promising black students[.][41]

Roedd hyd yn oed y rhan fwyaf o'r Gogleddwyr hynny a oedd yn gwrthwynebu caethwasanaeth yn coleddu rhagfarn hiliol ac felly'n erbyn cydraddoldeb ym myd addysg:

> Northern whites might be antislavery in principle, but they shuddered at the prospect of having their sons and daughters educated with free blacks. The Quaker Prudence Crandall's troubles began when she received a black girl into her boarding school at Canterbury, Connecticut in 1833. The local citizens created such an uproar that Miss Crandall had to close her school in 1834. Mob action also shut down the integrated Noyes Academy at Canaan, New Hampshire, in 1835, after only a year's operation.[42]

Er gwaethaf yr hinsawdd anffafriol hon, llwyddodd Beriah Green i droi'i goleg ef yn sefydliad amlethnig. Agorodd ei ddrysau i'r brodorion Americanaidd hefyd; roedd niferoedd sylweddol o'r Mohawk, y Seneca a'r Oneida yn byw yn yr ardal, a chafodd rhai ohonynt hwythau addysg yn yr *Oneida Institute.*[43]

Nid ei bolisïau derbyn oedd yr unig beth a wnâi'r *Institute* yn wahanol i golegau mwy confensiynol y cyfnod. Yn ogystal ag astudiaethau academaidd, roedd y myfyrwyr yn ymroi i lafur corfforol ac yn cael dysgu nifer o sgiliau ymarferol.[44] Crefft yr argraffydd oedd un o'r meysydd ymarferol hyn; gan mai hyfforddi'r genhedlaeth nesaf o ddiddymwyr oedd bwriad Beriah Green, aeth ati i'w harfogi â'r arf rymus honno, y wasg argraffu. Roedd gan y Coleg ei wasg ei hun, ac yno yr oedd papur Cymdeithas Wrthgaethiwol Efrog Newydd, *The Friend of Man*, yn cael ei argraffu.[45]

Yn aelod gweithgar o'r gymdeithas honno, roedd Green ar lawer cyfrif yn ymgorffori'r hyn a wnâi diddymwyr Efrog Newydd yn wahanol i'r Garrisoniaid. Ni wnaeth neb fwy nag ef i ddyrchafu'r diweddar Elijah Lovejoy yn arwr; traddododd araith yn Utica yn sgil 'merthyrdod' Lovejoy gan deithio'r holl ffordd i ddinas Efrog Newydd wedyn er mwyn ei thraddodi eto yno. Cyhoeddwyd hi ar ffurf pamffled, ac mae'r teitl yn ddigon er mwyn profi'n ddiymwad fod Green wedi anwybyddu gosodiad Garrison nad 'merthyr' oedd y diddymwr a fu farw gyda dryll yn ei law: *The Martyr: A Discourse on Commemoration of the Martyrdom of the Rev. Elijah P. Lovejoy.*[46]

Roedd Green hefyd yn chwarae rhan ganolog yn yr ymgyrch wleidyddol y gofynnodd Alvan Stewart i Robert Everett ei hyrwyddo ym mis Awst 1838. Ymysg y cyntaf i lofnodi'r *pledge* yma, gweithiai Green yn galed yn ystod y misoedd cyn etholiad 1838. Crisialodd yr argyhoeddiad a nodweddai'r garfan wleidyddol newydd mewn llythyr a ysgrifennodd at Stewart ym mis Hydref 1838:

> I am well convinced that God, the God of the Oppressed, calls us into the field of Politics; and we must obey. I enter without any very great reluctance; as I am clear on the point of duty. And Politics is with us a Sacred Concern.[47]

Ceisio darbwyllo'r Democratiaid a'r Chwigiaid i ddewis ymgeiswyr gwrthgaethiwol oedd y cam cyntaf, ond ar ôl i'r rhan honno o'u strategaeth fethu y cam nesaf oedd anwybyddu ymgeiswyr y ddwy brif blaid ac 'ysgrifennu i mewn' enwau diddymwyr ar y balot. Os oedd y Garrisoniaid yn dadlau'n erbyn unrhyw fath o weithgaredd etholiadol, cwynai eraill mai gwastraffu'u pleidleisiau oedd y diddymwyr hyn wrth arddel strategaeth y *'write-in vote.'* Atebodd Beriah Green y cwynion hyn ar dudalennau *The Friend of Man* ym mis Hydref 1838: 'Count them anything but lost. . . . . [Your write-in votes] will point you out as standard bearers in the sacramental host of God's elect.'[48] Ac yntau'n ddiwinydd craff, aeth Green ati i addasu hen gysyniad crefyddol er mwyn disgrifio'r math yma o strategaeth wleidyddol. Caniatâi'r hen Uchel Galfiniaeth i Gristnogion gredu bod yr 'etholedig' wedi'u rhagordeinio gan Dduw, bid a fo am eu gweithredoedd ar y ddaear; ailwampiodd Green y cysyniad diwinyddol hwn gan ddweud bod etholedig Duw *('God's elect')* yn ennill eu statws *oherwydd* eu gweithredoedd da ar y ddaear. Awgrymodd yn y modd hwn fod cysur ysbrydol yn gwrthbwyso'r methiant gwleidyddol a oedd yn debygol o ddod i'w rhan ar ddiwrnod yr etholiad; os na fyddai'r pleidleisiau *write-in* yn ddigon i ennill seddau yn y Senedd, câi'r diddymwyr gysur o wybod bod eu pleidleisiau'n ennill lle iddynt yn y nefoedd!

Roedd Robert Everett yntau wedi bod yn dyrchafu'r 'system newydd' ar draul Uchel Galfiniaeth ers rhyw ugain mlynedd, ac mae pwysigrwydd ymddygiad moesol yr unigolyn yn thema sy'n rhedeg drwy gydol hanes ei weinidogaeth. Roedd gan y ddau ddiwinydd lawer yn gyffredin, ac felly nid yw'n syndod dysgu bod y Cymro'n adnabod Beriah Green yn lled dda erbyn 1838.[49] Roedd gan y Parch. Everett feddwl uchel iawn o brifathro Coleg Oneida, ac yn ôl ei fab John roedd yn teithio'n bell er mwyn ei glywed yn areithio ar y pwnc a oedd agosaf at ei galon: 'In 1835, father took me with him one beuatiful summer day, eleven miles to Sauquoit, to hear a lecture against slavery, by Beriah Green.' Roedd mab hynaf Robert Everett yn bymtheng mlwydd oed yn 1835, blwyddyn terfysg Utica. Erbyn etholiad 1838 roedd yn ddeunaw oed ac yn fyfyriwr yn yr *Oneida Institute;* ymysg y papurau sydd wedi'u diogelu gan y teulu Everett hyd heddiw y mae tystysgrif sy'n dangos fod John Everett wedi'i dderbyn i'r coleg gan Beriah Green[50] ar 8 Tachwedd 1837.[51] Cyn hir daeth ei frawd Robert i ymuno ag ef yno. Ac felly cafodd dau fab hynaf Robert Everett eu haddysg mewn cyd-destun amlethnig, yn eistedd yn yr un dosbarth ac yn lletya yn yr un neuadd breswyl â nifer o frodorion a myfyrwyr duon.

Ymysg y dynion duon ifainc a fu'n astudio yno ar y pryd oedd dau a fyddai'n troi'n ddiddymwyr enwog maes o law, sef Henry Highland Garnet ac Alexander Crummell. Ar ôl graddio yn yr *Oneida Institute* byddai Crummell yn mynd yn un o drefnwyr y *New York Association for the Political Improvement of Colored People* cyn ymroi i yrfa eglwysig; câi ei urddo'n offeiriad esgobol yn 1844. Fe âi wedyn i Brydain er mwyn astudio yng Nghaergrawnt.[52] Adeg ei farwolaeth yn 1892 byddai un o bapurau'r Unol Daleithiau yn honni mai Alexander Crummell oedd y dyn du mwyaf dysgedig yn y wlad. Roedd ei gyfaill Henry Highland Garnet yn ddyn disglair hefyd. Ar ôl graddio yng Ngholeg Oneida byddai Garnet yntau'n hyrwyddo diddymiaeth, a hynny mewn nifer syfrdanol o wahanol ffyrdd. Roedd ymysg y cyntaf i gefnu ar egwyddor *nonresistance* Garrison:

> Perhaps the most radical of the black Oneidans, Garnet saw little hope for freeing the slaves except by their own efforts. 'If you must bleed,' he counseled his brethren in chains, 'let it all come at once – rather *die freemen, then live to be slaves.*'[53]

Yn awdur dawnus ac yn areithiwr grymus, gweithiai Garnet yn ddiwyd gyda'r 'Rheilffordd Danddaearol' hefyd. Yn ogystal, roedd ymysg arloeswyr y *free produce movement,* sef mudiad masnach deg a ddarparai prynwyr â nwyddau nad oedd wedi'u cynhyrchu gan gaethweision.[54] Roedd yr egnïon a'r doniau a fyddai'n gwneud Crummell a Garnet mor enwog yn y dyfodol i'w canfod yn barod yn ystod eu blynyddoedd yn y coleg.[55] Os oedd meibion Robert Everett yn dysgu llawer gan eu prifathro Beriah Green, rhaid eu bod hefyd yn cael eu hysbrydoli gan eu cydfyfyrwyr.

Addysgwyd merch hynaf Robert Everett, Elizabeth, mewn coleg ar gyfer merched a oedd yn efelychu polisïau derbyn Coleg Oneida. Ymfalchïodd y genhedlaeth hon o Everettiaid yn y wedd hon ar eu haddysg:

> Darfu i'n dau frawd hynaf raddio yn yr Oneida Institute, lle yr oedd y Parch. Beriah Green. . . . Graddiodd ein chwaer hynaf, Elizabeth, yn y

> Ladies' Seminary, yn Clinton; ac yr oedd y prif athraw yno, Mr. Kellogg, yn wrthgaethiwydd cryf, ac yn derbyn merched ieuainc o liw i'r ysgol.[56]

Ysgrifennodd nifer o blant Robert Everett y llythyr hwn ar y cyd ryw dro yn ystod ail hanner y 1870au. Parhaodd cof y teulu am Beriah Green yn hwy na hynny hefyd; yn gynnar yn yr ugeinfed ganrif y cyfeiriodd mab John Everett at natur unigryw addysg ei dad: 'Father graduated from the old Oneida Institute in Whitesboro, Oneida County . . . . The president Beriah Green . . . made quite an impression on Father.'[57]

Gyda Beriah Green, ei gydfyfyrwyr ac hefyd ei dad ei hun yn gosod y fath esiampl, nid yw'n syndod fod John Everett yntau wedi dechrau areithio'n erbyn caethwasaneth pan oedd yn dal yn fyfyriwr.[58] A chyn hir deuai'i frawd i ymuno ag ef ar y llwyfan.[59] Mae'n werth nodi yn y cyswllt hwn fod un o'r traethodau a ysgrifennodd John yn y coleg yn dwyn y teitl '*Sweet are the uses of Adversity*'; gall fod y teitl hwn wedi'i ysgogi gan y profiadau anodd a ddeuai i ran diddymwyr a siaradai'n gyhoeddus yr adeg honno.[60] Enillodd John enw fel siaradwr cyhoeddus huawdl a phwerus, a chafodd ei ddewis gan Beriah Green i draddodi araith ar ddiwrnod graddio'r *Institute* yn 1840.[61] Er bod Robert Everett a Beriah Green wedi ffurfio cyfeillgarwch cyn hyn, mae'n amlwg fod plant y Cymro wedi helpu i ddwysáu'r cysylltiad hwnnw. Er enghraifft, cawn y prifathro yn cyfeirio at y meibion mewn llythyr a ysgrifennodd at y Parch. Everett ar 14 Chwefror 1839:

> My dear Brother;
> Our term begins this day. We had . . . in the chapel this morning . . . quite as many [students] as I expected. I was glad to see your dear sons, as they entered the chapel.[62]

Mae'r llythyr personol hwn yn gorffen gyda chyfeiriad arall at y teulu: 'With affec. regards for Mrs Everett & your children, I remain, yours affec., B. Green.'[63]

Ni ellir gorbwysleisio arwyddocâd yr holl dystiolaeth sy'n dangos bod cysylltiad agos rhwng Robert Everett â Beriah Green. Yn debyg i'w gysylltiad â'r diddymwr Alvan Stewart, roedd y berthynas hon yn fodd iddo hel syniadau, sgiliau ac adnoddau a fyddai'n amhrisiadwy wrth iddo fynd ati i radicaleiddio Cymry America. Yn wir, gallwn awgrymu heb fymryn o orddweud fod yr addysg a gafodd ei feibion yn yr *Oneida Institute* wedi helpu Robert Everett nid yn unig i gynnal ei ymgyrch yn erbyn caethwasanaeth ond hefyd i wneud cymaint er mwyn helpu cynnal diwylliant llenyddol Cymry America. Fel y nodwyd uchod, roedd cwrs gradd yr *Institute* yn cynnwys dysgu crefft neu sgil ymarferol o ryw fath. Nid dysgu elfennau crefft yn unig oedd y nod, ond ei harfer yn gyson a'i meistroli'n llwyr, fel yr eglura copi o brospectws y coleg sydd wedi goroesi: 'Every student is expected, under the direction of an experienced and able Superintendent, to devote three hours a day to muscular exercise in some agricultural or mechanical employment.'[64] Crefft yr argraffydd oedd y *mechanical employment* a ddysgodd John Everett a'i frawd iau Robert.[65] Yn fuan ar ôl i'r ddau fab raddio, byddai'u tad yn dechrau'i wasg Gymraeg ei hun yn eu cartref yn Steuben. Dyma drobwynt yn hanes Cymry America; âi'r wasg deuluol hon yn un o gonglfeini diwylliant Cymraeg yr Unol Daleithiau. Ac fel y gwelir yn y bennod nesaf, byddai prif gylchgrawn y wasg hon, *Y Cenhadwr Americanaidd*, yn cael ei ddefnyddio gan Robert Everett o'r cychwyn cyntaf er mwyn ymrestru Cymry America yn yr achos gwrthgaethiwol.

Ond nid oedd gwasg gyfnodol Cymry America ond yn ei dyddiau cynnar ar ddiwedd y 1830au. Roedd llyfrau Cymraeg wedi'u cyhoeddi'n achlysurol yn America ers o leiaf 1721, ond ni cheisiodd neb sefydlu cylchgrawn na phapur Cymraeg tan 1832, a methiant fu'r ymdrech gyntaf honno.[66] Ond cafwyd llwyddiant yn 1838 pan ddechreuodd Methodistiaid Calfinaid Cymraeg America gyhoeddi cylchgrawn enwadol, *Y Cyfaill o'r Hen Wlad*. Misolyn swmpus oedd *Y Cyfaill*, a chroesawyd y cylchgrawn yn frwd gan Gymry America o bob enwad. Fe ymddengys mai cyfuniad o lwyddiant cyhoeddiad newydd y Methodistiaid a llwyddiant 'diwygiad Cymreig' 1838 a sbardunodd Annibynwyr Cymraeg America i ddechrau'u cylchgrawn enwadol hwythau:

> Yr oedd yr amcan o gael cylchgrawn misol wedi bod o dan ystyriaeth Cymanfa Oneida er ys amser maith, ond yn y Gymanfa yn mis Medi, 1839, daeth y peth i ddigon o aeddfedrwydd i benderfynu cychwyn y cyhoeddiad ddechreu y flwyddyn ddyfodol. Anfonwyd cylch-lythyrau allan i ofyn am gefnogaeth a chydweithrediad y cyhoedd, wedi eu harwyddo gan Robert Everett, Cadeirydd, a James Griffith, Ysgrifennyd. Ar ddiwedd y cylch-lythyr hysbysir fod y Gymanfa wedi cyflwyno golygiaeth y gwaith i R. Everett, J. Griffiths a Morris Roberts.[67]

Robert Everett, James Griffiths a Morris Roberts; dyma'r tri gweinidog a gynlluniodd y cyfarfod pregethu hwnnw a gyneuodd dân diwygiad 1838. Ond er i'r tri ddechrau'r broses a fyddai'n esgor ar *Y Cenhadwr*

Americanaidd, Robert Everett yn unig a âi â'r maen hwnnw i'r wal yn y diwedd.

Tra oedd Annibynwyr Cymraeg y wlad yn cynllunio'u cylchgrawn newydd, roedd misolyn y Methodistiaid Calfinaidd yn gwyntyllu dadl boeth ynglŷn â chaethwasanaeth. Taerodd *Y Cyfaill* o'r cychwyn fod y cyhoeddiad yn fforwm agored i bawb arddel ei farn yn rhydd, ond dangosodd y golygydd, William Rowlands, yn gynnar yn hanes y cylchgrawn ei fod yn erbyn y drefn gaeth.[68] Ymysg pethau eraill, cyhoeddodd gyfres o lythyrau yn ystod misoedd cyntaf 1839 yn cynnig dadleuon beiblaidd yn erbyn caethwasanaeth.[69] Ond cyhoeddodd lythyr ym mis Gorffennaf y flwyddyn honno a amlygodd y ffaith nad oedd holl Gymry America'n hollol gytûn ar y pwnc. Pwy bynnag oedd awdur y llythyr hwn, arddelodd y ffugenw 'Hebog Du'; dywedodd ei fod yn gwrthwynebu caethwasanaeth er nad oedd yn gwybod beth oedd y ffordd orau o ymgyrchu yn ei herbyn. Gwyddai fod dwy gymdeithas dra gwahanol yn gwrthwynebu'r sefydliad anfoesol, ac roedd yn chwilio am gymorth wrth geisio penderfynu pa un y dylai ymroi i'w chefnogi:

> gwelais [yn *Y Cyfaill*] ysgrifau tra rhagorol yn gosod allan erchylldra y Gaethfasnach . . . . Deallais . . . fod dwy o Gymdeithasau wedi eu sefydlu yn y wlad hon i'r dyben hwnw, sef, y Gymdeithas Wrth-Gaethiwol, *(Abolition,)* a'r Gymdeithas Drefedigaethawl, *(Colonization)*. . . . Ond er fy nhristwch wedi ymholi ychydig canfyddais nad oeddynt y ddwy Gymdeithas uchod, er eu bod, fel y dywedant, yn amcanu at yr un dyben, yn cydweithredu yn heddychol, eithr yn tueddu i ddifrïo y naill y llall, ac yn tynnu yn groes. . . . meddyliais y gallasai fod rhyw rai eraill yn mhlith fy nghydgenedl yn cloffi rhwng dau feddwl fel finau, ac y buasai sylw cyhoeddus ar y pwngc yn fuddiol.[70]

Mae'r bennod hon eisoes wedi trafod y rhwyg oddi mewn i'r gymdeithas gyntaf y mae'r Cymro hwn yn ei henwi, sef y Gymdeithas Wrthgaethiwol (yr *'Anti-Slavery Soceity'* neu'r *'Abolition Society'*). Dyna oedd y gymdeithas y perthynai William Lloyd Garrison, Alvan Stewart, Beriah Green a Robert Everett fel ei gilydd iddi, er gwaethaf eu gwahaniaeth barn.[71] Gallwn grynhoi'r holl wahaniaethau rhwng y gymdeithas hon a'r Gymdeithas Drefedigaethol (y *'Colonization Society'*) drwy ddweud bod y Trefedigaethwyr am weld cyn-gaethweision yn cael eu gyrru 'yn ôl i Affrica' er mwyn sefydlu trefedigaeth o bobl dduon ryddion yno. Dyma'r mudiad a fyddai'n esgor ar wlad Affricanaidd newydd – Liberia.[72] Ar y llaw arall, roedd aelodau'r Gymdeithas Wrthgaethiwol am weld cyn-gaethweision yn cymryd eu lle fel aelodau llawn o'r gymdeithas Americanaidd newydd y byddent yn helpu i'w sefydlu.

Y cyntaf i ateb 'Hebog Du' oedd Trefedigaethwr Cymreig a ysgrifennai o dan yr enw camarweiniol 'Chwarae teg i Bob Ochr.' Dywedodd ei fod yn byw yn swydd Oneida, Efrog Newydd, ac felly pan gyfeiriodd at y diddymwyr 'gwyllt' a oedd yn gymdogion iddo, mae'n bosibl iawn ei fod yn cyfeirio at unigolion fel Alvan Stewart, Beriah Green a Robert Everett:

> Haeddbarch Olygydd, - Dysgwyliais yn awyddus weled cyn hyn, ysgrif rhyw Wrthgaethiwedydd gwyllt mewn atebiad, i gaes pryderus yr Hebog Du; ond fe'm siomwyd. Mae llu o honynt yn fy ardal [yn] Gymry a Saeson, yn ddigon parod i areithio ar y pwngc, oblegid na oddefir i neb eu hateb rhag aflonyddu yr addoliad; ond paham na ddygant eu rhesymau allan mewn ysgrifen, fel y gellid eu chwilio gan y Cymro uniaith 'yn ngwydd haul a llygad goleuni,' a'u profi.[73]

Fel nifer o ysgrifau eraill a gyhoeddwyd yn *Y Cyfaill o'r Hen Wlad* yn ystod y blynyddoedd cynnar hyn, dengys y llythyr hwn fod llawer o Gymry Cymraeg uniaith yn byw yn yr Unol Daleithiau. Mae'n debyg iawn fod y rhan fwyaf o'r Cymry hynny a ymfudodd yn y cyfnod hwn wedi cyrraedd eu gwlad newydd heb fedru'r Saesneg, ac felly'n dibynnu'n gyfan gwbl ar *Y Cyfaill* (a'r cyhoeddiadau Cymraeg Americanaidd eraill a ddeuai'n fuan yn ei sgil) am wybodaeth ynglŷn â materion fel yr ymrafael rhwng y ddwy gymdeithas hon.

Prif bwrpas 'Chwarae teg i Bob Ochr' oedd sicrhau bod un ochr o'r ddadl yn cael chwarae teg. Ond cyn y gallai ddadlau dros y Gymdeithas Drefedigaethol, roedd yn rhaid iddo gyfaddef fod y Gymdeithas Wrthgaethiwol wedi profi'n boblogaidd ymysg Cymry swydd Oneida yn ddiweddar:

> Mae ganddynt amrai Gymdeithasau yn y sîr yma, (Oneida,) ac nid ychydig o nerth ysgyfeinniawl a dreuliwyd i'r pwrpas o'u sefydlu a'u lluosgogi; ac fel y mae y Cymry yn gyffredinol, a Chymry y sîr yma yn neillduol, yn hoff iawn o bethau newydd, ac yn barod iawn i gymeryd . . . gair eu blaenoriaid am bob peth heb ei chwilio; felly y mae llawer iawn wedi ymrestru gyda hwynt. Ond os gwyr rhai o honynt paham, yr wyf yn sicr na wyr llawer o honynt am un ham,[74] ond y swn a'r araith, a pha fodd i bleidleisio yn amser etholiad swyddwyr gwladol.[75]

Er nad yw'n enwi unigolion, rhaid mai Robert Everett oedd un o'r 'blaenoriaid' Cymreig hyn a oedd – yn ôl dehongliad gwatwarus 'Chwarae teg' o'r sefyllfa – wedi arwain ei ddilynwyr difeddwl i gorlan y Gymdeithas Wrthgaethiwol. Ac felly cyn dechrau ymosod o ddifrif ar y

Gymdeithas Wrthgaethiwol, cynigiodd y Trefedigaethwr hwn air da dros ei ysgwydd iddi drwy nodi bod y ddwy gymdeithas 'yr un yn eu barn am y Gaethwasanaeth, ei fod yn ddrwg mawr, ac mai goreu po gyntaf y gellir ei ddiddymu.'[76] Ond mae naws yr ysgrif yn newid wrth i 'Chwarae teg' nodi mai 'am lwybr ei ddiddymiad [yr oedd] y ddadl' rhwng y ddwy gymdeithas a datgan mai 'y Gymdeithas Drefedigaethawl . . . ydyw y fwyaf priodol . . . ac felly dylai gael cefnogaeth pawb. Rhagora ar y Gymdeithas Wrthgaethiwawl[.]'[77]

Un arall o 'flaenoriaid' y Gymdeithas Wrthgaethiwol yn swydd Oneida oedd y Parch. Thomas H. Williams, gweinidog a ofalai am gapel Bedyddwyr Cymraeg Utica. Atebodd yntau gwestiwn 'Hebog Du' ar dudalennau'r *Cyfaill* gan amddiffyn ei gymdeithas ef rhag ymosodiad 'Chwarae teg.' Er nad oedd neb yn defnyddio'r gair Cymraeg hwnnw ar y pryd, cyhuddodd William Thomas y Gymdeithas Drefedigaethol o'r drosedd yr ydym ni'n ei galw'n 'hiliaeth' heddiw. Er bod 'Chwarae teg' a'i gyd-drefedigaethwyr yn collfarnu caethwasanaeth, nid oeddynt yn credu y gallai Americanwyr duon ac Americanwyr gwynion gyd-fyw'n hapus:

> Egwyddorion y Gymdeithas Drefediaethawl yw, dysgu fod lliw y croen yn anaddasu dynion i gydfwynhau breintiau crefyddol, gwladol, teuluaidd, a pherthynasol. . . . Ond egwyddorion y Gymdeithas Wrthgaethiwawl yw dysgu nad yw lliw y croen, yn fwy na hyd a lled yn y corph, yn gwneyd dyn yn rhinweddol; ond fod pob dyn, gwyn a du, yn ddeiliaid llywodraeth foesol[.][78]

Nid William Thomas oedd yr unig Gymro yn America i fynegi'r safbwynt hwn; yn wir, cyn bo hir byddai cylchgrawn newydd Robert Everett yn pleidio'r math yma o gydraddoldeb hiliol.

Mae'r ddadl a ffrwydrodd rhwng y diddymwr William H. Thomas a'r trefedigaethwr Cymreig ar dudalennau'r *Cyfaill* yn arwyddocaol iawn o safbwynt hanes Cymry America a'r ymgyrch yn erbyn caethwasanaeth. Nid ysgrifennodd yr un darllenydd i'r cylchgrawn er mwyn cefnogi caethwasanaeth; tra oedd digon o bapurau Saesneg yn y wlad a gymerai ochr y caethfeistri, ni chyhoeddwyd cymaint ag un ysgrif yn Gymraeg o blaid y drefn gaeth. Roedd pob Cymro Americanaidd a leisiodd farn ar y pwnc yn y 1830au yn datgan yn glir ei fod yn gwrthwynebu'r sefydliad anfoesol. A benthyca geiriau 'Chwarae teg' eto, 'am lwybr ei ddiddymiad [yn unig yr oedd] y ddadl.' Hyd y gellir barnu ar sail y dystiolaeth sydd wedi goroesi, roedd Americanwyr Cymraeg eu hiaith yn weddol gytûn fod caethwasanaeth yn anfoesol.

Eto i gyd, nid yw hyn yn golygu bod pob Cymro a Chymraes yn yr Unol Daleithiau wedi ymuno yn yr ymgyrch yn erbyn caethwasanaeth yn y 1830au. I'r gwrthwyneb, fel gyda bron pob ymgyrch wleidyddol radicalaidd ym mhob oes, lleiafrif yn unig a ymunodd ar y dechrau. Byddai'r helyntion a ddeuai i ran Robert Everett yn ystod y 1840au yn dangos hynny'n glir iawn, fel y gwelir yn y penodau nesaf. Yn wir, byddai'r Parch. Everett yn dysgu'n fuan ar ôl dechrau ar ei weinidogaeth yn Steuben nad oedd hyd yn oed bob aelod o'i braidd ei hun yn fodlon ar weinidog a bregethai'n erbyn caethwasanaeth o'i bulpud.

NODIADAU

[1] Morris Roberts yn D. Davies [Dewi Emlyn] (gol), *Cofiant y Diweddar Barch. Robert Everett, D. D. a'i Briod, Steuben, Swydd Oneida, N Y. Yn Nghyd a Detholion o'i Weithiau Llenyddol* (Utica, 1879), 71.

[2] John Edward Lloyd, R. T. Jenkins a William Llewelyn Davies (goln), *Y Bywgraffiadur Cymreig Hyd 1940* (Llundain, 1953), 820.

[3] *Y Bywgraffiadur,* 820. E. Davies, *Cofiant y Parchedig Morris Roberts, Remsen* (Utica, 1879). Yn anffodus, ni cheir llawer o wybodaeth am waith gwrthgaethiwol y Parch. Roberts yn y cofiant.

[4] D. Davies (gol), *Cofiant y Diweddar Barch. Robert Everett,* 72.

[5] Robert Huw Griffiths, 'The Welsh and the American Civil War c.1840-1865' (traethawd Ph.D., Prifysgol Caerdydd, 2004), 21.

[6] Atodiad, Robert Huw Griffiths, 'The Welsh and the American Civil War c.1840-1865'.

[7] D. Davies (gol), *Cofiant y Diweddar Barch. Robert Everett,* 72.

[8] Ibid., 72. Ceir deunydd perthnasol yng nghasgliad M. Everett hefyd.

[9] Bedyddiwr oedd Knapp, ac roedd William H. Thomas, diwygiwr brwd a ofalai am gapel Bedyddwyr Cymraeg Utica, yn mynychu cyfarfodydd gweddi Knapp ar adegau. Noder mai diddymwr oedd y Parch. Thomas hefyd; ef a fyddai'n dadlau â'r trefedigaethwr 'Chwarae teg' ar dudalennau'r *Cyfaill o'r Hen Wlad* ar ddiwedd y 1830au (fel y gwelir yn y bennod hon). Am arddull bregethu Knapp, gw. Nathan O. Hatch, *The Democratization of American Christianity* (New Haven, 1989), 134: 'Jacob Knapp's "sledge-hammer" style of preaching always created a stir.'

[10] Morris Roberts yn D. Davies (gol), *Cofiant y Diweddar Barch. Robert Everett,* 72.

[11] Ibid., 73.

[12] Nathan O. Hatch, *The Democratization of American Christianity,* 196.

[13] Ibid., 196.

[14] D. Davies (gol), *Cofiant y Diweddar Barch. Robert Everett,* 74.

[15] Ibid., 74.

[16] Mary Everett, *Historical Sketch of the First Welsh Conregational Church of Steuben, N. Y.* (dim dyddiad na man cyhoeddi, ond nodir ar ddechrau'r llyfryn hwn ei fod wedi'i seilio ar araith a draddodwyd gan Mary, merch Robert Everett, ar 23 Mehefin 1904); papurau M. Everett; papurau Leonard Wynne.

[17] Erasmus Jones yn D. Davies (gol), *Cofiant y Diweddar Barch. Robert Everett,* 79: 'Nid wyf yn cofio i mi erioed weled Mr. Everett, ond unwaith am ychydig fynydau, cyn i mi ei weled a'i glywed yn y diwygiad mawr yn Steuben yn y flwyddyn 1838.'

[18] E. Davies yn D. Davies (gol), *Cofiant y Diweddar Barch. Robert Everett,* 80.

[19] Ibid., 80.

[20] Ibid., 27; Mary Everett, *Historical Sketch.*

[21] Enw llawn Steuben oedd Frederick William Augustus Henry Ferdinand, Baron von Steuben. Gw., e.e., Robert Middlekauff, *The Glorious Cause* [:] *The American Revolution 1763-1789* (Efrog Newydd, 1982), 417. Gwobrwywyd Steuben am ei rôl yn y Chwyldro gyda thiroedd sylweddol yn nhalaith Efrog Newydd, ac mae'n debyg mai un o asiantau'r hen gadfridog a ddenodd yr ymfudwyr Cymreig cyntaf i ymgartrefu yn yr ardal. Am hanes cynnar Steuben a'r cyffiniau, a dyfodiad y Cymry cyntaf, gw. Pomeroy Jones, *History of Oneida County* (dim man cyhoeddi, 1851), 306-7.

[22] Mary Everett, *Historical Sketch,* 1-2. Gw. hefyd R. D. Thomas (Iorthryn Gwynedd), *Hanes Cymry America* (Utica, 1872), 95-100.

[23] Dymchwelwyd yr adeilad hwn yn 1904 gan fod nant danddaearol wedi tanseilio'i sylfeini, ond erys nifer o luniau ohono. Roedd y geiriau hyn i'w gweld ar gofeb uwch ben y drws: 'Ebenezer, Adeiladwyd 1820. Grandewch a bydd byw.' Lluniau yng nghasgliad Leonard Wynne.
[24] Cyfarfodydd undebol oedd y rhai cyntaf, gyda Methodistiaid Calfinaidd ac Annybynwyr Steuben yn cydaddoli, ac roeddynt yn cael eu cynnal yng nghartrefi'r aelodau ar y dechrau. Ymgorfforwyd y gymdeithas eglwysig yn swyddogol yn 1804, a phan gafwyd cyfarfod er mwyn ei throi'n eglwys Gynulleidfaol, pleidleisiodd hyd yn oed y rhan fwyaf o'r Methodistiaid o blaid y syniad. Ymgorfforwyd yr eglwys ym mis Mawrth 1804 a chofnodwyd yr enw yn swyddfa Cofrestrydd Swydd Oneida fel 'First Welsh Methodist Society of Steuben.' Ni wyddys pam y cofnodwyd yr achos fel un Methodistaidd, ond aeth yr aelodau ati'n fuan wedyn i newid yr enw'n swyddogol er mwyn dangos mai cymdeithas Gynulleidfaol ydoedd. Mary Everett, *Historical Sketch*, 4-5.
[25] Gw. hefyd Margaret P. Davis, *Honey out of the Rafters* [:] *A pictorial history of the settlement and growth of Steuben and Remsen, N. Y.* (Remsen, 1976), 25-39.
[26] Gw. R. D. Thomas, *Hanes Cymry America*, 95.
[27] *Y Cenhadwr Americanaidd*, Mawrth 1872.
[28] D. Davies (gol), *Cofiant y Diweddar Barch. Robert Everett*, 28; Mary Everett, *Historical Sketch*, 21.
[29] D. Davies (gol), *Cofiant y Diweddar Barch. Robert Everett*, 28.
[30] Mary Everett, *Historical Sketch*, 21-22.
[31] Ibid., 24. Ategir hyn gan gofnod a ysgrifennodd Mary adeg marwolaeth ei thad yn 1875: 'mae adgofion am y cyfarfodydd dirwestol a gwrthgaethiwol hyny yn mysg adgofion mwyaf bywiog boreu fy oes'; D. Davies (gol), *Cofiant y Diweddar Barch. Robert Everett*, 136.
[32] Papurau M. Everett.
[33] *Friend of Man*, 8 Awst 1838. Ond nid dyma'r rhifyn cyntaf o'r cyhoeddiad i awgrymu hyn; gw., e.e., *Friend of Man*, 14 Mawrth 1838: '[mae'r bleidlais yn] element of reformation which God has put into the hands of abolitionists.'
[34] Papurau M. Everett.
[35] Ibid.
[36] Henry C. Wright oedd y dyn hwn. Gw. Milton C. Sernett, *North Star Country* [:] *Upstate New York and the Crusade for African American Freedom* (Syracuse [Efrog Newydd], 2002), 108; Richard J. Carwardine, *Evangelicals and Politics in Antebellum America* (New Haven, 1993), 16 a 135-6.
[37] Papurau M. Everett.
[38] Ibid.
[39] Milton C. Sernett, *Abolition's Axe: Beriah Greene, Oneida Institute, and the Black Freedom Struggle* (Syracuse [Efrog Newydd], 1986), 47.
[40] Ibid., 50.
[41] Ibid., 50.
[42] Ibid., 50.
[43] Ibid., 51.
[44] Ceir ymhlith papurau M. Everett bamffled yn hysbysebu Coleg Oneida:
'THE ONEIDA INSTITUTE, At Whitesboro, New York, a short distance from the city of Utica, beautifully situated in the valley of the Mohawk, combines in its course of instruction, manual with mental labour. Every student is expected, under the direction of an experienced and able Superintendent, to devote three hours a day to muscular exercise in some agricultural or mechanical employment. Of this, the pecuniary results are appropriated, so far as they go, to the payment of the board bill. . . . The course of study pursued at the Oneida Institute consumes nearly four years. . . . . [Each student] must then be able to sustain an examination on the principles of common Arithmetic, English Grammar, Geography, and the Greek of Matthew's Gospel. . . . . [As well as] Hebrew Grammar; Anatomy and Physiology; Intellectual Philosophy; Chemistry; Geometry, Algebra, etc.; Moral Philosophy; Elocution, Composition[.]'
[45] Milton C. Sernett, *Abolition's Axe*, 169, nodyn 49.
[46] Beriah Green, *The Martyr: A Discourse on Commemoration of the Martyrdom of the Rev. Elijah P. Lovejoy, Delivered in Broadway Tabernacle, New York; and in the Bleecker Street Church, Utica* (Efrog Newydd, 1838).
[47] Milton C. Sernett, *Abolition's Axe*, 109.
[48] *The Friend of Man*, 17 Hydref 1838.
[49] D. Davies (gol), *Cofiant y Diweddar Barch. Robert Everett*, 121-2: 'Ysgrifena ei ferch Jennie atom: . . ."Ar ol hyny [1823] bu yn gyfaill a chydlafurwr yn yr achos gwrthgaethiwol â'r Parch. Beriah Green[.]' Yn ogystal, mae nifer o lythyrau'r teulu Everett sydd wedi goroesi yn dangos bod Robert Everett a Beriah Green yn rhan o'r un cylch cymdeithasol. Er enghraifft, mewn llythyr a ysgrifennodd Panthena Rood at Mr a Mrs Everett ar 5 Mawrth 1838, nododd ei bod hi wedi symud i dŷ newydd a oedd 'about one mile fr[om] Ber. Green.' Papurau M. Everett.

[50] D. Davies (gol), *Cofiant y Diweddar Barch. Robert Everett*, 183.
[51] Papurau M. Everett. Dogfen brintiedig yw'r ffurflen hon; mae'r llinellau yn y testun isod yn arwyddo bylchau a lenwyd gan Beriah Green wrth dderbyn John Everett i'r coleg: 'CERTIFICATE OF ADMISSION [:] Mr John Everett is admitted to the privileges and responsibilities of a Student in the Oneida Institute. Whitesboro, Nov. 8, 1837 B. Green, Pres.'
[52] Milton C. Sernett, *Abolition's Axe*, 54.
[53] Ibid., 54-5.
[54] Lawrence B. Glickman, 'Abolitionism and the Origins of American Consumer Activism,' *American Quarterly*, 56/4 (2004); C. Peter Ripley (gol), *The Black Abolitionists, Volume III, 1830-1846* (Chapel Hill, 1991), 337.
[55] Milton C. Sernett, *Abolition's Axe*, 54: 'Crummell wrote . . . after hearing Green lecture, "Henceforth my aim and endeavor shall be to be a man of princiciple"'; 55: 'Garnet's intellecutal qualities [tra oedd yn fyfyriwr] were distinguished by intuition, wit, brilliance and power'.
[56] D. Davies (gol), *Cofiant y Diweddar Barch. Robert Everett*, 121-2.
[57] 'Pressed Leaves From the Everett "Bush" By Rev. J. E. Everett Written for his son Robert in or about 1912,' 57. Papur anghyhoeddedig yng nghasgliad M. Everett.
[58] Ibid., 58: 'He [sef ei dad, John Everett] used to make addresses on Anti-slavery and on temperance in the early days . . . a thoughtful speaker[.]'
[59] Ibid., 72: 'Uncle Robert . . . Like Father, he used to make public addresses on anti-slavery. . . . . He was more rhetorical, I learn, than Father was, and more vivacious in his addresses, while Father was the more argumentative and substantial.'
[60] Papurau M. Everett. Yn ogystal â'r enw John R. Everett, ceir y dyddiad 'July 18, 1840' ar y traethawd. Graddiodd ym mis Medi 1840, ac felly dyma un o'r traethodau olaf a ysgrifennodd tra oedd yn yr *Oneida Institute.*
[61] Papurau M. Everett (nodyn mewn llaw arall: 'Graduating Oration of John R. Everett, Oneida Institute, 1840, Wednesday, September)': 'The Bosom of God the Home of Man' oedd teitl yr araith.
[62] Papurau M. Everett (llythyr Beriah Green at Robert Everett).
[63] Ibid.
[64] Gw. nodyn 44 uchod.
[65] 'Pressed Leaves', 57: 'He [sef ei dad, John Everett] largely worked his way through the Institute. There was a printing office connected with the school, and in it Father learned the printer's trade.'
[66] Aled Jones and Bill Jones, *Welsh Reflections [:] Y Drych & America 1851-2001* (Llandysul, 2001), 1.
[67] D. Davies (gol), *Cofiant y Diweddar Barch. Robert Everett*, 28.
[68] Er enghraifft, wrth grynhoi'r newyddion diweddaraf cyfeiriai'n gyson at gaethfeistri'r taleithiau deheuol fel 'gwrthwynebwyr rhyddid', ymadrodd a ddengys yn glir iawn beth oedd teimladau Rowlands. Gw., e.e., *Y Cyfaill o'r Hen Wlad*, Chwefror 1838: 'Y GAETHWASANAETH. Mae llawer o ddadleu tra ffyrnig wedi bod ar yr achos hyn, rhwng cynnrychiolwyr y Taleithiau Gogleddol a Deheuol. . . .Yr hyn a sefir arno gan wrthwynebwyr rhyddid yw eu hiawnderau taleithiol – bod y rhai hyn yn benaduriaethol, ac wedi eu sicrhau iddynt yn y Cyfansoddiad Unawl – o'r cyfryw, un ydyw yr hawl i gadw caethion cartrefol.'
[69] Dechreuwyd hyn gan lythyr agored a ysgrifennodd awdur a arddelai'r ffugenw 'Jonathan'; *Y Cyfaill o'r Hen Wlad*, Medi 1838. Ceid ychwanegiadau at y drafodaeth wrthgaethiwol hon gan, e.e., Owen Jones o Philadelphia (Ionawr 1839) a William H. Thomas o Utica (Ionawr 1839 a Chwefror 1839).
[70] *Y Cyfaill o'r Hen Wlad*, Mehefin 1839.
[71] Yn ôl yn y 1820au roedd y William Lloyd Garrison ifanc wedi gadael y Gymdeithas Drefedigaethol er mwyn ymuno â'r Gymdeithas Wrthgaethiwol, a hynny dan ddylanwad gweinidog du rhydd o'r enw William Watkins; gw. Robert Fanuzzi, *Abolition's Public Sphere* (Minneapolis, 2003), 107. Roedd Robert Everett yntau wedi derbyn cylchgrawn y Gymdeithas Drefedigaethol, *The Colonization Herald* am gyfnod yn y 1820au ond ni cheir tystiolaeth ei fod wedi cefnogi'r gymdeithas hon yn gyhoeddus. Papurau M. Everett.
[72] Mae'r ymadrodd 'yn ôl i Affrica' wrth gwrs yn dangos rhagfarn na allai'r Affrican-Americaniaid – er gwaethaf y ffaith eu bod hwy wedi'u geni a'u magu yn America – aros yn yr Unol Daleithiau a'u bod hwy'n perthyn oherywdd lliw eu croen i gyfandir Affrica'n unig. Am hanes y mudiad a Liberia, gw. Lamin Sanneh, *Abolitionists Abroad [:] American Blacks and the Making of Modern West Africa* (Cambridge [Mass.], 1999).
[73] *Y Cyfaill o'r Hen Wlad*, Tachwedd 1839.
[74] Ystyr 'ham' yw 'rheswm'; mae'n chwarae ar y gair 'paham' (sef 'pa ham?') a geir yn gynharach yn y frawddeg hon.
[75] Ibid.

[76] Ibid.
[77] Ibid.
[78] *Y Cyfaill o'r Hen Wlad*, Ionawr 1840.

PENNOD 5:
Cenhadaeth y Dyngarwr
(Y Wasg, 1840-1843)

Daeth rhifyn cyntaf *Y Cenhadwr Americanaidd* o'r wasg ym mis Ionawr 1840. Dyma ail gylchgrawn enwadol Cymraeg yr Unol Daleithiau, yn ymddangos ddwy flynedd ar ôl i'r Methodistiaid Calfinaidd ddechrau'u misolyn hwythau, *Y Cyfaill o'r Hen Wlad*. Roedd Robert Everett wedi helpu i sefydlu cylchgrawn cyntaf ei enwad, *Y Dysgedydd*, yn ôl yng Nghymru ar ddechrau'r 1820au, ac yn awr yr oedd yn gwneud yr un gymwynas ag Annibynwyr Cymraeg America. Fel y gwelwyd yn y bennod ddiwethaf, cyflwynodd Cymanfa yr Annibynwyr olygyddiaeth y cylchgrawn i'r ddau weinidog a fuasai'n bennaf gyfrifol am ddechrau diwygiad 1838, sef Morris Roberts a Robert Everett. Ond daeth yn amlwg yn fuan iawn mai'r Parch. Everett a oedd yn ysgwyddo'r baich, ac felly ildiodd yr ymadrodd a ymddangosai ar wyneb-ddalen y rhifynnau cyntaf – 'Cyhoeddedig gan weinidogion yr eglwysi Cynulleidfaol' – i ddisgrifiad mwy cywir o'r sefyllfa: 'golygydd y Parch. Robert Everett.'[1] Am y rhan fwyaf o'i oes hir, byddai'r *Cenhadwr* yn cael ei gynhyrchu ar wasg yng nghartref yr Everettiaid yn Steuben, ond yn ystod y ddwy flynedd gyntaf fe'i cyhoeddid yn siop R.W. Roberts ar Heol Gennesse yn Utica.

Fel y dengys ei deitl, roedd y cylchgrawn wedi'i sefydlu er mwyn cenhadu'n grefyddol ymhlith Americanwyr Cymraeg eu hiaith, ond roedd gan *Y Cenhadwr Americanaidd* genhadaeth ehangach hefyd, sef helpu Cymry America i greu a chynnal diwylliant amlweddog yn eu mamiaith.[2] Yn ôl broliant ei wyneb-ddalen, roedd *Y Cenhadwr:*

> yn cynwys Bywgraffiadau, Duwinyddiaeth, Hanesyddiaeth Eglwysig a Gwladol, Anianyddiaeth [sef yr hyn a alwai Americanwyr Saesneg eu hiaith yn *natural philosphy*], Amaethyddiaeth, ynghyd a Newyddion Americanaidd a Thramor: Hefyd, Cyfansoddiadau Mewn Barddoniaeth a Pheroriaeth.'[3]

Yn unol â'r addewid hwn, ceid adran farddonol ym mhob rhifyn. Ymysg y cerddi a gyhoeddwyd yn y rhifyn cyntaf hwnnw yn Ionawr 1840 oedd dwy'n croesawu'r cylchgrawn newydd – 'Annerchiad i'r *Cenhadwr*' gan Cadwalader Jones o Cincinnati, a 'Hiraeth am y *Cenhadwr*' gan fardd o Bittsburgh a arddelai'r ffugenw 'Eryr'.[4] Gan fod y rhan fwyaf o ddeunydd darllen Americanwyr Cymraeg yn dod o'r Hen Wlad, ymfalchïodd y bardd hwn yn y ffaith nad oedd yn rhaid i'r cylchgrawn newydd groesi'r môr er mwyn eu cyrraedd: 'O Oneida fe ddaw yma, / Nid dros fôr, ond dros y tir.' Datblygodd Eryr Pittsburgh y thema hon, gan adleisio'r modd yr oedd Americanwyr yn gwahaniaethu rhwng ymfudwyr a'r plant a aned iddynt yn eu gwlad newydd: 'Ym Americ do fe'th anwyd, / Ac fe'th fagwyd . . . / *Country-born* Americanaidd[.]'[5]

Dyma enghraifft gynnar o ffenomen a ddeuai'n gyffredin iawn, sef ymffrostio yn y ffaith fod Cymry America'n gallu creu a chynnal diwylliant llenyddol Cymraeg yn eu gwlad newydd.[6] Gallai cymunedau Cymraeg ar draws yr Unol Daleithiau gadw mewn cysylltiad â'i gilydd drwy gyfrwng eu gwasg gyfnodol newydd gan felly feithrin hunaniaeth genedlaethol newydd a oedd yn Gymreig ac yn Americanaidd ar yr un pryd.[7] Ond er bod beirdd, awduron a golygyddion Cymraeg yr Unol Daleithiau'n brolio Americaniaeth y traddodiad llenyddol newydd yr oeddynt yn ei greu, roeddynt hefyd yn adleisio ac yn ailwampio themâu a fuasai'n ganolog i lenyddiaeth Gymraeg yr Hen Wlad ers blynyddoedd lawer. Ac felly nid yw'n syndod gweld yr Eryr hwnnw o Bittsburgh yn adleisio emyn poblogaidd Williams Pantycelyn wrth ddisgrifio'r modd yr edrychai Cymry America ymlaen at ddyfodiad eu 'Cenhadwr' newydd:

> Y mae'r gw[ŷ]r dan gur a gofyd,
> Claf o gariad ydynt hwy;
> Am gael derbyn o'th drysorau,
> Dere, dere atynt mwy.[8]

Mae'r bardd yn personoli'r cylchgrawn newydd gan droi *Y Cenhadwr Americanaidd* yn 'genhadwr' o gig a gwaed. Teithia'r cenhadwr hwn o gwmpas cymunedau Cymraeg gwasgaredig yr Unol Daleithiau, ac – yn debyg i'r modd yr hiraethai Williams Pantycelyn am gariad Duw – mae trigolion y cymunedau hynny yn 'glaf o gariad' wrth iddynt ddisgwyl 'dan gur a gofid' am ddyfodiad eu cenhadwr Americanaidd.

Mae'r un ddyfais yn ganolog i'r gerdd groeso a gyhoeddwyd gan Cadwalader Jones yn y rhifyn cyntaf hwnnw. Ac yntau'n byw yn Cincinnati ar lannau afon Ohio, edrychai'r bardd hwn ymlaen yn eiddgar at ddyfodiad y cenhadwr a deithiai 600 o filltiroedd o Utica i'r ddinas honno.

> Wel, dere, nad oeda'r "CENHADWR,"
> I'n plith fel gwladgarwr yn glau;
> Mae nifer yn dysgwyl dy genad,

Cai gyflawn dderbyniad i'n tai:
Mae'n bryd it agoryd dy sypiau,
A thaenu'th rifynau ar lêd;
Er budd i'th gyd-frodyr a fudodd,
Tros foroedd o wych lanoedd cred.[9]

Roedd Methodistiaid Cymraeg America wedi croesawu'u cylchgrawn newydd hwythau, *Y Cyfaill o'r Hen Wlad*, mewn modd tebyg ddwy flynedd ynghynt. Gan ragweld y ffordd y byddai'r beirdd hyn yn troi *Cenhadwr* yr Annibynwyr yn 'genhadwr' go iawn, defnyddiodd un darllenydd o Fethodist rym ei ddychmyg er mwyn personoli cylchgrawn ei enwad ef a throi'r *Cyfaill* yn 'gyfaill' o gig a gwaed.[10] Ac yntau'n byw mewn caban pren mewn cymuned anghysbell yng ngoedwigoedd Ohio, diolchodd am 'y Cyfaill a ymwelodd a'n bro, ac a ymbresenolodd yn ein tai cyffion.'[11] Roedd y ddyfais lenyddol hon yn fodd i bwysleisio gallu'r cylchgronau newydd i ymdreiddio i ganol pob cymuned Gymraeg – ac yn wir, i ganol pob cartref Cymreig – yn yr Unol Daleithiau.

'Mae nifer yn dysgwyl dy genad,' meddai Cadwalader Jones wrth y 'cenhadwr' newydd ar ddechrau 1840. Beth, felly, oedd cenhadaeth *Y Cenhadwr Americanaidd?* Yn gyffredinol, hyrwyddo achos crefydd ymhlith Cymry America oedd nod Robert Everett. I'r perwyl hwnnw, cafwyd rhychwant o ddeunydd crefyddol yn y rhifyn cyntaf, gan gynnwys traethawd byr gan 'Genhadwr o Russia' ar 'Y Gorchymyn Diweddaf,' ysgrif gan awdur dienw yn collfarnu 'Cenfigen a Malais,' a darn gan y golgydydd ei hun yn dwyn y teitl 'Jane yn Ymweld a Theulu ei Hewythr, neu y Sabbath yn Hyfryd.'[12] Moeswers ar ffurf ffuglen yw'r darn hwn, ac mae'n brawf fod Robert Everett wedi dechrau arbrofi â math o ysgrifennu creadigol a ddeuai'n rhan gynyddol amlwg o gylchgronau enwadol Cymraeg ar ddwy ochr yr Iwerydd yn ystod y bedwaredd ganrif ar bymtheg. Traethodau diwinyddol oedd yr ysgrifau cyntaf a gyhoeddasai cyn ymadael â Chymru, ond erbyn 1840 roedd Robert Everett hefyd yn troi rhyddiaith ffuglennol yn gyfrwng er mwyn cyflwyno'i negeseuon moesol.

Ac felly er mai cyflwyno gwersi ynglŷn â'r hyn sy'n gweud y 'Sabbath yn Hyfryd' oedd holl bwynt y darn hwn, mae'r stori ffuglennol yn darparu'r fframwaith sy'n cynnwys y gwersi hynny:

'Mae y *Stage* yn dyfod . . . mae y *Stage* yn dyfod,' llefodd William bach allan, fel yr oedd yn rhedeg mewn llawenydd at y drws, i gyfarfod a'i chwaer Jane, yr hon oedd wedi bod yn absennol dros faith dair wythnos yn nhŷ ei hewythr Charles.[13]

Daw cyfle wedyn i Jane rannu â'i theulu yr holl wersi crefyddol yr oedd wedi'u dysgu yn ystod ei hymweliad. Noder mai merch yw prif gymeriad y stori fer hon, ac yn y cyswllt hwnnw mae'n werth craffu'n fanwl ar un o'r moeswersi unigol:

> Bydd y genethod yn ysgrifenu i lawr rannau o'r bregeth; yr wyf finnau yn hoffi hyny yn fawr . . . . Byddwn yn myned i'r ysgol rhwng y ddwy oedfa, ac ar ol dychwelyd adref byddwn yn darllen ein ysgrifau, a fy ewythr yn dyweyd ychwaneg wrthym o'r bregeth ac yn esponio y pethau.[14]

Yn ogystal â thynnu sylw at bwysigrwydd dysgu darllen ac ysgrifennu, mae'r stori'n dadlau'n enwedig dros drosglwyddo'r sgiliau hyn i ferched ifainc. Yn debyg i nifer o ddiwygwyr eraill yn America ac yng Nghymru, roedd Robert Everett yn hyrwyddo llythrennedd ymysg merched. Ceid cysylltiad hefyd rhwng yr ymgyrch dros hawliau merched a'r ymgyrch yn erbyn caethwasanaeth, a chyn bo hir byddai golygydd *Y Cenhadwr Americanaidd* yn amlygu'r cysylltiad hwnnw (fel y gwelir maes o law yn yr astudiaeth hon).

Ym marn Robert Everett, roedd hyrwyddo crefydd ymysg Cymry America yn golygu hyrwyddo nifer o achosion moesol penodol hefyd, ac felly sicrhaodd fod *Y Cenhadwr Americanaidd* yn hybu'r ymgyrch yn erbyn caethwasanaeth o'r dechrau. Cyhoeddodd ysgrif wrthgaethiwol yn y rhifyn cyntaf gan un o gefnogwyr selocaf y cylchgrawn newydd, Cadwalader Jones. Dyma'r bardd o Cincinnati a groesawodd y misolyn newydd, a dengys y llith a gyhoeddodd yn Ionawr 1840 o dan y teitl 'Nodiadau ar Gaethiwed' ei fod hefyd yn ddiddymwr brwd:

> Mae llawer o gynwrf wedi bod, ac yn parhau i fod yn mysg ein cyd-ddinasyddion mewn perthynas i'r Caethiwed Negroaidd, a'r moddion mwyaf effeithiol er dwyn oddiamgylch ryddhad. Ac nid rhyfedd yn wir, pan ystyriom y sefyllfa druenus yn mha un y gwelir y Negroaid. Maent wedi cael eu hanghofio yn hir.[15]

Disgrifia'r traethawd hwn 'ddefodau a chyfreithiau' y wlad fel 'gwaradwydd mawr i yr Unol Daleithau, ac yn ffieidd-dra gwlad Gristionogol' gan eu bod yn caniatáu i'r drefn gaeth barhau mewn gwlad honedig rydd. Wrth ddod â rhan gyntaf ei ysgrif i ben, mae Cadwalader Jones yn croesawu'r 'deffröad' diweddar a welid wrth i niferoedd cynyddol o bobl ymuno â'r mudiad gwrthgaethiwol. Mae'n galw ar ei ddarllenwyr i 'ddeffro' yn yr un modd gan apelio'n uniongyrchol at eu hunaniaeth Gymreig: 'Mae yn ddyledswydd arnom ninau, y Cymry, yn gyffredinol roddi ein cynorthwy mewn achos ac sydd yn dwyn mor agos berthynas a llwyddiant yr efengyl ac âg iawnderau ein cyd-greaduriaid.' Atega'r apêl hon yn nes ymlaen yn yr ysgrif: 'Ninau, y Cymry, y rhai ydym yn meddiannu rhyddid a breintiau nac anghofiwn eu gryddfanau[.]'[16]

Mae ail ran y llith yn newid cyfeiriad ychydig wrth i Cadwalader Jones godi'r cwestiwn a oedd wedi'i drafod rai misoedd ynghynt ar dudalennau *Y Cyfaill o'r Hen Wlad*, sef y ffaith fod 'dwy gymdeithas . . . wedi cael eu sefydlu i'r dyben hyn,' y Gymdeithas Drefedigaethol a'r Gymdeithas Wrthgaethiwol. Fel yr oedd William H. Thomas wedi dyrchafu'r Gymdeithas Wrthgaethiwol ar draul y Trefedigaethwyr yn y *Cyfaill* (fel y gwelwyd yn y bennod ddiwethaf), felly hefyd aeth Cadwalader Jones ati i feirniadau'r *Colonization Society*: 'gan nad ydynt yn rhoddi un cynorthwy i'r caethion, ond yn unig y rhai a anfonant i Affrica, gallwn benderfynu na ddeuant byth a chaethiwed i ben.' Ac yn yr un modd â William Thomas a gwynodd fod y Trefedigaethwyr yn hiliol (er gwaethaf y ffaith eu bod hwy'n gwrthwynebu caethwasaneth), nododd Cadwalader Jones fod y *Colonizationists* yn cydweithio â'r caethfeistri 'i anfon ymaith y Negroaid rhyddion' yn hytrach na chaniatáu iddynt gyd-fyw â'r Americanwyr gwynion.

Wrth iddo ganu clodydd y Gymdeithas Wrthgaethiwol mae'r Cymro o Cincinnati'n diffinio prif egwyddor y gymdeithas honno fel 'uniongyrchol ryddhad.'[17] Dyma'r *immediatism* yr oedd wedi William Lloyd Garrison a'i ddilynwyr wedi bod yn ei bregethu ers deng mlynedd. Rhydd Cadwalader Jones drosiad Cymraeg o un arall o hoff ymadroddion Garrison hefyd, *moral suasion*: 'trwy wirioneddau eglurhaol.'[18] Nid grym trais ond grym geiriau – geiriau a all gyflwyno 'gwirioneddau eglurhaol' – oedd prif arf y diddymwyr yn ôl yr awdur hwn. Ni ddywedodd Cadwalader Jones air am y diweddar ddiddymwr Elijah Lovely a godasai ddryll wrth geisio amddiffyn ei wasg yn ôl yn 1837, ac felly mae'n debyg y byddai Garrison ei hun wedi cymeradwyo'r wedd hon ar ysgrif wrthgaethiwol gyntaf Y *Cenhadwr Americanaidd*. Ond ceir gwedd arall ar yr ysgrif hon na ellir ei gweld ond fel prawf fod yr awdur – a'r golygydd, Robert Everett, a ddewisodd gyhoeddi'r ysgrif – wedi cefnu ar un o ddaliadau'r Garrisoniaid, sef y gred na ddylid ymhel â gwleidyddiaeth. Dywed y Cymro Americanaidd hwn mai priod waith y diddymwr 'yw troi llais y wladwriaeth yn erbyn y pechod a'r anghyfiawnder o gaethiwed,' gan ychwanegu bod yr ymgyrchwyr yn ceisio '[t]aenu eu hachos ger bron y Senendd.'[19]

Ymrestru darllenwyr y cylchgrawn yn yr ymgyrch oedd y nod. Ond cyn y gellid eu troi'n ymgyrchwyr, y cam cyntaf oedd ennill eu meddyliau a'u calonnau. Ac felly cyhoeddwyd ysgrif yn ail rifyn *Y Cenhadwr* yn gofyn iddynt 'Weddïo Dros y Caethion.' Robert Everett ei hun oedd awdur y llith hon, a dywedodd ei fod yn cyflwyno '[rh]ai ystyriaethau' er mwyn sicrhau bod Cymry America yn '[c]ofio y caethion . . . yn feunyddiol ger bron yr Arglwydd.'[20] Dyma ddarn o ryddiaith bwerus sy'n cyfuno dysgeidiaeth Feiblaidd ag apêl emosiynol rymus:

> Dylem eu cofio mewn gweddi, oblegid mawredd y gorthrymder y maent dano. Y rheol yw, 'Cofiwch y rhai sydd yn rhwym megis pe baech yn rhwym gyda hwynt.' A thrachefn, 'Pa bethau bynnag a ewyllysioch wneuthur o ddynion i chwi, felly gwnewch chwithau iddynt hwy.' Yn awr, beth pe byddem ni neu ein plant dan y cyffelyb orthrymder ag y maent hwy dano: – yn ddieithriaid mewn gwlad estronol, yn cael ein hystyried yn eiddo i estroniaid yn yr un ystyr ag y mae eu hanifeiliaid yn eiddo iddynt, – yn agored un amser i gael ein hysgaru, rieni oddi wrth blant, a phlant oddi wrth rieni . . . byth i weled eu gilydd mwyach; – ein merched a'n gwragedd yn agored i ymosodiadau gwaeth nag anifeilaidd dynion llygredig; – yn cael ein gwahardd i ddarllain gair yr Arglwydd . . . a hyny, er ein cadw a'n hiliogaeth mewn tywyllwch am ein hiawnderau, ac mewn caethiwed anobeithiol a di-ddiwedd. Beth, meddaf, pe byddai ein sefyllfa a'n hamgylchiadau ni felly, onid da fyddai cael ein cofio mewn gweddiau taer a ffyddiog ger bron yr Hwn a ddichon dosturio ac achub?[21]

Dyma ymdrech i esgor ar 'ddeffroad' ymhlith y Cymry, chwedl Cadwalader Jones. Roedd y Parch. Everett wedi helpu i ddeffro'i gyd-Gymry Americanaidd yn ysbrydol adeg diwygiad 1838, ac yn awr yr oedd yn ysgrifennu ac yn cyhoeddi llenyddiaeth wrthgaethiwol er mwyn eu deffro i realiti erchyll caethwasanaeth. Ond os oedd gweddïo dros y caethion yn arwydd eu bod yn deffro, nid oedd gweddi ar ei phen ei hun yn ddigon; rhaid ei dilyn â gweithredoedd. Ac felly gorffennodd ei ysgrif gyda disgrifiad o'r cysylltiad rhwng gweddïo a gweithredu: 'Byddai eu cofio yn fynych ger bron ein Tad nefol . . . yn debyg o'n dwyn i deimlo yn addas tuag atynt . . . ac i weithredu yn effro a diflino yn ofn yr Arglwydd er eu rhyddhad a'u hiechydwriaeth.'[22]

Dilyn geiriau â gweithredoedd oedd y bwriad, a dengys holl waith Robert Everett ei fod yn 'gwneud fel yr oedd yn ei ddweud.' Defnyddiodd *Y Cenhadwr Americanaidd* er mwyn pleidio achos y caethweision a oedd wedi gwrthryfela ar fwrdd y llong *La Amistad* yn haf 1839. Ar ôl i'r Affricaniaid ladd y Sbaenwr o gapten, aethpwyd â'r llong yn ddiarwybod iddynt i arfordir gogledd America ac ail gaethiwed. Aeth yn achos cymhleth yn llysoedd barn yr Unol Daleithiau wrth i'r Sbaenwr o Giwba a fuasai'n 'berchen' ar yr Affricaniaid hyn ddadlau y dylid dychwelyd ei 'eiddo' iddo, tra oedd capten y llong Americanaidd a ddaethai o hyd i'r *Amistad* yn hawlio *'salvage rights,'* sef cyfraith forwrol a fyddai'n ei alluogi i'w gwerthu'n gaethweision a chadw'r elw. Ffurfiodd nifer o ddiddymwyr y wlad bwyllgor er mwyn helpu 'Negroaid yr Amistad,' ac yn ogystal â dadlau o blaid eu rhyddid ar dudalennau'r *Cenhadwr* aeth y Parch. Everett ati i gasglu arian er mwyn helpu talu costau cyfreithiol yr Affricaniaid.[23] Erbyn Ebrill 1841 gallai ddatgan fod yr achos hwnnw wedi'i ennill: 'Mae yn hyfrydwch gennym hysbysu i ein darllenwyr fod Prawf yr Affricaniaid hyn ger bron Llys Uchaf yr Unol Daleithiau wedi terfynu yn eu *cyflawn ryddhad.*'[24]

Parhaodd *Y Cenhadwr Americanaidd* i ddarparu'i ddarllenwyr â rhychwant eang o lenyddiaeth wrthgaethiwol gan hefyd gyhoeddi trafodion y cymdeithasau gwrthgaethiwol Cymraeg newydd a gâi'u ffurfio yn ystod y 1840au, fel y gwelir yn y bennod nesaf. Ni newidiodd cenhadaeth y cylchgrawn, ond newidiodd amgylchiadau'i gyhoeddi'n sylweddol yn 1842. Er bod *Y Cenhadwr Americanaidd* yn gyhoeddiad enwadol, 'Dr. Everett oedd y golygydd o'r dechreuad . . . golygyddion mewn enw oedd y lleill.'[25] Gan fod yr enwad wedi cydnabod ers talm fod 'y rhan fwyaf o'r pwys a'r cyfrifoldeb yn gorphwys ar ei ysgwyddau ef,' penderfynodd Cymanfa Oneida ym mis Medi 1842 'fod y *Cenhadwr* rhagllaw i gael ei ystyried yn eiddo y Parch. Robert Everett, i'w ddwyn yn mlaen yn ei enw ac ar ei draul ei hun.'[26] Byddai'n parhau i gyhoeddi'r cylchgrawn yn enw'r enwad, ond roedd ei gyd-Annibynwyr yn cadarnhau'n ffurfiol y sefyllfa a oedd wedi bodoli ers y dechrau. Cyfrifoldeb Robert Everett oedd ariannu, golygu, marchnata a chyhoeddi'r cylchgrawn; ef yn unig oedd yn gyfrifol am ysgwyddo baich ei ddyledion, ac iddo ef hefyd y deuai unrhyw elw.

Roedd Robert Everett eisoes wedi symud y cylchgrawn o Utica i Remsen ar ddechrau 1842. Gan nad oedd pentref Remsen ond ychydig o filltiroedd i ffwrdd o'i gartref yn Steuben, roedd yn haws o lawer iddo oruchwylio'r cyhoeddi.[27] Fel y gwelwyd yn y bennod ddiwethaf, aeth meibion y Parch. Everett, John a Robert, i'r *Oneida Institute* gan ddysgu crefft yr argraffydd yno. Roedd y ddau wedi graddio erbyn Ionawr 1842, ac felly daeth y meibion i weithio gwasg newydd eu tad yn Remsen. Menter deuluol oedd hi bellach, a phenderfynodd Robert Everet ei symud ar ddiwedd y flwyddyn honno i'w tŷ nhw yn Steuben. Fe gofir nad pentref oedd Steuben, ond cymuned o dyddynnod gwasgaredig; gan mai Remsen oedd y cyfeiriad post agosach, byddai'r enw hwnnw yn aros ar wyneb-ddalen *Y Cenhadwr Americanaidd*.[28] Yn yr un modd, syniai Cymry America am wasg y teulu Everett fel 'gwasg Remsen' er gwaethaf y ffaith fod y wasg honno wedi'i lleoli yn Steuben.

Pan sefydlwyd hi gyntaf yn 1842, cyhoeddodd un o Gymry'r ardal, W. B. Jones, ei 'Englynion i Argraffwasg Remsen.'

> Boed bendith fel gwlith i'r gwr – anfonodd
> I fynu'r argraffwr;
> Cawn edrych i'r Cenhadwr,
> A'i râd ddawn tra rhedo dŵr.
>
> Uned dy nawdd, Oneida; – at Everett
> Doed hyfryd gyn'lleidfa;
> A'r amod a gair yma,
> Pobpeth i'r dyn ar bapyr da.[29]

Er bod y bardd hwn yn cyfeirio at un Everett yn unig, roedd y teulu cyfan yn ymroi i helpu gyda'r gwaith. Tra oedd y ddau fab hynaf yn gofalu am waith mecanyddol y wasg, roedd eu mam Elizabeth yn helpu'i gŵr gyda'r proflenni a materion golygyddol eraill. Daeth eu trydydd mab, Lewis, i helpu gyda'r gwaith golygyddol hefyd yn ystod y 1840au cynnar.

Roedd y plant i gyd – ac ymhen rhai blynyddoedd, plant y plant – yn helpu gyda thasgiau ymarferol eraill. Cofiai un o'r wyrion hyn yr olygfa'n dda ar ddechrau'r ugeinfed ganrif:

> The end of the month was always a time of pressure in the family, because it was then that the magazine was issued. There was one 'busy day,' each month, when the whole family were at work getting it ready for the mailing, and usually some outsiders as well. . . . The sewing, the inserting in covers, and the wrapping and addressing were all done on the last or 'busy' day. The printing on the cover was also a part of that day's work. It all made a great impression on my childish mind; and I suppose it is largely because of this that a printing office has always been an attractive place to me, especially an office where something worth while is done.[30]

Gan fod ganddo gymaint o help llaw ar ei aelwyd ei hun, nid yw'n syndod fod y golygydd wedi derbyn yr holl gyfrifoldeb dros *Y Cenhadwr Americanaidd*. Erbyn diwedd 1842 roedd Robert Everett wedi troi'i gartref yn wasg wrthgaethiwol effeithiol. Yn yr un modd (ac fel y gwelir yn y bennod nesaf), roedd wrthi yn y cyfnod hwn yn troi'i ddau gapel yn Steuben yn sylfeini ar gyfer ymgyrch newydd i radicaleiddio Cymry America a'u hymrestru yn yr achos gwrthgaethiwol. Dechreuodd yr ymgyrch genedlaethol hon gyda'r adnoddau a oedd ganddo ar ei stepan drws ei hun.

Mae'n bwysig cofio hefyd fod plant Robert Everett wedi cryfhau'i gysylltiad â'r diwylliant Americanaidd radicalaidd y tu allan i'r cylchoedd Cymreig. Roedd *The Friend of Man* – sef cylchgrawn Cymdeithas Wrthgaethiwol Efrog Newydd – yn cael ei argraffu ar wasg yr *Oneida Istitute* tra oedd meibion Robert Everett yn bwrw eu prentisiaeth ar y wasg honno. Lansiodd Robert Everett ail gylchgrawn ei wasg ym mis Ionawr 1843 ac roedd ei deitl, *Y Dyngarwr*, i bob pwrpas yn drosiad o'r geiriau Saesneg hynny, *The Friend of Man*. Ond er gwaethaf y tebygrwydd, nid cyfieithiad Cymraeg o'r cyhoeddiad Saesneg hwnnw oedd *Y Dyngarwr,* eithr ymgais gan Robert Everett i greu cylchgrawn newydd a fyddai'n hybu dau achos ymysg Cymry America, sef dirwest a diddymiaeth.

Fel y gwelir yn y bennod nesaf, nid oedd holl Gymry America – neu hyd yn oed holl Gymry Steuben – yn hoffi gweld gweinidog yn ymroi mewn modd mor amlwg i achos fel diddymiaeth. Credai llawer fod yr achos yn perthyn i wleidyddiaeth fydol yn hytrach na theyrnas yr efengyl. Ac felly awgrymodd rhai awduron fod Robert Everett wedi dechrau *Y Dyngarwr* er mwyn osgoi'r cyhuddiad ei fod yn troi'r *Cenhadwr* – sef cylchgrawn enwadol yr Annibynwyr – yn gyhoeddiad gwleidyddol.[31] Ond nid yw'r theori honno'n dal dŵr o gwbl; dengys cynnwys *Y Cenhadwr Americanaidd* ei fod wedi parhau'n gyfrwng i hyrwyddo'r ymgyrch yn erbyn caethwasanaeth drwy gydol 1843. Er enghraifft, ym mis Mawrth 1843 cyflwynwyd pedair ysgrif wahanol ar y pwnc i ddarllenwyr y *Cenhadwr*; ar agor y rhifyn hwnnw gwelai Cymry America drafodion cymdeithas wrthgaethiwol Gymraeg yn ogystal â thair ysgrif wrthgaethiwol wreiddiol gan Robert Everett ei hun. Roedd un ohonynt yn draethawd hir yn dadlau y dylid newid y gyfraith a oedd yn gorfodi awdurdodau'r taleithiau gogleddol i ddychwelyd caethweision ffoëdig.[32] Yn ail, cyhoeddodd Robert Everett ysgrif y mis hwnnw yn dadansoddi'n fanwl y modd yr oedd 'Pleidlais y Caethfeistr' yn dylanwadu ar wleidyddiaeth y wlad.[33] Ac yn olaf, cyfrannodd erthygl i rifyn Mawrth 1843 yn canmol 'Cymeriad y Gymdeithas Wrth-Gaethiwol' ac yn annog darllenwyr *Y Cenhadwr Americanaidd* i gefnogi'r gymdeithas honno. Cafwyd ysgrif arall debyg ganddo yn y rhifyn nesaf o'r cylchgrawn, ac yn rhifyn Mai câi derbynwyr y *Cenhadwr* ddarllen dwy ysgrif yn canmol ymdrechion rhai o daleithiau Lloegr Newydd i rwystro'r gyfraith ffederal a fynnai fod pawb yn dychwelyd caethweision ffoëdig.[34] Ac felly ymlaen drwy gydol 1843. Parhaodd Robert Everett i sicrhau bod misolyn Annibynwyr Cymraeg America yn cefnogi'r ymgyrch yn erbyn caethwasanaeth, ac felly nid er mwyn cadw tudalennau *Y Cenhadwr Americanaidd* yn rhydd o ddeunydd gwrthgaethiwol y dechreuodd *Y Dyngarwr*.

Mae'n debyg fod y rheswm dros lansio'r cylchgrawn newydd yn symlach o lawer: roedd ganddo'i wasg ei hun yn ei gartref bellach, ac felly doedd dim byd yn ei rwsytro rhag defnyddio'r wasg honno er mwyn hybu'r ddwy ymgyrch a oedd agosaf at ei galon, sef dirwest a diddymiaeth. Cylchgrawn byr oedd *Y Dyngarwr* – gyda thua wyth tudalen yn unig ym mhob rhifyn fel arfer – a châi'r holl gynnwys ei rannu rhwng dau bennawd, 'Dirwest' a 'Rhyddid.' Roedd y ddwy adran yn gyfartal ar y dechrau, gyda'r un nifer o dudalennau'n cael ei neilltuo ar gyfer drygau alcohol a drygau caethwasanaeth yn y rhifyn cyntaf yn Ionawr 1843. Ond cynyddai'r ysgrifau gwrthgaethiwol gan ddisodli'r adran arall yn raddol, ac erbyn rhifyn Tachwedd dim ond hanner tudalen a gâi 'Dirwest' gan fod adran 'Rhyddid' wedi tyfu cymaint. Yn yr un modd, o fis Mehefin ymlaen adran 'Rhyddid' a ddeuai gyntaf yn y cylchgrawn. Er i'r mudiad dirwestol gael o leiaf ychydig o sylw ar dudalennau pob rhifyn, nid yw'n syndod fod llawer o Gymry America wedi synio am *Y Dyngarwr* fel 'cyhoeddiad gwrthgaethiwol.'

Cyhoeddwyd y rhifyn cyntaf ar 16 Ionawr 1843, ac ar ganol y mis y cyhoeddid pob rhifyn ar ôl hynny. Roedd rhesymau ymarerfol dros hyn; dim ond un wasg a oedd gan y teulu Everett, a chan fod *Y Cenhadwr Americanaidd* yn dod allan ar ddechrau'r mis, rhoddai'r cynllun hwn gyfle iddynt orffen argraffu'r cyhoeddiad hwnnw cyn dechrau cysodi ac argraffu *Y Dyngarwr*. Os oedd adegau gwahanol o'r mis yn cael eu neilltuo yn y cartref i weithio ar y ddau gylchgrawn, roedd y ddau hefyd yn wahanol iawn o ran eu cyfraniad i incwm y teulu. Er bod Robert Everett yn cyhoeddi'r *Cenhadwr* ar ran ei enwad, menter fasnachol breifat ydoedd i bob pwrpas; fel y gwelwyd uchod, roedd llwyddiant neu fethiant y misolyn yn disgyn yn gyfan gwbl ar ysgwyddau'r Parch. Everett a'i deulu. Roedd hel tanysgrifiadau newydd a chasglu arian gan yr hen danysgrifwyr yn cymryd llawer o amser y teulu, ac i'r perwyl hwnnw yr aeth y mab hynaf, John, i ymweld â chymunedau Cymraeg Ohio a Phennsylvania ar fwy nag un achlysur.

Ar y llaw arall, ni cheisiodd Robert Everett wneud arian gyda'i gylchgrawn newydd. I'r gwrthwyneb, ei fwriad o'r cychwn oedd ei bostio'n rhad ac am ddim at bob Gweinidog Cymraeg yn yr Unol Daleithiau. Ceir nodyn yn y rhifyn cyntaf yn egluro'r cynllun: 'Gwneir anrheg o'r "Dyngarwr" am y fl[wyddyn] hon i bob gweinidog yn mhlith y Cymry, o bob enwad crefyddol ag a ddewiso ei dderbyn, cyn belled ag y maent yn adnabyddus i ni.'[35] Cyhoeddodd gweinidog Cymraeg Floyd, Efrog Newydd, gywydd diolch o dan y pennawd 'Cydnabyddiaeth o anrheg gan Olygydd y "Dyngarwr," ynghyd a chip olwg ar greulonderau caethiwed.' Cyn manylu ar sefyllfa druenus 'y caeth,' dechreuodd y bardd-weinidog hwn drwy ddiolch am rodd Robert Everett:

> Rhoddiad o werth y rhuddaur;
> I mi, yn well na mwn aur;
> Dyrawdd i'm dealldwriaeth,
> Achosion, cwynion y caeth.[36]

Os oedd *Y Dyngarwr* yn 'rhoddiad o werth y rhuddaur' ym marn y Cymro Americanaidd hwn, rhaid bod y fenter newydd wedi costio tipyn o arian. Nid yw'r manylion ar gael a fyddai'n dangos faint o rifynnau a oedd yn cael eu hargraffu a'u dosbarthu bob mis, ond gyda thros 300 o weinidogion Cymraeg yn gweithio yn yr Unol Daleithiau yr adeg honno, byddai darparu hyd yn oed draean ohonynt â thanysgrifiad blwyddyn yn rhad ac am ddim yn llyncu llawer iawn o 'ruddaur' teulu Everett. Gwyddom fod Elizabeth wedi etifeddu swm sylweddol o arian yn sgil marwolaeth yr ewythr hwnnw a fuasai'n ymelwa ar y gaethfasnach yn Lerpwl yn ystod chwarter olaf y ddeunawfed ganrif, ac yn ôl aelodau eraill o'r teulu roedd hi a'i gŵr yn falch iawn eu bod nhw'n gallu defnyddio arian a wneid drwy gyfrwng caethwasanaeth i hybu'r ymgyrch yn erbyn y drefn anfoesol honno.[37] Credai rhai o'r plant fod eu rhieni wedi defnyddio'r etifeddiaeth hon er mwyn helpu i gynnal y *Cenhadwr* ar adeg pan oedd tanysgrifiadau'n brin, ond ni cheir tystiolaeth bendant a fyddai'n profi hynny.[38] Tybed a oedd y teulu wedi defnyddio'r etifeddiaeth i sefydlu *Y Dyngarwr*? Byddai hynny'n egluro'r ffaith fod Robert Everett yn gallu dechrau menter gyhoeddi newydd nad oedd yn bwriadu elwa'n ariannol arni.

Ysgrifennodd nifer o Gymry Blossburgh, Pennsylvania, lythyr torfol i'r wasg i ddiolch am ddau gylchgrawn Robert Everett a nodi bod '16 o Rifynau' o'r *Cenhadwr* a'r *Dyngarwr* yn cael eu derbyn yn eu hardal. Talasant deyrnged i'r golygydd drwy nodi 'Ein bod fel Cymry yn Blossburgh yn ddiolchgar i'r Parch. R. Everett am fod mor garedig a chofio am danom fel plant Gwalia yn anialwch America.' Roeddynt hefyd am weld y cylchgrawn newydd yn llwyddo:

> . . . ein bod ni fel Cymry yn Blossburgh yn dymuno pob llwydd i'r

"Dyngarwr" . . . gan olygu fod yr hyn a drinir ynddo yn deilwng o ystyriaethau mwyaf difrifol pob dyn, yn enwedig yr arferiad o gaethiwo *dynion yn ein gwlad rydd!*[39]

Cyhoeddwyd y llythyr hwn a'r cywydd diolch a drafodwyd uchod yn *Y Cenhadwr Americanaidd* yn hytrach na'r *Dyngarwr*. Rhaid bod cylchrediad y *Cenhadwr* yn fwy o lawer na'r hyn y gallai'r cylchgrawn newydd ei hawlio, ac felly roedd cyhoeddi'r cyfryw bethau ar ei dudalennau ef yn well ffordd o sicrhau bod darllenwyr Cymraeg ar draws y wlad yn gwybod am fodolaeth y newydd-ddyfodiad. Fel y dangoswyd yn barod, parhaodd Robert Everett i gyhoeddi deunydd gwrthgaethiwol yn y *Cenhadwr* ar ôl dyfodiad *Y Dyngarwr* i'r maes; roedd y ddau gylchgrawn yn sefyll ynghyd yn yr ymgyrch i radicaleiddio Cymry America a'u byddino'n erbyn caethwasanaeth.

Ond nid oedd y ddau wedi'u hanelu at yr union un gynulleidfa. Roedd *Y Cenhadwr Americanaidd* yn helpu i sicrhau bod diddymiaeth yn rhan o ddiwylliant ac ideoleg Annibynwyr Cymraeg America, tra oedd *Y Dyngarwr* yn helpu i hyrwyddo'r ymgyrch y tu allan i ffiniau'r enwad hwnnw. Gwelwyd yn y bennod gyntaf fod Robert Everett wedi pregethu'n erbyn sectyddiaeth grefyddol cyn ymfudo i'r Unol Daleithiau a'i fod wedi erfyn ar yr holl enwadau i gydweithio er mwyn diwygio cymdeithas a gwella cyflwr y byd. Roedd *Y Dyngarwr* yn ymgorfforiad o'r egwyddor honno; pwysleisiodd y Parch. Everett y ffaith ei fod yn postio'r cylchgrawn gwrthgaethiwol newydd at 'bob gweinidog yn mhlith y Cymry, o bob enwad crefyddol.'[40] Yn yr un modd, yn ogystal â chyfraniadau gan Robert Everett ac Annibynwyr eraill, cynhwysai *Y Dyngarwr* farddoniaeth a rhyddiaith gan Fedyddwyr a Methodistiaid.

Ac yntau'n ceisio anfon y cylchgrawn yn rhad ac am ddim at bob gweinidog ym mhob capel Cymraeg yn yr Unol Daleithiau, nid yw'n syndod fod y fenter wedi profi'n rhy ddrud i'w chynnal. Blwyddyn yn unig fu oes *Y Dyngarwr*; daeth y rhifyn olaf o'r wasg ym mis Rhagfyr 1843. Eto, ni ddylid diystyru'r effaith a gafodd y cylchgrawn byrhoedlog hwn. Erbyn diwedd 1843 roedd gweinidogion Cymraeg America wedi'u darparu â chyfrol fechan a gynhwysai amrywiaeth eang o ddeunydd gwrthgaethiwol yn eu mamiaith – cyfoeth o ysgrifau, cerddi a chanllawiau ymgyrchu y gallent droi atynt yn y dyfodol am ysbrydoliaeth, syniadau ac arweiniad. Ni ellir gorbwysleisio arwyddocâd y ffaith fod Robert Everett wedi ceisio postio'r cylchgrawn at holl weinidogion Cymraeg y wlad. Os oedd y capel yn ganolog i gymdeithas yn yr Hen Wlad, roedd hyd yn oed yn bwysicach i'r Cymry hynny a fynnai gynnal diwylliant Cymraeg yn yr Unol Daleithiau. Nid sefydliadau crefyddol yn unig oedd capeli Cymraeg America; roeddynt hefyd yn ganolfannau diwylliannol a ffurfiai asgwrn cefn y Gymru Americanaidd. Arweinwyr crefyddol oedd eu gweinidogion, ond roeddynt hefyd yn arweinwyr cymdeithasol a diwylliannol. Targedodd Robert Everett arweinwyr Cymry America gan sicrhau fod cymaint ohonynt â phosibl yn derbyn *Y Dyngarwr* drwy gydol y flwyddyn 1843.

Fe dâl inni graffu ymhellach ar union genadwri'r cylchgrawn. Traethawd byr gan Robert Everett ei hun a osododd y cywair yn y rhifyn cyntaf.[41] 'Beth yw Rhyddid?' yw teitl y darn, ac mae'r brawddegau cyntaf yn ceisio ateb y cwestiwn hwn:

> Mae dyn yn mwynhau rhyddid pan y mae yn cael cwbl dawelwch gan ei gyd greaduriaid yn nghyflawniad ei orchwylion a'r dyledswyddau gorphwysedig arno, fel bod rhesymol, tuag at Dduw, tuag ato ei hun, ei deulu, ei gymydogion, a dynolryw yn gyffredinol.Yr hawlfraint i'r pethau hyn sydd yn eiddo i bob dyn, o bob lliw, iaith a chenedl, trwy ddwyfol roddiad, a'i ymddifadu o un o honynt sydd yn gysegr yspail ar eiddo yr Arglwydd, ac yn ymgais at ymddifadu dyn o'i ddynol a'i hanfodol iawnderau.[42]

Apeliodd golygydd *Y Dyngarwr* yn bennaf oll at ddaliadau Cristnogol ei ddarllenwyr drwy bwysleisio'i gred sylfaenol fod Duw wedi creu pawb a bod rhyddid felly'n 'ddwyfol roddiad' i bob unigolyn. Dyma adleisio nifer o ysgrifau eraill yr oedd Robert Everett yn eu cyhoeddi yn *Y Cenhadwr Americanaidd* yn yr un cyfnod (megis y darn am 'Weddïo dros y Caethion' a draddodwyd uchod). Yr un oedd y neges grefyddol a'r un oedd y neges foesol. Ond wrth ddweud bod rhyddid 'yn eiddo i bob dyn, o bob lliw, *iaith* a *chenedl*,' roedd hefyd yn ceisio apelio at hunaniaeth *Gymreig* ei ddarllenwyr. Ceir nifer o ysgrifau eraill a gyhoeddwyd ar dudalennau'r *Dyngarwr* a'r *Cenhadwr* sy'n llunio cymhariaeth rhwng y gormes yr oedd y Cymry wedi'i ddioddef yn yr Hen Wlad a gormes caethwasanaeth Americanaidd.[43]

'Lladron dynion' oedd un o'r labeli yr oedd diddymwyr Cymraeg America yn eu rhoi ar gaethfeistri'r taleithiau deheuol. Yn hynny o beth, roeddynt yn dilyn yr arch-ddiddymwr hwnnw, William Lloyd Garrison. Disgrifiasai Garrison y caethfeistr fel *'MAN-STEALER'* mewn maniffesto a luniasai ar gyfer y Gymdeithas Wrthgaethiwol yn ôl yn 1833.[44] Gwthiodd Robert Everett y pwynt hwnnw gam ymhellach yn rhifyn cyntaf *Y Dyngarwr*. Dywedodd fod y caethfeistr sy'n 'amddifadu' pobl o'u rhyddid yn 'ddyn-leidr', ond ychwanegodd ei fod hefyd yn lleidr sy'n dwyn 'eiddo yr Arglwydd.' Mae hyn wrth gwrs yn ddatblygiad naturiol o'r gosodiad blaenorol fod Duw wedi rhoi rhyddid yn gyfartal i bawb. Yn debyg i lawer o ysgrifau eraill ar y pwnc y byddai Robert Everett yn eu cyhoeddi, mae'n disgrifio caethwasanaeth fel trosedd ddwbl, fel trosedd yn erbyn Duw a dynoliaeth.[45]

Dengys cynnwys y rhifyn cyntaf hwn wedd bwysig arall ar ymgyrch Robert Everett. Fel yr oedd yn cynnig y cylchgrawn yn rhad ac am ddim i 'bob gweinidog yn mhlith y Cymry, o bob enwad crefyddol,' felly hefyd roedd yn croesawu cyfraniadau gan aelodau o'r gwahanol enwadau. Yn dilyn ysgrif agoriadol yr Annibynnwr Robert Everett y ceir 'Effeithiau Daionus Rhyddhad' gan y Bedyddiwr John Rees.[46] Ac ar sodlau cyfraniad y Bedyddiwr hwn y daw ysgrif gan weinidog a wasanaethai Fethodistiaid Calfinaidd Cymraeg y wlad, John Howes. Yn ei lith ef mae'r Parch. Howes yn trafod un arall o weinidogion y Methodistiaid, sef William Rowlands, golygydd eu cylchgrawn enwadol, *Y Cyfaill o'r Hen Wlad*. Ond nid manylu ar waith y Parch. Rowlands gyda'r wasg yw pwrpas y darn, eithr canmol yr hyn a wnâi ar lafar. 'Chwedl Effeithiol' yw'r teitl, ac mae'n disgrifio pregeth a draddodwyd gan William Rowlands 'Yn Nghymanfa y T[refnyddion] C[alfinaidd] yn Remsen, ar yr 16eg o Ragfyr' 1842:

> Ac yn nghorff y bregeth adroddodd mewn modd syml a dwys ffaith tra hynod, yr hon sydd yn ddigon i waedu cydwybodau gelynion "Gwrthgaethiaeth," i lethu teimladau pob dyngarwr, ïe, i wneud pob cristion, tebygwyf, yn wrthgaethiwydd ar unwaith, fel ag yr oedd y *Proffwyd a'r Apostolion*, ac y mae ein Harglwydd Iesu a Duw Dad.[47]

Canolbwynt y bregeth ei hun oedd stori am 'gaethwas a elwid Wil,' dyn crefyddol a gâi'i gosbi am weddïo gan ei feistr. Trwy ganmol y modd yr oedd y Parch. Rowlands wedi troi 'Chwedl Effeithiol' yn destun pregeth effeithiol, roedd John Howes yn gobeithio ysbrydoli diddymwyr eraill i ddefnyddio'r hanesion a ddeuai o'r taleithiau caeth er mwyn creu deunydd a fyddai'n ysbrydoli Cymry America i ymuno yn yr ymgyrch: 'Credwyf pe byddai i bawb wneud cystal tegwch a'r hanesion sydd yn dyfod o'r Deheubarth ag a wnaeth Mr. Rowlands, mai buan iawn y byddai cant i un o bleidleiswyr dros ryddhad y caethwas[.]'[48]

Cynnig canllawiau i awduron a phregethwyr a fynnai gyfansoddi deunydd gwrthgaethiwol yn Gymraeg oedd John Howes. Cyflwynodd Robert Everett ei ganllawiau manwl ei hun mewn ysgrif arall a gyhoeddodd yn *Y Dyngarwr* yn Ionawr 1843. 'Beth a all y Cymry wneud?' yw'r teitl, ac – fel y gwelir yn y bennod nesaf – awgrymiadau ynglŷn â'r modd y dylid pwyso'n wleidyddol o blaid diddymiaeth yw llawer o gynnwys yr ysgrif hon. Dyma'r gyntaf mewn cyfres o ysgrifau y byddai'n eu cyhoeddi o dan yr un pennawd, ac ynddynt y câi darllenwyr hyd i ganllawiau clir a'u helpai i saernïo mudiad gwrthgaethiwol Cymreig. Ni ellid gwahaniaethu rhwng y gwleidyddol â'r crefyddol ym marn Robert Everett, ac felly roedd 'Beth a all y Cymry Wneud?' yn adleisio'r ysgrif gynharach honno a oedd wedi gofyn i Gymry America 'Weddïo dros y Caethion.' Roedd yr awgrymiadau hyn hefyd yn pontio rhwng y crefyddol a'r creadigol; fel yr oedd John Howes wedi cynnig canllawiau i ddarpar awduron gwrthgaethiwol, felly hefyd y gofynnodd Robert Everett i feirdd Cymraeg America gyfansoddi

> . . . emynau ar ryddid fel y gwneir ar ddirwest, a chaner hwynt yn fynych yn nghynulleidfa yr Arglwydd. Peth yn effeithio yn fawr ar y meddwl dynol yw canu; canu emynau dirwestol a fu yn un moddion neillduol i ddeffroi teimladau priodol yn yr achos hwnw. Gwneler hyny yn yr achos hwn hefyd; dysger ein hieuenctid a'n plant bychain o'u mebyd i ganu emynau gwrthgaethiwol, ac i folianu yr Arglwydd am fendithion rhyddid.[49]

Fel y gwelwyd ym mhennod 2, daeth Robert Everett yn ymgyrchydd profiadol tra oedd yn hybu dirwest yn nyddiau cynnar y mudiad hwnnw. Ac felly wrth ddechrau o ddifrif ar ei ymgyrch i ymrestru Cymry America yn lluoedd diddymiaeth roedd yn elwa ar y profiadau a ddaethai i'w ran yn sgil ei waith gyda'r mudiad dirwestol. Gwyddai fod troi dyfroedd barddonol a cherddorol y Cymry at felin yr achos yn strategaeth effeithiol, ac felly galwodd ar feirdd gwrthgaethiwol Cymraeg America i ddilyn esiampl y beirdd hynny a oedd wedi darparu'r mudiad dirwestol â chynifer o emynau a chaneuon Cymraeg.

O safbwynt rhinweddau llenyddol, un o'r darnau gwrthgaethiwol mwyaf pwerus i ymddangos yn *Y Dyngarwr* oedd 'Gweledigaeth' gan J. P. Harris, Bedyddiwr arall a sicrhaodd fod y cylchgrawn yn gyhoeddiad cydenwadol. Er bod y Parch. Harris wedi cyhoeddi swmp o gerddi o dan yr enw barddol 'Ieuan Ddu,' darn o ryddiaith yw'r 'Weledigaeth' hon. Yn null moeswersi ffantasïol Ellis Wynne, *Gweledigaetheu y Bardd Cwsc*, mae'r awdur hwn yn teithio drwy gyfrwng ei weledigaeth i ymweld â gwlad uffernol. Yno y mae anghenfil o feistres neu 'Fendefiges'yn teyrnasu:

> canfyddais Bendefiges rodresgar mewn gwisg ysgarlad . . . yn ei llaw aswy yr oedd fflangell 'Massa,' ynghyd a haiarn nodi; ac yn ei llaw ddeheu gwpan aur yn orlawn o win . . . . ei henw priodol yw CAETHWASANAETH; ei 'gwisg ysgarlad' a ddynoda ei syched am

waed . . . y 'fflangell a haiarn nodi yn ei llaw aswy' a arwyddant greulondeb ei llywodraeth; y 'gwin yn y cwpan aur yn ei llaw ddeheu' oedd waed yr *Ethiopiad* tlawd.[50]

Dyma fanteisio ar hen ffurf lenyddol, traddodiad sy'n cynnwys rhai o chwedlau canoloesol Cymru yn ogystal â champwaith Ellis Wynne.[51] Ond os oedd J. P. Harris yn defnyddio'r math yma o ddehongliad alegorïaidd er mwyn pwysleisio erchyllterau'r drefn gaeth, roedd awduron eraill yn darparu disgrifiadau ffeithiol o 'wir sefyllfa y caethion' ar gyfer darllenwyr *Y Dyngarwr*.[52]

Ac yn hynny o beth roeddynt yn ymateb i alwad y golygydd; gofynnodd yn y rhifyn cyntaf 'am Ohebiaeth' ac 'yn neillduol . . . am ffeithiau gan y rhai a fuont yn y Caeth Daleithiau, o berthynas i wir sefyllfa y caethion, y driniaeth a gant,' ac yn y blaen.[53] Atebwyd ef yn rhifyn Chwefror gan David Howell o Utica, Cymro a fuasai'n byw yn nhalaeth gaeth Georgia am ddwy flynedd. 'Ffeithiau ar Gaethiwed' yw'r teitl a roddodd ar ei ysgrif ef, ac mae'n cynnwys rhestr faith o ddigwyddiadau yr oedd yn llygad-dyst iddynt. A nodi un enghraifft yn unig:

> Gallaf hefyd hysbysu ymddygiad meistr tuag at un arall o'm brodyr duon a gymerodd le yn ystod yr amser y bûm yn Georgia . . . . Cymydog tra agos i mi a brynodd mewn marchnad hen ddyn odeutu *triugain oed*. Trwy ei fod mor oedranus, ac o ganlyniad bron yn ddiwerth yn eu golwg cafodd ef am tua deugain o ddoleri. Ond ni chafodd ei ben gwyn na'i gorff gwyredig fawr o effaith ar deimladau ei feistr newydd yn ychwanegol na rhoi ar ddeall iddo y byddai marw cyn y caffai oddiwrtho werth yr arian a dalasai am dano, yn ol pob tebygolrwydd. . . . . Anfonwyd ef yn uniongyrchol i'r "Plantation," a diosgwyd y cyfan oddi am dano ond yn unig ei drowsers, fel y byddai yn barod bob amser i dderbyn y fflangell. Nid hawdd yw credu yr hyn sydd genyf i'w ddyweyd am dano, ond y mae yn hollawl wirionedd. Byddai ei berchenog yn rhoddi ar ei gefn noeth gymaint a phump i saith gant o wialenodau ar yr un diwrnod! . . . . a fflangellwyd ef yn y modd hyn hyd nes aeth ei gefn yn ymborth i bryfaid cyn i'r enaid ymado o'r corff.[54]

Yn ogystal â phwysleisio mai cyflwyno 'ffeithiau' am 'wir sefyllfa' caethweision y De yr oedd, pwysleisiodd David Howell ei gred fod 'y brodyr a'r chwiorydd duon' yn gydradd â'r Cymry gwynion.[55]

Mae'n bwysig cofio nad oedd pawb a oedd yn erbyn caethwasanaeth yn credu bod yr hiliau'n gydradd. Roedd y *Colonization Society* yn gobeithio gweld cyn-gaethweision yn symud i Affrica ar ôl iddynt gael eu rhyddhau gan nad oeddynt yn meddwl y byddai pobl dduon a phobl wynion yn gallu cyd-fyw'n hapus. Ac felly ar ddechrau hynt *Y Dyngarwr* nododd Robert Everett ymysg y pethau eraill y gall 'Y Cymry eu Gwneud' y dylai pob Cymro siarad yn erbyn 'y rhagfarn a goleddir yn ein gwlad yn erbyn yr Affricaniaid a'u hiliogaeth o herwydd eu lliw.'[56] I'r perwyl hwnnw cyhoeddodd draethawd gan J. J. Jones o 'Gaerefrog Newydd' yn rhifyn Mai o'r *Dyngarwr* o dan y teitl syml 'Cydraddoldeb':

> Mae yr hil ddynol yn gydradd o ran sylwedd neu anian. Mae dyn, beth bynag yw ei liw, yn gynwysedig o gorff ac enaid mewn undeb a'u gilydd. Mae hyn yn wir am ddynolryw oll, yn gyfoethog a thlawd, yn fawr a bach, yn rhydd a chaeth, yn wyn a du.[57]

Ac yn rhifyn Medi yr ymddangosodd darn gan awdur a arddelai'r ffugenw 'Gogleddwr' yn trafod 'Rhagfarn yn erbyn Gwaith Duw.' Gan ddilyn rhesymeg y Parch. Everett a nifer o ddidymwyr Cristnogol eraill y wlad, dadleuai'r awdur hwn mai Duw oedd wedi gwneud yr Affricaniaid yn ddu a bod rhagfarn yn eu herbyn oherwydd eu lliw felly'n rhagfarn yn erbyn Ei waith Ef:

> Ac yn awr, a ydyw yn addas i ni oddef i ragfarn yn erbyn gwaith y Creawdwr ein rhwystro i weithredu dros y caethion negroaidd, yn hollawl yr un mor gynes a ffyddlawn a diflin a phe byddai ein cenedl ein hunain neu ran o honynt yn yr un sefyllfa? . . . . O mor gryf yw rhagfarn! Buan y bo y niwl yn cael ei chwalu, a ninau yn anadlu yn awyr glir y cariad hwnw, yr hwn a gymellodd ein Iesu bendigedig i fawr dros y Negro tlawd yn gystal a thros y Cymro.[58]

Cydraddoldeb oedd y nod, a chan fod y cylchgrawn wedi'i anelu'n uniongyrchol at Gymry America roedd yr awdur hwn, fel nifer o'r diddymwyr eraill a gyhoeddodd eu gwaith yn *Y Dyngarwr,* yn pwysleisio'i gred fod y Cymry, y bobl dduon a phob cenedl arall yn gydradd.

Mae'n bwysig cofio bod pethau tebyg yn cael eu cyhoeddi ar dudalennau *Y Cenhadwr Americanaidd* ar y pryd hefyd. Er enghraifft, roedd aelod o braidd Robert Everett ym Mhenymynydd, David James, wedi cyflwyno neges debyg yn rhifyn Hydref 1842 o'r *Cenhadwr*. Yn dwyn y teitl 'Anmleidgarwch,' gosododd yr ysgrif hon gwestiwn rhethregol syml ger bron y darllenwyr:

> A ydyw y dyn du yn meddu enaid anfarwol fel y dyn gwyn . . . ac os ydyw felly, oni ddylem deimlo dros y bobl hyn, llafurio dros eu gwaredigaeth . . . ac ymdrechu anfon efengyl iddynt, yn gwbl fel pe buasent o liw arall neu o'n cenedl ein hunain?'[59]

Oedd, roedd llawer o'r un themâu a'r un safbwyntiau wedi'u cyflwyno yn *Y Cenhadwr* cyn dyfodiad *Y Dyngarwr* i'r maes. Ac fel y nodwyd yn barod, roedd Robert Everett yn parhau i gyhoeddi ysgrifau o'r fath yn y *Cenhadwr* yn ystod – ac ar ôl – oes fer *Y Dyngarwr.* O ran y negeseuon gwrthgaethiwol a ddeuai o'i wasg, nid oedd Robert Everett yn dechrau ar lwybr newydd wrth lansio'i ail gylchgrawn ym mis Ionawr 1843, ac yn yr un modd ni stopiodd gyhoeddi y math yma o ddeunydd pan ddaeth *Y Dyngarwr* i ben ar ddiwedd y flwyddyn honno. Nid ei neges ond yn hytrach ei gynulleidfa yw'r hyn a wnaeth yr ail gylchgrawn mor wahanol. Ac yntau'n ceisio'i roi 'i bob gweinidog yn mhlith y Cymry, o bob enwad crefyddol' yn rhad ac am ddim, roedd Robert Everett yn ei ddefnyddio fel cyfrwng er mwyn cyrraedd arweinwyr cymdeithasol a oedd y tu allan i'w gylch cyfyngedig ef o ddiddymwyr ymroddgar.

Ac felly wrth i rifyn olaf *Y Dyngarwr* ddod o'r wasg deuluol ganol Rhagfyr 1843, gallai Robert Everett ymfalchïo yn llwyddiannau'r flwyddyn. Erbyn diwedd y flwyddyn honno roedd rhwydwaith cenedlaethol bellach yn cysylltu diddymwyr Cymraeg America â'i gilydd, ac fel y gwelir yn y bennod nesaf, roedd y rhwydwaith hwnnw'n cwmpasu nifer sylweddol o gymunedau, yn enwedig yn nhaleithiau Efrog Newydd, Pennsylvania ac Ohio.[60] Roedd hefyd yn ymestyn ar draws ffiniau enwadol y gwahanol gapeli. Strategydd craff oedd Robert Everett ac roedd cyhoeddi a dosbarthu *Y Dyngarwr* yn rhan bwysig o'i gynllun; roedd y cylchgrawn byrhoedlog hwn yn rhan o'r peirianwaith a'i helpodd i ddechrau radicaleiddio capeli Cymraeg America a'u saernïo'n rhwydwaith gwrthgaethiwol praff. Yn ôl un o edmygwyr y Parch. Everett, 1843 oedd blwyddyn y trobwynt: 'yn y flwyddyn hono dechreuai y dyfroedd gynyddu ac ymgryfhau.'[61] Deuai gwrthwynebiad chwerw i'w ran ar adegau (fel y gwelir yn y penodau nesaf), ond roedd ymgyrch Robert Everett yn dechrau magu nerth.[62]

Ac felly cyhoeddodd hysbyseb ar dudalen olaf y rhifyn olaf hwnnw o'r *Dyngarwr* yn datgan fod 'CYNADLEDD WRTHGAETHIWOL' Gymraeg yn cael ei chynnal yn Utica ym mis Ionawr 1844.[63] Roedd nifer o gymdeithasau gwrthgaethiwol Cymraeg wedi'u ffurfio yn ystod 1843, ac erbyn diwedd y flwyddyn honno – blwyddyn *Y Dyngarwr* – roedd y cymdeithasau hyn yn dechrau cysylltu'n fwyfwy â'i gilydd. Ac fel y tystia'r hysbyseb hon, roeddynt wedi penderfynu dod ynghyd ar ddechrau 1844 er mwyn cynnal cynhadledd fawr. Roedd rhwydwaith o ddiddymwyr Cymraeg wedi'i ffurfio, ac roedd y diddymwyr hyn yn dechrau ymgyrchu o ddifrif. Dyna fu cenhadaeth *Y Dyngarwr*. A byddai'r cenhadwr gwrthgaethiwol arall hwnnw, *Y Cenhadwr Americanaidd*, yn parhau â'r genhadaeth honno am flynyddoedd lawer.

NODIADAU

[1] D. Davies [Dewi Emlyn] (gol), *Cofiant y Diweddar Barch. Robert Everett, D. D. a'i Briod, Steuben, Swydd Oneida, N Y. Yn Nghyd a Detholion o'i Weithiau Llenyddol* (Utica, 1879), 29. Mae deunydd perthnasol ymhlith y papurau a geir yng nghasgliad M. Everett hefyd. Gw. y manylion yn y bennod ddiwethaf.

[2] Tybed a oedd Robert Everett (neu'r Gymanfa) yn cyfieithu teitl *The American Messenger*, sef cylchgrawn yr 'American Tract Society.' Gw. y drafodaeth ym mhennod 8.

[3] *Y Cenhadwr Americanaidd*, wyneb-ddalen Cyfrol 1, 1840.

[4] *Y Cenhadwr Americanaidd*, Ionawr 1840.

[5] Ibid.

[6] Gw. Jerry Hunter, 'Y Traddodiad Llenyddol Coll,' *Taliesin* (Gwanwyn, 2003), 13-44.

[7] Ibid.

[8] *Y Cenhadwr Americanaidd*, Ionawr 1840. Gw. 'Rwy'n edrych dros y bryniau pell' gan William Williams, Pantycelyn; dyma'r llinellau sydd dan sylw: 'Ond yr wyf finnau'n hyfryd glaf / O gariad mwy ei rym!' Gw., e.e., E. G. Millward (gol), *Blodeugerdd Barddas o Gerddi Rhydd y Ddeunawfed Ganrif* (Llandybïe, 1991), 53.

[9] *Y Cenhadwr Americanaidd*, Ionawr 1840.

[10] Yn wir, roedd y golygydd, y Parch. William Rowlands, wedi estyn gwahoddiad i'w ddarllenwyr synio am y *Cyfaill* fel 'cyfaill' drwy ddechrau'r rhifyn cyntaf ym mis Ionawr 1838 gydag 'ymddiddan' ffantasïol rhwng 'Cymro' a ymfudasai i fyw yn America a'i 'Gyfaill' newydd sydd wedi dod o'r 'Hen Wlad' i'w helpu. Gw. Jerry Hunter, *Sons of Arthur, Children of Lincoln* [:] *Welsh Writing from the American Civil War* (Caerdydd, 2007), pennod 1.

[11] *Y Cyfaill o'r Hen Wlad*, Chwefror 1838. 'Gomeriad' oedd ffugenw'r awdur hwn, enw tra ystyrlon o safbwynt y berthynas rhwng hunaniaeth Gymreig a'r wasg Gymraeg. 'Gomer' oedd ffugenw Joseph Harris, a ddechreuodd y papur Cymraeg wythnosol cyntaf yn 1814.

[12] *Y Cenhadwr Americanaidd*, Ionawr 1840.

[13] Ibid.

[14] Ibid.

[15] Ibid.

[16] Ibid.

[17] Ibid.

[18] Ibid.

[19] Ibid.

[20] *Y Cenhadwr Americanaidd*, Chwefror 1840.

[21] Ibid.

[22] Ibid..

[23] Am y cysylltiadau rhwng Robert Everett a'r mudiad elusennol a gafodd ei ffurfio adeg helynt yr *Amistad*, gw. casgliad yr Amistad Research Center, Tulane University: 80083 (1-17-51) Robert Everette [sic].

[24] *Y Cenhadwr Americanaidd*, Ebrill 1841.

[25] D. Davies (gol), *Cofiant y Diweddar Barch. Robert Everett*, 29.

[26] Ibid. Datgelwyd yn raddol rhwng 1840 a 1842 mai Robert Everett yn unig a oedd yn golygu'r cylchgrawn. Gwelir hyn yn glir iawn yn y modd y llofnodwyd yr anerchiad ar ddiwedd pob un o'r cyfrolau blynyddol cyntaf (anerchiad 1840: 'Y Cyhoeddwyr'; anerchiad 1841: 'Dros y Cyhoeddwyr, Robert Everett'; anerchiad 1842: 'Robert Everett').

[27] Symudwyd y *Cenhadwr* i Remsen yn Ionawr 1842 (gw., e.e., *Cofiant y Diweddar Barch. Robert Everett*, 29). Argraffwyd y ddwy gyfrol gyntaf gan R. W. Roberts, Utica, cyn i feibion Robert Everett ymgymryd â'r gwaith.

[28] Rwyf yn ddiolchgar iawn i Leonard Wynne am fanylion hanesyddol ynglŷn â'r gwahaniaethau rhwng Remsen a Steuben.

[29] *Y Cenhadwr Americanaidd*, Ionawr 1842. Mae pedwar englyn yn y gyfres; dyma'r ddau olaf.
[30] 'Pressed Leaves From the Everett "Bush" By Rev. J. E. Everett Written for his son Roberts in or about 1912,' 67-8. Papur anghyhoeddedig yng nghasgliad M. Everett.
[31] Dyna, er enghraifft, oedd barn y Parch. E. Davies: 'am fod rhai, fe allai, yn teimlo fod gormod yn cael ei gyhoeddi yn y *Cenhadwr* ar y pwnc.' D. Davies (gol), *Cofiant y Diweddar Barch. Robert Everett*, 126.
[32] 'Deiseb dros Ddilead "Deddf 1793"', *Y Cenhadwr Americanaidd*, Mawrth 1843.
[33] 'Pleidlais y Caethfeistr', gan Robert Everett; *Y Cenhadwr Americanaidd*, Mawrth 1843. Mae'n dechrau: 'Nid oes dim sydd amlycach na bod ein gwlad yn gruddfan dan effeithiau y gorthrwm caethiwol . . . . Un peth yn unig a enwaf yn yr ysgrif hon, sef *pwys pleidlais y caethfeistr* yn newisiad ein swyddogion cyhoeddus. . . . A ydyw yn addas fod dyn sydd yn gorthrymu ereill trwy atal cyflog y gweithwyr . . . ., ysgaru teuluoedd . . . yn cael cymaint o effaith . . . ?'
[34] *Y Cenhadwr Americanaidd*, Mai 1843: 'Massachusetts yn Ymwrthod a Chaethiwed'; 'Maine hefyd yn ymddadrys oddiwrth yr achos caethiwol.'
[35] *Y Dyngarwr*, Ionawr 1843.
[36] *Y Cenhadwr Americanaidd*, Rhagfyr 1843. Ab Morydd oedd y bardd.
[37] 'Pressed Leaves', 48: 'I should state that her Uncle in Liverpool on his death left property to the Rosa nephews and nieces [am hanes Rosa Fawr, gw. y bennod gyntaf]. Grandma received from his estate $2000 or $3000.'
[38] Papurau M. Everett.
[39] *Y Cenhadwr Americanaidd*, Mawrth 1843. Ceir yr italig yn y gwreiddiol.
[40] Gw. hefyd D. Davies (gol), *Cofiant y Diweddar Barch. Robert Everett*, 126-7: 'Anfonwyd ef yn rhad i'r holl weinidogion, o bob enwad[.]'
[41] *Y Dyngarwr*, Ionawr 1843. Dyma'r ysgrif gyntaf a geir o dan y pennawd 'Rhyddid' yn y rhifyn cyntaf hwn.
[42] Ibid.
[43] Gw., e.e., 'Caethiwed y Cymry' gan Iorwerth yn *Y Dyngarwr*, Ebrill 1843.
[44] William Lloyd Garrison, 'Declaration of the National Antislavery Convention' (1833): 'Therefore we believe and affirm . . . That every American citizen, who retains a human being in involuntary bondage, is a MAN-STEALER.' Gw. Mason Lowance (gol), *Against Slavery [:] An Abolitionist Reader* (Efrog Newydd, 2000), 119. Roedd Robert Everett yntau'n olrhain y term yn ôl i'r Testament Newydd, gw. *Y Dyngarwr*, Mai 1843: 'Lladron Dynion' ('Yn y gofrestr ddu o ddrwgweithredwyr, enwir gan yr apostol y rhai uchod, sef "Lladron Dynion"). Nododd hefyd yn rhifyn Ionawr mewn ysgrif yn dwyn y teitl 'Golygiadau y Parch. John Wesley ar Gaethiwed' fod Wesley wedi arddel y term: 'John Wesley a ddefnyddiai y[r] iaith gyffrous ag awchlym ganlynol: "Lladron dynion! y gwaethaf o bob lladron[.]"'
[45] Am enghraifft ddylanwadol o'r math yma o ddisgwrs, gw. Alexander McLeod, *Negro Slavery Unjustifiable* (1820). Man cychwyn McLoed, a llawer o ddiddymwyr Cristnogol a ddaeth ar ei ôl, oedd Exodus 21.16.
[46] *Y Dyngarwr*, Ionawr 1843. Cyfieithiad o'r Saesneg yw'r darn hwn; dywed John Rees ei fod wedi cael hyd iddo ar dudalennau'r *Baptist Register*. 'P. Livingston' oedd awdur yr ysgrif Saesneg wreiddiol.
[47] *Y Dyngarwr*, Ionawr 1843.
[48] Ibid.
[49] Ibid.
[50] Ibid.
[51] Y chwedlau canoloesol dan sylw yw Breuddwyd Macsen Wledig a Breuddwyd Rhonabwy. Dylid nodi bod gan y traddodiad hwn ei seiliau beiblaidd hefyd yn Llyfr y Datguddiad.
[52] 'Beth a All y Cymry ei Wneud?', *Y Dyngarwr*, Ionawr 1843.
[53] *Y Dyngarwr*, Ionawr 1843.
[54] *Y Dyngarwr*, Chwefror 1843.
[55] Cyhoeddwyd cyfraniad arall gan David Howell yn rhifyn Mawrth; mae'r ysgrif honno yn manteisio ar ei brofiadau yn y De hefyd (er mwyn gwrthbrofi rhai o'r cyhuddiadau a deflid at y diddymwyr).
[56] *Y Dyngarwr*, Ionawr 1843.
[57] *Y Dyngarwr*, Mai 1843.
[58] *Y Dyngarwr*, Medi 1843.
[59] *Y Cenhadwr Americanaidd*, Hydref 1842.
[60] Gw. y manylion yn y bennod nesaf.
[61] D. Davies (gol), *Cofiant y Diweddar Barch. Robert Everett*, 127.
[62] Ibid, 128.
[63] *Y Dyngarwr*, Rhagfyr 1843: 'CYNADLEDD WRTHGAETHIWOL. Cynelir Cynadledd Wrthgaethiwol yn Addoldy yr Annibynwyr yn Utica, ddyddiau Mercher a Iau, yr 17eg a'r 18fed o Ionawr nesaf.'

PENNOD 6:

'Tra y bydd gennyf wasanaeth y tafod yma, a thra y bydd y bysedd hyn yn gallu ysgrifennu'

(y capel a'r gymdeithas wrthgaethiwol, 1840-1844)

Cynhaliwyd cyfarfod arbennig yng Nghapel Uchaf ar y chweched o Ionawr 1843 – sef rhyw wythnos a hanner cyn i rifyn cyntaf *Y Dyngarwr* ddod o'r wasg. Er gwaethaf yr eira a'r rhew a wnâi deithio'n orchwyl mor anodd yn swydd Oneida gefn gaeaf, ymlwybrodd dros ugain o Gymry'r ardal ar hyd lonydd gwledig Steuben y noson honno er mwyn ymgynnull yng nghapel Robert Everett. Cyfarfod o gymdeithas wrthgaethiwol oedd hwn, ac roedd caethwas ffoëdig o'r enw George French yno i annerch diddymwyr Cymreig Steuben y noson rewllyd honno. Fel y gwelwyd ym mhennod 3, mae'n debyg iawn fod Robert Everett wedi llochesu caethwas ffoëdig (neu *fugitive slave*) yn ei gartref cyn hyn. Ceir tystiolaeth sy'n awgrymu bod cartref yr Everettiaid yn 'orsaf' ar yr *Underground Railroad*, y rhwydwaith cyfrinachol hwnnw a helpai Americanwyr duon i symud o'u caethiwed yn y taleithiau deheuol drwy daleithiau rhydd y gogledd i ryddid diymwad yng Nghanada.

Ond yn hytrach nag aros yn ddistaw a chuddio rhag y *slave catchers* a ddilynai'r ffoaduriaid i'r gogledd, symudai George French yn agored ymhlith Cymry Steuben. Ac felly'r noson honno ym mis Ionawr 1843 esgynnodd y caethwas ffoëdig i bulpud Robert Everett yng Nghapel Uchaf er mwyn annerch y gynulleidfa:

> Yr oedd yn bresenol yn y cyfarfod hwn gaethwas ffoedig, – dyn ieuanc siriol a phrydferth, tua 22ain oed. Mae yn debygol mai dyma y tro cyntaf erioed y gwelwyd caethwas yn un o gapeli y Cymry yn yr ardal yma. Safodd i fynu a dywedodd ychydig yn fyr o'i hanes. Ganwyd ef yn Nhalaith Virginia. Pan yr oedd yn 18 mis oed, gwerthwyd ei fam ac yntau yn Tennessee allan o *drove* o gaethion [a oedd] yn cael eu gyru ar draed trwy'r wlad o Virginia tua'r Taleithiau Gorllewinol. Yma bu ysgariad torcalonus rhwng ei dad a'i fam nas gwelsant eu gilydd byth mwy[.][1]

Afraid dweud mai Saesneg oedd iaith araith George French. Ond cododd Robert Everett nodiadau'r noson honno ac aeth ati'n syth i gyhoeddi crynodeb Cymraeg o hanes y caethwas ffoëdig yn *Y Dyngarwr.* Ceid perthynas agos iawn rhwng gwasg Robert Everett a'i waith ymarferfol yn trefnu cyfarfodydd er mwyn gyrru'r ymgyrch yn ei blaen.

Yn ogystal â'r cofnod printiedig hwn, mae dogfen arall wedi goroesi sy'n dangos yn fanwl y modd y bu i ddiddymwyr Cymreig Steuben drefnu'u hymgyrch y noson honno. Llawysgrif ydyw'r ddogfen hon – yn llaw Robert Everett ei hun – a Saesneg yw'r iaith, gan fod y cofnodion hyn wedi'u hanfon at Gymdeithas Wrthgaethiwol Efrog Newydd. Dengys y cofnodion fod dwy ran i'r cyfarfod y noson honno: ar ôl i George French orffen ei araith, aeth y Cymry ati i saernïo'u strategaeth ar gyfer yr wythnosau nesaf, gyda phawb a oedd yn bresennol yn rhoi *'Pledges of time to circulate petitions, & disseminate anti-slavery truth.'*[2] Roedd pob aelod o'r gymdeithas hon felly'n addo treulio hyn a hyn o amser yn teithio o gwmpas yr ardal yn dosbarthu deunydd gwrthgaethiwol. Cofnodwyd enwau 24 o Gymry Steuben gan Robert Everett, ac mae'r rhestr yn dangos fod merched y gymuned yn cymryd rhan flaenllaw yn yr ymgyrch hefyd; ymysg yr enwau ar y rhestr ceir 'Miss Gwen Prichard,' 'Miss Elizabeth Williams,' 'Mrs Eleanor Pugh,' 'Mrs. Howes' ac hefyd 'Mrs E[lizabeth] Everett.'[3] Cytunodd pob un o'r 24 i roi nifer benodol o ddiwrnodau, yn amrywio o ddau i ddeg. Nid yw'r nodyn *'10 days'* yn dilyn ond dau enw yn y rhestr: y Parch. Robert Everett a'r Parch. John Howes.[4]

Fel y gwelwyd yn y bennod ddiwethaf, byddai John Howes yn cyhoeddi ysgrif maes o law yn *Y Dyngarwr* yn canmol pregeth wrthgaethiwol yr oedd wedi'i chlywed yng nghapel Methodistiaid Calfinaidd Remsen. Er bod y gymdeithas wrthgaethiwol Gymraeg hon yn cyfarfod yn un o gapeli'r Annibynnwr Robert Everett, dyma brawf eto fod y gymdeithas – fel *Y Dyngarwr* ei hun – yn pontio rhwng gwahanol enwadau'r Cymry. Yn yr un modd, dengys yr ardaloedd a glustnodwyd ar gyfer gwirfoddolwyr unigol mai targedu holl gymunedau Cymraeg y cyffiniau oedd y nod; tra oedd rhai'n gyfrifol am bentref Remsen ac ardal Penymynydd yn Steuben, roedd eraill yn teithio o gwmpas 'Tŷ Coch *district*,' 'Fel[i]n y Dwyrain' neu'r *'Fairchild and* Enlli *district*.'[5] Tra bod cylchgronau Robert Everett yn dangos y modd y manteisiodd ar y wasg argraffu er mwyn cyrraedd cylchoedd eang o ddarllenwyr Cymraeg, dengys ffynonellau fel y llawysgrif hon y modd yr aeth y gweinidog a'i gydymgyrchwyr ati i radicaleiddio'u cymuned leol fesul pentref, fesul stryd a fesul tŷ.

Fe ymddengys fod Cymry Pennsylvania wedi achub y blaen ar drigolion Efrog Newydd; ffurfiwyd 'Cymdeithas Wrthgaethiwol Gymreig Pittsburg' yn 1840 ac hyd y gwyddys, dyma'r gyntaf o'r cymdeithasau hyn i gael ei sefydlu.[6] Ond nid oedd Cymry swydd Oneida'n hir yn dilyn eu hesiampl; ffurfiwyd 'Cymdeithas Wrthgaethiwawl Gymreig Utica' ar 27 Rhagfyr 1841,[7] ac ymhen y mis roedd Robert Everett wedi helpu i sefydlu cymdeithas debyg yn ei filltir sgwâr ei hun:

> Nos Wener, Ion. 27, 1842, cynaliwyd cyfarfod yn y Capel Uchaf, Steuben, yn cael ei lywyddu gan y brawd R. Everett, er ystyried ychydig ar achos y caethion *(slaves)* yn yr Unol Daleithiau; ac i osod ger bron . . . afresymoldeb eu sefyllfa, ynghyd a'r ddyledswydd arnom ni i wneyd yr oll a allom er eu gwaredigaeth. Dywedwyd ychydig ar yr achos gan y brodyr R. Everett, J.W. Jones, W. Aubery, ac eraill; a chyn ymadael barnasom yn addas ac angenrheidiol i ymsefydlu yn Gymdeithas i'r dyben o gydweithredu yn yr achos. Ac wedi dewis swyddogion, [gan gynnwys] Parch. R. Everett, *Cadeirydd*.[8]

Ffurfiwyd cymdeithasau tebyg mewn cymunedau Cymraeg eraill yn nhaleithiau Efrog Newydd, Pennsylvania, ac Ohio yn ystod 1842. Ac felly ym mis Mai'r flwyddyn honno cyhoeddodd Robert Everett gerdd fuddugoliaethus gan Robert Maurice o Trenton, Efrog Newydd, 'Anerchiad i'r Gymdeithas Wrthgaethiwawl':

> Y Gymdeithas Wrthgaethiwol,
> Dos ymlaen;
> Ymledaena'n gyffredinol,
> Dos ymlaen;
> Jubilee a ddaw i'r caethion,
> Mae i raddau dda arwyddion,
> Cant eu rhoddi oll yn rhyddion,
> Dos ymlaen.[9]

Gyda'r bardd hwn yn gweld 'da arwyddion' yn y datblygiadau diweddar hyn, nid yw'n syndod fod Robert Everett yntau wedi taro nodyn gobeithiol wrth gyfarch darllenwyr *Y Cenhadwr Americanaidd* ar ddiwedd 1842:

> Mae achos y caethwas wedi bod yn agos at ein meddwl y flwyddyn hon; ac yn hyn fel achosion ereill yr ydym yn dymuno gweithredu fel rhai sydd i roddi cyfrif i Farnwr y byw a'r meirw. Mae yn dda genym ganfod fod graddau o ddeffroad yn mhlith ein cenedl, mewn manau, o blaid yr achos gwerthfawr hwn, ac O! enyned yr un ysbryd daionus yn mhob lle![10]

Er gwaethaf hyn o lwyddiant, roedd yn dalcen caled iawn ar adegau hefyd. Fel y gwelir isod, deuai gwrthwynebiad chwerw i ran y Parch. Everett a'i gydymgyrchwyr yn achlysurol yn ystod hanner cyntaf y 1840au. Ond roedd 'cenedl' Robert Everett wedi dechrau 'deffro' erbyn diwedd 1842.

Yn rhifyn cyntaf *Y Dyngarwr* – a ddaeth o'r wasg yn Ionawr 1843 – roedd Robert Everett yn annog ei ddarllenwyr i ffurfio rhagor o'r cymdeithasau hyn:

> Ffurfier Cymdeithasau gwrthaethiwol yn mhob ardal lle y mae Cymry, ac na fydded un Cymro yn esmwyth ei feddwl nes cofrestru ei enw fel aelod o'r cyfryw gymdeithasau. Mewn undeb y mae grym; yn amldra cynghorwyr y mae diogelwch. Pethau rhyfedd a wnaed a phethau rhyfeddach eto a wneir trwy gymdeithasau.[11]

Roedd y cymdeithasau newydd hyn yn gwneud eu 'pethau rhyfedd' drwy gyfrwng yr iaith Gymraeg yn bennaf. Yn yr un modd, roedd enwau'r rhan fwyaf ohonynt yn dangos yn glir mai Cymry a oedd wrth y llyw. Er enghraifft, y penderfyniad cyntaf a basiwyd yn ystod cyfarfod cyntaf y gymdeithas yng Nghapel Uchaf oedd 'Fod y Gymdeithas i gael ei galw, Cymdeithas Wrthgaethiwawl y Cymry yn Steuben, Remsen, Trenton a'u hamgylchoedd.'[12] Pwysleisiodd un arall o benderfyniadau'r cyfarfod hwnnw 'Fod aelodau y Gymdeithas hon . . . yn ymrwymo i anog hyd y mae ynom, i oleuo ac argyhoeddi ereill, yn enwedig ein cydgenedl o resymoldeb rhyddid dynoliaeth.'[13] Er bod trigolion Trenton wedi'u cynnwys yn wreiddiol yn y gymdeithas a oedd yn cyfarfod yn Steuben, hysbysodd *Y Dyngarwr* ei ddarllenwyr ym mis Gorffennaf 1843 fod Cymry Trenton wedi ffurfio'u cymdeithas eu hunain. Wrth ddisgrifio 'cyfansoddiad' y gymdeithas newydd hon, pwysleisiodd yr ysgrifennydd Lewis Pughe ei bod am ddilyn y 'drefn o daenu traethodau a chyhoeddiadau ereill yn mhlith ein cydwladwyr.'[14] Trwy gyfrwng *Y Dyngarwr* a'r *Cenhadwr,* a thrwy gyfrwng cyfarfodydd 'undebol' achlysurol, cysylltai'r cymdeithasau hyn â'i gilydd. Nodwyd yn *Y Dyngarwr* yn rhifyn Tachwedd fod 'Cymdeithas Utica' yn mynd 'i gydweithredu â Chymdeithas Steuben mewn dosbarthu traethodau Cymreig i'n cyd genedl yn y ddinas hon a'i hamgylchedd.'[15] Roedd diddymwyr Cymraeg America yn datblygu rhwydwaith o gymdeithasau a oedd yn gweithredu drwy gyfrwng eu mamiaith. Eu nod yn gyntaf oedd ymrestru holl Gymry America – eu 'cydgenedl' neu'u 'cydwladwyr', fel y nodir yn y cofnodion hyn – yn yr ymgyrch. Fe âi trefnwyr y cymdeithasau ati wedyn i sicrhau bod eu haelodau'n pwyso ar y llywodraeth mewn gwahanol ffyrdd.

Fel y gwelwyd yn y bennod ddiwethaf, hysbysodd rhifyn olaf *Y*

Dyngarwr yn Rhagfyr 1843 fod cynhadledd wrthgaethiwol Gymraeg fawr yn cael ei chynnal yn Utica y mis Ionawr canlynol. Aeth y gynhadledd honno rhagddi'n llwyddiannus; er bod torf o wrth-ddiddymwyr wedi ymosod ar y gynhadledd wrthgaethiwol fawr honno a gynaliasid yn Utica yn 1835, ni ddaeth terfysgwyr i geisio rhwystro'r diddymwyr Cymraeg yn Ionawr 1844. Cyhoeddodd Robert Everett hanes y gynhadledd yn *Y Cenhadwr Americanaidd*:

> CYFARFOD GWRTHGAETHIWOL.
> Cynaliwyd y cyfarfod uchod yn addoldy yr Anymddibynwyr [sic], dinas Utica, ar dyddiau Mercher a Iau, y 17eg a'r 18fed o Ionawr, 1844. Dechreuwyd y cyfarfod boreu dydd Mercher am 10 trwy ddarllen a gweddio gan Mr. John Roberts, Trenton. Yna dewiswyd y Parch. James Griffiths yn gadeirydd, a Mr. Henry Roberts a'r Parch. W. H. Thomas, Marcy, yn Ysgrifenwyr. Dewiswyd yn ddirprwywyr, i osod penderfyniadau ger bron y cyfarfod, W. H. Thomas, Philip Thomas, John Roberts, S. A. Williams, R. Everett, a David Hughes[.][16]

Cymerodd Morris Roberts ran flaenllaw yn y trefniadau hefyd. Dyma felly'r tri gweinidog Cymraeg a fuasai'n ganolog i lwyddiant Diwygiad 1838 – James Griffiths, Robert Everett a Morris Roberts – yn cydweithio unwaith eto, ond er mwyn hyrwyddo diddymiaeth ymysg Cymry'r ardal y tro hwn.

Gallai'r gweinidogion hyn ymfalchïo yn y ffaith fod eu rhwydwaith yn dal i ehangu gan fod cymuned Gymraeg Holland Patent wedi ffurfio cymdeithas newydd arall gwta mis cyn y gynhadledd.[17] Ar un olwg, roedd yr ymgyrch yn llwyddo, ac felly mae gan ddisgrifiad Robert Everett o gynhadledd Utica oslef fuddugoliaethus: 'cawsom ein lloni yn fawr trwy glywed hanes am yr ymdrech a wneir, a'r llwyddiant . . . yn yr achos teilwng hwn[.]'[18] Rhydd y disgrifiad hwn ragor o fanylion ynglŷn â'r hyn a ddigwyddodd yn ystod y gynhadledd; gwyddom felly fod y trefnwyr wedi agor y diwrnod cyntaf trwy 'ddarllen a gweddïo' cyn dewis swyddogion a chlywed crynodeb o hanes 'llwyddiant yr achos.' Cafwyd sawl araith y noson honno gan nifer o'r 'brodyr,' gan gynnwys Robert Everett ei hun:

> pryd y dangoswyd natur caethiwed, a'r moddion sydd o hyd gafael i ni er symud neu ddileu caethiwed; a'r rhwymau moesol a dynol sydd ar bawb i wneud a allont, mewn gweddi ac addysgu ein gilydd o berthynas i ddrygau caethiwed; a bod caethiwed y fath ddrwg yn ei gysylltiad â gwlad ac Eglwys, ni ddylai neb dyngarwyr roddi eu llais

> ar ethol neb yn wneuthurwyr cyfreithiau, ond y rhai hyny yn unig sydd yn erbyn caethiwed, ac a sefydlant gyfreithiau gwir ryddid gwladol a chrefyddol.[19]

Nid oedd y pwyntiau hyn yn newydd: gweddïo dros y caethion; addysgu Cymry America am 'ddrygau caethiwed'; a defnyddio grym y bleidlais. Roedd Robert Everett wedi bod yn cyflwyno'r union bwyntiau hyn i Gymry America drwy gyfrwng y wasg argraffu ers tair blynedd, ac roedd nifer o'r cymdeithasau gwrthgaethiwol Cymraeg lleol wedi bod yn eu harddel – ac yn gweithredu arnynt – ers talm. Ond roedd cynhadledd fawr Utica'n gyfle i gadarnhau'r ffaith mai dyma oedd maniffesto swyddogol holl ddiddymwyr Cymraeg yr ardal.

Fel yr oedd cymdeithas wrthgaethiwol Steuben wedi cyfarfod ym mis Ionawr 1843 er mwyn dosbarthu deunydd, felly hefyd roedd y gynhadledd fawr hon yn trefnu manylion ymarferfol yr ymgyrch – ond ar raddfa fwy o lawer:

> cymeradwywyd Deiseb *(petition)* at y Llywodraeth yn achos y caeth, a ddarllenwyd gan y Parch. R. Everett, yn *Gymraeg a Saesoneg*. Dewiswyd personau yn y gwahanol blwyfau *(towns)* i ymofyn arwyddwyr wrth y Ddeiseb, a bod copiau argraffedig o'r Ddeiseb i gael eu danfon i bob gweinidog Cymreig yn y Swydd. . . . . Terfynwyd trwy weddi gan R. Everett.[20]

Saesneg oedd iaith y ddeiseb hon gan ei bod yn mynd o flaen y llywodraeth yn Washington. Ond Cymraeg oedd iaith y gynhadledd, ac felly darllenodd Robert Everett y ddogfen yn y ddwy iaith.[21]

Penderfynodd y cynadleddwyr 'fod hanes y cyfarfod i gael ei gyhoeddi' yn *Y Cenhadwr Americanaidd* yn ogystal â chylchgrawn Methodistiaid Calfinaidd Cymraeg y wlad, *Y Cyfaill o'r Hen Wlad*. Ac er mwyn hwyluso cysylltiadau rhwng y rhwydwaith gwrthgaethiwol Cymraeg a diddymwyr Saesneg eu hiaith, anfonwyd hanes y cyfarfod at y *Liberty Press* hefyd.[22] Wrth gyhoeddi'r hanes yn y *Cenhadwr* dywedodd Robert Everett fod cynhadledd Utica yn cynnig patrwm y dylai cymunedau Cymraeg eraill ei ddilyn:

> A gobeithiym y bydd i hanes y cyfarfod yn foddion i ddeffro pob Cymro a Chymraes yn America i gofio ei braint a'i dyledswydd i gofio y rhai sydd yn "rhwym fel pe baent yn rhwym gyda hwynt."[23]

Yn ôl Robert Everett, 'deffro' Cymry America oedd y bwriad: eu deffro i'r sefyllfa anfoesol a geid yn eu 'gwlad fabwysiedig' a'u hymrestru mewn ymgyrch genedlaethol a allai ddiddymu'r drefn anfoesol honno. Mae hanes y gynhadledd wrthgaethiwol a gynhaliwyd yn Utica yn Ionawr 1844 yn dangos yn glir iawn fod y Parch. Everett a'i gydymgyrchwyr yn defnyddio cyfuniad o 'foddion' er mwyn deffro'u 'cydgenedl' – y wasg argraffu, y pulpud, y gymdeithas wrthgaethiwol, a'r bleidlais. Ac roedd y diddymwyr hyn hefyd yn defnyddio grym llenyddiaeth er mwyn deffro Cymry America. Galwasai'r Parch. Everett ar feirdd Cymraeg America yn ôl yn 1843 i gyfansoddi emynau gwrthgaethiwol, fel y gwelwyd yn y bennod ddiwethaf.[24] Dengys hanes Cynhadledd Utica fod y math yma o ganu bellach yn rhan o weithgareddau diddymwr Cymraeg swydd Oneida: 'Canwyd penillion priodol ar yr achlysur amryw weithiau, yn gerddgar a soniarus.'[25]

Cyhoeddwyd dwy gerdd yn *Y Cenhadwr Americanaidd* yn Chwefror 1844 sy'n dangos bod beirdd wedi dechrau ateb galwad Robert Everett. Yn gyntaf, cyflwynodd L. D. Howell emyn gyda'r esboniad hwn: 'Hymn, i'w chanu mewn cyfarfod gwrthgaethiwol.'[26] Fel y gellid ei ddisgwyl mewn emyn o'r fath, mae'r gân hon yn pwysleisio'r cysylltiad rhwng argyhoeddiad crefyddol y rhai sy'n ei chanu a'u safiad gwrthgaethiwol:

Clywch y llais o'r Ne'n cyhoeddi
Cysur i'r galarus caeth,
Duw a'i clywodd ef yn cwyno,
Anfon cymorth iddo wnaeth,
Trais a gormes, &c.
Gant eu claddu cyn bo hir.[27]

Yn ail, cyhoeddwyd cerdd gan gyfaill a chydymgyrchydd Robert Everett, Morris Roberts, o dan y teitl 'Cwyn y Caethddyn.'

Gwelwch y caethddyn, &c.
Yn ei gadwynau a'i boen;
O tosturiwch wrthyf fi
Sydd a'm clwyfau yn ddiri',
O gwaredwch o'm trallod a'm poen.[28]

Tra byddai'n bosibl canu 'hymn' L. D. Howells ar nifer o emyn-donau Cymreig poblogaidd, nododd Morris Roberts y dylid canu'i gyfansoddiad ef 'ar y Dôn "Anthem Americanaidd."'[29] Ai cyfeirio at dôn Gymreig-Americanaidd benodol yr oedd, ynteu at anthem genedlaethol yr Unol Daleithiau? Ni wyddys yr ateb. Ni châi'r *'Star-Spangled Banner'* ei gwneud yn anthem genedlaethol swyddogol yr Unol Daleithiau tan 1931, ond roedd y gân honno'n boblogaidd iawn yn y 1840au. Mae'n bosibl felly mai cyfansoddi geiriau Cymraeg ar gyfer y gân Americanaidd honno yr oedd Morris Roberts.[30] Bid a fo am yr union dôn a oedd ganddo dan sylw, yr hyn sy'n bwysig yw'r ffaith ei fod wedi ceisio meddiannu cân wladgarol Americanaidd a'i throi'n gyfrwng er mwyn cyflwyno neges wrthgaethiwol Gymraeg.

Cyfieithiadau o gerddi gwrthgaethiwol Saesneg oedd y ddwy gân hyn, ond cyhoeddwyd 'Penillion Gwrthgaethiwol' gwreiddiol gan 'Gwilym Oneida' yn rhifyn Ebrill 1844 o'r *Cenhadwr*:

> Disgwyl rwyf am wel'd bore
> Pan daw'r caethion oll yn rhydd
> O'u caethiwed a'u cadwynau,
> A'u holl faglau chwerw sydd,
> Hyfryd fore, &c,
> Gwawria ar y gaethglyd fawr![31]

Fel y dengys y cyntaf o'r 'penillion' hyn, roedd gwaith Gwilym Oneida hefyd yn cynnig ei hun i nifer o emyn-donau Cymreig poblogaidd. Gyda'i gilydd, mae'r cerddi a gyhoeddwyd gan Robert Everett yn dilyn Cynhadledd Wrthgaethiwol Utica yn rhoi syniad da inni ynglŷn â'r math o 'benillion priodol' a ganwyd 'yn gerddgar a soniarus' yn ystod y gynhadledd honno.

Gwyddom i sicrwydd fod y math yma o ganeuon Cymraeg wedi'u canu mewn cyfarfodydd o'r cymdeithasau gwrthgaethiwol.[32] Tybed a oedd rhai o'r emynau hyn yn cael eu canu yng nghapeli Cymry America o Sul i Sul hefyd? Er bod llawer o'r cymdeithasau yn cyfarfod mewn addoldai fel Capel Uchaf, ceid gwahaniaeth rhwng y cymdeithasau hyn a chynulleidfaoedd crefyddol y capeli yr oeddynt yn cyfarfod ynddynt yn aml. Er mwyn pwysleisio'r pwynt hwn, symudwyd rhai cyfarfodydd o'r capeli i gartrefi aelodau'r gymdeithas yn achlysurol. Eto, ni ellir gwadu'r ffaith fod y ddau sefydliad – capel a chymdeithas wrthgaethiwol – yn gorgyffwrdd i raddau helaeth iawn; yn wir, dyna oedd bwriad Robert Everett a'i gydymgyrchwyr wrth saernïo'u rhwydwaith gwrthgaethiwol Cymraeg. Ac roedd yr amwysedd hwn yn peri anesmwythder sylweddol ar adegau.

Yn wir, dengys profiadau Robert Everett ei hun nad oedd radicaleiddio capeli Cymraeg America'n beth hawdd bob amser. Fel y gwelwyd ym mhennod 4, daeth y Parch. Everett yn weinidog ar ddau gapel Steuben ar frig ton llwyddiant Diwygiad 1838. Yn brawf o barhâd y llwyddiant hwn, roedd aelodaeth y ddau gapel bron wedi'u dyblu erbyn

1840. Ond yn 1840 hefyd y dechreuodd Robert Everett o ddifrif ar ei ymgyrch i ymrestru'i 'gydgenedl' yn yr achos gwrthgaethiwol. Ac o ganlyniad, byddai'n colli ychydig o'r tir a enillasai adeg y Diwygiad (gan gofio mai aelodaeth ei gapeli'i hun yw'r 'tir' crefyddol yr ydym yn sôn amdano yma). Mae rhychwant o ffynonellau'n dangos bod y rhan fwyaf o Gymry America'n credu bod caethwasanaeth yn ddrwg erbyn 1840, ac felly nid safiad Robert Everett fel y cyfryw oedd y broblem yn nhyb ei gyd-gapelwyr. Nid safiad eu gweinidog oedd yn cythruddo rhai aelodau o'i braidd, ond yn hytrach ei ddulliau o weithredu. Credai'r gwrthwynebwyr hyn ei fod yn cymylu'r ffin rhwng y gwleidydd a'r gweinidog; yn iaith blaen y cyfnod, roedd 'yn pregethu *politics* o'r pulpud.'

Roedd Evan Davies yn blentyn yn Steuben yn y cyfnod hwn ac roedd ei deulu'n rhan o gynulleidfa Capel Uchaf. Flynyddoedd yn ddiweddarach byddai'n disgrifio'r modd y cododd gwrthryfel yng nghanol praidd Robert Everett wrth i rai o Annibynwyr Steuben droi yn ei erbyn:

> Priodolid pob drwg a ddygwyddai, i waith Mr. Everett ac eraill yn pregethu *"abolition."* Dywedwyd yn ei wyneb gan un yn nghapel Steuben, mai o'i achos ef a'i waith yr oedd y tatws yn pydru y blynyddau hyny. Clywsom un hen wr yn sicrhau mai barn amlwg oddiwrth yr Arglwydd, ar Mr. Everett am bregethu *politics* ar y Sabboth, a son cymaint am y bobl dduon, oedd y gwlaw trwm a ddisgynodd ar brydnawn y Gymanfa yn Steuben. Cariwyd y gwrthwynebiad hefyd i'w eglwysi, yn enwedig yn Steuben; a gwnaed terfysg nid bychan yno. Cyhuddwyd Mr. Everett o fod yn gadael yr efengyl ac yn myned i bregethu *politics* ar ddydd yr Arglwydd, &c., &c. Ac ymdrechwyd yn egniol i rwygo yr eglwys a'i droi yntau ymaith. Aeth amryw allan y pryd hwnw, ac ni ddaeth rhai o honynt byth yn ol![33]

Er nad yw'r union ddyddiadau wedi'u cofnodi, gwyddom fod hyn oll wedi digwydd yn gynnar yn y 1840au.[34] Yn ogystal â cholli nifer o aelodau Capel Uchaf, crebachodd praidd Penymynydd ychydig yn y cyfnod hwn hefyd am yr un rheswm. Ond er gwaethaf y trafferthion hyn, ni pheidiodd Robert Evertt â 'phregethu *politics*' y diddymwyr o'i ddau bulpud yn Steuben.

Gellid disgrifio ymdrechion Robert Everett i drawsffurfio diwylliant y capel ar ddechrau'r 1840au fel un cam yn ôl a dau gam ymlaen. Er iddo golli rhai aelodau o'i gapeli'i hun oherwydd ei ddulliau o ymgyrchu, roedd ar yr un pryd yn gallu llawenhau yn y ffaith fod ei enwad wedi dechrau ymgyrchu fel corff yn erbyn caethwasanaeth. Gwelwyd yn y bennod ddiwethaf fod y Parch. Everett wedi gofyn i'w gyd-Annibynwyr 'weddïo dros y caethion' mewn ysgrif a gyhoeddodd yn gynnar yn 1840.[35] Ceir tystiolaeth bwysig sy'n dangos eu bod wedi ymateb yn frwd i'r alwad. Pasiodd Cymanfa Gynulleidfaol Gymreig swydd Oneida benderfyniad i'r perwyl hwnnw yn 1841:

> Penderfynwyd, Ein bod yn ystyried achos y caethion ein gwlad, eu lluosogrwydd, y creulonderau y maent yn ddyoddef, a'u hamddifadrwydd o foddion yr efengyl, yn galw am gydymdeimlad a gweddi, ac ymdrech drostynt, hyd a allo ein dylanwad gyrhaedd, er prysuro eu gwaredegiaeth.[36]

Ni ellir gorbwysleisio'r ffaith fod y Gymanfa wedi arddel y penderfyniad hwn. Rhaid casglu felly fod y mwyafrif o weinidogion yr enwad yn swydd Oneida o blaid mesur a oedd i bob pwrpas yn mabwysiadu'r canllawiau yr oedd y Parch. Everett wedi'u hawgymru ar dudaleannu'r *Cenhadwr* yn 1840. Os oedd colli rhai aelodau o'i gapeli'i hun yn peri loes i Robert Everett, gallai gymryd cysur yn y ffaith fod ganddo sêl bendith swyddogol Annibynwyr Cymraeg yr ardal.

Yn ystod y blynyddoedd nesaf daeth sawl Cymanfa Gynulleidfaol Gymraeg arall yn yr Unol Daleithiau i arddel yr un safiad. Er enghraifft, cofnodwyd yn 1844 fod Cymanfa Annibynwyr Cymraeg Ohio wedi pasio penderfyniad tebyg: 'Ein bod fel cymanfa neu undeb yn ystyried caethiwed yn un, os nid y penaf, o brif bechodau ein gwlad.'[37] Yn debyg i'w cyd-gapelwyr yn swydd Oneida, roedd Annibynwyr Ohio wedi penderfynu gweithredu yn ogystal â gweddïo: 'ac fel y cyfryw y dylem wneud ein goreu yn . . . erbyn [caethwasanaeth], yn yr ymarferiad o bob moddion addas.'[38] Mynegodd yr Annibynwyr hyn gefnogaeth i ymgyrch Robert Everett drwy roi sêl bendith eu Cymanfa ar ei gylchgrawn: 'Ein bod ni yn cymeradwyo y *Cenhadwr Americanaidd*.'[39] Unwaith eto, mae'r ffaith seml hon o'r pwys mwyaf; roedd yr enwad fel corff yn rhoi cefnogaeth gyhoeddus i gylchgrawn Robert Everett. Gan fod deunydd gwrthgaethiwol yn cael cymaint o sylw ar dudalennau'r cylchgrawn hwnnw, mae hyn yn golygu bod hoelion wyth yr enwad yn cefnogi'i ymgyrch wrthgaethiwol ef.

Ar y llaw arall, roedd rhai Ymneilltuwyr yn credu bod trafod mudiad 'gwleidyddol' fel diddymiaeth ar dudalennau cylchgrawn crefyddol yr un mor wrthun â 'phregethu *politics* o'r pulpud.' Er na cheir llawer o dystiolaeth fod Annibynwyr wedi cwyno am hyn, gwahanol fu ymateb rhai aelodau o'r enwadau Cymraeg eraill. Dechreuodd Bedyddwyr Cymraeg yr Unol Daleithiau gylchgrawn ar gyfer eu henwad hwythau yn 1844, *Y Seren Orllewinol*, a chyn hir byddai dadl yn ffrwydro ar ei dudalennau ynglŷn â defnyddio'r cyhoeddiad i hyrwyddo diddymiaeth wleidyddol.[40]

Ac er bod ambell Fethodist Calfinaidd wedi ymuno yn yr ymgyrch, daeth yn amlwg iawn yn 1844 fod yr enwad hwnnw fel corff yn wrthwynebus i'r modd yr oedd Robert Everett yn ceisio radicaleiddio capeli Cymraeg yr Unol Daleithiau. Ym mis Mawrth y flwyddyn honno y cynhaliwyd Cymanfa y Methodistiaid Calfinaidd Cymraeg yn Remsen, nid nepell o gartref yr Everettiaid yn Steuben. Pasiodd y gymanfa honno benderfyniad di-flewyn-ar-dafod na ellir ei weld ond fel cyfeiriad uniongyrchol at weithgareddau'r Parch. Everett: 'Ein bod yn gwrthod rhoddi ein capelau i'r gwrthgaethiwyr politicaidd.'[41] Nid oedd y penderfyniad hwn wedi'i gyfyngu i gapel y Methodistiaid Calfinaidd yn Remsen yn unig: 'Ein bod yn ystyried fod y penderfyniad i gyraedd dros holl gapelau y Corff yn y Dosbarth gogledd-ddwyreiniol i fynyddoedd yr Alleghenies.'[47] Mae'r mynyddoedd hyn yn rhedeg drwy dalaith Pennsylvania; roedd y penderfyniad hwn felly'n golygu bod y capeli a oedd gan y Methodistiaid Calfianiadd Cymraeg yn nwyrain Pennsylvania ac Efrog Newydd – yn ogystal ag achosion newydd a gâi eu ffurfio'n fuan mewn taleithiau dwyreiniol eraill fel Vermont – un ac oll yn cau eu drysau'n swyddogol i ymgyrch Robert Everett a'r 'gwrthgaethiwyr politicaidd.' Mae'n bwysig nodi yma nad oedd y Methodistiaid hyn yn cefnogi caethwasanaeth. I'r gwrthwyneb, ychwanegwyd gosodiad pendant iawn i'r perwyl hwnnw at y penderfyniad swyddogol yn dweud bod 'y brodyr . . . mor wrthwynebol i gaethiwed a neb, ond nad oeddynt yn ystyried yn briodol i roddi y capelau at wasanaeth cynyrfwyr politicaidd.'[48] Dengys hyn oll nad gwrthwynebu caethwasanaeth oedd y broblem, ond pregethu'r neges 'wleidyddol' honno o'r pulpud.[44]

Ie, dau gam ymlaen ac un cam yn ôl oedd hanes yr ymgyrch yn y cyfnod hwn. Os bu i ddau gapel Robert Everett golli rhai o'u haelodau ar ddechrau'r 1840au oherwydd gwaith eu gweinidog 'yn pregethu *politics* o'r pulpud,' codwyd gwrthryfel arall yn eu plith yn 1844. Ceir tystiolaeth mai cynllwyn a luniwyd gan nifer fechan o unigolion oedd y rhwyg y tro hwn:

> [Daeth] un o'r ardalwyr yn Steuben . . . i'r capel un boreu Sabboth, a chan sefyll yn y buarth o flaen y capel, dywedai yn uchel, fel y gallai pawb ei glywed, ei fod wrth ddyfod yno y boreu hwnw, wedi gweled

> bachgen digrefydd ac annuwiol yn y cae yn codi tatws ar ddydd yr Arglwydd; ac iddo ef ofyn iddo, a ddeuai efe ddim i'r capel? – ac iddo yntau ateb gyda llw mawr, na ddeuai ef, nad oedd arno eisiau myned i'r capel i wrando ar bregethu *politics!* Ond yn mhen ychydig ddyddiau gollyngwyd y gath o'r cwd, trwy i'r bachgen gyfaddef mai ar gais, ac yn ol trefniad blaenorol â'r person crybwylledig, y gwnaethai efe felly; a chaed mai cynllun ydoedd y cyfan gan y dyn hwnw er dirmygu a cheisio niweidio Mr. Everett![49]

Daeth penllanw'r gwrthryfel hwn gydag ymdrech i droi Robert Everett allan o weinidogaeth Capel Uchaf:

> Mewn cyfarfod eglwysig a gynaliwyd yn y Capel Uchaf, i'r dyben o geisio rhoddi taw arno . . . eisteddai Mr. Everett yn dawel i wrando ar y cyhuddiadau beiddgar a roddid yn ei erbyn, a'r pethau caledion a ddywedid am dano. Yna codai a safai wrth dalcen y bwrdd, a'i law yn gorphwys ar y Beibl, a dywedai, 'Wel, frodyr, gellwch fy nhroi allan o'r eglwys hon, a chau y pwlpud hwn yn fy erbyn; ond tra y bydd genyf wasanaeth y tafod yma, a thra y bydd y bysedd hyn yn gallu ysgrifenu, ni ellwch byth fy atal i ddadleu dros y gorthrymedig.' Aeth ymlaen . . . a deallai ei wrthwynebwyr yn fuan, nad oedd cau dyrnau a gwneuthur clochnadau a haeriadau hyfion, disail, yn dychrynu dim ar y 'dyn bach.'[46]

Llwyddodd y 'dyn bach' i dawelu'r dyfroedd y tro hwn. Yn wir, nid buddugoliaeth dros dro'n unig oedd hon; fe ymddengys mai dyna oedd y tro olaf i wrthryfel godi yn erbyn Robert Everett yn un o'i gapeli'i hun. Ni chofnodwyd nifer y gwrthwynebwyr hyn, ond awgryma'r dystiolaeth uchod mai grŵp bach oeddynt. Wedi methu â throi'r gweinidog allan o Gapel Uchaf, mae'n debyg mai ymadael â'r capel fu tynged y gwrthryfelwyr eu hunain. Ac nid drwg o beth oedd colli'r cyfryw aelodau; wedi cael gwared ar yr elfen wrthwynebus hon, roedd y bugail yn gallu dibynnu'n gyfan gwbl bellach ar gefnogaeth ei braidd.

Fel y nodwyd yn barod, roedd Annibynwyr Cymraeg America fel enwad wedi arddel daliadau gwrthgaethiwol yn swyddogol erbyn hyn. Ac felly nid yw'n syndod dysgu bod arweinwyr yr enwad yn swydd Oneida wedi bod yn gefnogol iawn i weinidog Steuben yn ystod yr helyntion hyn. Er enghraifft, ar 12-13 Mehefin 1844 – sef tua'r un adeg â phenllaw'r gwrthryfel yng Nghapel Uchaf – cynhaliwyd cyfarfod arbennig yng nghapel arall Robert Everett, Penymynydd, er mwyn dangos cefnogaeth gyhoeddus i'r gweinidog. Daeth nifer o weinidigion eraill i'r cyfarfod hwn, a phasiwyd cyfres o benderfyniadau o blaid diddymiaeth yn gyffredinol a Robert Everett yn benodol.[47] Gan ddangos unwaith eto'r berthynas agos rhwng gwasg Robert Everett a'i weithgareddau fel gweinidog ac ymgyrchydd, roedd y penderfyniadau hyn yn cynnwys cais i gyhoeddi un o'i bregethau gwrthgaethiwol ef:

> Y gweinidogion gwyddfodol a ddymunasant yn serchog ar y brawd R. Everett i argraffu yn y Cenhadwr, neu ryw ffordd arall, y bregeth ddifrifol ar wrthgaethiwaeth a draddododd yn y cyfarfod tri-misol yn Salem, Meh[efin] 6.'[48]

Roedd cefnogaeth hoelion wyth yr enwad yn gyson ac yn gadarn yn ystod y cyfnod anodd hwn. Safai gweinidogion eraill yr Annibynwyr Cymraeg ochr yn ochr ag ef drwy gydol yr helyntion gan ddweud eu bod hwythau hefyd yn arddel safiad gwrthgaethiwol Robert Everett.

Gydag arweinwyr swyddogol yr enwad yn rhoi cymaint o gefnogaeth gyhoeddus i Robert Everett, mae'n syndod ar un olwg fod rhai aelodau unigol wedi ceisio'i droi allan o Gapel Uchaf. Ond fe ymddengys mai gwleidyddiaeth bleidiol yn hytrach na buddiannau'r enwad crefyddol oedd yn gyrru'r gwrthryfelwyr hyn. Deuai etholiad arlywyddol ym mis Tachwedd 1844 ac mae'n debyg iawn fod a wnelo'r cyd-destun gwleidyddol hwn â'r gwrthryfel a gododd yng Nghapel Uchaf yr haf hwnnw. Fel y gwelir yn y bennod nesaf, nid pregethu *politics* o'r pulpud oedd gwir asgwrn y gynnen yn achos nifer o wrthwynebwyr Robert Everett, eithr y ffaith nad oedd y gweinidog yn defnyddio'i bulpud i gefnogi'u plaid wleidyddol hwy.

NODIADAU

[1] *Y Dyngarwr*, Ionawr 1843.

[2] Papurau M. Everett; dogfen yn llaw Robert Everett.

[3] Ibid.

[4] Ibid.

[5] Ibid.

[6] Cyhoeddodd Robert Everett hanes y gymdeithas arloesol hon yn *Y Cenhadwr Americanaidd*, Mehefin 1840.

[7] *Y Cenhadwr Americanaidd*, Chwefror 1842.

[8] *Y Cenhadwr Americanaidd*, Ebrill 1842. Dywed yr adroddiad fod 17 o Gymry'r ardal wedi ymuno â'r gymdeithas yn y cyfarfod cyntaf hwn.

[9] *Y Cenhadwr Americanaidd*, Mai 1842. Ceir wyth o benillion yn y gerdd; dim ond y cyntaf a ddyfynnir yma.

[10] *Y Cenhadwr Americanaidd*, Rhagfyr 1842: 'Rhag-gyfarchiad' Robert Everett.

[11] *Y Dyngarwr*, Ionawr 1843: 'Beth a all y Cymry Wneud.'

[12] *Y Cenhadwr Americanaidd*, Ebrill 1842.

[13] Ibid.

[14] *Y Dyngarwr*, Gorffennaf 1843.
[15] *Y Dyngarwr*, Tachwedd 1843.
[16] *Y Cenhadwr Americanaidd*, Chwefror 1844.
[17] Ceir hefyd yn rhifyn Chwefror 1844 hanes 'Cymdeithas Wrthgaethiwol Gymreig Holland Patent': 'Nos Fercher, Rhagfyr 20, 1843, cadwyd cyfarfod gwrthgaethiwol gan y Cymry yn Holland Patent, pan y cawsom ein hanerch gan y Parch. J. P. Harris (Bedyddiwr) a'r Parch. R. Everett (Annibynwr) ar yr achos, ac ar ddiwedd y cyfarfod barnasom mai ein dyledswydd oedd ymffurfio yn gymdeithas.' Nodir yn yr un ysgrif fod gweithgareddau'r gymdeithas newydd hon wedi dechrau'n syth a bod 'y Pwyllgor' wedi cyfarfod eto 'Ar y 23ain o Ionawr, 1844.'
[18] *Y Cenhadwr Americanaidd*, Chwefror 1844.
[19] Ibid. 'Am 7 yn yr hwyr dechreuwyd gan y Parch. S. A. Williams; yna areithiodd y brodyr canlynol, sef, D. Hughes, S. A. Williams, W. F. Phillips, W. H. Thomas, a R. Everett.'
[20] Ibid.
[21] Cymharer y ffeithiau hyn â chasgliad Maldwyn Jones: '[b]y 1845, then, after a decade of steadily increasing anti-slavery activity, Everett had made little impression on his fellow-country-men'; Maldwyn A. Jones, 'Welsh Americans and the Anti-Slavery Movement,' *Trafodion Anrhydeddus Gymdeithas y Cymmrodorion* (1985), 117. Mae'n amlwg nad oedd Maldwyn Jones wedi astudio'r holl ddeunydd sydd wedi goroesi o'r cyfnod; dengys hanes cynhadledd Utica (a gynhaliwyd yn Ionawr 1844) a'r ffaith fod nifer o gymdeithasau gwrthgaethiwol Cymraeg wedi'u ffurfio rhwng 1840 a 1845 fod ymgyrch Robert Everett wedi dechrau llwyddo. Yn wir, fel y gwelir yn ail hanner y bennod hon, roedd nifer o gymanfaoedd Cynulleidfaol Cymraeg America wedi mabwysiadu penderfyniadau gwrthgaethiwol swyddogol erbyn 1845. Daeth gwrthwynebiad ffyrnig i ran Robert Everett ar adegau, ond ar yr un pryd nid yw'r holl ffeithiau yn caniatáu inni gytuno â gosodiad camarweinol Maldwyn Jones.
[22] *Y Cenhadwr Americanaidd*, Chwefror 1844.
[23] Ibid.
[24] *Y Dyngarwr*, Ionawr 1843.
[25] *Y Cenhadwr Americanaidd*, Chwefror 1844.
[26] Ibid. Dywed mai 'cyfieithiad' oedd y darn hwn.
[27] Ibid.
[28] Ibid. Nodir ar ddiwedd y darn hwn mai 'Cyfieithiad o waith E. W. Jones, gan Morris Roberts' ydoedd.
[29] Ibid.
[30] Cyfansoddwyd *'The Star-Spangled Banner'* gan Francis Scott Key yn ystod Rhyfel 1812. Mae'n wir nad yw geiriau Morris Roberts yn gweddu i dôn *'The Star-Spangled Banner'* yn berffaith, ond fel y mae llawer o feirniaid wedi'i nodi dros y canrifoedd, nid yw geiriau Saesneg Key yn hawdd i'w canu ychwaith!
[31] *Y Cenhadwr Americanaidd*, Ebrill 1844.
[32] Am enghraifft arall o ddiddymwyr Cymraeg yn canu emynau neu 'benillion' pwrpasol mewn cynhadledd, gw. *Y Cenhadwr Americanaidd*, Tachwedd 1844. Wrth ddisgrifio cynhadledd wrthgaethiwol a gynhaliwyd yn Remsen, nododd Robert Everett fod canu'n ganolog i'r gweithgareddau: 'Un peth a ychwanegodd yn neillduol at sirioldeb y cyfarfod oedd bywiogrwydd a chysondeb y canu, dan arweiniad Mr. Erasmus W. Jones . . . yr oedd cantorion y gynulleidfa yn Peniel a'r Capel Uchaf wedi dyfod yn nghyd yn dra chryno, ac yr oedd y canu yn ddiau yn rhagorol ac yn cael effaith fawr ar y gynulleidfa.'
[33] Y Parch. E. Davies yn D. Davies [Dewi Emlyn] (gol), *Cofiant y Diweddar Barch. Robert Everett*, D. D. (Utica, 1879), 134. Gw. pennod 4 am hanes ei blentyndod yn swydd Oneida adeg Diwygiad 1838.
[34] Un darn o dystiolaeth sy'n ein galluogi i ddyddio o leiaf un o'r helyntion a ffrwydrodd yn achlysurol yn ystod y 1840au yw araith a draddodwyd gan J. H. Jones, trysorydd cymdeithas wrthgaethiwol Gymraeg Steuben, ar 15 Mehefin 1842. (Cyhoeddwyd crynodeb o'r araith hon yn *Y Cenhadwr Americanaidd*, Hydref 1842.) Aeth ati i chwalu'r holl 'wrthddadleuon' a deflid at y diddymwyr yr adeg honno, gan gynnwys y cwyn bod 'gwrthgaethiwaeth yn tueddu i derfysgu a rhwygo yr eglwysi.' Wrth ymateb i'r ddadl honno, cynigiodd Jones sylwadau miniog: 'Os ydyw gwneuthur yn ol gorchymynion Duw . . . yn tueddu i rwygo a therfysgu yr eglwysi, goreu i gyd pa gyntaf y gwneir hyny.'
[35] *Y Cenhadwr Americanaidd*, Chwefror 1840, 'Gweddio dros y Caethion.' Fe gofir mai cylchgrawn enwadol oedd y *Cenhadwr*; dyna sy'n egluro'r gosodiad fod Robert Everett 'wedi gofyn i'w gyd-Annibynwyr weddïo dros y caethion.'
[36] D. Davies (gol), *Cofiant y Diweddar Barch. Robert Everett*, 125-6: Cymanfa Gynulleidfaol Swydd Oneida, 1841.
[37] *Y Cenhadwr Americanaidd*, Hydref 1844.
[38] Ibid.
[39] Ibid.

[40] Gw., e.e., L. James yn *Y Seren Orllewinol*, Gorffennaf 1845.
[41] Hugh Davies, *Hanes Cymanfa Dwyreinbarth Pennsylvania 1845-1896* (Utica, 1898), 36.
[42] Ibid.
[43] Ibid.
[44] Ar y llaw arall, er bod Cymanfa y Methodistiaid Calfinaidd wedi pasio'r penderfyniad hwn, ni chaeodd pob un o'u capeli ei ddrysau i Robert Everett a'i gydymgyrchwyr. Cynhaliwyd cyfarfod gwrthgaethiwol yn un o gapeli'r Methodistiaid yn Remsen ym mis Hydref 1844. Nid digwyddiad enwadol ydoedd, ond cyfarfod o gymdeithas wrthgaethiwol Remsen; cymerodd siaradwyr o wahanol enwadau ran yn y gweithgareddau, gan gynnwys Robert Everett ei hun. Eto, mae'n ddiddorol fod y cyfarfod hwn wedi'i gynnal yn addoldy'r Methodisitiad, a hynny yn ystod yr union flwyddyn pan oedd eu Cymanfa yn pleidleisio i 'wrthod rhoddi [eu] capelau i'r gwrthgaethiwyr politicaidd'! Tybed ai ceisio rhwystro rhagor o gyfarfodydd tebyg a ffrwyno'r gweinidogion Methodistaidd hynny a oedd yn cydweithio â'r Annibynnwr Robert Everett oedd y gwir reswm dros basio'r penderfyniad yn y Gymanfa? Fodd bynnag, cyhoeddodd Robert Everett hanes y cyfarfod diddorol hwn yn *Y Cenhadwr Americanaidd*, Tachwedd 1844: 'Dyddiau Mawrth a Mercher, Hydref 9fed a'r 10fed, cynaliwyd Cynadledd Wrthgaethiwol yn y Capel Cerig, Steuben.'
[45] D. Davies (gol), *Cofiant y Diweddar Barch. Robert Everett*, 137.
[46] Ibid, 137-8.
[47] *Y Cenhadwr Americanaidd*, Gorff. 1844: 'CYFARFOD PENYMYNYDD [:] Nos Fercher a dydd Iau, y 12fed a'r 13eg o Fehefin, cynaliwyd Cyfarfod crefyddol yn addoldŷ y Cynulleidfawyr, Penymyndd[.]; 'Am 8 o'r gloch, bore y 13eg, cynaliwyd cynadledd gweinidogion, a phenderfynwyd . . . Ein bod yn ystyried y gaethfasnach a'r gaethwasanaeth . . . yn brif bechodau ein hones a'n gwlad, a bob pob ysgogiad, trwy bleidleisio, neu unrhyw ffordd arall, i gynal y drefn gaethiwol yn mlaen, yn anghyson ag ysbyrd yr efengyl[.]'; ''Y gweinidogion gwyddfodol a ddymunasant yn serchog ar y brawd R. Everett i argraffu yn y Cenhadwr, neu ryw ffordd arall, y bregeth ddifrifol ar wrthgaethiwaeth a draddododd yn y cyfarfod tri-misol yn Salem, Meh. 6ed.'
[48] Ibid.

PENNOD 7:

'Plaid Rhyddid'

(gwleidydda, 1840-1844)

Ymdaflodd Robert Everett yn egnïol i wleidyddiaeth bleidiol ar ddechrau'r 1840au. Er bod diddymwr enwocaf yr Unol Daleithiau, William Lloyd Garrison, yn dal i fynnu na ddylai'r ymgyrchwyr halogi'u hunain â rhywbeth mor llygredig â gwleidyddiaeth, roedd nifer o ddiddymwyr amlwg swydd Oneida wedi cychwyn ar y llwybr gwleidyddol hwnnw yn 1838. Fel y gwelwyd ym mhennod 4, ysgrifennodd Alvan Stewart lythyr at Robert Everett yn gofyn iddo helpu gyda'r ymgyrch newydd honno. Fel y cofir, y syniad oedd hel enwau ar ddeisebau er mwyn dylanwadu ar brif bleidiau gwleidyddol y wlad. Ni wyddom beth fu ymateb Robert Everett yn ôl yn 1838, ond mae llawer o dystiolaeth yn dangos ei fod yn gweithredu'n wleidyddol erbyn diwedd 1840. Fodd bynnag, nid oedd yr ymgyrch gynharach honno wedi llwyddo, ac yn fuan daeth Stewart a'i gydymgyrchwyr i weld mai gwastraff amser oedd ceisio dylanwadu ar y ddwy brif blaid. Y cam nesaf oedd ffurfio plaid wleidyddol newydd, trydedd blaid y gallai diddymwyr bleidleisio drosti gan felly gefnu'n gyfan gwbl ar y Chwigiaid a'r Democratiaid. Ac felly ym mis Ionawr 1840 – yr union adeg pan ddaeth rhifyn cyntaf *Y Cenhadwr Americanaidd* o'r wasg – cyhoeddodd cylchgrawn gwrthgaethiwol Saesneg, yr *Emancipator*, ysgrif gan Stewart yn dadlau dros y syniad newydd hwn: 'An independent abolition political party is the only hope for the redemption of the slave!'[1]

Daeth y *Burned-Over District* yn gadarnle ar gyfer y mudiad gwleidyddol hwn. Diddymwr cyfoethocaf yr ardal (a'r dyn a achubodd Alvan Stewart rhag terfysgwyr Utica yn 1835), Gerrit Smith, a fathodd enw'r blaid newydd.

> The Liberty party was organized in 1840 after some abolitionists, believing in the validity of political action, defected from Garrison's Anti-Slavery Society and its nonresistance and nonvoting policies. . . . . Gerrit Smith was one of the principal founders . . . he gave the Liberty party its name.[2]

Roedd etholiad arlywyddol yn 1840 ac enwebodd y *Liberty Party* James G. Birney, brawd-yng-nghyfraith Smith, yn ymgeisydd. Aeth Robert Everett ati i gefnogi Birney, fel y cofiai'i fab John flynyddoedd yn ddiweddarach:

'It was in 1840, the first Presidential election after the formation of the Liberty party, that father's anti-slavery feeling took a more public expression.'[3]

Un o gyfeillion Robert Everett yr adeg honno oedd Erasmus Jones, gweinidog arall a wasanaethai Annibynwyr talaith Efrog Newydd. Disgrifiodd y modd y bu i'r Parch. Everett gamu i ganol yr ymgyrch etholiadol hon:

> Y Whigs a'r Democrats yn ymryson fel pleidiau gwladol pa un a allai ymostwng iselaf o flaen y ddelw fawr gaethiwol ar wastadedd y De. Mewn amser fel yna, pan oedd yr achos yn ei ddirmyg iselaf, y gwelodd Mr. Everett yn dda daflu ei holl ddylanwad o blaid y caethwas gorthrymedig. . . . dyrchafai ei lais fel udgorn yn erbyn . . . caethwasiaeth.[4]

Er bod Robert Everett yn cael ei weld fel arweinydd diddymwyr Cymreig yr Unol Daleithiau, rhaid cofio mai lleiafrif bychan iawn oedd y radicaliaid hyn yn 1840. Fel y nododd y Parch. Jones, 'Dydd y pethau bychain oedd hi gyda'r achos gwrthgaethiwol . . . a chwerddid am benau Mr. Everett a'i fintai fechan.'[5]

Nid chwerthin oedd yr unig beth a deflid i gyfeiriad y Parch. Everett a'i 'fintai fechan' ychwaith. Buasai'n dyst i drais y gwrth-ddiddymwyr cyn 1840, gan fod cerrig wedi'u taflu trwy ffenestri'i eglwys yn West Winfield ac wyau wedi'u taflu ato ef ac Alvan Stewart y tu mewn i'r eglwys honno. Roedd hefyd wedi bod yn dyst i'r derfysg ar strydoedd Utica adeg cynhadledd Cymdeithas Wrthgaethiwol Efrog Newydd yn 1835. Ond ni cheir tystiolaeth mai Cymry oedd y terfysgwyr a ymosodai ar Robert Everett a'i gyfeillion yr adegau hynny. Gwahanol oedd y sefyllfa wrth i'r gweinidog deithio o gwmpas swydd Oneida yn hyrwyddo ymgyrch etholiadol y *Liberty Party* ar ddechrau'r 1840au. Pan siaradai o blaid Birney yn un o gapeli'r Cymry, byddai aelodau o'r gynulleidfa'n taflu wyau a llyfrau emynau ato o'r oriel.[6] Ac er gwaetha'r ffaith bod 'Everett bach' yn ymddangos yn 'eiddil' a 'musgrell' ym marn rhai, aeth yn ôl i wynebu'r tyrfaoedd treisgar dro ar ôl tro. Roedd ei feibion hynaf, John a Robert – a oedd, trwy lwc, yn fwy na'u tad – yn mynd gydag ef i'r cyfarfodydd cyhoeddus hyn er mwyn ei amddiffyn rhag llid y dorf. Os y meibion hynaf yn unig a oedd yn gweithredu fel *bodyguards* teuluol, roedd y teulu cyfan yn helpu gyda'r ymgyrch.[7] Ac bu i nifer ohonynt ddioddef o'r herwydd:

> Lewis [sef y trydydd mab] was not old enough then to be allowed to

attend the evening meetings, especially when a disturbance was feared, but he remembers hearing father say, on returning from an anti-slavery lecture, that hymn-books were hurled at the speaker from the gallery. The next day he shared the persecution, in a small way, in common with older Abolitionists. He was mobbed by the schoolboys and pelted with snowballs.[8]

Ac yntau'n 'rhannu'r erledigaeth' yn y modd hwn, deuai Lewis yn aelod pwysig o'r ymgyrch maes o law. Cyn diwedd y 1840au byddai'n cyfieithu deunydd gwrthgaethiwol o'r Saesneg i'r Gymraeg ac yn helpu i redeg y wasg deuluol.

Fel y gwelsom yn y bennod ddiwethaf, roedd rhai capelwyr Cymraeg yn America yn gwrthwynebu ymgyrch Robert Everett gan nad oeddynt yn credu y dylai gweinidog gymysgu crefydd a gwleidyddiaeth. Ond ym marn llawer iawn o Gymry America, nid 'pregethu *politics* o'r pulpud' oedd y broblem, ond yn hytrach union natur y *politics* a bregethid gan Robert Everett. Roedd Cymry America'n nodedig o deyrngar i un blaid wleidyddol, a'r Chwigiaid oedd y blaid honno. Yn ei astudiaeth arloesol o batrymau pleidleisio yn y cyfnod, casglodd Lee Benson fod cefnogaeth Cymry swydd Oneida i'r Chwigiaid yn solet iawn gan nodi ymhellach fod y gymuned Gymreig yn Remsen (yn ymyl Steuben) ymysg cadarnleoedd mwyaf diogel y blaid.[9]

Roedd arweinwyr y *Whigs* Cymreig hyn yn gweld Robert Everett fel bygythiad mawr. Mae'n hawdd deall eu hymateb; dyma weinidog poblogaidd – a enillasai gryn enwogrwydd yn ystod Diwygiad 1838 – yn symud i'w hardal gan ddechrau denu trigolion yr ardal honno i gefnogi plaid arall. Aeth peiriant gwleidyddol lleol y Chwigiaid i'r afael â'r sefyllfa gan lunio strategaeth er mwyn rhwystro'r bygythiad hwn. Dyma ddisgrifiad Evan Davies – a oedd yn dyst i rai o'r datblygiadau hyn – o'r strategaeth honno:

Cynelid cyfarfodydd politicaidd Cymreig gan y Whigiaid yn yr ysgoldai ar hyd yr ardaloedd, ac nid oedd enwau rhy ddirmygus i'w rhoddi ar Mr. Everett a'i ymdrechion, ynddynt; a chymeradwyid â bonllefau a rwygent yr awyr, y ddifriaeth iselwael! Defnyddid pob twyll-resymau . . . . Dywedid pe diddymid caethiwed y byddai y bobl dduon yn heigio y Gogledd fel llyffaint yr Aipht. Byddai yn tori ein tai, yn lladrata ein meddianau, yn treisio ein gwragedd, yn lladd ein dynion ac yn priodi ein merched, &c., &c. . . . Dywedid hefyd fod caethiwed yn sefydliad Beiblaidd, ac mai anffyddwyr oedd y gwrthgaethwyr; a mawr y stwr a wneid eu bod yn troseddu ar

Gyfansoddiad y wlad, yr hwn, meddent, oedd yn amddiffyn a chyfreithloni caethiwed.[10]

Fel y gwelwyd yn achos yr ymrafael rhwng y Gymdeithas Drefedigaethol a'r Gymdeithas Wrthgaethiwol, roedd hyd yn oed lawer o Americanwyr gwyn a wrthwynebai'r drefn gaeth yn coleddu rhagfarnau hiliol ac yn credu na allent gyd-fyw â chyn-gaethweision duon. Fe ymddengys fod y Chwigiaid Cymreig wedi porthi'r hiliaeth hon wrth geisio cadw'r Cymry rhag cefnogi'r blaid newydd.

Ni lwyddodd Robert Everett a'i 'fintai fechan' i ddod â'r rhan fwyaf o Gymry America – neu hyd yn oed y rhan fwyaf o Gymry swydd Oneida – i gorlan y *Liberty Party* yn 1840. Ac nid y Cymry oedd yr unig rai i aros yn ffyddlon i'r Chwigiaid ychwaith; enillodd William Henry Harrison, ymgeisydd y *Whigs*, yr etholiad y flwyddyn honno.

> Single-issue politics, no matter how much the voters might abhor slavery, had not drawn much interest. Antislavery voters were anxious to know where a candidate stood on the other issues . . . The Liberty Party had been built on the 'One Idea' platform. Its early supporters thought of it as a temporary party which would disband once the slaves were liberated. But in the wake of the 1840 elections, some members began to urge a broader platform.[11]

Felly roedd hyd yn oed y rhan fwyaf o'r diddymwyr wedi pleidleisio dros y Chwigiaid.[12] Ar unrhyw gyfrif roedd y blaid newydd wedi methu'n drychinebus; cafodd Birney lai nag un y cant o'r bleidlais genedlaethol yn 1840.

Gosododd gweithredoedd Robert Everett yn ystod etholiad 1840 y patrwm ar gyfer y blynyddoedd nesaf. Yn ogystal â pharhau â'i waith dros y *Liberty Party*, parhaodd i bregethu gwleidyddiaeth y diddymwyr o'i ddau bulpud yn Steuben. A pharhaodd i gyhoeddi deunydd gwrthgaethiwol yn *Y Cenhadwr Americanaidd*. Mae'n werth nodi un ysgrif a gyhoeddodd ym mis Ebrill 1841; 'Anerchiad ar Ryddid' yw'r teitl, ac er ei bod wedi ymddangos o dan y ffugenw 'Carwr Rhyddid' mae tystiolaeth wedi dod i'r fei sy'n dangos mai Morris Roberts oedd yr awdur.[13] Dechreua'r llith hon drwy ddadlau bod rhyddid yn 'hawl . . . gan bob dyn, ym mhob oes, o bob cenedl ac o bob lliw.' Mae'n disgrifio caethwasanaeth Americanaidd fel 'pechod' gan apelio at falchder cenedlaethol y Cymry wrth eu hannog i ddileu'r pechod hwnnw:

> Dylem ymdrechu am ryddhad y caethion er mwyn NODWEDDIAD

> EIN CENEDL. Yr ydym wedi ynill y nodweddiad o fod yn bleidwyr gwresog rhyddid; y mae yn drosedd i ni golli y nodweddiad hwn. O! pa faint o'n henafiaid *a gollasant eu bywydau* wrth enill y nodweddiad hwn.[14]

Dywedodd hefyd mai dyletswydd Cymry America fel Americanwyr oedd gweithio er mwyn dileu'r cyfreithiau gwarthus a gadwai gynifer o bobl dduon yn gaeth. Anogodd ei ddarllenwyr 'i ethol dynion . . . a fyddai am ddadwneyd . . . y cyfreithiau sydd yn eu dal yn gaeth.'[15] Er na chyfeiriodd yn uniongyrchol at y *Liberty Party*, roedd Morris Roberts yn gosod rhesymau pwerus ger bron darllenwyr y *Cenhadwr* dros gefnogi'r blaid honno.

Yn ogystal ag ymgyrchu'n uniongyrchol dros y blaid wleidyddol newydd adeg etholiad, roedd Robert Everett hefyd yn annog Cymry America'n gyffredinol i sicrhau bod ganddynt bleidleisiau fel y gallent eu defnyddio 'dros ryddid.' Rhoddai sylw i fanylion y peirianwaith pleidleisio; er enghraifft, âi ati'n gyson i atgoffa ymfudwyr y dylent lenwi'r papurau a fyddai'n eu troi'n ddinasyddion Americanaidd.[16] Dim ond y Cymry a oedd yn berchen ar 'ddinasfraint' yr Unol Daleithiau a allai bleidleisio mewn etholiad, fel y pwysleisiodd golygydd y *Cenhadwr* a'r *Dyngarwr* drosodd a thro. Roedd targedu'r ymfudwyr hyn hefyd yn ffordd o gyrraedd carfan sylweddol o Gymry nad oedd eto wedi dechrau pleidleisio dros y Chwigiaid yn eu gwlad newydd.

Y cam nesaf oedd darparu'r dinasyddion newydd hyn â 'Gwybodaeth Ddinasyddawl' er mwyn sicrhau eu bod nhw'n pleidleisio mewn modd deallus a moesol. Dyna oedd hanfod ysgrif a gyhoeddodd Robert Everett yn y *Cenhadwr* yn Ionawr 1842. Gan fod 'y bleidlais yn gyffredinol' yn eiddo i ddinasyddion, haerodd y dylai 'addysg' wleidyddol 'fod yn gyffredinol hefyd.'[17] Dechreuodd ddarparu'r addysg hon drwy gyhoeddi cyfieithiad Cymraeg o Gyfansoddiad yr Unol Daleithiau.[18] Tra oedd William Lloyd Garrison yn taeru mai *'pro-slavery document'* oedd y Cyfansoddiad, roedd Robert Everett yn dadlau bod y ddogfen yn cynnig cynsail ar gyfer yr ymgyrch yn erbyn caethwasanaeth.[19] Nid ymwrthod â'r *U. S. Constitution* oedd y nod yn ei dyb ef, eithr gwireddu i'r eithaf y modd yr oedd y Cyfansoddiad wedi addo 'rhyddid i bawb.' Daeth y dadleuon Cyfansoddiadol hyn i fritho cyhoeddiadau Robert Everett. Er enghraifft, cyhoeddodd ym mis Gorffennaf 1842 draethawd sy'n dadansoddi Cyfansoddiad yr Unol Daleithiau'n fanwl mewn perthynas â chaethwasanaeth.[20] Ar ôl mynd trwy'r Cyfansoddiad â chrib mân, mae'n casglu mai 'Hollawl ddisail . . . yw yr wrthddadl yn erbyn yr ymdrech gwrthgaethiwol, sef, "fod hyny yn groes i'r Cyfansoddiad."'[21]

Os oedd Robert Everett yn pregethu *politics* o'i bulpud, roedd hefyd yn sicrhau bod gan wleidyddiaeth le amlwg ar dudalennau'i gylchgrawn crefyddol. Yn rhifyn Chwefror 1842 crisialodd golygydd *Y Cenhadwr Americanaidd* hanes diweddar yr ymgyrch gan ei disgrifio fel brwydr rhwng 'gorthrwm cywilyddus [a oedd yn] alaethus ei ffieidd-dra a'i anghyfiawnder' a '[g]oleuni rheswm, a dynoliaeth ac egwyddorion cristionogrwydd.'[22] Ac ymysg yr ysgrifau gwrthgaethiwol a gyhoeddodd yn rhifyn Ebrill y flwyddyn honno oedd darn yn dwyn y teitl 'Y Llywodraeth Wladol a Chrefydd.'[23] Dyma ddadlau eto fod gweithredu'n wleidyddol er mwyn diddymu caethwasanaeth yn ddyletswydd grefyddol. Ar ôl dweud yn gyntaf mai dyletswydd y llywodraeth oedd 'amddiffyn . . . y gwan fel y cryf, yr iselradd fel yr uchelradd, [a'r] *du fel y gwyn*,' â rhagddo i gyplysu'r ddyletswydd wleidyddol hon â dyletswydd y Cristion:

> [mae'n] beth o bwys nid bychan i ni fel cristianogion yn y wlad hon i ystyried ein bod yn gwneuthur a chynal cyfreithiau sydd yn . . . caniatau i ddynion werthu a phrynu dynion.'[24]

Cyhoeddwyd yn yr un rhifyn erthygl gymharol hir gan J. T. Richards, aelod o Gymdeithas Wrthgaethiwol Gymraeg Trenton, Efrog Newydd. Annog Cymry America i weithredu'n wleidyddol oedd bwriad ei anerchiad ef hefyd:

> O anwyl gyd genedl, a gaf fi eich anerch trwy gyfrwng y Cenhadwr y tro yma ar i chwi ystyried pa beth yw eich dyledswydd at eich cyd ddynion ag sydd yn griddfan dan y gaethiwol iau, a chwithau yn mwynhau rhyddid gwladol a chrefyddol mewn gwlad estronol. Pwy a wnaeth ragor rhyngoch chwi ag eraill? Efengyl hedd . . . ac nid y lliw sydd ar y croen . . . . Am hyny, gan fod y pethau hyn felly, oni ddylem ni wneyd a allom i'w rhyddhau? Er nad allwn ni fel cenedl yn y wlad hon wneyd fawr, eto, medd Iesu, "YR HYN A ALLODD HON HI A'I GWNAETH." Nid gwiw i ni feddwl i'r Arglwydd eu rhyddhau heb i ninau gydweithio[.][25]

Gydag ysgrifau fel hon yn britho'i dudalennau, roedd *Y Cenhadwr Americanaidd* yn ymgorfforiad o'r neges sy'n ganolog i'r stori boblogaidd honno am y Robert Everett ifanc; fel yr oedd y diwinydd ifanc yn gweddïo yn ogystal â 'balastio'r cwch,' roedd cylchgrawn y Parch. Everett yn mynnu bod Cymry America yn gweithio yn ogystal â gweddïo er mwyn rhyddhau'r caethweision. Ac erbyn 1842 roedd yn disgrifio'r gwaith daionus hwnnw yn nhermau cefnogaeth wleidyddol i'r *Liberty Party*.

Er bod ffiniau sefydliadol yn gwahaniaethu rhwng y capel, y gymdeithas wrthgaethiwol a'r blaid wleidyddol, roedd ymgyrch Robert Everett wedi'i seilio i raddau helaeth ar ymdrech i bontio rhwng y gwahanol sefydliadau hyn. Ac roedd ei wasg yn fodd iddo bwysleisio'r berthynas angenrheidiol a oedd yn ei dyb ef yn cysylltu'r gymuned grefyddol yr oedd yn rhan ohoni â'r gymdeithas wrthgaethiwol a'r *Liberty Party.* Pan ffurfiwyd cymdeithas wrthgaethiwol Gymraeg yn Steuben ar ddechrau 1842, roedd penderfyniadau'r gymdeithas newydd a gyhoeddwyd yn *Y Cenhadwr Americanaidd* yn cynnwys:

> Fod aelodau y Gymdeithas hon . . . yn ymrwymo i anog hyd y mae ynom, i oleuo ac argyhoeddi ereill, yn enwedig ein cydgenedl o resymoldeb rhyddid dynoliaeth . . . ; a'r rhai sydd genym bleidlais (vote) i roddi ein pleidlais i'r ymgeiswyr a roddir i fynu ar y tocynau gwrthgaethiwawl[.][26]

Wrth gwrs, un 'tocyn gwrthgaethiwol' oedd ar gael i'r pleidleiswyr mewn gwirionedd, a'r *Liberty Party* oedd y tocyn hwnnw.

Dwysaodd gwaith Robert Everett dros y blaid hon yn ystod 1843, blwyddyn *Y Dyngarwr*. Erbyn i'r cylchgrawn newydd hwnnw ymuno â'r *Cenhadwr*, roedd eu golygydd wedi bathu enw Cymraeg ar gyfer y *Liberty Party*, 'Plaid Rhyddid.' Er mwyn ceisio ennill pleidleisiau Cymry America roedd yn ceisio Cymreigeiddio'r blaid newydd. Gofynnodd *Y Dyngarwr* yn blwmp ac yn blaen i Gymry ar draws yr Unol Daleithiau 'ymwrthod â'r hen gysylltiadau poleticaidd,' ac ystyr yr ymadrodd hwnnw oedd cefnu ar y Chwigiaid er mwyn pleidleisio dros 'Blaid Rhyddid':

> Y mae i'w chael trwy ddefnydd ffyddlawn o'n braint wrth y GOFFR BLEIDLEISIAWL. A wnewch chwi hyny, gan roddi heibio bob rhagfarn, a chan ymwrthod â'r hen gysylltiadau poleticaidd, trwy y rhai yr ydych chwi ac ereill wedi cadw y caethwas mewn cadwynau . . . ?[27]

Mae cofnodion y cymdeithasau Cymraeg yn aml yn gwneud yr un pwynt. Er enghraifft, datganodd Cymdeithas Wrthgaethiwol Gymraeg Utica:

> Nad ydyw y pethau ag y mae y ddwy blaid, sef y Whigiaid a'r Democratiaid yn gwahaniaethu yn eu cylch ond megys dim yn eu

pwysfawrogrydd a'u canlyniadau wrth eu cydmaru a'r CAM a wneir a'r rhai a ddelir mewn caethiwed.[28]

Yn ogystal â difrïo'r ddwy brif blaid yn y modd hwn, cyflwynodd *Y Dyngarwr* lawer o ddeunydd na ellir ei ddisgrifio ond fel trosiadau Cymraeg o bropaganda etholiadol 'Plaid Rhyddid.' Er enghraifft, nododd Robert Everett ym mis Ebrill 1843 y rhesymau 'PAHAM Y CYNELIR PLAID RHYDDID':

> 1. Oherwydd y gellir cyraedd yn effeithiol y gyfundraeth gaethiwol trwy allu dinasyddol.
> 2. Oherwydd na wna un Blaid arall ymdrechu ei dymchwelyd.
> 3. Oherwydd fod pleidleisio dros bleidau sydd o du caethiwed, yn ddinystriol i gywirdeb gwrthgaethiwol, ac o ganlyniad, i'r achos gwrthgaethiwol.[29]

Ac mewn rhifynnau eraill croniclodd *Y Dyngarwr* ddatblygiad 'Plaid Rhyddid' yn y gwahanol daleithiau.[30]

Wrth gwrs, roedd ysgrifau'n cefnogi'r *Liberty Party* yn ymddangos ar dudalennau *Y Cenhadwr Americanaidd* yn ystod 1843 hefyd. Ymysg yr enghreifftiau mwyaf diddorol y mae erthygl faith gan Robert Everett ei hun a gyhoeddwyd ym mis Ebrill y flwyddyn honno. Fel y tystia'r teitl – 'Y Cyfamod Gwladwriaethol a'r Cyfansoddiad' – dyma ddarn arall sy'n dadansoddi'r berthynas rhwng y Cyfansoddiad a diddymiaeth, ond mae hefyd yn cysylltu'r pwnc hwnnw â nifer o agweddau eraill ar yr ymgyrch. Dechreua'r ysgrif wleidyddol hon mewn cywair annisgwyl wrth i Robert Everett hel atgofion am un o'i hen gyfeillion yn yr Hen Wlad:

> Clywsom sylw gan frawd anwyl yn y weinidogaeth yn Nghymru, flynyddau yn ol, y Parch. W. Williams o'r Wern, – pan yn darlunio y 'gadwyn' â'r hon y 'rhwymir Satan dros fil o flynyddoedd,' – ei fod yn ystyried 'mai *cadwyn o oleuni* a fydd y gadwyn, hyny yw, mae taeniad goleuni moesol ac efengylaidd trwy'r byd a fydd y moddion i gyfyngu awdurdod y gelyn yn mhlith dynolryw syrthedig.'[31]

Roedd Williams o'r Wern ymysg pregethwyr enwocaf yr Annibynwyr, yn un o 'dri chedyrn y pulpud Cymraeg.'[32] Wedi dal sylw ei ddarllenwyr yn y modd hwn, mae Robert Everett yn symud yn hylaw o bregeth Williams o'r Wern i'r ymgyrch yn erbyn caethwasanaeth yn yr Unol Daleithiau. Fel y disgrifiodd y pregethwr enwog hwnnw 'daeniad goleuni moesol,' disgrifia Robert Everett 'daeniad cyflym egwyddorion *rhyddid*' fel grym sy'n dechrau rhwymo 'y gelyn llewaidd a chreulawn, a adnabyddir wrth yr enw "caethiwed Americanaidd."'[33]

Symuda Robert Everett wedyn o'r cyflwyniad hwn i drafod daliadau 'Plaid Rhyddid.' Wrth fanylu ar safbwynt y *Liberty Party* parthed y berthynas rhwng caethwasanaeth a'r Cyfansoddiad, mae'n cyfeirio'n uniongyrchol at arweinydd y blaid, James G. Birney. Ond er ei fod wedi teithio'n bell mewn ychydig o eiriau wrth neidio o'r pregethwr Cymreig i'r gwleidydd Americanaidd, mae Robert Everett yn ailadrodd y gair 'rhwymo' (neu 'rhwymau') er mwyn cadw cysondeb delweddol ei ysgrif:

> Y mae y gwr da hwnw, JAMES G. BIRNEY . . . yn ymresymu yn gadarn . . . . Nad oes *rwymau* cyfamodol . . . i roddi i fynu gaethion . . . . Nad oes *rwymau* moesol arni i roddi i fynu gaethion ffoedig o UN o'r taleithiau caethiwol.[34]

Roedd yn beirniadu'r cyfreithiau hynny a orfodai unigolion – gan gynnwys trigolion taleithiau rhydd y Gogledd – i ddychwelyd caethweision ffoëdig. Yn ôl 'Plaid Rhyddid,' nid oedd Cyfansoddiad yr Unol Daleithiau'n 'rhwymo' dinasyddion i ddilyn y cyfrieithiau anfoesol hyn.

Mae'r erthygl hon yn dweud cyfrolau wrthym am y modd yr oedd Robert Everett yn ceisio radicaleiddio Cymry America. Roedd yn manteisio i'r eithaf ar adnoddau'r Annibynwyr, gan bregethu gwleidyddiaeth 'Plaid Rhyddid' o'u pulpudau a chan hybu ymgyrch etholiadol James Birney ar dudalennau cylchgrawn yr enwad. Ond roedd hefyd yn meddiannu cynhysgaeth ddiwinyddol yr Annibynwyr; mae Robert Everett yn cymylu'r ffin rhwng rhethreg wleidyddol James Birney â phregeth gan Williams o'r Wern gan arwain ei ddarllenwyr i weld tebygrwydd rhwng y gwleidydd Americanaidd a'r gweinidog Cymreig enwog. Oedd, roedd yn Cymreigeiddio 'Plaid Rhyddid,' ac yn ogystal â throsi enw'r *Liberty Party* i'r Gymraeg roedd hefyd yn darlunio'r blaid honno mewn modd a fyddai'n apelio at ymneilltuwyr Cymreig.

Daeth cyfle i brofi llwyddiant y strategaeth honno yn 1844 wrth i Birney sefyll eto yn enw'r *Liberty Party* mewn etholiad arlywyddol. Gan fod y rhan fwyaf o Gymry America wedi aros yn deyrngar i'r Chwigiaid adeg yr etholiad diwethaf, roedd gan Robert Everett a'i 'fintai fechan' dalcen caled o'u blaenau unwaith eto. Parhaodd *Y Cenhadwr Americanaidd* i annog ei ddarllenwyr i weithredu'n wleidyddol er mwyn dod â chaethwasanaeth i ben. I'r perwyl hwnnw, cyhoeddwyd ysgrif ym mis Ebrill yn dwyn y teitl syml 'Gwrthgaethiwaeth.' Cymro o ddinas Pittsburgh a arddelai'r enw 'Iorwerth' oedd yr awdur, a dechreuodd drwy gyflwyno cyfartaledd hiliol fel meincnod moesol yr ymgyrch: 'Cyfiawnder fyddai i bawb gael rhyddid yn America, pob lliw a phob cenedl, y naill fel y llall, y du fel y gwyn.'[35] Gan droi at yr etholiad a oedd ar y gorwel, dywedodd wedyn mai 'ethol [gwleidyddion gwrthgaethiwol] trwy bleidlais y dinasyddion' oedd y 'dull' gorau er mwyn 'i'r Affricaniaid gael cyfiawnder fel cenedloedd ereill.'[36] Yn y rhifyn nesaf câi darllenwyr y Cenhadwr weld darn gan George Lewis, 'Dyledswydd Dynion i Weithredu yn Mhob Peth yn Ystyriol O'u Cyfrifoldeb i'r Duw Mawr.' Yn debyg i Iorwerth, Morris Roberts, Robert Everett a nifer o awduron gwrthgaethiwol eraill a gyhoeddai yn *Y Cenhadwr Americanaidd*, dadleuodd George Lewis yntau fod 'gweithredu yn gydwybodol fel *cristionogion*' yn golygu gweithredu'n gydwybodol 'fel *dinasyddion*.'[37] Ac wrth gwrs roedd hynny'n golygu sichau rhyddid y caethweision drwy bleidleisio dros y *Liberty Party*.[38]

Wrth i'r etholiad nesáu, trôi Robert Everett ddyfroedd y *Cenhadwr* yn fwyfwy at felin 'Plaid Rhyddid.' Ymysg cyfraniadau mis Gorffennaf cafwyd traethawd yn dadansoddi 'Yr Ymgeisyddion am y Llywyddiaeth.' Gan fwrw golwg dros yr ymgeisydd Democrataidd, James K. Polk, ac ymgeisydd y Chwigiaid, Henry Clay, casglodd Robert Everett eu bod ill dau'n hollol annerbyniol: 'Mae y ddau ymgeisydd a enwyd yn gaethfeistri, ac felly y maent yn *egwyddorol* ac yn *ymarferol* yn amddiffynwyr y drefniant gaeth.'[39] Ymgeisydd 'Plaid Rhyddid,' James G. Birney, oedd yr unig un a wrthwynebai'r drefn gaeth, ac felly dadleuodd golygydd y *Cenhadwr* mai Birney oedd yr unig un y gallai Cristion cydwybodol bleidleisio drosto. Gan gydnabod teyrngarwch traddodiadol y Cymry i'r Chwigiaid, pwysleisiodd Robert Everett nad oedd yn hyrwyddo gwleidyddiaeth bleidiol er mwyn y blaid ei hun, ond yn hytrach er mwyn hybu achos moesol hollbwysig:

> Mae Chwiliwr y calonau yn gwybod nad ydym dros un blaid yn fwy nag arall, *yn unig er mwyn plaid*. Ond lle y caffom blaid yn erbyn y gyfundrefn gaethiwol a'i herchyllderau . . . dyna y rhai y dymunai ein calon eu gweled yn llywyddu ein gwlad.[40]

Yn yr un modd, cyfaddefodd mewn ysgrif arall nad hawdd oedd denu Cymry America i rengoedd y blaid newydd. Nododd Robert Everett yn blwmp ac yn blaen mai cefnogaeth ei 'genedl' i'r Chwigiaid oedd prif achos 'Y Gwrthwynebiad i Achos Rhyddid':

> Yr unig achos, tebygaf, fod gwrthwynebiad yn mhlith ein cenedl, y Cymry, i'r achos gawrthgaethiwol gael ymdrin ag ef, yw, am ein bod o

> angenrheidrwydd wrth ymdrin â'r achos hwn yn gorfod myned *yn erbyn pleidiau gwladol,* â'r rhai y mae llawer o'n cenedl wedi ymgysylltu, ac y mae yn anhawdd ganddynt roi i fynu yr hen gysylltiad. Ond y mae y rheidrwydd i fyned yn erbyn y pleidiau hyn yn tarddu oddiar y ffaith anwadadwy mai trwyddynt hwy y mae caethiwed wedi ei gynal yn mlaen hyd yma. . . . . Prawf eglur fod y blaid Whigaidd yn parhau dros gynal y drefniant caethiwol . . . yw mai Caethfeistr a roddir i fynu ganddynt yn awr yn ymgeisydd[.][41]

Yn ogystal â brwydro'n erbyn ceidwadaeth y Chwigiaid Cymreig, bu'n rhaid iddo ateb yr unigolion hynny nad oeddynt yn or-hoff o'r *Whigs* ond a oedd yn poeni y byddai cefnogi'r blaid fechan newydd yn gwastraffu'u pleidleisiau. Er mai safiad 'Plaid Rhyddid' oedd agosaf at eu calonnau, dadl y garfan hon oedd y dylid cefnogi'r Democrat neu'r Chwig a ddeuai'n agosaf at y safiad hwnnw gan mai 'taflu pleidlais i ffwrdd' fyddai pleidleisio dros y drydedd blaid. Ceisiodd Robert Everett fynd i'r afael â'r ddadl hon drwy gyhoeddi ysgrif yn dwyn y teitl 'O Ddau Ddrwg Dewiser y Lleiaf.' Gan fod ymgeiswyr y ddwy blaid fawr yn berchnogion ar gaethweision a chan fod 'caethiwed yn bechod,' dadleuodd na fyddai'n bosibl 'dewis y lleiaf' o'r pechaduriaid hyn ar ddiwrnod yr etholiad.[42]

Dwysaodd yr argraff mai cyhoeddiad pleidiol oedd *Y Cenhadwr Americanaidd* ym mis Awst. Yn ogystal â rhyddiaith a barddoniaeth wrthgaethiwol o fathau eraill, cafwyd yn y rhifyn hwnnw nifer o ysgrifau a oedd yn trafod yr etholiad yn uniongyrchol.[43] Pwrpas dwy ohonynt oedd dangos yn glir – unwaith eto – nad oedd y Democrat James Polk a'r Chwig Henry Clay yn dderbyniol.[44] Yn ogystal, cyflwynwyd darllenwyr Cymraeg â chyfieithiad o erthygl a ymddangosai yn yr *Emancipator & Weekly Chronicle* yn ymfalchïo yn y ffaith fod nifer o ddiddymwyr yn gadael y ddwy blaid fawr er mwyn cefnogi 'Plaid Rhyddid.' Yn wahanol i'r sinigiaid a oedd yn honni mai gwastraffu pleidlais fyddai'r rhai a gefnogai Birney ar ddiwrnod yr etholiad, roedd y cyn-Ddemocratiaid a'r cyn-Chwigiaid hyn 'trwy gydweithrediad doeth [am] sicrhau etholiad Birney . . . ac felly . . . arbed ein gwlad rhag pedair blynedd yn ychwaneg o aflywodraeth y caethfeistri.'[45] Ac yn goron ar hyn oll, ar agor *Y Cenhadwr Americanaidd* ym mis Awst 1844 gwelodd Cymry America erthgyl faith yn egluro 'beth [oedd] golygiadau politicaidd y Blaid newydd.'[46] Roedd i bob pwrpas yn gyfieithiad Cymraeg o faniffesto etholiadol y *Liberty Party*.[47]

Yn y cyfamser, roedd 'mintai fechan' Robert Everett yn tyfu. Fel y gwelwyd yn y bennod ddiwethaf, cafodd nifer o gymdeithasau gwrthgaethiwol Cymraeg eu sefydlu mewn nifer o daleithiau yn ystod blynyddoedd cynnar y 1840au. Gwelwyd hefyd fod Annibynwyr Cymraeg America wedi cryfhau'u cefnogaeth swyddogol fel enwad i Robert Everett yn ystod y blynyddoedd hyn. Dyma brawf pendant fod y sefyllfa wedi newid yn sylweddol rhwng etholiad 1840 ac etholiad 1844. Roedd gan Robert Everett a'i gydymgyrchwyr rwydaith sylweddol bellach, a hwnnw'n cael ei ddefnyddio yn 1844 i gymhathu'r achos gwrthgaethiwol ag ymgyrch etholiadol Plaid Rhyddid. Os oedd y Chwigiaid wedi poeni yn 1840, roedd eu gofid yn fwy o lawer yn 1844.

Gan fod Robert Everett yn cyhoeddi cymaint o ddeunydd o blaid y *Liberty Party*, troes y Chwigiaid Cymreig hwythau at y wasg argraffu ar drothwy etholiad 1844. Ceir ymysg olion yr ymgyrch hon bamffled a gyhoeddwyd gan *Whig* Cymreig a arddelai'r ffugenw 'Phineas.' Mae teitl y bamffled fer hon yn ddadlennol iawn: *Caethwasanaeth Americanaidd, a'r Gwrthgaethiwedyddion Politicaidd.*[48] Sylwer mai dau beth sydd dan sylw yma; bwriad 'Phineas' oedd gwahaniaethu rhwng y pwnc cyffredinol ('Caethwasanaeth Americanaidd') a'r diddymwyr hynny a oedd yn gweithredu'n wleidyddol o blaid y *Liberty Party* (y 'Gwrthgaethiwedyddion Politicaidd').

Nid oedd yn gwestiwn hawdd i'r Chwigiaid ychwaith; yn wir, roedd dadleuon mewnol ynglŷn â chaethwasanaeth yn dechrau rhwygo'r blaid fawr honno. Mae haneswyr yn galw'r Chwigiaid gwrthgaethiwol yn *'conscience Whigs'* tra'u bod yn arddel y term *'cotton Whigs'* ar gyfer y Chwigiaid deheuol hynny a oedd yn cefnogi'r drefn gaeth.[49] Pwy bynnag oedd 'Phineas,' mae'n amlwg ei fod yn un o'r 'Chwigiaid cydwybodol'; ymosododd ar y drefn anfoesol yn y rhagymadrodd i'w bamffled, a hynny heb flewyn ar ei dafod:

> Mae yr awdwr yn tystio ger bron ei Farnwr, ei fod yn cashau y gaethwasanaeth trwy'r byd a chas cy[f]lawn, yn cyd-ymdeimlo a'r caethyn gorthrymedig yn ei gadwynau poenus, ac yn hiraethu ac yn awyddu am ei waredigaeth fuan[.][50]

Nid dadlau o blaid caethwasaneth oedd y Cymro Americanaidd hwn felly, eithr dadlau'n erbyn y rhai a fynnai ddenu Cymry gwrthgaethiwol o'r Chwigiaid i 'Blaid Rhyddid.'

> Caniateir yn gyffredinol fod caethwasanaeth yn gam digyffelyb ag iawnderau . . . a dylid collfarnu y cyfryw drais gyda'r ffieidd-dra eithaf. . . . . Nid oes dim dadl . . . am *ddrygedd* y gaethwasanaeth, am y *llwybr* goreu . . . y mae'r ddadl. . . . . [Y] pwngc mewn dadl . . . yw, pa fodd i ymlwybro er cyflawni ein dyledswydd priodol ni dan yr holl

> amgylchiadau tuag at y gaethwasanaeth.[51]

Daw canolbwynt ei ddadl wedyn wrth i'r Chwig cymhedrol hwn fynd rhagddo i ddadlau'n erbyn 'llwybr y gwrthgaethiwyr politicaidd.' Gweithio oddi mewn i'r hen drefn wleidyddol oedd yr unig strategaeth resymol yn ôl Phineas, ac yn nhermau gwleidyddiaeth Cymry America roedd hynny'n golygu un peth – parhau i bleidleisio dros y Chwigiaid.

Nid pamffled Phineas oedd unig ymdrech y Chwigiaid i hawlio troedle gwleidyddol oddi mewn i wasg Gymraeg America; ymddangosodd eu 'papur,' *Seren Oneida*, ar 22 Hydref 1844. Ond yn wahanol i'r bamffled, nid yw'r cyhoeddiad hwn wedi goroesi, ac ni wyddom i sicrwydd sawl rhifyn a ddaeth o'r wasg. *Stunt* propagandyddol yn cogio'i fod yn bapur newydd oedd *Seren Oneida*. Gan fod yr etholiad yn dod y mis Tachwedd hwnnw, fe ymddengys fod Chwigiaid swydd Oneida wedi penderfynu ariannu pamffled arall a'i galw'n 'bapur' gan ei chyhoeddi ychydig o wythnosau cyn yr etholiad er mwyn dylanwadu ar y bleidlais.[52] Er nad yw *Seren Oneida* ei hun ar gael bellach, mae'n bosibl ail-greu llawer o gynnwys y cyhoeddiad coll hwn gan fod cefnogwyr Robert Everett wedi dyfynnu'n helaeth ohono wrth ateb ei gyhuddiadau. Cyhoeddodd Mathias Phillips lythyr yn *Y Cenhadwr Americanaidd* yn amddiffyn golygydd y cylchgrawn ac aeth un arall o gefnogwyr Robert Everett ati i gyhoeddi'i 'bapur' propagandyddol ei hun er mwyn gwrthbwyso 'enllib' y *Seren*, sef *Haul Oneida*.[53] Ni wyddom ychwaith enw golygydd (ac unig awdur?) *Haul Oneida*, ond arddelai'r ffugenw 'Mortimer.' Pwy bynnag oedd y Cymro hwn, pwysleisiodd y ffaith nad golygydd y *Cenhadwr* ydoedd; yn hytrach na defnyddio gwasg deuluol yr Everettiaid cyhoeddodd 'Mortimer' ei bamffled ar wasg H. H. Curtiss yn Remsen.[54]

Gan gofio felly ein bod ni'n gorfod dibynnu'n gyfan gwbl ar y modd y dyfynnwyd o *Seren Oneida* gan gefnogwyr Robert Everett, gallwn graffu ar y dystiolaeth sydd gennym ynglŷn â chynnwys y cyhoeddiad Chwigaidd hwn. Gwyddom mai Cymro o Utica o'r enw David E. Morris oedd unig awdur – a golygydd, mae'n debyg – y *Seren*. Dyma ddisgrifiad *Haul Oneida* o'i waith:

> Ychydig fisoedd yn ol, ymddanghosodd ysgrif mewn rhyw bapur bychan or enw 'Seren Oneida,' ac enw y gwr uchod oddi tani; yn mha un yn fwy nac mewn un ysgrif a welais erioed, y gwneir arddanghosiad cyhoeddus o *impudence*, digywilydd[-]dra ac anwybodaeth: mae yn ddiamau fod yr ysgrif hon wedi cael ei hel at ei gilydd dan deimladau tra chynhyrfiol; gellir canfod hynnu yn dra

> amlwg wrth sylwi ar ddyll didrefn ei chyfansoddiad: pan y mae dyn wedi syrthio i ysbryd brwnt, direol, a checrus, y mae yn llawn mor anaddas i *ysgrifenu* yn gyhoeddus ac ydyw i lefaru yn gyhoeddus.[55]

Mae awdur yr *Haul* yn cyfeirio yma at ddau gyfrwng ieithyddol, 'ysgrifennu yn gyhoeddus' (sef cyhoeddi) a 'llefaru yn gyhoeddus.' Tybed felly a oedd David E. Morris yn un o drefnwyr y cyfarfodydd cyhoeddus hynny a fu'n fodd i Chwigiaid swydd Oneida enllibio'r Parch. Everett a'i ddilynwyr? Mae'r frawddeg hon hefyd yn dwyn i gof y modd yr aeth Robert Everett ei hun ati i amddiffyn ei weithredoedd ef; cyfeiriodd y diddymwr yntau at 'wasanaeth y tafod' a gallu'r 'bysedd [i] ysgrifennu' adeg y gwrthryfel yng Nghapel Uchaf, fel y gwelwyd yn y bennod ddiwethaf. Brwydro dros feddyliau a chalonnau Cymry America oedd Robert Everett a'i elynion fel ei gilydd, a chynhyrchion iaith – yn ysgrifenedig, yn brintiedig ac ar lafar – oedd eu prif arfau yn y frwydr honno.

Ar ôl iddo drafod ansawdd a chywair *Seren Oneida* yn y modd hwn, â awdur yr *Haul* rhagddo i ddisgrifio agenda'r cyhoeddiad: 'Mae yn ddiamau mae prif amcan yr awdwr yn ei ysgrif ydoedd drwgliwio y blaid wrthgaethiwol, er mwyn tynu rhai o honunt i blaidleisio dros Henry Clay [sef ymgeisydd arlywyddol y Chwigiaid].'[56] Yn ôl yr *Haul*, roedd y *Seren* wedi ymosod ar gyfaill Robert Everett, Alvan Stewart, gan ddweud ei fod 'yn enllibo ei well' mewn cyfarfodydd cyhoeddus, ac ystyr y cyhuddiad hwnnw oedd bod Stewart, wrth hyrwyddo'r *Libery Party*, wedi beirniadu Henry Clay. Ymosododd y *Seren* ar Richard T. Jones hefyd; roedd y diddymwr hwn wedi cyhoeddi ysgrif yn *Y Cenhadwr Americanaidd* yn ceisio darbwyllo'r Chwigiaid Cymreig mai pleidleisio 'dros Ryddid' – a thros y *Liberty Party* – oedd yr unig ddewis moesol.[57]

Nid dyna'r cwbl a oedd yn poeni'r Chwig a gyhoeddodd *Seren Oneida*, David E. Morris. Yn ôl awdur yr *Haul*:

> Mae D. E. Morris yn cwyno fod y gweinidogion wedi myned yn *boliticians*; yn awr gadewch ini ymholi ychydig i'r pwnc hwn. Wrth fod yn *boliticians* y meddylia ein hawdwr eu bod yn dal cysylldiad ar Liberty party, ac yn anog y bobl i blaidleisio dros James G. Birney[.][58]

Noder mai'r enw lluosog 'gweinidogion' a geir yma; safai llawer o weinidogion eraill ei enwad – yn ogystal â rhai Methodistiaid a Bedyddwyr – ochr yn ochr â Robert Everett yn ystod y blynyddoedd anodd hyn. Ar y llaw arall, mae'n amlwg fod cyfran sylweddol o'r *Seren* wedi'i neilltuo er mwyn ymosod yn uniongyrchol ar y Parch. Everett. Gan ddyfynnu'r *Haul* eto:

> Yn awr caf ymdrin ychydig ar rhan hono o'r ysgrif sydd yn dal perthynas uniongyrchol ar Parch. Robert Everett. Rwy'n barod i synu, fod y fath fudreddi drewedig wedi cael ei chwdu ger bron y cyffredin trwy yr argraffwasg yn yr iaith Gymraeg yn erbyn gwr o nodweddiad crefyddol Mr. Everett! Gwr ac sydd yn sefyll ger bron y byd ar eglwys yn ddifrycheulud ac yn ddiargyhoedd.[59]

Beth oedd union natur yr holl 'fudreddi drewedig' yma? Ceir yn yr *Haul* nifer o ddyfyniadau uniongyrchol sy'n ein helpu wrth ailgreu'r modd yr aeth y Chwig ati i bardduo Robert Everett mewn print.

> Sylwaf ar ychydig o ddywediadau D. E. Morris mewn perthynas i Mr. Everett. Yn gyntaf ei fod "wedi dwyn gwarth ar ei genedl!!" . . . . *anwiredd noethlymun* ydyw yr haeriad; haeriad yn unig ydyw heb gymaint a thrwch blewyn o brawf. . . . . Attolwg, sir, Pa beth yw y gwarth a ddygodd ar ei genedl? Fe allai fod bod yn un or gwrthgaethi-wedyddion yn warth yn eich barn chwi; fe allai fod rhoddi ein pleidlais i James G. Birney yn warth yn eich golwg chwi; fe allai fod cofio y caethwas mewn gweddi ger bron Duw ar gynulleidfa yn warth yn eich golwg chwi[.] . . . . ond mae gwahaniaeth dirfawr rhwng *bod* yn warthus mewn gwirionedd, a chael ein galw felly gan D. E. Morris.[60]

Mae ymateb awdur yr *Haul* i'r cyhuddiad hwn yn faith ac yn fanwl (ac ni ddyfynnir ond ychydig ohono uchod). Wedi troi geiriau'r Chwig y tu chwith allan a chasglu mai D. E. Morris yw'r un sydd 'wedi dwyn gwarth ar ei genedl' yn America, mae amddiffynnwr Robert Everett yn cloi'r rhan hon o'i ysgrif drwy gyfeirio'n uniongyrchol at y ffaith mai'r iaith Gymraeg oedd cyfrwng yr ymryson hwn: 'Mae yn gysur genyf feddwl nad ysgrifenwyd y fath gybolfa ddisynwyr yn yr iaith Saesoneg; onide buasem yn sport ir wlad?'[61]

Ar un olwg, nid mor hawdd oedd wfftio ail gŵyn y Chwig Cymreig hwn; dywedodd am Robert Everett mai 'Efe yw yr achos yn ddiau o'r anghydfod mwyaf a fu erioed yn ein plith fel cenedl yn yr Ardal hon.'[62] Yn wir, mae'r hyn a wyddom am ymgyrch Robert Everett yn ystod y 1840au cynnar yn cefnogi geiriau David Morris. Mewn mesur na ellir ei ddehongli ond fel beirniadaeth ar Annibynwyr Cymraeg swydd Oneida, roedd Methodistiaid Calfinaidd Cymraeg yr ardal wedi datgan eu bod 'yn gwrthod rhoddi ein capelau i'r gwrthgaethiwyr politicaidd.'[63] Ymadawodd aelodau o gapeli Robert Everett ei hun gan gwyno'i fod yn 'pregethu *politics* ar y Sabboth,' a cheid cyfarfodydd gwleidyddol tymhestlog a oedd ar brydiau'n bygwth troi'n dreisgar. Roedd tŷ'r Cymry wedi'i rannu'n ei erbyn ei hun i raddau helaeth iawn, a'r Parch. Everett yn anad neb oedd yn gyfrifol am esgor ar yr 'anghydfod' hwn. Felly nid gwadu'r cyhuddiad a wnaeth awdur yr *Haul*, eithr edrych arno o ongl foesol arall:

> pan ddaeth Crist i wlad Judea, a dechreu llefaru yn erbyn pechodau yr Iddewon, mae yn ddiamau eu bod or un farn am dano, ac ydyw D. E. Morris am Mr. Everett; sef mae efe ydoedd yr achos or *anghydfod* mwyaf a fu erioed yn eu plith fel cenedl[.][64]

Nid dyma'r awdur cyntaf i gydnabod statws Robert Everett fel arweinydd diddymwyr Cymreig America, ac yn ystod yr hanner canrif nesaf byddai nifer sylweddol o awduron Cymraeg eraill yn dyfeisio'u ffyrdd eu hunain o dalu teyrnged iddo mewn print. Ond rhaid mai hwn yw'r mwyaf beiddgar o'r holl ddisgrifiadau canmoliaethus ohono a gyhoeddwyd yn ystod y bedwaredd ganrif ar bymtheg. Lluniodd awdur yr *Haul* gymhariaeth rhwng cenhadaeth Iesu Grist yn Jwdea ag ymgyrch Robert Everett i radicaleiddio Cymry America, ac yn ogystal â chanmol y diddymwr yn y fath fodd roedd y strategaeth rethregol hon yn gofyn i ddarllenwyr weld tebygrwydd rhwng y Chwig David Morris a'r anghredinwyr a oedd yn erlid yr Iesu.

Ym marn awdur yr *Haul* roedd llawer o gyhuddiadau David E. Morris yn rhy wirion i haeddu ateb; roedd eu dyfynnu ar eu pennau eu hunain heb drafodaeth yn ddigon i ddangos hynny. Er enghraifft, roedd y mwd a daflasai'r Chwig at Robert Everett ar dudalennau *Seren Oneida* yn cynnwys gosodiadau fel 'Nis Gall Ddarllen Penod Heb Weled Yn Ei Feddwl Globyn o Ddyn Ddu!!' ac 'Pe Bai Y Fath Beth Yn Bod A'i Fod Yn Cael Ei Gyffes Ffydd, Mae'n Debyg Mae Politics Fyddau y Rhan Fwyaf O'r Cyfryw!!'[65] Er mai dyma oedd y tro cyntaf i'r cyfryw bethau gael eu dweud am Robert Everett mewn print, bu gwrthwynebwyr y diddymwyr yn taflu'r math yma o fwd ers blynyddoedd lawer; roedd y gwrth-ddiddymwyr yn hoff o'u darlunio fel pobl 'wallgof' yr oedd y 'dyn du' yn obsesiwn ganddynt. Dengys y dyfyniadau hyn fod David Morris wedi cwestiynu crefydd Robert Everett hefyd; awgrymodd fod y gweinidog yn ystumio moddion ymarferol ei gapel ('cyffes ffydd') yn ogystal â'r Beibl ei hun ('darllen pennod') er mwyn hyrwyddo diddymiaeth.

Gellid gweld yr ymrafael rhwng cyhoeddiad byrhoedlog D. E. Morris a chyhoeddiadau Robert Everett a'i gefnogwyr fel ymgiprys oddi mewn i fyd y wasg Gymraeg am feddyliau a chalonnau Cymry America. Ac wrth gwrs roeddynt hefyd yn ymgiprys am rywbeth diriaethol iawn, sef pleidleisiau'r Cymry yn etholiad 1844. Roedd David E. Morris ymysg hoelion wyth y Chwigiaid yn ninas Utica, ac felly rhaid gweld *Seren Oneida* a'r ymateb iddo fel rhan o'r frwydr etholiadol leol a ymleddid yn swydd Oneida y flwyddyn honno. Er bod y ddau gyhoeddiad wedi'u dosbarthu mewn cymunedau Cymraeg eraill yn yr Unol Daleithiau hefyd, tystia'r ddau deitl – *Seren Oneida* a *Haul Oneida* – i'r ffaith eu bod wedi'u gwreiddio'n gyntaf oll ym myd gwleidyddol y swydd honno.[66]

Tra oedd Chwigiaid Cymreig Utica a'r pentrefi cyfagos yn ymosod ar Robert Everett ar lafar ac mewn print, ysgrifennodd Mathias Phillips lythyr at *Y Cenhadwr Americanaidd* yn cynnig cysur i'w olygydd: 'Na ddigalonwch, frawd Everett, Cofiwch y mae mwy o'ch tu nag sydd yn eich erbyn.'[67] Maentumiodd fod y *Cenhadwr* 'yn fendith *anmhrisiadwy* i'r Cymry yn y wlad hon,' a sicrhaodd ei olygydd fod ganddo gefnogaeth: 'Byddwch ddiysgog – mae genych frodyr yn Ohio o'r un ysbryd a golygiadau.'[68] Bedyddiwr oedd Mathias Phillips, a dyma felly enghraifft arall o'r gefnogaeth gydenwadol a ddeuai i ran Robert Everett yn achlysurol yn ystod y cyfnod anodd hwnnw.

Eto, er bod pob cylchgrawn enwadol Cymraeg yn yr Unol Daleithiau wedi collfarnu caethwasanaeth mewn modd digamsyniol, gresynodd y Bedyddiwr o Ohio nad oeddynt un ac oll yn mynegi cefnogaeth i Robert Everett yn ystod helyntion 1844. Roedd misolyn y Methodistiaid Calfinaidd a'i olygydd William Rowlands wedi aros yn boenus o ddistaw yn ôl Mathias Phillips: 'Pa le mae fy nghyfaill Rowlands sydd yn cyhoeddi "Cyfaill o'r Hen Wlad?" A ydyw y "Cyfaill" . . . ddim i fod yn Gyfaill i iawnderau dynion, a Chyfaill i Blaid Rhyddid?'[69] Nid gweld brycheuyn yn llygaid eraill yn unig yr oedd y Bedyddiwr hwn ychwaith; bu'n rhaid iddo feirniadu misolyn newydd sbon ei enwad ei hun hefyd: 'A pha le y mae "Seren Orllewinol" i oleuo y Bedyddwyr, mewn perthynas idd eu dyledswydd fel dinasyddion i roddi eu pleidlais o du rhyddid?'[70] Sylwer ar ei union eiriau; nid oedd *Y Cyfaill o'r Hen Wlad* a'r *Seren Orllewinol* yn cefnogi caethwasanaeth o gwbl, ond nid oedd y ddau fisolyn – a'r ddau enwad yr oeddynt yn eu gwasanaethu – yn cefnogi Robert Everett a'i ymgyrch i hybu 'Plaid Rhyddid' yn ystod yr etholiad. Ond er gwaetha'r ffaith nad oedd yr enwadau eraill yn cynnig cefnogaeth swyddogol i Robert Everett, nid Mathias Phillips oedd yr unig Fedyddiwr i gymryd rhan yr Annibynnwr.[71] Cyfrifid ambell Fethodist ymysg ei gefnogwyr hefyd.[72]

Yn ogystal â derbyn y gefnogaeth gydenwadol hon, cafodd Robert

Everett ychydig o gefnogaeth draws-bleidiol hefyd. Ysgrifennodd Cymro o Ebensburgh, Pennsylvania, lythyr hynod arwyddocaol at olygydd *Y Cenhadwr Americanaidd* ar 27 Rhagfyr 1844 (sef ar ôl yr etholiad arlywyddol). George Owen oedd enw'r llythyrwr hwn, ac roedd yn Chwig selog a oedd wedi pleidleisio dros ymgeisydd ei blaid ef, Henry Clay, y mis Tachwedd hwnnw. Ond er gwaethaf ei deyrngarwch pleidiol, roedd George Owen yn ffieiddio ymddygiad y Chwig hwnnw a oedd yn gyfrifol am *Seren Oneida*, ac roedd am sicrhau Robert Everett – a darllenwyr y *Cenhadwr* – fod agendor rhwng y *Whig* ymosodol hwnnw a'r rhan fwyaf o Chwigiaid Cymreig y wlad:

> Yr wyf wedi darllen ysgrif fy hen gyfaill D. E. Morris, mewn papyryn sy'n cael ei alw "Seren Oneida," fwy nag unwaith. Ac er fy mod i a Mr. M. (mae yn debyg) yr un farn am Mr. Clay, mor belled ag i ni bleidleisio drosto yr etholiad diweddaf, ac er fy mod wedi ffaelu cydweled â fy mrawd, y parchedig Mr. Everett, mewn rhai pethau perthynol i Mr. Clay, nid yw hyn . . . yn profi fod Mr. E. yn camgymeryd . . . . Yr wyf yn rhyfeddu na buasai dychryn ar Mr. M. rhag cyffwrdd a chanwyll llygad yr Hollalluog, wrth geisio gwaradwyddo hen weinidog, ag yr wyf yn ei ystyried y mwyaf parchus a defnyddiol sydd yn mysg y Cymry yn America. Mae amryw o'r Cymry yn y sefydliad yma wedi tramgwyddo peth wrth Mr. E. oblegid ei wrthwynebiad i Clay, ond nid wyf wedi siarad â neb o honynt (er fy mod wedi siarad â llawer o honynt ar y pwnc) nad ydynt yn beio yn fawr ar Mr. M. a'r rhan fwyaf o honynt yn cydymdeimlo yn fawr â Mr. E., oblegid yr erledigaeth (ni allaf roddi gwell enw arno) mae yn ei ddyoddef.[73]

Ceir tystiolaeth sy'n dangos bod nifer o Chwigiaid Cymreig a fuasai'n derbyn *Y Cenhadwr Americanaidd* wedi canslo'u tanysgrifiadau yn 1844 oherwydd yr holl bropaganda o blaid y *Liberty Party* yr oedd Robert Everett yn ei gyhoeddi'r flwyddyn honno. Ac felly gofynnodd y Chwig caredig hwn i'r darllenwyr aros yn ffyddlon i'r cylchgrawn: 'Gobeithio y bydd i chwi, ddarllenwyr y Cenhadwr, gydymdeimlo â'i Olygydd dan ei brofedigaethau, gweddio drosto yn aml, cynal ei freichiau, a pharhau i dderbyn y Cenhadwr[.]'[74] Awgryma llythyr George Owen mai eithafwyr penboeth oedd David E. Morris a'r Chwigiaid Cymreig eraill yn swydd Oneida a fuasai'n pardduo Robert Everett ar lafar ac mewn print. Dywed hefyd fod llawer o Chwigiaid Cymreig yn gefnogol iawn i ymgyrch Robert Everett erbyn 1844 er nad oeddynt eto wedi mynd mor bell ag i gefnu ar eu plaid ddiwrnod yr etholiad. Roedd y Chwigiaid yn bell o fod yn unffurf; gwelsom eisoes fod rhwyg rhwng y *conscience Whigs* a'r *cotton Whigs* wedi dechrau agor, ac ymhen deng mlynedd byddai'r rhwyg hwnnw'n chwalu'r blaid yn gyfan gwbl. Erbyn canol y 1850au byddai'r rhan fwyaf o'r Chwigiaid Cymreig yn fodlon ymadael â'u hen blaid a phleidleisio gyda Robert Everett, a gwelwn arwyddion cynnar o'r trawsffurfiad gwleidyddol hwnnw yn y gefnogaeth draws-bleidiol a gafodd ar ddiwedd 1844.

Atebodd Robert Everett yntau ei gyhuddwyr ar dudalennau *Y Cenhadwr Americanaidd* fis ar ôl ymddangosiad *Seren Oneida*. Yn debyg i awdur *Haul Oneida*, a gyfaddefodd fod golygydd y *Cenhadwr* wedi creu 'anghydfod' cyn troi'r cyhuddiad hwnnw ar ei ben, cyfaddefodd y Parch. Everett ei fod yn pregethu yn erbyn caethwasanaeth o'r pulpud.

> Dygir cyhuddiad y dyddiau hyn trwy y wasg yn erbyn Golygydd y *Cenhadwr* dan ei enw, ei fod yn "pregethu *Politics* ar y Sabboth." . . . . Y mae yn cydnabod yn rhwydd ei fod yn pregethu ar bechadurusrwydd gorthrymder ar y Sabboth . . . . ac y dylai pob dyn, cristionogion a phawb ereill, ddefnyddio eu holl ddylanwad a gwneud a allont yn mhob dull heddychol a chyson a'r efengyl, o blaid y gorthrymedig . . . . Y mae yn pregethu ar y Sabbath fod y caethiwed Americanaidd yn bechod ysgeler yn erbyn Duw – yn ffieidd-dra cywilyddus – ac yn gamwedd eglur yn erbyn dynion a grewyd ar ddelw Duw.[75]

Ychwanegodd mewn print bras ar ddiwedd yr ysgrif fer hon fod aelodau'i gapeli ef yn gefnogol i'r math yma o bregethu: 'EI GYNULLEIDFA OLL YDYNT EI DYSTION O'R PETHAU HYN.'[76] Dechreuasai Robert Everett radicaleiddio'i ddau gapel ei hun yn Steuben ddiwedd y 1830au cyn ymdaflu i wleidyddiaeth 'Plaid Rhyddid' yn swydd Oneida a chyn dechrau defnyddio'i wasg argraffu er mwyn cyrraedd Cymry ar draws yr Unol Daleithiau. Gan ei fod wedi colli'r aelodau hynny a geisiasai godi'n ei erbyn yng Nghapel Uchaf, roedd 'ei gynulleidfa' bellach yn sefyll yn gadarn y tu ôl iddo.

Ceir yn yr un rhifyn o'r *Cenhadwr* ysgrif fer arall gan Robert Everett yn ateb ei wrthwynebwyr, ond ymosodiad a wneid ar lafar yng 'nghyfarfodydd politicaidd' Chwigiaid swydd Oneida sydd dan sylw y tro hwn. 'NID YW FELLY' yw'r teitl syml a roddodd golygydd y *Cenhadwr* ar yr amddiffyniad hwn, a'i holl bwrpas oedd ateb y cyhuddiad enllibus ei fod wedi cael tâl i ymgyrchu o blaid y *Liberty Party*:

> Rhai a ddywedant mai budr elw sydd yn peri i ni ddadleu dros achos y caethwas . . . Clywsom flynyddau yn ol bethau cyffelyb; ond ni

wnaethom sylw o honynt, ac nis gwnaem yn awr oni bai ein bod yn ofni i'r dywediad enllibus wneud niwed i'r achos ag y mae ei lwyddiant yn agos at ein calon. Yr ydym yn tystio yn ddifrifol, ger bron yr Hwn a wyr bob peth, nad ydym wedi derbyn dim nac yn dysgwyl derbyn un ddolar nac un *cent* am ddim a wnaethom erioed yn yr achos hwn. Yr ydym wedi dysgwyl gwawd a dirmyg lawer tro, o herwydd ein hymlyniad wrth achos a ddirmygir gan lawer; ac y mae hyny yn dyfod i'n rhan i raddau y dyddiau hyn, yn nghyd a cholledion arianol hefyd, mewn amryw ffyrdd. Ond y mae meddu cydwybod ddirwystr yn ein mynwes tuag at Dduw a dynion yn fwy na gorbwyso y cyfan; ac y mae ein gobaith, er yn wan, o gael bod ryw ddiwrnod gyda'r dyrfa hono ag y dywed y Barnwr wrthynt, "Yn gymaint ai wneuthur o honoch i un o'r rhai hyn, fy mrodyr lleiaf, i mi y gwnaethoch."[77]

Anaml iawn yr âi Robert Everett ati i ateb ei gyhuddwyr yn gyhoeddus, ffaith sy'n dangos mor ddifrifol oedd y sefyllfa adeg etholiad 1844. Yng ngeiriau un o'i gyfeillion, y Parch. J. R. Griffith, 'Cafodd ei wawdio, ei erlid, a'i anmharchu, yn ei enw a'i feddianau, am hyny, ond safodd yn wrol dros iawnderau y caeth.'[78]

Nid geiriau oedd unig gyfrwng y gwawd a ddaeth i ran Robert Everett yn 1844. Byddai'i ferch Mary yn cofio'r digwyddiad flynyddoedd lawer yn ddiweddarach:

A ydych yn cofio amgylchiadau cneifiad neu yn hytrach haciad mwng a rhawn cynffon ei geffyl? Yr ydoedd oddeutu amser penodiad Mr. Birney i redeg am y Llywyddiaeth yn y flwyddyn 1844. Aeth i bregethu ar noson waith [mewn] ysgoldy . . . . A chan fod ei fywyd wedi cael ei fygwth o'r blaen, yr oeddym yn ofni iddo i fentro myned ei hunan. Felly aeth fy mrodyr John a Robert gydag ef. Ei destyn ydoedd, 'Agor dy enau dros y mud yn achos holl blant dinystr.' Wrth fyned i ymofyn y ceffyl ar ol y cyfarfod, cawsant y creadur truan wedi ei anffurfio. Rhaid mai â chyllell y gwnaed hyny, oblegid yr oedd amryw doriadau yn ei gnawd. Yr oedd y nos yn dywyll, a chan feddwl y gallai fod yr *harness* wedi ei gwneuthur yn anniogel, ac y gallai hefyd yr ymosodid arnynt ar y ffordd, ildiasant i gymelliadau taer cyfeillion i aros hyd y boreu. Nid anghofiaf byth ein cymysg deimladau y boreu hwnw o lawenydd a diolchgarwch am eu dychweliad diogel, ac o ddigllonedd wrth weled y toriadau yn nghnawd, a'r anurddiad a wnaethid ar ein merlyn bychan[.][79]

Yn debyg i'r modd y mae Efnysien yn anffurfio ceffylau brenin Iwerddon yn Ail Gainc y Mabinogi, roedd gwrthwynebwyr Robert Everett wedi ymosod ar ei geffyl â chyllell gan dorri 'ymaith ei fwng . . . a'i gynffon.'[80] A'r un oedd y nod, sef gwneud perchennog y ceffyl yn gyff gwawd. Mae'n bosibl mai hen sarhad Cymreig traddodiadol oedd hwn, ond troswyd y cyfan yn llysenw Americanaidd cyfoes wrth i ferlyn yr Everettiaid ennill yr enw *'Bobtail Birney'* ar lafar gwlad swydd Oneida.[81]

Bid a fo am y 'Birney' arall hwnnw, ni ddaeth James G. Birney yn agos at ennill yr etholiad arlywyddol ym mis Tachwedd 1844. Gallai Robert Everett a'i gydymgyrchwyr ymfalchïo mewn llwyddiant o fath gan fod y *Liberty Party* wedi cynyddu'i phleidlais yn sylweddol yn nhalaith Efrog Newydd: 15,812 o bleidleisiau a ddaeth i'w rhan yn 1844, dros ddwbl y 7,000 a gawsai Birney yn y dalaith yn etholiad 1840.[82] Ar y llaw arall, nid oedd 'Plaid Rhyddid' wedi ennill ond 62,197 o bleidleisiau yn yr holl daleithiau, sef tua 2.3 y cant o'r cyfanswm cenedlaethol. Eto, cafodd y cynnydd yn nhalaith Robert Everett effaith hollol dyngedfennol ar ganlyniad yr etholiad. Roedd y pleidleisiau a enillodd Birney ar draul Clay a'r Chwigiaid yn Efrog Newydd yn ddigon i roi'r dalaith allweddol honno i ymgeisydd y Democratiaid, Polk. Ac yn system 'coleg etholiadol' *(electoral college)* yr Unol Daleithiau, roedd ennill Efrog Newydd yn ddigon i droi'r holl fantol genedlaethol o blaid Polk. Gallwn gasglu gyda doethineb trannoeth felly fod y Chwigiaid yn iawn am un peth pwysig: roedd y drydedd blaid yn fygythiad difrifol iddynt. Drannoeth yr etholiad ei hun, cyhoeddodd Robert Everett ysgrif fer yn *Y Cenhadwr Americanaidd* yn dadansoddi'r canlyniadau. Nododd yn goeglyd fod 'James K. Polk, caethfeistr o Tennesee' wedi'i ethol yn arlywydd 'er mai gwlad rydd y gelwir ein gwlad.'[83]

O ystyried yr holl wrthwynebiad i 'Blaid Rhyddid,' roedd golygydd y *Cenhadwr* yn falch fod ei blaid wedi gwneud cystal:

> Yr oedd sefyll tir, heb leihad, yn y fath amser a than y fath ddylanwadau ag a ddefnyddiwyd y flwyddyn hon, yn brawf fod yr egwyddorion yn gafaelu yn gadarn yn meddyliau rhai degau o filoedd o fewn ein gwlad.[84]

Roedd ymateb *Haul Oneida* i'r etholiad yn fwy buddugoliaethus o lawer. Nid oedd *Seren Oneida* ac ystrywiau eraill y Chwigiaid Cymreig wedi llwyddo: 'Arferwyd pob moddion dichellgar er ein cael i roddi i fynu ein hachos a'n plaid, a rhoddi ein pleidlais i Henry Clay [a'r Chwigiaid.]'[85] Ond roedd diddymwyr gwleidyddol swydd Oneida wedi aros yn ffyddlon i 'Blaid Rhyddid,' ac felly anerchodd awdur yr *Haul* ei gydymgyrchwyr gyda llawenydd:

> Anwyl Frodyr a Chwiorydd – y mae genym achos i orfoleddu a llawenychu wrth feddwl ein bod wedi sefyll mor ddiysgog yn y cynhyrfiad *politicaidd* sydd wedi myned heibo; pa un ydoedd fel rhyw weilgi ofnadwy yn ysgubo pob peth o'i flaen. Yr ydoedd llawer o'n gelynion yn gobeithio, a llawer o'n cyfeillion yn ofni, y buasai ein hachos ieuanc yn cael ei ysgubo o flaen y weilgi ruthredig i dir angof, ac na chlywid son am danom byth mwy; ond erbyn heddyw y mae'r diliw wedi myned heibio; mae'r llifogydd rhuadwy wedi sychu i fynu; ac nid oes dim yn aros ond y mwd ar baw, ac ambell i hen *log* wedi ei gario gan y llif ddyfroedd o'i gysefin goedwig, ac wedi ei adael yn unig ac yn ddigwmpeini ar y gwastadoedd draw. Ond pa le mae'r *Liberty Party*? . . . . A glywyd dim yn eu chylch ar ol y rhyferthwy ofnadwy? Do, do! paid ac ofni frawd, mae pob peth yn iawn; mae ein brodyr wedi dal eu tir yn well nac yr oedd llawer o honom yn meiddio gobeithio[.]

Er mai ymrafael rhwng y ddwy blaid fawr, y Democratiaid a'r Chwigiaid, oedd y gystadleuaeth ar y lefel genedlaethol, gornest rhwng y *Whigs* a'r *Liberty Party* oedd yr etholiad ar lefel leol cymunedau Cymraeg swydd Oneida. Chwalu adain Gymreig y *Liberty Party* yn gyfan gwbl oedd bwriad y Chwigiaid wrth bardduo Robert Everett a'i ddilynwyr ar lafar ac mewn print, ond nid oedd y strategaeth honno wedi llwyddo. Ac felly roedd cyfaill di-enw'r Parch. Everett yn ymffrostio'n fawr yn y ffaith eu bod nhw wedi amddifadu'r Chwigiaid yn Efrog Newydd – ac felly'n genedlaethol hefyd – o'r fuddugoliaeth yn 1844:

> Y mae y rhôd wedi troi erbyn heddyw ar y whigs! yr oeddynt dri mis yn ol yn swagro yn ddigon pen-uchel, a'r abolitionists druain yn gorfod troi o'r llwybr rhag cael eu taro; . . . Ond erbyn heddyw mae pethau wedi cyfnewid, mae yr ucheldrem wedi dod i lawr; cewch eu gweled yn cerdded yn araf deg, au gwynebau yn hirllaes, a gall un abolitionist yn y wlad gael haner y llwybr[.][86]

Fel arfer, cyhoeddodd Robert Everett 'Anerchiad' i ddarllenwyr *Y Cenhadwr Americanaidd* ar ddiwedd y flwyddyn. Ac o ystyried yr holl adfyd a ddaeth i'w ran yn 1844, nid yw'n syndod ei fod wedi cynnwys cyfeiriad annodweddiadol o bersonol. Cyfaddefodd fod helyntion y flwyddyn wedi '[rhoi c]lwyf dyfnach ar ein meddwl na nemawr ddim o'r cyfryw natur a'n cyfarfu erioed o'r blaen.'[87] Ond er gwaethaf dyfnder y clwyf hwnnw, dywedodd y byddai'n parhau i ymdrechu gan weddïo 'am gymorth i sefyll o hyd dros egwyddorion cywir.'[88]

NODIADAU

[1] *Emancipator*, Ionawr 1840.

[2] John Stauffer, *The Black Hearts of Men [:] Radical Abolitionists and the Transformation of Race* (Cambridge [Massachusetts], 2002), 24.

[3] D. Davies [Dewi Emlyn] (gol), *Cofiant y Diweddar Barch. Robert Everett*, D. D. (Utica, 1879), 184.

[4] Ibid., 77-8.

[5] Ibid., 78.

[6] Ibid., 185; Papurau M. Everett.

[7] Gw. y drafodaeth ym mhennod 5.

[8] D. Davies (gol), *Cofiant y Diweddar Barch. Robert Everett*, 185; papurau M. Everett.

[9] Lee Benson, *The Concept of Jacksonian Democracy* (Princeton, 1970), 168-9. Yn wahanol i Benson – sy'n casglu bod cynifer â 90% o Gymry Steuben a Remsen yn pleidleisio dros y Chwigiaid yn y cyfnod hwn – casglodd Paul D. Evans fod y mwyafrif ychydig yn llai: 'So the Welsh stood in politics in 1840, a small majority perhaps for the Whigs'; Paul D. Evans, 'The Welsh in Oneida County, New York', (traethawd M.A., Prifysgol Cornell, 1914), 42. Fe ymddengys fod ymchwil ystadegol Benson yn fanylach ac felly dylid derbyn ei gasgliadau ef.

[10] D. Davies (gol), *Cofiant y Diweddar Barch. Robert Everett*, 133-4.

[11] Milton C. Sernett, *Abolition's Axe: Beriah Green, Oneida Institute, and the Black Freedom Struggle* (Syracuse [Efrog Newydd], 1986), 114.

[12] Gw. Richard J. Carwardine, *Evangelicals and Politics in Antebellum America* (New Haven, 1993), 103-4: 'antislavery evangelicals . . . saw [the Whigs] as the only viable alternative to the dangerous, proslavery Democracy of Van Buren.'

[13] Gw. E. Davies, *Cofiant y Parchedig Morris Roberts, Remsen* (Utica, 1879); Robert Huw Griffiths, 'The Welsh and the American Civil War c.1840-1865' (traethawd Ph.D., Prifysgol Caerdydd, 2004), 22.

[14] *Y Cenhadwr Americanaidd*, Ebrill 1841.

[15] Ibid.

[16] Gw., e.e, 'Beth a all y Cymry Wneud', *Y Dyngarwr*, Ionawr 1843.

[17] *Y Cenhadwr Americanaidd*, Ionawr 1842.

[18] Ibid.

[19] Gw. y drafodaeth ym mhennod 2 hefyd.

[20] *Y Cenhadwr Americanaidd*, Gorffennaf 1842: 'Y Cyfansoddiad Americanaidd Ddim yn Gwaharadd Dilead Caethiwed.' Ni nodir enw'r awdur ac ni cheir ffugenw ychwaith: fel arfer mae hynny'n golygu mai Robert Everett ei hun a gyfansoddodd yr ysgrif.

[21] Ibid.

[22] *Y Cenhadwr Americanaidd*, Chwefror 1842: 'Y Ddadleuaeth ar Gaethiwed.'

[23] *Y Cenhadwr Americanaidd*, Ebrill 1842. 'Carwr Cysondeb' yw ffugenw'r awdur; ni wyddys rhagor amdano.

[24] Ibid. Ceir yr italig yn y gwreiddiol.

[25] Ibid.

[26] Ibid.

[27] *Y Dyngarwr*, Mehefin 1843. 'Dywedwr Gwirionedd' yw ffugenw'r awdur

[28] *Y Dyngarwr*, Tachwedd 1843.

[29] *Y Dyngarwr*, Ebrill 1843:

[30] Gw., e.e., *Y Dyngarwr*, Tachwedd 1843.: 'Yr Etholiad Diweddar'

[31] *Y Cenhadwr Americanaidd*, Ebrill 1843, 'Y Cyfamod Gwladwriaethol a'r Cyfansoddiad.'

[32] John Edward Lloyd, R. T. Jenkins a William Llewelyn Davies (goln), *Y Bywgraffiadur Cymreig Hyd 1940* (Llundain, 1953), 1016.

[33] *Y Cenhadwr Americanaidd*, Ebrill 1843.

[34] Ibid. Fi biau'r italig.

[35] *Y Cenhadwr Americanaidd*, Ebrill 1844:

[36] Ibid.
[37] *Y Cenhadwr Americanaidd*, Mai 1844.
[38] Ibid.
[39] *Y Cenhadwr Americanaidd*, Gorffennaf 1844.
[40] Ibid.
[41] *Y Cenhadwr Americanaidd*, Mehefin 1844: 'Y GWERTHWYNEBIAD I ACHOS RHYDDID' (gan Robert Everett).
[42] *Y Cenhadwr Americanaidd*, Gorffennaf 1844.
[43] *Y Cenhadwr Americanaidd*, Awst 1844. Yn ogystal â'r darnau a drafodir isod, cyhoeddwyd enghreifftiau eraill o ryddiaith a barddoniaeth wrthgaethiwol yn y rhifyn hwn: 'Drygedd Caethiwed, a Llef am Ymwared' (cerdd gan William T. Williams o Wisconsin); 'Y Pedwarydd o Orphenaf' (ysgrif yn canmol araith 'ar ddynol ryddid' gan y Parch. R. R. Williams o Goleg Yale); hanes 'Cyfarfod [gwrthgaethiwol] Massilon, Ohio.'
[44] Ibid.: 'POLK AR Y GAETHFASNACH AFFRICANAIDD'; 'GOLYGIADAU PRESENOL MR. H. CLAY AR GAETHIWED.'
[45] Ibid.
[46] Ibid. Teitl y darn yw: 'GOLYGIADAU LLYWOD-DDYSG PLAID RHYDDID.'
[47] Am enghreifftiau eraill o ysgrifau tebyg a gyhoeddwyd yn *Y Cenhadwr* yn 1843, gw. rhifyn Hydref 1844: 'DEMOCRATIAID SWYDD MADISON'; 'AT Y GWRTHGAETHIWYR ANMHENDERFYNOL'; a rhifyn Tachwedd 1844: 'MR. BIRNEY AR Y TARIFF'; 'DYWEDYD ANWIREDDAU. YMOSODIAD AR GYMERIAD JAMES G. BIRNEY.'
[48] *Caethwasanaeth Americanaidd, a'r Gwrthgaethiwedyddion Politicaidd* (dim dyddiad). Mae gan y bamffled isdeitl hefyd: 'Ychydig o Ffeithiau ac Ystyriaethau ar y Pyngciau pwysfawr uchod yn cael eu cyflwyno yn ostyngedig at sylw cydwybodol y CYMRY yn Nhaleithiau Cyfunawl America.' Ni cheir dyddiad ar y bamffled ei hun, ond awgryma tystiolaeth fewnol (gw. y cyfeiriadau a drafodir yn y bennod hon) yn ogystal â thystiolaeth archifol (cedwid y bamffled yn llyfrgell Coleg Utica gyda chyhoeddiadau eraill o'r un cyfnod) mai 1844 oedd blwyddyn y cyhoeddiad. Rwyf yn hynod ddiolchgar i Dr. Huw Griffiths am ddarparu copi o'r ffynhonnell brin hon.
[49] Gan fod caethweision yn cynhyrchu cotwm, roedd yr ymadrodd 'cotton Whigs' yn cyfeirio at y Chwigiaid hynny a oedd yn bleidiol i gaethwasanaeth.
[50] *Caethwasanaeth Americanaidd, a'r Gwrthgaethiwedyddion Politicaidd*.
[51] Ibid. Mae'r ieithwedd yn debyg i'r ysgrifau a gyhoeddodd 'Chware teb i Bob Ochr' yn *Y Cyfaill o'r Hen Wlad*, 1839-40. Gw. y drafodaeth ym mhennod 4.
[52] Paul D. Evans, 'The Welsh in Oneida County, New York', 36.
[53] Ni chyhoeddwyd y llythyr tan Tachwedd 1845; 'Anerchiad i'r Cenhadwr,' gan Mathias Phillips.
[54] *HAUL ONEIDA. H. H. Curtiss, Argraffydd. A Welsh Newspaper.* Yn debyg i *Seren Oneida*, y bwriad oedd cyhoeddi pamffled wleidyddol a oedd yn ymddangos fel papur newydd. Cyhoeddwyd *Haul Oneida* gyda manylion tebyg ('CYFROL 1. REMSEN, CHWEFROR 18, 1845. RHIFYN 1').
[55] *Haul Oneida*, 18 Chwefror 1845.
[56] *Haul Oneida*, 18 Chwefror 1845.
[57] *Y Cenhadwr Americanaidd*, Medi 1844: 'GAIR AT Y CYMRY' gan 'Richard T. Jones, Utica.' Mae'n hawdd gweld pam oedd yr ysgrif hon wedi gwylltio'r Chwigiaid Cymreig i'r fath raddau; anerchodd Gymry America'n uniongyrchol gan herio'r rhai a oedd yn cefnogi'r *Whigs* (yn ogystal â'r lleiafrif a oedd yn cefnogi'r blaid fawr arall, y Democratiaid): 'Mae genyf air i'w ddywedyd wrth fy nghenedl yn y wlad hon yn achos y caeth. Fel ag y mae dydd yr etholiad yn nesau, y mae ymdrechiadau neillduol yn cael eu gwneud gan y ddwy Blaid y rhai ag y mae eu hymddygiadau am ddal caethiwed i fynu . . . Yr wyf yn ystyried pob un a roddo ei bleidlais dros Clay neu Polk yn waeth na'r Offeiriad a'r Lefiad y rhai a aethant heibio i'r dyn oedd wedi syrthio yn mhlith lladron.'
[58] *Haul Oneida*, 18 Chwefror 1845.
[59] Ibid.
[60] Ibid.
[61] Ibid.
[62] Ibid.: 'Dywediad arall o eiddo ein hawdwr yw, "Efe yw yr achos yn ddiau o'r anghydfod mwyaf a fu erioed yn ein plith fel cenedl yn yr Ardal hon; . . . sef cnoi a thraflyncu eu gilydd, casineb, culni, cyfeillion penaf yn myned yn elynion mwyaf," &c.'
[63] Hugh Davies, *Hanes Cymanfa Dwyreinbarth Pennsylvania 1845-1896* (Utica, 1898), 36: 'Yn y flwyddyn 1844 mae Cymanfa Remsen, yr hon a gynelid ym mis Mawrth, yn pasio penderfyniad fel y canlyn . . . .'
[64] *Haul Oneida*, 18 Chwefror 1845.
[65] Ibid.

[66] Er enghraifft, mae'r llythyr a gyhoeddodd Mathias Phillips yn *Y Cenhadwr* ym mis Tachwedd 1845 yn profi bod *Seren Oneida* wedi cyrraedd ei gymuned Gymraeg ef yn swydd Licking, Ohio.
[67] *Y Cenhadwr Americanaidd*, Tachwedd 1845.
[68] Ibid.
[69] Ibid.
[70] Ibid.
[71] Gellid nodi, e.e., y Bedyddiwr William H. Thomas (gw. pennod 5). O ran cefnogaeth swyddogol enwad Robert Everett ei hun, gw. y drafodaeth yn y bennod ddiwethaf.
[72] Gellid enwi John Howes (gw. pennod 5).
[73] *Y Cenhadwr Americanaidd*, Mawrth 1845: 'At Ddarllenwyr y Cenhadwr'. Er i George Owen ysgrifennu'r llythyr agored hwn ddiwedd Rhagfyr 1844, ni chyhoeddwyd ei epistol tan mis Mawrth.
[74] Ibid.
[75] *Y Cenhadwr Americanaidd*, Tachwedd 1844.
[76] Ibid.
[77] Ibid.
[78] D. Davies (gol), *Cofiant y Diweddar Barch. Robert Everett*, 51.
[79] Ibid., 135-6.
[80] Ibid., 136.
[81] Ibid., 136. Gw. hefyd *Haul Oneida*, 18 Chwefror 1845: 'Peth digon gwarthus yn wir ydoedd clywed y whigs yn melldithio ac yn rhegu Mr Everett a'i deulu, ac yn ei alw yn bob peth drwg, a rhai o honynt yn bwgwth gwneuthyr niwed iw berson: peth digon *gwarthus* ar genedl ydoedd ymddial ar *anifeilaid* [sic] dyn am ei fod yn wrthgaethiwr; mae y whigs yn euog or cyfriw bethau a mwy o lawer tuag at Mr. Everett!'
[82] Gw., e.e., Milton Sernett, *Abolition's Axe*, 117.
[83] *Y Cenhadwr Americanaidd*, Rhagfyr 1844.
[84] Ibid.
[85] *Haul Oneida*, 18 Chwefror 1845.
[86] Ibid.
[87] 'ANERCHIAD AR DDIWEDD Y FLWYDDYN 1844.' Roedd wedi'i gyhoeddi'n Rhagfyr 1844 a'i ddosbarthu gyda rhifyn Rhagfyr, ond ceir yr 'Anerchiad' ar ddechrau cyfrol 1844 mewn casgliadau gyda chyfrolau sydd wedi'u rhwymo fesul blwyddyn.
[88] Ibid.

PENNOD 8:
'Ewyllys yr Arglwydd'
(colledion ac enillion, 1844-1848)

Costiodd ymgyrchoedd gwleidyddol Robert Everett yn ddrud iddo. Yn ogystal â'r helyntion a ddisgrifiwyd yn y bennod ddiwethaf, dioddefodd y wasg deuluol hefyd. Cyfeiriodd Robert Everett at y sefyllfa ddyrys hon mewn ysgrif a gyhoeddodd ym mis Medi 1844:

> Er cymaint y gwrthwynebiad i achos y caethwas ac er mor bell yn ol yw ein cenedl ni gyda yr achos hwn, eto y mae yn amlwg ei fod yn enill yn gyflym yn y wlad yn gyffredinol. Yr ydym wedi dyoddef llawer o wawd a dirmyg a llawer o golled arianol trwy y gwrthwynebiad a wneir i'n Cyhoeddiad o herwydd ein bod wedi sefyll o'r dechreu dros yr achos hwn; ond nid yw yn edifar genym, credym fod Duw drosto.[1]

Collodd *Y Cenhadwr Americanaidd* nifer o danysgrifwyr yn sgil ymdrechion y Chwigiaid Cymreig i bardduo'i olygydd. Mae'n amhosibl gwybod beth yn union oedd maint y golled gan na wyddom beth oedd cylchrediad y *Cenhadwr* cyn helyntion 1844. Ond mae tystiolaeth wedi goroesi sy'n dangos bod ei gylchrediad 'rhwng 800 a 900' erbyn y gwanwyn canlynol. Gan fod Robert Everett yn sôn am 'lawer o golled ariannol,' a chan fod ffynonellau eraill yn awgrymu bod dyfodol y cylchgrawn yn ansicr erbyn dechrau 1845, gallwn gasglu bod ei gylchrediad ymhell dros 1,000 cyn i'r helyntion gwleidyddol ddechrau gyrru tanysgrifwyr o gorlan y *Cenhadwr*.[2]

Mae'r dystiolaeth sydd gennym ynglŷn â chyflwr ariannol y cylchgrawn yn y cyfnod yn deillio o lythyr a ysgrifennodd Robert Everett at Cave Johnson, *Postmaster General* yr Unol Daleithiau:

> To the Hon. Cave Johnson Posmaster General, Washington
> Remsen, Oneida Co., N. Y., April 4, 1845
> Dear Sir,
> We are publishing a monthly periodical in this place in the Welsh Language, called the "Cenhadwr Americanaidd" (or, American Messenger) – and if it can be viewed under the New Post Office Law as a "Newspaper," it will greatly facilitate its circulation among our countrymen in America, who are residents of various settlements in

the different states, and territories of the Union. As to the character and design of the publication it certainly is a "Newspaper" to all intents and purposes – unless the New law requires or forbids some particular form. Every No. contains original articles from writers in the different Welsh Settlements, giving account of religious meetings, of Sabbath schools, providential occurences, births, marriages, deaths, &c. – also, translations of the common news of the day from other Newspapers. . . . . It also contains miscellaneous articles of a religious and moral character – such as are found in Newspapers generally. Our number of subscribers (the paper being in a foreign tongue) is only from 800 to 900 – and we move on with difficulty – but it will probably be considerably increased, should it be viewed as a Newspaper.
Yours with respect and esteem,
Robert Everett and Sons[3]

A lwyddodd y cais hwn? Nid yw ymchwil bresennol wedi dod o hyd i'r dogfenni a fyddai'n ateb y cwestiwn, ond dengys llythyr Robert Everett ei fod wedi astudio holl gyfreithiau a rheolau swyddfa'r post er mwyn ceisio'u troi at fantais y *Cenhadwr.*

Mae'r llythyr hwn yn ddiddorol am reswm arall hefyd. Gan fod y *Postmaster General* yn aelod o'r cabinet, roedd Johnson yn agos iawn at yr arlywydd, James K. Polk. Yn debyg i Polk, roedd Johnson yn Ddemocrat o dalaith gaeth Tennessee, ac roedd yn rhan o lywodraeth a oedd yn bleidiol i'r drefn gaeth. Felly, er bod Robert Everett yn nodi bod gan ei gylchgrawn *'a religious and moral character,'* ni ddywed yr un gair am ei agenda wrthgaethiwol, sef yr union safbwynt a oedd wedi esgor ar y problemau y mae'n eu disgrifio *('we move on with difficulty').* Yn ôl llawer o'i gyfeillion a'i gydnabod, dyn eithriadol o onest oedd Robert Everett, unigolyn nad oedd yn gallu ymatal rhag dweud ei farn yn agored hyd yn oed pe bai hynny'n achosi problemau iddo.[4] Ond pan oedd dyfodol *Y Cenhadwr Americanaidd* yn y fantol, roedd yn ddigon hirben i osgoi unrhyw sôn am ei ddaliadau gwleidyddol tra oedd yn lobïo swyddog llywodraethol na fyddai'n cytuno â'r daliadau hynny.

Mae'n werth craffu ar y modd y mae'n cyfieithu teitl y cylchgrawn hefyd: *'the American Messenger'* yw'r *Cenhadwr Americanaidd* yn ôl Robert Everett, ac nid *'the American Missionary.'* Ymhen rhai blynyddoedd, byddai'n defnyddio'r un cyfieithiad wrth ohebu ag un o brif ddiddymwyr yr Unol Daleithiau, Frederick Douglass.[5] Gellid dweud nad yw'n ddoeth gorbwysleisio arwyddocâd un gair, ond mae'n werth gofyn pam y dewisodd Robert Everett *messenger* yn lle *missionary.* Yn hytrach na cheisio osgoi unrhyw gysylltiad â'r mudiad cenhadol *(missionary)*, mae'n debyg ei fod wedi dewis y gair *messenger* am reswm arall. *The American Messenger* oedd cylchgrawn Cymdeithas Draethodol America (neu'r *American Tract Society*), mudiad efengylaidd a oedd yn dra dylanwadol ymysg cylchoedd eang o Brotestaniaid yr Unol Daleithiau ar y pryd.[6] Trwy drosi'r *Cenhadwr Americanaidd* yn *American Messenger* roedd yn gallu taro nodyn a fyddai'n gyfarwydd i Americanwr Saesneg ei iaith fel Cave Johnson.

Ni wyddys a roddwyd statws papur newydd i'r *Cenhadwr Americanaidd* gan y *Postmaster General*, ond nid honno oedd yr unig strategaeth a oedd gan Robert Everett er mwyn sicrhau parhâd y cylchgrawn. Er nad yw'r holl fanylion ynglŷn â chylchrediad *Y Cenhadwr Americanaidd* ar gael, mae'n hysbys ei fod wedi cyrraedd 2,000 erbyn i'r Rhyfel Cartref ddechrau ym mis Ebrill 1861.[7] Nid ar chwarae bach y cynyddwyd tanysgrifwyr y cylchgrawn o 900 i 2,000, ac nid ysgwyddodd Robert Everett y gwaith caled hwnnw ar ei ben ei hun; *'Robert Everett and Sons'* a geir ar ddiwedd y llythyr a ddyfynnir uchod, ac roedd ymdrechion y meibion yn ganolog i lwyddiant y *Cenhadwr*. Yn ogystal â gweithio'r wasg gyda'i frawd iau Robert, aeth John Everett ar nifer o deithiau er mwyn casglu tanysgrifiadau, gan fynd mor bell â Phennsylvania ac Ohio.

Ac erbyn 1845 roedd y trydydd mab, Lewis, wedi dod yn aelod gweithgar o'r tîm teuluol. Ganed Lewis Everett yn Utica yn 1825, ddwy flynedd ar ôl i'w rieni ymfudo i'r Unol Daleithiau. Ni chafodd yr un addysg â'i frodyr hŷn. Roedd problemau ariannol wedi bod yn llethu'r *Oneida Institute* ers blynyddoedd, ac erbyn i Lewis gyrraedd oed coleg roedd athrofa radicalaidd Beriah Green yn mynd â'i phen iddi:

> Visitors to the grounds of Oneida Institute could now see the effects of four years of cutting corners. Fences went unrepaired, and the rooms had deteriorated. . . . . The manual labour shops lacked the busy productivity of earlier years. Donations from the outside had practically dried up.[8]

Yn y *'manuel labour shops'* hyn y dysgasai John a Robert grefft yr argraffydd wrth argraffu cylchgrawn Cymdeithas Wrthgaethiwol Efrog Newydd, *The Friend of Man*. Ond gyda dyfodol y coleg mor ansicr, aeth y Gymdeithas ati i symud y cylchgrawn i leoliad arall yn 1842.[9] Wedi llusgo ymlaen am rai blynyddoedd, bu'n rhaid i Beriah Green gau drysau'r *Oneida Insitute* unwaith ac am byth ym mis Mais 1844.[10] Ar un olwg, roedd arbrawf addysgiadol y diddymwr arloesol hwn wedi methu. Eto i gyd, yn ystod ei ddeng mlynedd wrth lyw'r coleg roedd Green wedi darparu cannoedd o ddiddymwyr ifainc gyda'r addysg a'r sgiliau ymarferol a'u galluogai i weithio'n effeithiol dros yr achos. Addysgwyd rhai o ddiddymwyr duon amlycaf y wlad yn yr *Institute*, gan gynnwys Henry Highland Garnet ac Alexander Crummell.[11] Ac roedd yr addysg a gawsai John a Robert Everett yno wedi'u galluogi hwythau i helpu'u tad gyda'i wasg wrthgaethiwol ef. Ond er na chafodd Lewis gyfle i fynd i'r coleg hwnnw, dysgodd yntau grefft yr argraffydd; fe ymddengys mai'i frodyr hŷn oedd ei athrawon ef, ac felly gellid gweld gwasg deuluol yr Everettiaid fel ymestyniad o genhadaeth Beriah Green a'r *Oneida Institute*.[12]

Ond er iddo ddysgu'r grefft, nid gwaith mecanyddol y wasg oedd prif ddyletswydd Lewis. Ymroddai yn hytrach i gynorthwyo'i dad gyda'r gwaith golygyddol gan helpu penderfynu beth oedd cynnwys *Y Cenhadwr Americanaidd*. Yn ogystal â chyhoeddi ysgrifau gwreiddiol gan Robert Everett ac awduron Cymraeg eraill, cyhoeddodd y *Cenhadwr* gyfieithiadau o gylchgronau crefyddol Saesneg yr Unol Daleithiau, ac erbyn dechrau 1845 roedd Lewis yn gwneud llawer o'r gwaith cyfieithu hwn. Cyhoeddwyd 'Breuddwyd y Gwirod-werthydd' yn rhifyn Ionawr y flwyddyn honno, sef cyfieithiad Lewis o ysgrif ddirwestol a ymddangosai yn y *Religious Recorder*.[13] Ac ar gyfer rhifyn Chwefror 1845 cyfieithodd ddarn gwrthgaethiwol a gawsai yn y *Middlesex Standard*, 'Gwrthgaethiwydd Mewn Profedigaeth.'[14] Gwelsom yn y bennod ddiwethaf fod Lewis yn rhy ifanc i fynd gyda'i dad a'i ddau frawd hŷn i'r cyfarfodydd gwleidyddol tymhestlog hynny ganol y 1830au. Ond mae'n amlwg iddo dyfu'n ddiddymwr brwd yr un fath; yn wir, byddai'n ymhel â gwleidyddiaeth radicalaidd gydol ei oes.[15]

Ac os na chafodd brofi drosto'i hun addysg radicalaidd Coleg Oneida, mae'n amlwg fod Lewis wedi ymgyfarwyddo â'r genhedlaeth o ddiddymwyr a addysgwyd yno. Yn wir, ym mis Medi 1845 cyhoeddodd Lewis gyfieithiad o waith Henry Highland Garnet, yr Affro-Americanwr disglair hwnnw a fuasai'n cydastudio â'i frodyr yn yr *Institute*. Cynhwysodd Lewis bennawd eglurhaol manwl er mwyn pwysleisio statws a dawn Garnet:

> CWYNION AFFRICA
> Y Parch. Henry Highland Garnet, dyn du, gweinidog eglwys Affricanaidd yn Troy [Efrog Newydd], ar ol traddodi araeth synwyrlawn ar y 4ydd o Orphenaf diweddaf, i gynulleidfa dra luosog o bobl wynion yn Homer, C[aerefrog] N[ewydd], ar ddiwedd ei araeth a ddarllenodd y cwyn galarus a ganlyn, o barthed ei genedl yn ol y cnawd.[16]

Gwelwn felly fod y geiriau hyn wedi teithio o gyd-destun llafar yr araith i gyd-destun printiedig y cylchgrawn wrth iddynt deithio hefyd o Saesneg Henry Highland Garnet i Gymraeg Lewis Everett. Llwyddodd y cyfieithydd i gadw llawer o egni a grym y geiriau gwreiddiol gan eu defnyddio i gynhyrchu ysgrif Gymraeg bwerus:

> Gyd-ddinasyddion, edrychwch ar y gwirionedd. Yn enw fy mrodyr yr wyf yn erfyn na throwch oddiwrtho gyda dirmyg, ond syllwch arno yn araf ac yn deg, pa mor ymddarostyngol bynag y dichon fod i'ch balchder gwladwriaethol. Y mae y foment hon dair miliwn o gaethion yn yr Unol Dalaethau. Drugarog Dduw, pa ddirfawr rifedi yw hyn! Ein huchel-frydig Loegr Newydd nid yw yn cynwys mwy o drigolion. Heblaw y nifer hyn mewn dwys gaethiwed, mae mwy na haner miliwn o bobl lliw yn y Talaethau rhyddion, y rhai ydynt yn y naill ffordd a'r llall yn cael eu fireinio a'u gwasgu gan gyfraith neu eu diraddio gan ragfarn. Fel hyn y mae y llywodraeth hon wedi gosod ei throed ar wddf tair miliwn a haner o Affricaniaid Americanaidd.[17]

Dylem gofio bod llawer o Gymry yn yr Unol Daleithiau yr adeg honno nad oedd yn gallu darllen Saesneg. Rhoddodd yr ysgrif hon syniad da iddynt ynglŷn â neges Henry Highland Garnet; rhoddodd iddynt hefyd syniad ynglŷn â'i ddawn fel awdur a siaradwr.

Rhaid rhyfeddu at ddawn Lewis Everett hefyd; nid oedd ond 20 mlwydd oed ar y pryd, ond roedd yn cyfieithu rhychwant o ysgrifau a gynhwysai ddadleuon moesol a gwleidyddol cymhleth o'r Saesneg i'r Gymraeg. Rhaid pwysleisio eto'r ffaith fod Lewis wedi'i eni ar ôl i'w rieni ymfudo i swydd Oneida. Ac yntau'n Americanwr o'i enedigaeth, roedd wedi'i fagu'n siarad Cymraeg ar yr aelwyd. Ac nid Cymraeg llafar yn unig oedd ganddo; dengys ei waith gyda'r wasg deuluol ei fod yn meddu ar Gymraeg llenyddol cyhyrog hefyd. O gofio bod plant ymfudwyr yn gallu meistroli'r Gymraeg gystal, nid yw'n syndod bod rhai sylwebwyr ganol y bedwaredd ganrif ar bymtheg yn credu y byddai'n bosibl i'r Gymraeg barhau'n iaith gymunedol fyw am byth yn yr Unol Daleithiau.[18] Cawn yn Lewis Everett enghraifft o'r Gymru Americanaidd yn ei hanterth. Yn wir, ar farwolaeth Robert Everett yn 1875 yr Americanwr Lewis – ac nid un o'r plant hŷn a anesid yng Nghymru cyn i'r teulu ymfudo – fyddai'n llenwi esgidiau'u tad a mynd yn olygydd ar *Y Cenhadwr Americanaidd*.

Os yw'r ysgrif hon yn dweud rhywbeth wrthym am sgiliau ieithyddol Lewis Everett, mae hefyd yn cynnig gwybodaeth bwysig ynglŷn â chyfeiriad ideologol *Y Cenhadwr Americanaidd*. Nid yn unig yr oedd

Robert Everett yn cyhoeddi ysgrif wrthgaethiwol a gyfieithiwyd gan ei fab, ond roedd hefyd yn cyhoeddi darn gan un o ddiddymwyr mwyaf milwriaethus y cyfnod. Mae'n bwysig cofio bod cysylltiad agos rhwng heddychiaeth a diddymiaeth a bod yr arch-ddiddymwr hwnnw, William Lloyd Garrison, wedi gorseddu'r dull di-drais ymhlith prif egwyddorion y mudiad gwrthgaethiwol. Ond erbyn i'r cyfieithiad Cymraeg hwn o'i waith ymddangos yn *Y Cenhadwr Americanaidd* roedd Henry Highland Garnet wedi dechrau cefnu ar yr egwyddor honno. Daethai'r garreg filltir ddwy flynedd ynghynt wrth i Garnet draddodi araith i'r *National Convention of Colored Citizens* y byddai diddymwyr eraill yn ei disgrifio fel *'Garnet's Call to Rebellion.'* Dywedodd yn blwmp ac yn blaen y dylai caethweision gyfodi yn erbyn eu meistri a defnyddio trais er mwyn ennill eu rhyddid.[19] Esgorodd ar rwyg arall oddi mewn i'r mudiad gwrthgaethiwol ac aeth y Garrisoniaid ati i feirniadu Garnet ac ymbellhau oddi wrtho.[20] Er nad 'galwad Garnet i wrthryfel' yw'r araith a gyfieithwyd gan Lewis yn 1845, mae'n ddiddorol nodi bod Robert Everett wedi dewis cyhoeddi cyfieithiad o unrhyw beth gan Garnet yr adeg honno. Gan ei fod yn arddel heddychiaeth o hyd, gellid meddwl y byddai golygydd *Y Cenhadwr Americanaidd* yn ymwrthod yn gyfan gwbl ag ysgrif gan y diddymwr dadleuol hwnnw. Ond roedd ei feibion yn parchu'r Affro-Americanwr yn fawr ac mae'n amlwg fod Robert Everett yntau'n credu bod o leiaf rai o ysgrifau Henry Highland Garnet yn werth eu cyhoeddi.

Yn sicr, yn hytrach na gorfodi holl gynnwys y *Cenhadwr* i gydymffurfio'n berffaith â'i heddychiaeth ei hun, agorodd Robert Everett dudalennau'r cylchgrawn i drafodaethau ar y gwahanaiethau rhwng diddymiaeth heddychlon a diddymiaeth 'arfog.' Byddai'r trafodaethau hyn yn wedd amlwg ar y cyhoeddiad erbyn 1856 (fel y gwelir yn y penodau nesaf), ond roedd y *Cenhadwr* wedi dechrau gwyntyllu'r cwestiynau hyn ganol y 1840au. Er enghraifft, ym mis Mai 1846 cyhoeddodd Robert Everett ysgrif gan George Roberts o Andover, Ohio, yn dwyn y teitl 'Dilead Caethiwed.' Mae llawer o gynnwys y darn hwn yn adleisio ysgrifau gwrthgaethiwol eraill a ymddangosai yn y Cenhadwr yn y 1840au, ond trawodd George Roberts nodyn mwy milwriaethus wrth awgrymu bod trais yn ffordd dderbyniol o ryddhau'r caethweision:

> Un modd ydyw trwy wrthryfel – trwy i'r bobl gyfodi yn eu grym ac yn arfog a dyweyd wrth y caethfeistri, 'Mae yn rhaid i gyfiawnder gael ei wneud bellach yn yr achos hwn ac i holl deulu y gaethglyd gael eu rhyddid.' Sylwaf yma y byddai yn llawer mwy teilwng i bobl yr Unol

> Dalaethau godi eu harfau i'r dyben hwn na myned i ymladd â Lloegr ynghylch tiriogaeth Oregon. Meddyliaf na ddarllenais erioed am dywysog yn myned i ryfel gyda dyben mwy teilwng. . . . . Ond *gobeithiwn, gweddiwn a llafuriwn* am gael dilead caethiwed heb i'n maesydd fod yn faesydd gwaed![21]

Roedd Prydain a'r Unol Daleithiau'n dadlau dros diriogaeth Oregon ar y pryd, ac ofnai llawer y byddai'r tensiynau hyn yn arwain at ryfel. Yn ôl y Cymro hwn o Ohio, roedd rhyfela er mwyn ennill tiroedd newydd yn anfoesol. Ar y llaw arall, credai George Roberts y byddai codi arfau yn erbyn y drefn gaeth yn weithred gyfiawn. Ni ddywedodd Robert Everett ddim am farn yr awdur hwn; ar adegau eraill byddai'n atodi'i sylwadau golygyddol ei hun ar ddiwedd ysgrif er mwyn cefnogi prif bwynt yr awdur, ond arhosodd yn ddistaw yn achos llith George Roberts. Ar y llaw arall, mae'r ffaith fod heddychwr o olygydd wedi dewis cyhoeddi'r geiriau hyn yn mynnu sylw. Roedd fel pe bai'n fodlon agor cil y drws i gwestiwn anodd, sef a ellid diddymu caethwasanaeth drwy ddulliau heddychlon yn unig? Ni fyddai Robert Everett yn ceisio ateb y cwestiwn anodd hwnnw am ryw bymtheng mlynedd eto, ond gan ei fod wedi gadael i awdur arall ei godi ar dudalennau'r *Cenhadwr* yn 1846 mae'n rhaid fod y cwestiwn wedi dechrau chwarae ar ei feddwl erbyn canol y 1840au.

Er bod cylchgrawn Robert Everett yn dechrau rhoi ychydig o sylw i'r ymrafael rhwng diddymiaeth heddychlon a diddymiaeth arfog, roedd cwestiynau o fath arall yn mynd â sylw'r rhan fwyaf o ddiddymwyr Cymraeg yr Unol Daleithiau, sef yr hen amheuon hynny a godid dro ar ôl tro ynglŷn â chymysgu crefydd a gwleidyddiaeth. Dwysaodd y drafodaeth hon ar ôl i Gwilym Hiraethog anfon ysgrif wrthgaethiwol at bob un o'r tri misolyn crefyddol Cymraeg a gyhoeddid yn yr Unol Daleithiau.[22] Yn weinidog gyda'r Annibynwyr, roedd Gwilym Hiraethog ymysg olynwyr Robert Everett yng Nghapel Lôn Swan, Dinbych. Dechreuasai olygu'r wythnosolyn *Yr Amserau* yn 1843 ac felly roedd yn gymeriad tra dylanwadol yn yr Hen Wlad.[23] Ei fwriad wrth gyhoeddi'r 'Anerchiad at y Cymry yn America' oedd esgor ar weithredoedd drwy godi cywilydd ar y difater rai. Ac yntau ymysg llenorion mwyaf dawnus Cymru, lluniodd ei ysgrif mewn modd a oedd yn sicr o hoelio sylw darllenwyr Cymraeg yn America: 'Prif destyn ymffrost eich gwlad fabwysiedig ydyw ei RHYDDID. Cyssegrid ei thir i *ryddid* y fynud gyntaf y gosodai yr hen bererinion Puritanaidd eu traed lluddiedig arno.'[24] Aeth ymlaen yn y cywair canmoliaethus hwnnw gan ddweud 'bod America, ar gyfrif rhyddfrydigrwydd egwyddorion ei ffurflywodraeth, yn degwch a gogoniant yr holl ddaear[.]' Gwyddai fod llawer iawn o'r ymfudwyr Cymreig hynny a droes yn Americanwyr yn arddel cenedlaetholdeb Americanaidd tanbaid ac aeth i eithafion blodeuog wrth ganmol llywodraeth yr Unol Daleithiau. Disgrifiodd hi'n drosiadol fel 'teml' gydag 'arwyddair euraidd . . . yn argraffedig uwch ben porth prydferth' y deml honno:

> Creodd Duw bob dyn yn gydradd a chynysgaeddodd hwynt âg iawnderau ag ydynt yn perthyn yn hanfodol a gogyfatebol i bob un fel ei gilydd. Yr iawnderau hyn ydynt, bywyd, rhyddid, a hawl i ymgais am hapusrwydd.[25]

Ond gwyddai Gwilym Hiraethog sut i droi'r gyllell hefyd. Mae'r holl ganmoliaeth yn troi'n feirniadaeth finiog wrth iddo fynd â'i ddarllenydd y tu mewn i'r adeilad ymddangosiadol sanctaidd:

> Ond och! y siomedigaeth erbyn myned i mewn i'w ystafelloedd! Pa beth? Y deml hon wedi y cwbl yn ogof lladron! ïe, yn ogof lladron dynion!!! O fewn ei chynteddau y cynhelir ffeiriau i werthu a phrynu dynion fel anifeiliaid.[26]

Ar ôl cyflwyno'r disgrifiad lliwgar hwn o gaethiwed Americanaidd, aeth Gwilym Hiraethog rhagddo i ofyn i Gymry America ddefnyddio'u pleidleisiau er mwyn dymchwel y drefn anfoesol.

Cyhoeddwyd yr 'Anerchiad' yn *Y Cenhadwr Americanaidd* ym mis Mehefin 1845. Atododd Robert Everett ei ysgrif ei hun wrth lith Gwilym Hiraethog er mwyn cryfhau'r ergyd:

> Yr ydym yn galw sylw neillduol ein darllenyddion at yr Anerchiad blaenorol, pob gair o'r hwn a deilynga ei argraffu mewn llythyrenau o aur dilin. Gwelwn yma un o ddewrion ein cenedl . . . yn codi ei lais yn ddibetrus yn erbyn caethiwed, gan ymbil yn *dirion*, eto yn *ddwys a difrifol*, ar ei genedl yn America i beidio pleidio y caethfeistri. Credym pe bai y brawd hwn yn America na chaffai gwawd na dirmyg neb dynolion ei rwystro i amddiffyn yr achos gwrthgaethiwol; ac y mae yn beth cysur i'n meddwl ambell funud i allu hyderu fod genym ugeiniau, ïe ganoedd o frodyr yn y weinidogaeth, a safent yn ffyddlawn gyda ni yn ein profedigaeth pe baent o fewn cyrhaedd i ni glywed eu llais.[27]

Wrth gwrs, roedd golygydd y *Cenhadwr* wedi bod yn dioddef 'gwawd' a 'dirmyg' oherwydd ei safiad gwrthgaethiwol yntau. Gallwn osod y modd y mae'n canmol Gwilym Hiraethog oddi mewn i gyd-destun sy'n cynnwys y profiadau anodd a ddaeth i ran Robert Everett yn ystod ei ymgyrchoedd diweddar.

Cyhoeddodd cylchgrawn newydd Bedyddwyr Cymraeg America, *Y Seren Orllewinol,* yr 'Anerchiad' hefyd. Nid yw'n syndod, o gofio mai'r Parch. J. P. Harris oedd golygydd y *Seren;* roedd y Bedyddiwr hwn wedi cyhoeddi deunydd gwrthgaethiwol yn *Y Dyngarwr* ddwy flynedd ynghynt ac roedd ymysg cefnogwyr selocaf Robert Everett y tu allan i gylchoedd yr Annibynwyr. Ond er iddo roi cylchgrawn ei enwad at wasanaeth yr ymgyrch yn y modd hwn, nid oedd pob un o'i ddarllenwyr yn fodlon ar benderfyniad y golygydd. Ysgrifennodd 'Mr. L. James' o Utica lythyr at *Y Seren Orllewinol* yn cynnig sylwadau ar 'Anerchiad' Gwilym Hiraethog. Dywedodd 'fod caethiwed yn ddrwg dirfawr' a chytunodd 'fod ein cenedl yn gyffredinol yn dymuno iddo gael ei symud o'r tir'; canmolodd golygydd y *Seren* am 'amddiffyn rhyddid – rhyddid gwirioneddol – rhyddid cyffredinol – rhyddid i bob lliw, iaith a chenedl, dan y nefoedd.'[28] Ond er gwaetha'r ffaith ei fod yn rhannu'r teimladau gwrthgaethiwol hyn, roedd yr 'Anerchiad' wedi codi gwrychyn Mr. James gan ei fod yn annog Cymry America i arddel strategaeth wleidyddol benodol er mwyn diddymu caethwasanaeth: 'rhaid imi gyfaddef i ryw arswyd anghyffredinol afaelyd ynof, rhag iddynt fod yn llwyddiannus i droi y SEREN ORLLEWINOL yn *bolitical arena* – anharddu gwynebpryd y SEREN fwyn, gu!'[29] Misolyn crefyddol oedd y *Seren* yn anad dim; fel yr oedd Robert Everett wedi'i gyhuddo o bregethu *politics* o'i bulpud gan rai aelodau o'i gapel ei hun, felly hefyd yr oedd Mr. James yn cyhuddo J. P. Harris o gymysgu crefydd a gwleidyddiaeth ar dudalennau cylchgrawn y Bedyddwyr. Ychwanegodd y Parch. Harris nodyn mewn cromfachau'n cyfaddef nad Mr. James oedd yr unig ddarllenydd i ymateb yn y modd hwn: 'Derbyniasom sylwadau cyffelyb . . . oddiwrth wahanol ewyllyswyr da i ni.'[30] Ond safodd ei dir yn ddi-ildio gan amddiffyn ei benderfyniad golygyddol: 'Cyhoeddasom yr Anerchiad ar ddymuniad cyfarfod cyhoeddus . . . [a] barnem fod ynddo lawer o bethau teilwng o sylw, a'i fod wedi ei ysgrifenu yn gampus.'[31]

A beth am gylchgrawn y Methodistiaid Calfinaidd, *Y Cyfaill o'r Hen Wlad*? Roedd y golygydd, y Parch. William Rowlands, wedi datgan ei wrthwynebiad i gaethwasanaeth yn glir ar nifer o achlysuron. Maentumiai hefyd fod ei gylchgrawn yn fforwm agored a ganiatâi i bawb fynegi barn yn ddilyffethair. Ond penderfynodd beidio â chyhoeddi 'Anerchiad' Gwilym Hiraethog. Yn hytrach, cyhoeddodd William Rowlands ei ysgrif ei hun yn hysbysu'i ddarllenwyr fod yr ysgrif wedi dod i law. Sicrhaodd hwy ei fod yn 'pleidio rhyddid' a'i fod felly'n cytuno â Gwilym Hiraethog ar lawer cyfrif, ond dywedodd iddo wrthod y llith oherwydd ei bod hi'n 'naill ochrog' (hynny yw, unochrog, *biased*).[32] Rhoddodd reswm arall dros y penderfyniad hefyd; roedd yr 'Anerchiad' yn awgrymu mai 'ymyraeth' â'r gyfundrefn wleidyddol oedd y ffordd ymlaen. Yn debyg i'r Bedyddiwr hwnnw a gwynodd am bolisi golygyddol *Y Seren Orllewinol*, nid oedd golygydd *Y Cyfaill o'r Hen Wlad* yn hoffi'r ffaith fod Gwilym Hiraethog yn awgrymu strategaeth wleidyddol benodol.[33]

Aeth un o gyfeillion Robert Everett, Morris Roberts, ati i brocio cydwybod y Parch. Rowlands. Cyn-Fethodist oedd Morris Roberts, ac nid ymataliai rhag beirniadu hoelion wyth ei hen enwad. Cyhoeddodd ysgrif y mis nesaf yn *Y Cenhadwr Americanaidd*, ac er ei bod hi'n dwyn y teitl 'Amddiffyniad i "Anerchiad at y Cymry" yn Erbyn Ysgrif Golgydd y *Cyfaill*,' roedd yr 'amddiffyniad' yn danchwa o ymosodiad. Tynnodd ysgrif William Rowlands yn gareiau: 'Nid wyf yn gwybod i mi erioed ganfod ysgrif mor fer yn cynwys cymaint o gamsyniadau, neu gamgymeriadau bwriadol neu anfwriadol, ag eiddo Gol. y Cyfaill, o berthynas i'r "Anerchiad."'[34] Dywedodd fod gosodiad William Rowlands na ddylid ymyrryd â gwleidyddiaeth gyfystyr â dweud na ddylid 'dylanwadu dim er cael diwygiad a gwellhad mewn llywodraethau gwladol.'[35] Ymhelaethodd Morris Roberts gan ofyn cwestiwn rhethregol i'r Methodist: a oedd yn meddwl bod Cristnogion yn pechu 'os rhoddwn ein dylanwad dros gyfiawnder yn lle anghyfiawnder – dros ryddid yn lle caethiwed?'[36] Pwysleisiodd fod diwygio cyfundrefn wleidyddol yr Unol Daleithiau yn rheidrwydd moesol: 'gwaeddwn, RHYDDID! RHYDDID! i'r dyn du, melyn a gwyn hefyd, rhag i dân o'r nef ddifa ein gwlad euog.'[37] Yn ôl Morris Roberts, nid oedd gan y Cristion ddewis ac eithrio un: y dewis rhwng ymgyrchu'n ddigyfaddawd a thrwy bob dull posibl (gan gynnwys gwleidydda) i sicrhau rhyddid neu wynebu cosb ddwyfol a fyddai'n dinistrio'r holl wlad.

Erbyn canol y 1840au roedd y math yma o ddisgwrs i'w gweld yn aml ar dudalennau'r *Cenhadwr*. Er enghraifft, ym mis Tachwedd 1844 cyhoeddodd Robert Everett gyfansoddiad gan 'Cephas,' sef bardd Cymraeg o Remsen.[38] 'Llef Dros Fy Ngwlad' yw teitl y gerdd, ac ynddi mae'r prydydd yn 'llefain' wrth feddwl am y gosb a welai ar y gorwel:

O fy ngwlad, O gyflwr enbyd,
Ddaear, ddaear clyw y cwyn,
Pwys camweddau dy drigolion,
Baich a llwyth rhy drwm i'w ddwyn;

Llais y ddeddf yn gwaeddi, 'Dial!'
Barn yn crogi wrth dy ben,
Cledd trochedig yn y nefoedd,
Bron a disgyn lawr o'r nen.

Ffrydiau gwaed yr Affricaniaid,
Gan Farbariaid, cristion-wlad,
Chwi grefyddwyr, dwys ystyriwch,
Llefwch, 'Arbed, dirion Dad'[.][39]

Cyflwynodd awdur a arwyddai'i waith 'E., Glan yr Afon Ddu' syniad tebyg ar ffurf rhyddiaith; cyhoeddwyd ei ysgrif 'Cwyn neu Alarnad Dros fy Ngwlad' yn *Y Cenhadwr Americanaidd* ym mis Mehefin 1845. Dywedodd fod llaw Duw 'yn estynedig ac y mae yn dal ei wialen allan yn barhaus' yn barod i daro'r wlad euog.[40] 'Diau y gofynir gwaed' y caethweision, meddai, 'oddiar ddwylaw y rhai a'u caethiwant.'[41]

Nid trosiad yn unig oedd dweud y gallai 'tân o'r nef' ddod i gosbi 'gwlad euog' neu awgrymu bod 'gwialen' Duw yn cael ei hestyn er mwyn dial am waed y caethion. Credai nifer o Gristnogion Americanaidd fod y dial dwyfol hwn yn fygythiad real iawn. Roedd milflwyddiaeth yn gyffredin yn y cyfnod, sef y gred – neu'r gobaith – y deuai Crist yn ôl i'r ddaear i deyrnasu am fil o flynyddoedd (y milflwyddiant).[42] Ffynnai'r gred hon yn y *Burned-Over District* lle yr oedd yn porthi ar y Brotestaniaeth radicalaidd a nodweddai'r rhan honno o dalaith Efrog Newydd.[43] Gallai diddymwyr Cristnogol yr Unol Daleithiau gysylltu'u milflwyddiaeth â'u safiad gwrthgaethiwol drwy faentumio bod glanhau'r wlad o bechod caethwasanaeth yn rhan o'r hyn y dylid ei wneud er mwyn paratoi'r ddaear ar gyfer y milflwyddiant. Ochr arall y geiniog ddiwinyddol hon oedd y gred y byddai anwybyddu sefyllfa'r caethweision yn rhwystro ailddyfodiad Crist ac felly'n esgor ar ddial Duw. Sicrhaodd golygydd *Y Cenhadwr Americanaidd* fod gan y math yma o filflwyddiaeth wrthgaethiwol le amlwg ar dudalennau'i gylchgrawn.

Cyhuddid Robert Everett a'i gynghreiriaid o gymysgu crefydd a gwleidyddiaeth, ond mewn gwirionedd roeddynt yn mynd yn bellach o lawer na'r hyn y mae'r gair 'cymysgu' yn ei awgrymu. Roeddynt yn troi math arbennig o Brotestaniaeth efengylaidd yn fframwaith er mwyn deall a dehongli dioddefaint y caethweision. Credai'r diddymwyr hyn fod eu crefydd yn mynnu eu bod yn gweithredu'n wleidyddol er mwyn newid yr Unol Daleithiau er gwell; roedd rhyddhau'r caethweision yn y modd hwn yn rheidrwydd ysbrydol na ellid ei osgoi. Felly tra oedd eu gwrthwynebwyr yn dweud eu bod 'yn cymysgu crefydd a gwleidyddiaeth,' nid oedd y diddymwyr Cristnogol hyn yn gweld gwahaniaeth rhwng eu gweithredoedd gwleidyddol a goblygiadau crefyddol y gweithredoedd hynny.

Ond er iddo gyhoeddi deunydd gan awduron eraill a arddelai'r filflwyddiaeth hon, mae'r rhan fwyaf o'r erthyglau a ysgrifennwyd gan Robert Everett ei hun yn disgrifio diddymiaeth yn syml fel 'ewyllys Duw' yn hytrach na cheisio amlygu cysylltiad rhwng rhyddid y caethweision ac ailddyfodiad Crist.[44] Dyma, er enghraifft, rywbeth a gyhoeddodd yn y *Cenhadwr* ym mis Gorffennaf 1845:

> yr ydym yn credu mai ewyllys yr Arglwydd ydyw i'w weision ddyfod i'r maes, i egluro gwir egwyddorion ei air sanctaidd, agor eu genau dros y mud, a dyrchafu eu llais fel udgorn yn erbyn y cyfryw orthrwm gwarthus a chywilyddus.[45]

Teitl yr ysgrif hon yw 'Gweinidogaeth yr Efengyl a Gwrthgaethiwaeth', a'i phrif bwrpas oedd cyflwyno cred Robert Everett (unwaith eto) fod ymgyrchu'n erbyn y drefn gaeth yn rhan hanfodol o waith y bugail Cristnogol. I'r perwyl hwnnw, cyhoeddodd gerdd ym mis Mai 1846 gan ei gyfaill Thomas Edwards a anelwyd yn uniongyrchol at weinidogion Cymraeg yr Unol Daleithiau:

> Dewch weinidogion dewrion Duw,
> I ddadleu dros y gwir,
> Yn erbyn y caethiwed sy
> Yn lledu ar ein tir;
> Ni ddylem gofio y rhai sy'n rhwym
> Mewn cadwyn dyn yn drist,
> A'u caru megis ni sy'n rhydd,
> Hyn ydyw crefydd Crist.[46]

Gweinidog gyda'r Annibynwyr Cymraeg yn ninas Pittsburgh oedd Thomas Edwards. Ond nid yr awduron a gyhoeddodd yn y *Cenhadwr* oedd yr unig Annibynwyr a oedd yn cytuno â'r modd yr oedd Robert Everett yn dehongli'r berthynas rhwng Cristnogaeth a diddymiaeth.

Fel y gwelwyd yn y ddwy bennod ddiwethaf, erbyn canol y 1840au gallai'r Parch. Everett gymryd cysur yn y ffaith fod trwch ei enwad yn gefnogol iddo. Roedd Cymanfa'r Annibynwyr yn ymddiried ynddo o hyd i olygu a chyhoeddi'u misolyn enwadol, *Y Cenhadwr Americanaidd*. Yn yr un modd, gofynnwyd iddo ymgymryd â nifer o dasgiau pwysig eraill er mwyn lles yr enwad. Er enghraifft, mewn cyfarfod a gynhaliwyd ym mis Ionawr 1845 penderfynwyd mai Robert Everett, Morris Roberts a Griffth Roberts fyddai'n gyfrifol am gynhyrchu llyfr emynau ar gyfer Annibynwyr Cymraeg yr Unol Daleithiau.[47] Dengys nifer o ffynonellau fod Robert Everett wedi gwneud y rhan fwyaf o'r gwaith hwn, ac ar ôl i'r gyfrol ymddangos daethpwyd i'w galw'n 'Llyfr Emynau Everett' ar lafar gwlad.[48] Fe'i cyhoeddwyd yn 1846 o dan y teitl *Caniadau y Cysegr;* mae'n gyfrol swmpus, yn cynnwys 576 o dudalennau a thros fil o emynau. Yn dyst i'r ffaith mai gweithredu ar ran cyfundrefn ei enwad oedd Robert Everett, nodir ar wyneb-ddalen y llyfr ei fod wedi'i gynhyrchu 'dros Gymanfa Gynulleidfaol C[aerefrog] N[ewydd].'[49] Yn ôl un o'i wyrion, gwerthwyd 'miloedd' o gopïau.[50]

Nid oedd yn hawdd iddo adael y wasg deuluol, ac felly anaml y teithiai Robert Everett yn bell o'i gartref yn ystod y cyfnod hwn. Ond yn 1846 derbyniodd wahoddiad gan Annibynwyr Cymraeg Pennsylvania i ymweld â'u talaith ar daith bregethu. Roedd yn llwyddiant ysgubol, ac ailadroddodd y daith y flwyddyn ganlynol. Ar y ddau achlysur, anogodd gweinidogion Cymraeg Pennsylvania Robert Everett i gyhoeddi rhai o'r pregethau a draddododd tra oedd yn ymweld â'u capeli hwy, ac roedd y cais hwn yn cynnwys pregethau gwrthgaethiwol.[51] Cafodd gyfle felly i bregethu'i ddiddymiaeth o bulpudau Pennsylvania hefyd.[52]

Parhâi i ddefnyddio'r pulpud a'r wasg argraffu drwy gydol y 1840au i annog Cymry America i ymgyrchu dros yr achos, ac roedd yr un mor sicr ag erioed fod dyletswyddau'r Cristion yn cynnwys 'pleidleisio dros ryddid.' Ond deuai'n gynyddol anodd i Robert Everett wybod pa blaid wleidyddol y dylid ei chefnogi. Yn sgil ei methiant yn etholiad 1844, roedd dadleuon mewnol wedi bod yn rhwygo'r *Liberty Party*. Aeth un o'i harweinwyr, Salmon P. Chase, ati i gynnal trafodaethau â Chwigiaid a Democratiaid gwrthgaethiwol a oedd yn barod i adael eu hen bleidiau hwythau er mwyn creu grym gwleidyddol newydd a allai herio'r drefn gaeth. Ganwyd plaid wrthgaethiwol newydd yn Awst 1848 wrth i gyn-aelodau o 'Blaid Rhyddid' ddod ynghyd â chyn-Chwigiaid a chyn-Ddemocratiaid i greu'r *Free Soil Party*. Yn ôl un o sylfaenwyr Plaid Rhyddid, Joshua Leavitt, 'The Liberty Party [was] not dead . . . but *translated.*'[53] Os 'trosiad' o'r hen Blaid Rhyddid oedd y *Free Soil Party*, nid oedd Robert Everett yn hollol siwr sut i drosi'r enw newydd i'r Gymraeg. Ar adegau, fe'i disgrifiodd yn syml fel 'y Blaid Newydd.'[54]

Eglwys lydan oedd y blaid newydd hon o'i chymharu â'r hen Blaid Rhyddid. Nid oedd ei maniffesto mor radicalaidd gan ei bod yn cynnwys gwleidyddion gwrthgaethiwol nad oedd yn credu y gellid diddymu caethwasnaeth yn y taleithiau dehueol yn gyfreithlon; prif bolisi'r *Free Soil Party* oedd sicrhau na fyddai'r drefn gaeth yn cael ei hymestyn i'r taleithiau newydd a fyddai'n cael eu ffurfio yn y tiriogaethau gorllewinol. Ond roedd ei rhyfelgri – *'Free Soil, Free Speech, Free Labor, and Free Men'* – yn crynhoi'r egwyddorion yr oedd Robert Everett yn eu coleddu, a phenderfynodd ei chefnogi. Deuai etholiad arlywyddol arall ym mis Tachwedd 1848 a phan gyhoeddodd Robert Everett ysgrif yn annog Cymry America i bleidleisio dros y *Free Soil Party*, ceisiodd droi'r holl ddryswch ynghylch ei henw yn rhinwedd:

> Gelwir y blaid newydd gan rai, Y BLAID RYDD, neu Y BLAID DROS DIR RHYDD, &c.; ond nid enw anmhriodol ydyw yr enw y BLAID UNOL *(Union Party)* yr hyn a ganfyddasom mewn rhai Newyddiaduron. Y mae lluaws mawr o'r Democratiaid a'r Whigiaid yn uno ynddi yn serchog ac effro iawn.[55]

Ac fel yr oedd cyn-Chwigiaid wedi uno â chyn-Ddemocratiaid a chyn-aelodau o Blaid Rhyddid yn y 'Blaid Unol' hon, mawr oedd gobaith Robert Everett y byddai holl Gymry America'n uno yn eu cefnogaeth iddi:

> Pwy a wyr nad enillir ein cenedl yn lled gyffredinol drwy y gwahanol sefydlfeydd Americanaidd i gydweithio yn dirion a selog yn yr ymdrech mawr hwn yn erbyn y gaethfasnach. Hoff Gymry! deuwch i'r maes fel un gwr. Y mae cyfiawnder a gwirionedd o'n tu ni, ac y mae ffrydlif lled gref o'r meddwl cyhoeddus o'n tu ni bellach, a diamheu fod llaw yr Arglwydd i'w chanfod yn y peth hyn. Byddwn selog, byddwn unol, a phwy a wyr na cha rhai o honom fyw i fod yn dystion o ymwared cyffredinol ein gwlad oddiwrth orthrwm mawr y gaethfasnach.[56]

Unwaith eto, roedd yn gweithredu gyda chefnogaeth trwch ei enwad. Pan ddaeth Annibynwyr Cymraeg swydd Oneida ynghyd ar gyfer eu cylchwyl flynyddol ym mis Medi 1848, pasiwyd cynnig gan y Gymanfa a oedd wrth fodd calon Robert Everett. Yn ogystal â datgan mai 'adeg o ymdrech neillduol a chyhoeddus rhwng rhyddid a chaethiwed' oedd yr etholiad, cytunodd yr Annibynwyr i 'roddi ein dylanwad [h.y., pleidleisiau] yn erbyn y gallu a'r egwyddorion caethiwol, ac o blaid rhyddid.'[57]

Fel y gwnaethai adeg etholiad 1844, neilltuodd Robert Everett gyfran sylweddol o rifyn Tachwedd ar gyfer gwleidyddiaeth bleidiol yn 1848. Ac felly ar drothwy'r etholiad câi derbynwyr *Y Cenhadwr Americanaidd* ddarllen cynifer â saith erthygl yn eu hannog i bleidleisio dros y *Free Soil*

Party.[58] Ac yn debyg i'w strategaeth olygyddol yn 1844, roedd rhai o'r ysgrifau gwleidyddol hyn yn ymosod yn uniongyrchol ar ymgeiswyr y ddwy brif blaid; trafododd Robert Everett ffaeleddau'r Democrat Lewis Cass o dan y pennawd miniog 'Twyll a Digywilydd-dra' a bwriodd amheuaeth ar gymeriad ymgeisydd y Chwigiaid, y cyn-gadfridog Zackery Taylor, mewn darn yn dwyn y teitl 'Annhegwch y Cadf. Taylor.'[59]

A lwyddodd propaganda Robert Everett i sicrhau pleidleisiau ar ddiwrnod yr etholiad? Mae'r ystadegau a fyddai'n ein helpu i ateb y cwestiwn hwnnw yn anghyflawn, ond mae'r dystiolaeth sydd wedi goroesi yn awgrymu fod pleidleisiau gwrthgaethiwol y Cymry wedi cynyddu'n sylweddol rhwng 1844 a 1848.[60] Yn wir, ceir un ffaith sy'n awgrymu'n gryf fod Cymry America wedi dechrau uno y tu ôl i'r 'blaid unol'; yn ogystal â chefnogaeth selog *Y Cenhadwr Americanaidd*, dechreuodd y ddau gylchgrawn enwadol arall – *Y Cyfaill o'r Hen Wlad* a'r *Seren Orllewinol* – gyhoeddi deunydd yn canmol y blaid newydd.[61]

Ni ddylem synnu at hyn. Fel y gwelsom yn y bennod ddiwethaf, er bod y rhan fwyaf o Gymry America wedi aros yn ffyddlon i'r Chwigiaid yn ystod y 1840au cynnar, awgryma tystiolaeth y wasg mai *'conscience Whigs'* – hynny yw, Chwigiaid gwrthgaethiwol – oeddynt ar y cyfan. Erbyn 1848 roedd llawer o'r 'Chwigiaid cydwybodol' enwocaf wedi gadael eu hen blaid, ac roedd nifer ohonynt bellach yn aelodau o'r blaid wrthgaethiwol newydd. Mae'n wir mai trydedd blaid fach oedd y *Free Soil Party*, ond nid oedd hanner mor fach â'r hen *Liberty Party* na chawsai ond 2.3% o'r bleidlais genedlaethol yn 1844. Gallai'r *Free Soilers* ymfalchïo yn y ffaith eu bod wedi bachu 14% o'r cyfanswm cenedlaethol yn 1848, ac yn Vermont, Massachussetts ac Efrog Newydd, nhw oedd yr ail brif wrthblaid bellach gan eu bod wedi gwthio'r Democratiaid i'r trydydd safle yn y taleithiau gogleddol hynny.[62] Rhaid bod y Cymry'n gyfrifol am beth o gynnydd 'pleidlais rhyddid.' O ran gwleidyddiaeth Cymry America, buasai Robert Everett a'i ddilynwyr yn cynrychioli'r pegwn radicalaidd eithaf, ond erbyn 1848 roedd llawer iawn o'u 'cydgenedl' – pobl a fuasai'n sefyll ar dir canol y Chwigiaid cydwybodol – bellach yn cydbleidleisio â nhw. Oedd, roedd y Cymry'n dechrau uno'n wleidyddol, ac o ganlyniad nid esgorodd etholiad 1848 ar y math o bardduo mileinig yr oedd Robert Everett wedi'i ddioddef yn ôl yn 1844.[63] Roedd dyddiau'r gwawd a'r dirmyg ar ben.

NODIADAU

[1] *Y Cenhadwr Americanaidd*, Medi 1844.

[2] Papurau M. Everett.

[3] Ibid.
[4] Gw., e.e., Sem Phillips, Erasmus Jones, E. Davies, yn D. Davies [Dewi Emlyn] (gol), *Cofiant y Diweddar Barch. Robert Everett,* D. D. (Utica, 1879), 56-7, 77-8, a 85-6.
[5] Gw. y bennod nesaf.
[6] Gan fod rhai Cymry'n cefnogi'r *American Tract Society*, ceir y cyfieithiad hwn (Cymdeithas Draethodol America) mewn cyhoeddiadau o'r cyfnod. Roedd *The American Messenger* yn mynd o nerth i nerth yn y 1840au cynnar; yn wir, yn gymharol ddiweddar (sef Rhagfyr 1842) roedd wedi'i gyfuno â chylchgrawn arall a fuasai'n cystadlu ag ef, sef *The American Tract Magazine.* Ceir y manylion mewn pamffled a gyhoeddwyd gan y gymdeithas grefyddol hon: *A Brief History of the American Tract Society, Instituted at Boston, 1814, and its Relation to the American Tract Society at New York, Instituted 1825* (Boston, 1857).
[7] 'Pressed Leaves From the Everett "Bush" By Rev. J. E. Everett Written for his son Robert in or about 1912,' 8: 'about the time of the Civil War its circulation grew to be nearly 2,000 and it became financially profitable.'
[8] Milton C. Sernett, *Abolition's Axe: Beriah Green, Oneida Institute, and the Black Freedom Struggle* (Syracuse [Efrog Newydd], 1986), 101.
[9] Ibid., 101.
[10] Ibid., 106.
[11] Gw. y drafodaeth ym mhennod 4.
[12] 'Pressed Leaves', 73.
[13] *Y Cenhadwr Americanaidd*, Ionawr 1845: 'Breuddwyd y Gwirod-werthydd o'r *Religious Recorder; cyf. gan L. E.'*
[14] *Y Cenhadwr Americanaidd,* Chwefror 1845:'Gwrthgaethiwydd Mewn Profedigaeth o'r *Middlesex Standard*, Cyfieithiad gan L. Everett'
[15] E.e., 'Pressed Leaves', 73.
[16] *Y Cenhadwr Americanaidd*, Medi 1845: 'Cyfieithiad gan L. Everett, Steuben.'
[17] Ibid.
[18] Gw., e. e., 'Cadw Y Gymraeg' yn *Y Cyfaill o'r Hen Wlad*, Chwefror 1838.
[19] Gw. Benjamin Quarles, *Black Abolitionists* (Efrog Newydd, 1969), 116-7 a 133-8; ac hefyd, Joel Schor, *Henry Highland Garnet: A Voice of Black Radicalism in the Nineteenth Century* (Greenwood, 1977).
[20] William S. McFeely, *Frederick Douglass* (Efrog Newydd, 1991), 106-7,
[21] *Y Cenhadwr Americanaidd*, Mai 1846.
[22] Cyhoeddodd Gwilym Hiraethog ei 'Anerchiad at y Cymry yn America' yn wreiddiol yn *Yr Amserau*, 27 Mawrth 1845.
[23] Am Gwilym Hiraethog (William Rees), gw. D. Roberts a T. Roberts, *Cofiant y Parch. W. Rees, D.D.* (Dolgellau, 1893); E. G. Millward, *Cenedl o Bobl Ddewrion [:] Agweddau ar Lenyddiaeth Oes Victoria* (Llandysul, 1991), 82-104; Ioan Williams, 'Gwilym Hiraethog (William Rees, 1802-83)' yn Hywel Teifi Edwards (gol), *A guide to Welsh literature* c.1800-1900 (Caerdydd, 2000).
[24] *Y Seren Orllewinol*, Mehefin 1845; *Y Cenhadwr Americanaidd*, Mehefin 1845. Dyfynnir o'r *Cenhadwr* yma.
[25] Ibid.
[26] Ibid.
[27] *Y Cenhadwr Americanaidd*, Mehefin 1845. Argraffwyd yr ysgrif hon yn union ar ôl 'Anerchiad' Gwilym Hiraethog.
[28] *Y Seren Orllewinol*, Gorffennaf 1845.
[29] Ibid.
[30] Ibid.
[31] Ibid.
[32] *Y Cyfaill o'r Hen Wlad*, Mehefin 1845.
[33] Ibid.
[34] *Y Cenhadwr Americanaidd*, Gorffennaf 1845.
[35] Ibid.
[36] Ibid.
[37] Ibid.
[38] *Y Cenhadwr Americanaidd*, Tachwedd 1844: 'LLEF DROS FY NGWLAD.' Nid yw ymchwil bresennol wedi darganfod pwy oedd 'Cephas', ond gan ei fod yn byw yn Remsen, rhaid bod golygydd y *Cenhadwr* yn gwybod yn iawn pwy oedd y bardd hwn.
[39] Ibid.
[40] *Y Cenhadwr Americanaidd*, Mehefin 1845.
[41] Ibid.
[42] Mae'r gred hon yn deillio o (un ffordd o ddehongli) Datguddiad 20, 1-5. Wrth gwrs, ceid – a cheir –

milflwyddiaeth mewn llawer o wledydd Cristnogol eraill, ond roedd nifer o drobwyntiau hanesyddol wedi helpu'r gred hon i wreiddio'n ddwfn yn yr Unol Daleithiau. Dechreuodd y broses hon cyn i'r wlad ennill ei hannibyniaeth, fel yr eglura John Butler wrth drafod hanes America yn y ddeunawfed ganrif: 'Millenialist rhetoric predicting Christ's return to earth . . . expanded. Millennialism thrived on dramatic events, such as the episodic colonial revivals or the French and Indian War, and the Revolution proved an efficient incubator for yet another cylce.' John Butler, *Awash in a Sea of Faith [:] Christianizing the American People* (Cambridge [Mass.], 1990), 216.

[43] Gellid cyfeirio, er enghraifft, at y ffaith fod diwygiwr enwocaf yr ardal, Charles G. Finney, wedi pregethu milflwyddiaeth. Gw. E. Brooks Holifield, *Theology in America [:] Christian Thought from the Age of the Puritans to the Civil War* (New Haven, 2003), 367: 'Finney linked his perfectionism with his millennialism, suggesting . . . that the church must embrace right views of perfection before the millennium would come.'

[44] Ar y llaw arall, dywedodd Robert Everett ei hun fod ymgyrchu dros y *Liberty Party* yn fodd i Gristnogion greu 'cadwyn o oleuni' a fyddai'n rhwymo'r hyn a oedd yn atgas gan Dduw (gw. y bennod ddiwethaf). Gellid yn hawdd gysylltu'r ieithwedd hon â milflwyddiaeth (mae Datguddiad 20.2 yn sôn am rwymo 'Satan . . . am fil o flynyddoedd').

[45] *Y Cenhadwr Americanaidd,* Gorffennaf 1845.

[46] *Y Cenhadwr Americanaidd,* Mai 1846: 'Cân am Ryddid' gan T. Edwards, Pittsburgh.

[47] D. Davies (gol), *Cofiant y Diweddar Barch. Robert Everett,* 30.

[48] Ibid., 31. Dywed Davies 'fod pen trymaf y gwaith fel arferol wedi gorphwys ar ysgwyddau y Doctor [Everett].' Masnachwr yn Remsen oedd Griffith Roberts, ac mae'n debyg ei fod wedi helpu gyda'r dosbarthu'n bennaf. Dywedodd un o wyrion Robert Everett mai ei daid oedd 'both the literary and business chief of the enterprise'; 'Pressed Leaves', 9.

[49] *Caniadau y Cysegr; neu bigion o hymnau a salmau; o gyfansoddiad gwahanol awduron* (Remsen, 1846).

[50] 'Pressed Leaves', 10: ' the books were published in his own house. During my boyhood they were sold in great abundance. . . . .Many thousands of copies were disposed of[.]'

[51] E.e., *Y Cenhadwr Americanaidd,* Hydref 1847: 'Pob Dyn yn Ddiesgus,' sef 'Dyfyniadau o Bregeth yn Nghymanfa Carbondale [Pennsylvania] yn 1846, Gan R. Everett.' Dechreua â nodyn eglurhaol: 'Yr ydym yn gobeithio na wna ein hoff frodyr, y rhai a ddangosasant ddymuniad yn amser y Gymanfa uchod ar i'r bregeth hon gael ymddangos yn y Cenhadwr, ddim cymeryd yn angharedig iawn arnom am oedi cyhyd.' Ceir deunydd perthnasol hefyd ymhlith papurau M. Everett.

[52] Tystia ffynonellau eraill i'r ffaith fod Robert Everett wedi ymweld ag Annibynwyr Pennsylvania; gw., e.e., David Jones, *A Memorial Volume of Welsh Congregationalists in Pennsylvania* (Utica, 1934), 123.

[53] James M. McPherson, *Battle Cry of Freedom [:] The American Civil War* (Rhydychen, 1988), 61-2.

[54] E. e., *Y Cenhadwr Americanaidd,* Medi a Hydref 1848.

[55] *Y Cenhadwr Americanaidd,* Medi 1848.

[56] Ibid.

[57] *Y Cenhadwr Americanaidd,* Hydref 1848. Cyfeiria'r cynnig yn benodol at ymdrechion i wrthsefyll 'helaethu terfynau caethiwed,' disgrifiad o un o bolisïau creiddiol y *Free Soil Party.* Mae'n amlwg felly mai'r blaid wrthgaethiwol honno, ac nid gweddillion yr hen *Liberty Party,* a oedd yn cael cefnogaeth Cymanfa Oneida. Fodd bynnag, roedd rhai o arweinwyr Plaid Rhyddid wedi gwrthod ymuno â'r blaid newydd gan yn hytrach ddewis Gerrit Smith i sefyll yn enw'r gweddillion a ailenwid ganddynt yn *The True Liberty Party.* Gw. Milton Sernett, *Abolition's Axe,* 123-4.

[58] *Y Cenhadwr Americanaidd,* Tachwedd 1848. Dyma deitlau'r erthyglau gwleidyddol dan sylw: 'Trem ar Gaethiwed'; 'Golygiadau Gwladyddol y Blaid Rydd'; 'Ffeithiau Dyddorol o du Ryddid'; 'Y Ddadl Dros Dir Rhydd yn Ymledaenu yn y Deau'; 'Cyfrifoldeb mawr y Cyfwng Presenol'; 'Twyll a Digywylidd-dra'; 'Annhegwch y Cadf. Taylor.'

[59] *Y Cenhadwr Americanaidd,* Tachwedd 1848.

[60] Paul D. Evans, 'The Welsh in Oneida County, New York', (traethawd M.A., Prifysgol Cornell, 1914), 46. Mae Paul Evans yn cyfaddef 'one cannot follow in detail the development among the Welsh of that anti-slavery spirit which was not satisfied with the refusal of both Whigs and Democrats to take action against slavery' gan nodi mai'r 'lack of the necessary facts' (h.y., manylion ynglŷn â phatrymau pleidleisio'r Cymry) yw'r broblem. Eto, mae hefyd yn casglu '[that] the anti-slavery men had largely increased their votes.'

[61] Am enghreifftiau, gw. *Y Cyfaill o'r Hen Wlad,* Medi 1848; *Y Seren Orllewinol,* Hydref 1848.

[62] James McPherson, *Battle Cry of Freedom,* 63.

[63] *Y Cenhadwr Americanaidd,* Rhagfyr 1848: 'Terfyniad yr Etholiad.'

PENNOD 9:

'Grym Anwrthwynebol'

(llenyddiaeth, gwleidyddiaeth a llais y ferch, 1849-1854)

Tra oedd tri mab hynaf Robert Everett yn ei helpu gyda'i wasg wrthgaethiwol, roedd ei ferch hynaf, Elizabeth, yn hybu'r achos mewn ffyrdd eraill. Os oedd ei brodyr John a Robert wedi cael eu haddysg yn yr *Oneida Institute* o dan y diddymwr Beriah Green, roedd Elizabeth hithau wedi graddio yn y *Clinton Ladies' Seminary*, sefydliad arloesol arall yn swydd Oneida. Ac os oedd Beriah Green yn derbyn bechgyn duon yn fyfyrwyr, roedd prifathro Athrofa Clinton yn derbyn 'merched ieuainc o liw.'[1] Roedd Elizabeth yn fyfyrwraig ddisglair iawn, a chafodd ei phenodi'n athrawes yn yr Athrofa yn syth ar ôl iddi raddio yno. 'Bedyddwyr Rhydd' *('Free Will Bapists')* a ddaethai i'r ardal o Vermont a oedd yn rhedeg Athrofa Clinton, ac yn ogystal â bod yn ddiddymwyr brwd roedd y crefyddwyr hyn yn weinyddwyr craff. Ac felly tra oedd yr *Oneida Institute* yn dadfeilio ar ddechrau'r 1840au oherwydd ei broblemau ariannol, roedd Athrofa Clinton – y *Ladies' Seminary* yn ogystal â'r coleg cysylltiedig a ddarparai addysg i ddynion – yn mynd o nerth i nerth. Ar ôl i Beriah Green gau drysau'r *Institute* am byth, gwerthwyd ei adeiladau i Fedyddwyr Clinton, a daethpwyd i alw'r sefydliad yn *Whitestown Seminary*. Mewn nifer o ffyrdd, roedd Athrofa'r Bedyddwyr ar ei newydd wedd yn parhau â gwaith da Beriah Green: 'Several of Green's former students enrolled in the transplanted Baptist institution. . . . . Whitestown Seminary, coeducational and open to blacks, continued in some ways the traditions of Oneida Institute.'[2]

Roedd Elizabeth Everett yn aelod o staff yr Athrofa yr adeg honno. Ym mis Tachwedd 1844 – rai misoedd ar ôl iddynt symud i'r safle newydd – priododd hi â'r Parch. John Jay Butler, darlithydd mewn diwinyddiaeth yng ngholeg y dynion.[3] Câi un o frodyr ieuengaf Elizabeth, Henry, astudio yn yr Athrofa o dan ei frawd-yng-nghyfraith ei hun.[4] Roedd y Parch. Butler yntau'n ddiddymwr selog, a chyhoeddodd ysgrifau gwrthgaethiwol mewn nifer o bapurau Saesneg yn yr Unol Daleithiau. Cydweithiai Elizabeth â'i gŵr, ac er ei bod hi felly'n llafurio dros yr achos drwy gyfrwng y Saesneg ar y cyfan, roedd hi hefyd yn helpu i sicrhau bod cylchgrawn Cymraeg ei thad yn rhoi sylw i ymgyrchoedd gwrthgaethiwol y 'Bedyddwyr Rhydd.' Mae un o'r llythyrau gwreiddiol hyn yn llaw Elizabeth ei hun wedi goroesi:

Clin[ton] Sep. 8th 1849
Dear Parents,
I have been attending today and yesterday (or a part of it) the Free Baptist quarterly Conference held here at Clinton. Today has been occupied with preaching. Yesterday afternoon and evening was spent mostly in business and discussing resolutions. Last evening was a very interesting time mostly occupied on AntiSlavery resolutions. They come out very strong on the Abolition question. With all your thoroughness I think you could not complain of their want of zeal. They go the whole. . . . . I lost attending a splendid wedding party by going but I did not regret it, as I am sure I enjoyed myself far better in the meeting. It did me good to see such real manifestation for the slave - for the cause of humanity. . . . . We have a very pleasant school this term. . . . . Affectionately your daughter Elizabeth[5]

Disgrifiwyd Elizabeth Everett Butler gan un o'i neiaint fel 'a very capable woman intellectually; with fine taste in literature, and a generally cultivated mind.'[6] O gofio'r hyn a geir ym mhennod gyntaf y llyfr hwn am addysg a galluoedd Mrs Elizabeth Everett, gellid dweud bod y ferch yn debyg i'w mam. Ac yn debyg i'w mam a'u tad, byddai holl ferched Elizabeth a Robert Everett yn ymroi mewn gwahanol ffyrdd i'r ymgyrch dros hawliau dynol yr Americanwyr duon. Yn wir, tra oedd Elizabeth Everett Butler yn dysgu rhai merched duon rhydd yn y 1840au, byddai un o'i chwiorydd iau, Cynthia, yn ymroi i addysgu cannoedd o gyn-gaethweision ar ôl i ddiwedd y Rhyfel Cartref ddod â'u rhyddid.[7]

Roedd aelodau benywaidd y teulu ar flaen y frwydr dros hawliau merched hefyd gan eu bod yn byw bywydau a oedd yn herio confensiynau cymdeithasol a fynnai gadw'r ferch a'r wraig yn gaeth i'r cartref. Aeth un arall ohonynt, Mary Everett, yn feddyg homeopathig gan agor a rhedeg ei meddygfa ei hun yn ninas Efrog Newydd.[8] Gwyddom fod Robert Everett ei hun yn gryf o'r farn y dylid addysgu merched.[9] Câi rhai brawddegau o'i waith yn crisalu'i safbwynt eu dyfynnu droeon gan awduron Cymraeg eraill: 'Y mae cyneddfau y ferch mor dreiddgar, yn gyffredin ag eiddo y mab. Mae y gwybodaethau yn tueddu i'w dedwyddu hi fel yntau.'[10] Dengys hanes ei deulu a'r addysg a gafodd ei ferched ei hun fod golgydd *Y Cenhadwr Americanaidd* yn gwneud fel yr oedd yn ei ddweud.

Gwelai Robert Everett gysylltiad rhwng hawliau merched a hawliau'r caethweision duon. Wrth annog pob Cymraes yn y wlad i gymryd rhan yn yr ymgyrch, pwysleisiodd y cysylltiad hwnnw:

> Bydded i'n mamau a'n chwiorydd yn mhob ardal trwy'r wlad roddi eu llais a'u gwerthfawr ddylanwad o blaid rhyddhad y caethwas. . . . . Na fydded llais Cymraes byth i'w glywed yn pleidio o du caethiwed. Llawer chwaer ddu, ïe llawer chwaer wen (yn mron yn hollawl felly) sydd yn dyoddef y cam mwyaf.[11]

Anacronistaidd fyddai disgrifio Robert Everett fel ffeminydd. Roedd yn derbyn y stori Feiblaidd honno sy'n portreadu Efa, y ferch gyntaf, fel y bechadures gyntaf, stori y mae cenedlaethau o ffeministiaid wedi gwrthryfela yn ei herbyn yn ystod yr ugeinfed ganrif. Eto, roedd y Parch. Everett hefyd yn credu bod dysgeidiaeth y Beibl yn dangos bod merched wedi gwneud yn iawn am gwymp Adda ac Efa a'u bod mewn materion moesol ac ysbrydol o leiaf yn gyfartal, os nad yn well, na dynion:

> Y ferch oedd y gyntaf yn y camwedd yn Eden, ac y mae genym le i feddwl mai ei dylanwad hi sydd rymusaf i symud effeithiau y dirywiad a gymerodd le yno. Onid ei serchiadau hi sydd gynesaf, a'i hymdrechion y mwyaf dwys . . . o blaid achos Iesu? Onid hi oedd y ddiweddaf wrth y groes a'r gyntaf wrth y bedd? ac onid yw ei dylanwad yn effeithiol a grymus yn mhob achos da?[12]

A chan mai diddymiaeth oedd yr 'achos da' a oedd agosaf at galon Robert Everett, credai fod gan ferched rôl allweddol i'w chwarae yn yr ymgyrch yn erbyn caethwasanaeth.

Os oedd diddymiaeth yn fudiad radicalaidd yn y 1840au, roedd y diddymwyr hynny a oedd yn pleidio hawliau merched ar gyrion radicalaidd y mudiad hwnnw ar y dechrau. Dim ond yn 1848 y cafwyd y cyfarfod cyhoeddus gwleidyddol cyntaf yn yr Unol Daleithiau i drafod hawliau merched, a hynny'n Seneca Falls, Efrog Newydd (nid nepell o swydd Oneida). Ni fyddai llywodraeth talaith Efrog Newydd yn pasio'r ddeddf arloesol a fyddai'n caniatáu i wragedd priod gadw eiddo yn eu henwau eu hunain tan 1860.[13] Ac ni fyddai gan wragedd Americanaidd yr hawl i bleidleisio tan 1920.[14] O gofio'r cyd-destun hanesyddol, nid yw'n syndod dysgu nad oedd pob diddymwr gwrywaidd yn teimlo'r un fath ynglŷn â hawliau merched â Robert Everett.

Ond gwnaeth un dyn lawer er mwyn cymhathu'r ymgyrch dros hawliau merched â'r frwydr yn erbyn caethwasanaeth, a Frederick Douglass oedd y dyn hwnnw. Roedd Douglass wedi mynd yn aelod gweithgar o gylch William Lloyd Garrison yn fuan ar ôl iddo ddianc o gaethiwed yn 1838. Yn ogystal â helpu Garrison gyda'i bapur, *The*

Liberator, roedd y cyn-gaethwas yn siaradwr grymus ac yn ystod y 1840au cynnar enillodd enw iddo'i hun fel un o areithwyr mwyaf poblogaidd y mudiad gwrthgaethiwol. Wrth drafod 'Cylchwyl flynyddol y Gymdeithas Wrthgaethiwol Americanaidd' yn *Y Dyngarwr* yn 1843, talodd Robert Everett deyrnged i'w sêl a'i allu: 'Anerchwyd y cyfarfod hefyd gan Frederic Douglas (caethwas ffoedig) mewn iaith a dull tra syml ac addas[.]'[15] Nododd fod y cynadleddwyr wedi dangos eu gwerthfawrogiad gyda'u 'Cymeradwyaeth uchel a pharhaol' a bod Douglass, ar ôl gorffen 'yr araith ryfedd hon,' wedi eistedd 'i lawr yn nghanol lleisiau uchel a serchog o gymeradwyaeth.'[16] Cyhoeddodd y diddymwr du ei hunangofiant yn 1845, *Narrative of the Life of Frederick Douglass, An American Slave,* a chynyddodd ei enwogrwydd hyd yn oed yn fwy yn sgil llwyddiant y gyfrol.[17] Yn 1847 penderfynodd dorri'n rhydd o gylch Garrison; symudodd i Rochester, yng ngogledd talaith Efrog Newydd, a dechreuodd gyhoeddi ei bapur gwrthgaethiwol ei hun, y *North Star*. Ac yn 1848 aeth Frederick Douglass i'r gynhadledd honno yn Seneca Falls, gan roi'i gefnogaeth i'r ymgyrch dros hawliau merched a ddechreuwyd yn ffurfiol yno.[18]

Yn arwydd o'r ffaith fod ei enwogrwydd yn cynyddu o hyd, newidiodd Douglass enw'i gyhoeddiad yn 1851 o'r *North Star* i *Frederick Douglass' Paper*. Ysgrifennai Robert Everett at y diddymwr enwog, ac o ganlyniad rhoddwyd sylw i wasg wrthgaethiwol yr Everettiaid ar dudalennau papur Douglass:

> Y CENHADWR AMERICANAIDD. Remsen, N.Y.: J. R. Everett. We have made more than one resolution . . . not to increase our list of Exchanges; but we cannot deny ourselves the gratification of sending our Paper (as requested) to the Editor of The American Messenger, and, at the same time, of expressing our satisfaction at learning that there is, at least, one 'purely Anti-Slavery Paper,' published by the Welsh people of this country. This is as it should be. It is consistent that a people who have loved Freedom so much, for themselves, should lend their efforts towards obtaining it for others.[19]

Er na allai Douglass ddarllen Cymraeg, derbyniai'r *Cenhadwr* yn fisol. Rhaid bod y modd y disgrifiwyd y misolyn Cymraeg ar gyfer darllenwyr *Frederick Douglass' Paper* yn deillio o'i ohebiaeth â'r Everettiaid. Fel arall, sut y gallai Douglass a'i staff golygyddol wybod am gynnwys y cylchgrawn a natur y cyhoeddiadau Cymraeg eraill?

Sut bynnag y daeth Douglass i'r casgliadau hyn, nid yw'r disgrifiad yn hollol deg â chyhoeddiadau Cymraeg eraill y wlad. Roedd golygyddion

Y Cyfaill o'r Hen Wlad a'r *Seren Orllewinol* ill dau wedi datgan yn glir eu bod yn erbyn caethwasanaeth. Yn ogystal, roedd gan Gymry America eu papur newydd eu hunain, *Y Drych*, pan ymddangosodd y sylwadau hyn yn *Frederick Douglass' Paper*, ac roedd y cyhoeddiad hwnnw'n arddel safiad gwrthgaethiwol hefyd.[20] Ar y llaw arall, os yw *'purely Anti-Slavery paper'* yn golygu cyhoeddiad a gefnogai'n gyson y math o ddiddymiaeth ddigyfaddawd yr oedd Frederick Douglass (a Robert Everett) yn ei harddel, yna rhaid cyfaddef mai'r Cenhadwr oedd yr unig gyhoeddiad Cymraeg o'i fath yn yr Unol Daleithiau. Er collfarnu caethwasanaeth drosodd a thro, roedd William Rowlands, golygydd *Y Cyfaill o'r Hen Wlad*, wedi gwrthod cyhoeddi ambell ysgrif fwy radicalaidd, fel anerchiad gwrthgaethiwol Gwilym Hiraethog.[21] Ac er bod golygyddion *Y Seren Orllewinol* wedi cymryd safiad gwrthgaethiwol tanbaid ar dudalennau'r cylchgrawn, roedd un ohonynt, J. P. Harris, yn gorfod cyfaddef yn 1845 fod cyfran o'i ddarllenwyr yn anghytuno â'r modd yr oedd 'yn cymysgu crefydd a gwleidyddiaeth.'[22] Gwahanol iawn oedd gogwydd *Y Cenhadwr Americanaidd*; o'r cychwyn cyntaf roedd yn gyfrwng i Robert Everett hyrwyddo diddymiaeth bur a diamod ac os oedd yn derbyn llythyrau gan ddarllenwyr nad oedd yn cytuno â'r agenda wrthgaethiwol hon, nid oedd yn eu cyhoeddi.[23]

Diddorol hefyd yw hanes gwleidyddol *Y Drych*. Roedd 29,868 o bobl a oedd wedi'u geni yng Nghymru'n byw yn yr Unol Daleithiau yn 1850, ac mae'n rhaid fod y nifer o Americanwyr a siaradai Gymraeg yn uwch o lawer na hynny (gan gofio bod plant ymfudwyr yn cael eu magu'n siarad Cymraeg ar yr aelwyd yn America yn aml yn y cyfnod hwn).[24] Er bod ymgais i ddechrau papur Cymraeg wedi methu yn 1832, roedd gan Gymry America ddigon o boblogaeth ac adnoddau i gynnal eu papur wythnosol eu hunain erbyn 1851.[25] Yn wahanol i'r tri misolyn a gyhoeddid gan y gwahanol enwadau crefyddol, roedd *Y Drych* yn ceisio gwasanaethu holl Gymry'r Unol Daleithiau. Roedd y golygydd, J. M. Jones, yn glir iawn ar y pwynt hwnnw: 'Nid ydyw y newyddiadur hwn yn perthyn i un enwad crefyddol na phlaid wleidyddol.'[26] Ond er datgan ei amhleidgarwch yn y modd hwn, estynnodd groeso arbennig i ysgrifau 'dyngarol,' gan gynnwys rhai gan ddiddymwyr: 'Bydd gohebiaethau mewn perthynas i'r Ysgol Sabbothol, yr achos Dirwestol, y Cymdeithasau Llenyddol, Biblaidd, Traethodol, Cenhadol, Gwrthgaethiwol, a phob sefydliad dyngarol arall, bob amser yn dra derbyniol[.]'[27] Nid yw'n syndod felly fod y rhifyn cyntaf o'r papur a ddaeth o'r wasg ar 2 Ionawr 1851 yn cynnwys trafodaeth ar 'Ddeddf y Crwydriaid Caethwasawl' *(The Fugitive Slave Law)*[28]:

Os crwydryn yw y Negro tlawd sydd yn diangc am ei ryddid, yna crwydriaid oedd fföaduriaid y ddinas noddfa yn Israel gynt. Y mae gan y Gydgynghorfa yn Washington awdurdod i ddeddfiaw fel y gwelont oreu, ond nid ydym yn meddwl fod y bobl wedi cynnrychioli ynddynt awdurdod i wneuthur deddfau anghyson â rheswm a dynoliaeth.[29]

Roedd y ddeddf newydd hon wedi'i phasio yn 1850, ac fe'i lluniwyd er mwyn helpu caethfeistri i ddal caethweision a oedd wedi ffoi i daleithiau rhydd y gogledd. Nid yn unig yr oedd y ddeddf yn caniatáu i ddeheuwyr gipio cyn-gaethweision yn y gogledd, roedd hefyd yn gorfodi awdurdodau megis y *federal marshals* i ddal a dychwelyd caethweision ffoëdig. Y llywodraeth ffederal yn Washington – ac nid y taleithiau deheuol perthnasol – oedd yn talu'r costau ychwanegol.[30]

Cyhoeddodd Robert Everett nifer o ysgrifau yn *Y Cenhadwr Americanaidd* yn beirniadu'r ddeddf, gan gynnwys crynodeb o araith a draddodwyd mewn cyfarfod gwrthgaethiwol gan y Parch. John Howes. Buasai'r dyn hwn yn cydweithio â Robert Everett yn ystod dyddiau cynnar ei ymgyrch; cyhoeddai'r Parch. Howes yn *Y Dyngarwr* a chymerodd ran yn y cyfarfod hwnnw yng nghapel Robert Everett yn 1843 pan anerchwyd diddymwyr Cymreig yr ardal gan y caethwas ffoëdig George French. Nid oedd syndod felly fod y Parch. Howes yntau'n siarad yn erbyn deddf a orfodai ogleddwyr i ddychwelyd caethweision ffoëdig eraill. Yn ôl y crynodeb a gyhoeddwyd yn y Cenhadwr, 'sylwodd':

1. Fod y ddeddf uchod *(fugitive slave law)* yn afresymol.
2. Yn greulon.
3. Yn anysgrythyrol.
4. Yn groes i Gyfansoddiad yr Unol Dalaethau.
5. Ei bod yn ddeddf na ellir ymostwng iddi AM FOD GALLU UWCH YN GWAHARDD.[31]

Disgwylid i ddiddymwyr tanbaid fel John Howes a Robert Everett wrthwynebu deddf o'r fath. Ond roedd gogleddwyr canol-y-ffordd wedi'u cythruddo gan y ddeddf newydd hefyd. Fel arall, roedd y taleithiau deheuol yn mynnu bod hawliau'r taleithiau unigol yn drech na grym y llywodraeth ffederal gan ddadlau felly nad oedd gan y llywodraeth ffederal yn Washington yr hawl i ymyrryd â'r drefn gaeth yr oedd eu cyfreithiau taleithiol hwythau'n ei gwarchod. Ond roedd y *Fugitive Slave Law* yn ymyrryd â hawliau'r taleithiau gogleddol tra oedd hefyd yn defnyddio arian y llywodraeth ffederal i warchod 'eiddo' y deheuwyr.

Ac felly nid yw'r ffaith fod *Y Drych* wedi datgan ei wrthwynebiad i'r ddeddf ddadleuol hon yn ddigon ynddi'i hun i'w osod yn yr un cae gwleidyddol â chyhoeddiad Robert Everett. Yn wir, dywedodd golygydd *Y Drych* yn yr un ysgrif nad oedd yn cytuno â'r diddymwyr 'penboethlyd' ychwaith: 'Nis gallwn gydweled mewn un modd â'r Gwrthgaethyddion penboethlyd Gogleddol sydd yn cefnogi eraill llawn mor ddiegwyddor.'[32] Cyfeirio yr oedd at y diddymwyr hynny a oedd yn fodlon torri'r gyfraith er mwyn rhyddhau'r caethweision yn y taleithiau deheuol. Yn hynny o beth, roedd *Y Drych* yn unfarn â llawer iawn o drigolion y taleithiau gogleddol. Roedd yn cerdded y tir canol.

Ond roedd y tir canol hwnnw'n dechrau symud. Fel y gwelwyd yn y bennod ddiwethaf, un ffactor a ddeuai â chyn-Chwigiaid a chyn-Ddemocratiaid yn agosach at y diddymwyr 'penboethlyd' oedd y *Free Soil Party*. Ffactor arall oedd yr union gyfraith yr oedd golygydd *Y Drych* yn ei thrafod yn Ionawr 1851; credai llawer o ogleddwyr nad oeddynt o blaid ymyrryd â chyfreithiau'r taleithiau deheuol fod y deheuwyr bellach yn dylanwadu ormod ar eu cyfreithiau hwythau. Tra oedd y tir canol yn symud yn agosach at safbwynt radicalaidd y diddymwyr, roedd y radicaliaid hwythau'n dweud mai anwybyddu'r ddeddf newydd oedd yr unig ddewis moesol a oedd ganddynt. Yn debyg i John Howes a ddywedodd yn ei araith 'ei bod yn ddeddf na ellir ymostwng iddi,' credai Robert Everett yntau y dylid gwrthwynebu pob ymdrech i ddychwelyd caethweision ffoëdig er bod gan y *slave catchers* sêl bendith y gyfraith. Unwaith eto, roedd y Parch. Everett yn gweithredu gyda chefnogaeth swyddogol ei enwad; fel y nododd ar dudalennau'r *Cenhadwr*, pasiodd Cymanfa Annibynwyr swydd Oneida nifer o benderfyniadau yn collfarnu'r ddeddf. Gan nodi un enghraifft yn unig, datganodd y Gymanfa yn Hydref 1852:

> Ein bod eto yn amlygu ein gwrthwynebiad i'r weithred ysgeler hono a elwir "Cyfraith y Caeth Ffoedig," ac yn adnewyddol ymrwymo i'w gwrthwynebu yn mhob modd cyfreithlon . . . ac nas gallwn ystyried neb yn deilwng o'r enw Cristion a'r a bleidia yn wirfoddol y fath gyfraith.[33]

Ni ellir gorbwysleisio arwyddocâd y penderfyniadau hyn. Roedd Annibynwyr Cymraeg swydd Oneida yn datgan yn gyhoeddus eu bod yn annog Cristnogion i beidio â pharchu'r gyfraith hon.

Diolch i'r *Fugitive Slave Act*, roedd teimladau gwrthgaethiwol yn dwysáu yn y gogledd ar ddechrau'r 1850au. Ac yn dynn ar sodlau'r datblygiad deddfwriaethol hwnnw daeth datblygiad llenyddol i'w dwysáu ymhellach. Cyhoeddodd Harriet Beecher Stowe ei nofel boblogaidd, *Uncle Tom's Cabin* yn 1852.[34] A dweud y gwir, nid yw'r ansoddair 'poblogaidd' yn gwneud cyfiawnder â llwyddiant y nofel; byddai'n gwerthu'n well yn rhyngwladol na'r un llyfr arall ar wahân i'r Beibl.[35] Yn ôl Robert Everett, 'Ni ddaeth o'r Wasg erioed yn yr oesoedd diweddaraf hyn, Lyfr a dderbyniodd gymeradwyaeth mor wresog a darlleniad mor gyffredinol gan y cyhoedd, a'r Llyfr dyddorol hwn.'[36] Gan ei bod hi'n darlunio bywyd y caethweision mewn modd dramatig a chofiadwy, cafodd y nofel effaith sylweddol ar y modd yr edrychid ar y drefn gaeth. Cafodd effaith sylweddol ar ddatblygiad y nofel Gymraeg hefyd, fel yr eglura E. G. Millward wrth drafod trosiad Cymraeg Gwilym Hiraethog o'r nofel Americanaidd: 'Rhoes . . . hwb grymus i dwf ffuglen yn Gymraeg ac fe'i defnyddid yn aml fel prawf y gallai'r 'nofel' fod yn llesol ac yn fuddiol[.]'[37]

Nid Gwilym Hiraethog oedd yr unig awdur i drosi *Uncle Tom's Cabin* i'r Gymraeg.[38] Yn wir, cyhoeddwyd cyfieithiad Cymraeg yn yr Unol Daleithiau yn fuan ar ôl i'r nofel Saesneg wreiddiol ymddangos, a hynny gan ddwy wasg wahanol.[39] Cyhoeddodd Robert Everett y nofel ar ffurf cyfres yn *Y Cenhadwr Americanaidd* ac fe'i cyhoeddid yn yr un modd yn *Y Cyfaill o'r Hen Wlad* hefyd, gyda'r ddau gylchgrawn yn dechrau'r cyhoeddiad cyfresol yn Ionawr 1853. Cyflwynodd y *Cyfaill* y nofel i'w ddarllenwyr fesul pennod o dan y pennawd hwn:

CABAN `N EWYTHR TWM;
(Uncle Tom's Cabin;)
NEU, FYWYD NEGROAIDD YN NHALEITHIAU
CAETHWASAWL AMERICA.[40]

Fel hyn y cyflwynodd Robert Everett y nofel i'w ddarllenwyr yntau:

BWTHYN F'EWTHR TOM;
NEU FYWYD YN MHLITH YR ISELRADD.
GAN MRS. H. B. STOWE.
[A gyhoeddir trwy hawlfraint oddiwrth yr Awdures.][41]

Fel y dengys y cyflwyniad hwn, roedd Robert Everett wedi sicrhau'r 'hawlfraint' cyn cyhoeddi'r cyfieithiad (yn wahanol, fe ymddengys, i olygydd y *Cyfaill*). Nid yw'r llythyr a ysgrifennodd y Parch. Everett at y nofelydd enwog wedi goroesi, ond mae'r ateb a gafodd gan Harriet

Beecher Stowe wedi'i ddiogelu hyd heddiw yng ngasgliad y teulu:

> Dear Sir,
> You have my full permition to translate Uncle Tom into Welch anddo any thing with it in that language that shall seem to you most fit and desireable. I shall be happy if it does any good.
> Yours very truly
> H B Stowe[42]

Ysgrifennodd Harriet Beecher Stowe y llythyr byr hwn ar 22 Tachwedd 1852, ryw chwech wythnos cyn i Robert Everett ddechrau cyhoeddi'r cyfeithiad fesul pennod yn y *Cenhadwr*. Mae'n amlwg nad oedd hi wedi gofyn am arian gan olygydd y cylchgrawn Cymraeg; *'I shall be happy if it does any good'* oedd ei hunig ddymuniad hi. Gellir casglu bod 'daioni' wedi deillio o'r berthynas lenyddol ddwyieithog hon gan fod darllenwyr Cymraeg America wedi ymateb mor frwd.

Yn wir, cyn gorffen cyhoeddi'r nofel yn gyfresol yn y *Cenhadwr* penderfynodd Robert Everett fod digon o alw i gyfiawnhau cyhoeddi a gwerthu'r cyfieithiad Cymraeg ar ffurf cyfrol annibynnol. Roedd nifer o Gymry ar draws y wlad wedi dechrau archebu copïau o'r llyfr mor gynnar â gwanwyn 1853. Dengys gohebiaeth Robert Everett â J. C. Jones o Hazel Green, Wisconsin, y modd y bu i Jones gymryd archebion wrth iddo gasglu tanysgrifiadau ar gyfer *Y Cenhadwr Americanaidd* yn Wisconsin:

> Hazel Green, Mehefin 11, 1853
> Barch Sir,
> Os oes rhifynau o'r Cenhadwr ar law dymuna Mr Robert Roberts, Hazel Green, Grant Co, Wis, ei dderbyn naill ai o ddechreu y flwyddyn neu ynte or pryd hwn. Mae Mr Roberts yn ddyn a theulu a llawer o feddianau ganddo yn y lle hwn ac yn arhosol yma. Y mae yn adnabyddus i mi ers blynyddau lawer wedi dyfod yma o fy hen ardal Bethel, Sir Gaernarfon. Enfyn yr arian i chwi yn ddiogel. [. . . .]
> Anfonodd J. E. Jones a Moses Rowland, Galena, arian ac orders am U.T.C. *[sef Uncle Tom's Cabin]* ers mis o amser bellach. Yr oeddwn yn galw heibio iddynt yr wythnos ddiweddaf ac yr oeddynt heb ei gael. Ni welais y Cenhadwr am y mis hwn eto, felly nid wyf yn gwybod a ydyw U.T.C. allan. [. . . .] Ydwyf, Barch. Syr, yr eiddoch, J. C. Jones[43]

Ymddangosodd y gyfrol yn 1854. Er ei fod wedi defnyddio'r gair 'Bwthyn' yn *Y Cenhadwr Americanaidd*, roedd Robert Everett wedi penderfynu newid y teitl i *Caban F'Ewythr Twm* erbyn i'r gyfrol ymddangos (ond yr un oedd yr isdeitl, sef *[B]ywyd yn mhlith yr Iselradd*).[44]

Y sylfaen oedd cyfieithiad Hugh Williams, cyn-olygydd *Y Cymro*.[45] Ond aeth golygydd y *Cenhadwr* ati i wella'r sylfaen honno, fel y dengys geiriau a geir ar wyneb-ddalen y gyfrol: 'A adolygwyd Ac a Ddiwygiwyd gan Robert Everett.'[46] Ar ddiwedd y bedwaredd ganrif ar bymtheg daeth wyrion Robert Everett o hyd i'r nodiadau a wnaethai tra oedd yn ei 'adolygu' ac yn ei 'ddiwygio':

> After Uncle Tom's Cabin was published, a man in Wales made an attempt at reproducing the work in a more or less free translation. Grandpa took this translation, and made it the basis of a new translation, comparing it carefully with the English. When we ransacked the old garret in 1894 before the homestead was sold, we found the printed pages of the book that Grandpa had used in making this revision – the Welsh translation. The book had been dissected so that the leaves were separate and they were interlined and the margins also used as Grandpa's emendations and changes were very numerous. It must indeed, have been practically a new translation.[47]

Mae'n siwr fod ysgrifen Robert Everett yn drwch dros yr hen gopi hwnnw o gyfieithiad Hugh Williams gan ei fod wedi newid sillafiad nifer sylweddol o eiriau ar bob un o'i dudalennau.[48] Eto, ni ddylid casglu'i fod yn 'gyfieithiad newydd' ychwaith; newid sillafiad oedd y rhan fwyaf o'r 'diwygiadau' a wnaeth, nid newid ystyr neu naws y cyfieithiad ei hun. Ar wahân i'w sillafu, defnydd Robert Everett o brint italig oedd un o'r newidiadau amlycaf; o ganlyniad mae'i fersiwn ef o gyfieithiad Hugh Williams yn pwysleisio'r geiriau hynny sy'n estron i'r Gymraeg, megis *quadroon, mulatto* a *verandah*.[49]

Ond ceir dau fanylyn pwysig sy'n gwahaniaethu rhwng argraffiad Everett a'r cyfieithiad gwreiddiol. Yn gyntaf, mae'r lluniau'n hollol wahanol. Mae'n bosibl iawn na chafodd Robert Everett yr hawlfraint gan George Cruikshank, yr arlunydd adnabyddus y ceir ei luniau yng nghyfieithiad gwreiddiol Hugh Williams.[50] Yn ail, mae'r gyfrol yn agor â rhagymadrodd gan Robert Everett ei hun, sef darn o feirniadaeth lenyddol sy'n craffu ar ddawn Harriet Beecher Stowe ac arwyddocâd ei nofel:

> Y mae testyn y Llyfr hwn, sef y caethiwed Americanaidd, yn un o'r testynau pwysicaf ag y gall un awdur nac awdures ysgrifenu arno. Y mae y Llyfr wedi ei ysgrifenu ar ddull anarferol o ddifyrus a deniadol i ddarllenwyr yn gyffredinol, ei ysbryd a'i iaith yn hynaws a

boneddigaidd, eto yn ffyddlon a diweniaith yn y darluniadau a roddir o'r anghyfiawnder a'r caledi a ddyoddefir dan y drefniant gaethiwol. Nis gall un dyn o chwaeth a theimlad dros ei gyd-ddyn, ei ddarllen, heb fod ei enaid yn ymgynhyrfu ynddo, mewn dymuniadau ac mewn deisyfiadau at Dad y trugareddau am fod y camwri mawr hwn, sydd yn nôd mor waradwyddus arnom fel gwlad, yn cael ei fythol ddileu, a hyny gyda brys.[51]

Nid dyma'r tro cyntaf i Robert Everett drafod yr effaith a gâi llenyddiaeth wrthgaethiwol ar y darllenydd; pwysleisiai'i farn fod gan yr artist rôl arbennig i'w chwarae yn yr ymgyrch ar nifer o achlysuron. Gofynasai i feirdd Cymraeg America gyfansoddi 'emynau ar ryddid' yn ôl yn 1843 gan ychwanegu bod canu'r cyfryw gyfansoddiadau'n 'effeithio yn fawr ar y meddwl dynol.'[52] Mae'n ddiddorol cymharu'r dyfyniad cynharach hwnnw â'r hyn a geir yn rhagymadrodd Robert Everett i *Caban F'Ewythr Twm;* gellid meddwl y byddai gweinidog yn disgrifio canu crefyddol fel modd o gyrraedd y galon neu'r enaid, ond apelio at y 'meddwl' yr oedd emynau gwrthgaethiwol yn ôl y Parch. Everett. Ar y llaw arall, camp y nofel wrthgaethiwol oedd ei gallu i gynhyrfu 'enaid' y darllenydd!

Canmola'r gweinidog ddawn yr awdures ymhellach gan ddweud ei bod hi'n darlunio 'yn y dull mwyaf naturiol ac esmwyth' amrywiaeth o 'gymeriadau,' gan gynnwys 'meistriaid a gweision, caethwerthwyr a chaethbrynwyr, helwyr a dalwyr dynion.'[53] Dywed iddi lwyddo hefyd wrth ddisgrifio'r 'teimladau mwyaf toddedig a drylliedig' a'i bod yn cyflwyno 'golygfeydd brawychus' sy'n argyhoeddi'r darllenydd eu bod wedi'u seilio ar 'ffeithiau' go iawn.[54] Credai Robert Everett fod y wedd realaidd ar y nofel i'w chanmol, ond roedd y realaeth honno hefyd yn cynnwys y modd y gallai Stowe blymio i ddyfnderoedd emosiynol ei chymeriadau.[55] Er iddo ganmol 'dull' y nofel, sef arddull a oedd yn ei dyb ef yn 'anarferol o ddifyrus a deniadol,' ac er iddo dynnu sylw at 'iaith' neu ieithwedd y gwaith, nid y geiriau ar y tudalen ond yr 'ysbryd' y mae'r geiriau hynny'n ei gyfleu oedd pennaf reswm y Parch. Everett dros ei chanmol gymaint: 'Mae y Llyfr trwyddo oll yn anadlu ysbryd dyngarol, Cristionogol, a thra efengylaidd.'[56]

Yn ogystal â cheisio diffinio'r hyn a wna ddarn llwyddiannus o lenyddiaeth wrthgaethiwol, mae'r rhagymadrodd yn trafod y berthynas rhwng y nofel a'i chyd-destun hanesyddol (sylwer hefyd ei fod yn defnyddio'r gair ystyrlon hwnnw, 'ysbryd,' eto):

Sefydliad Cyfraith y Caeth Ffoedig oedd yr hyn a gynhyrfodd ysbryd Mrs. Stowe i gyfansoddi a chyhoeddi y Llyfr, a llawer yn ddiau a'i galwant yn wynfydedig ac a fendithiant ei choffadwriaeth am ddyfod allan i ddeffroi y wlad yn erbyn y fath orthrwm.[57]

Gwyddai Robert Everett beth oedd yn debygol o 'ddeffroi' teimladau darllenwyr Cymraeg America hefyd. Ers 1840 bu'n bwrw golwg dros rychwant o ryddiaith a barddoniaeth wrth ddewis y testunau hynny a gâi'u cyhoeddi yn *Y Cenhadwr Americanaidd*. Dechreuasai fenter arall yn 1850, *Y Detholydd,* sef cylchgrawn a gynhwysai 'bigion' o gyhoeddiadau Cymru.[58] Gan gofio ei fod ymysg arloeswyr y wasg gyfnodol Gymraeg, roedd gan Robert Everett brofiad helaeth o chwaeth lenyddol y Cymry.[59] Yn ogystal, roedd yn sylwebydd craff a allai ddehongli'r berthynas rhwng diwylliant llenyddol Cymraeg yr Unol Daleithiau a datblygiadau Americanaidd eraill a effeithiai ar y diwylliant hwnnw.

Yn ogystal â chredu bod llenyddiaeth Gymraeg yn rhan bwysig o'i ymgyrch ef i 'ddeffro' Cymry America, gwyddai Robert Everett fod llenyddiaeth Saesneg y wlad ymysg arfau mwyaf pwerus y diddymwyr a'r caethfeistri fel ei gilydd. Cyhoeddesid testunau o blaid caethwasanaeth gan awduron deheuol cyn 1852, ond ar ôl i nofel boblogaidd Harriet Beecher Stowe ymddangos ymatebodd nifer o awduron a geisiai wyngalchu *Uncle Tom's Cabin.*[60] Yn ogystal â'r ymateb deheuol, ymddangosodd rhai nofelau adweithiol yn y gogledd hefyd. Dylid cofio bod gwrth-ddiddymwyr *(anti-abolitionists)* i'w cael yn y taleithiau gogleddol hefyd, fel y dengys hanes nifer o'r nofelau *proslavery* hyn. I nodi'r enghreifftiau amlycaf yn unig, cyhoeddodd Mary Henderson Eastman *Aunt Phillis's Cabin: or, Southern Life as it is* yn Philadelphia, Pennsylvania, ac ar wasg yn ninas Buffalo, Efrog Newydd, y cyhoeddwyd *Life at the South; or, 'Uncle Tom's Cabin' As It is* gan W. L. G. Smith.[61] Ond mewn erthygl sy'n dwyn y teitl buddugoliaethus 'Cyfnod Newydd', dywedodd Robert Everett wrth ei ddarllenwyr Cymraeg yntau fod nofel fawr Harriet Beecher Stowe wedi ennill y frwydr lenyddol hon:

> Y mae llenyddiaeth y wlad wedi cael ei drawsgipio oddiar feddiant y gallu caeth. Uncle Tom's Cabin sydd wedi gwneuthur yn annichonadwy y llenyddiaeth Americanaidd hwnw a gynal y sefydliadau deheuol. Y llyfr yna a dyn lenyddiaeth ysgafn y wlad i'w elfen ei hun, gyda grym anwrthwynebol am flynyddau i dd'od. . . . . Milynau o galonau dynol oll yn nerthol gyd daro . . . gyda chodiad cryfach nag ymchwydd y môr, ac nis gellir ei attal yn ei redegfa ddim mwy nag y gellir attal ysgubiad y llanw, neu y Niagra ar frig y cwymp. Uncle Tom sydd yn ysgubo yn mlaen, gan chwilfriwio a myned dros

> "Aunt Phillis' Cabin," "A Life in the South," a phethau bach felly a deflir yn ei ffordd[.][62]

Dyma ddisgrifiad huawdl o rym llenyddiaeth. Yn ôl Robert Everett, 'grym anwrthwynebol' oedd y nofel wrthgaethiwol hon, grym na ellid ei atal rhag newid y byd er gwell. Nid yw'n syndod dysgu bod Robert Everett wedi cyhoeddi'r erthygl hon ym mis Tachwedd 1852, sef yr union adeg ag yr oedd yn cysylltu â Harriet Beecher Stowe er mwyn sicrhau hawlfraint y nofel.

Cydredai'r datblygiadau llenyddol hyn â datblygiadau gwleidyddol o'r pwys mwyaf gan fod etholiad arlywyddol wedi'i gynnal yn Nhachwedd 1852 hefyd. Dechreuasai Robert Everett ymgyrchu ar ddechrau'r flwyddyn wrth gyfarch darllenwyr *Y Cenhadwr Americanaidd* yn rhifyn Ionawr:

> Yn y flwyddyn 1852 y gweithredir mewn un etholiad Llywyddol eto yn Unol Dalaethau America, yr hwn, gobeithiwn, er nas gwyddom pa fodd eto, a effeithia i ddryllio rhyw fodrwy o'r gadwyn sydd yn dal miliynau mewn caethiwed gwaradwyddus a chreulon yn y wlad[.][63]

Ac unwaith eto, roedd y Parch. Everett yn gweithredu gyda sêl bendith ei enwad. Rhoddwyd adnoddau'r Annibynwyr at wasanaeth 'pleidlais rhyddid', ffaith a bwysleisiwyd yn gyhoeddus gan y gwahanol gymanfaoedd. Er enghraifft, pan gyfarfu Cymanfa Ohio ar 20 Mai 1852, roedd y 'penderfyniadau' a basiwyd yn cynnwys: 'Ein bod yn hollol annghymeradwyo caethiwed . . . a'n bod yn taer ddeisyf ar ein brodyr a'n cydgenedl fod yn dra gochelgar i bwy y rhoddant eu pleidleisiau[.]'[64]

Er bod y *Free Soil Party* wedi ennill llawer o dir yn etholiad 1848, roedd nifer o elfennau'n erydu'r tir hwnnw yn 1852. Llwyddodd y Blaid Ddemocrataidd i ddenu llawer o'r aelodau gwrthgaethiwol hynny a adawsai adeg yr etholiad blaenorol yn ôl i'w rhengoedd. Yn ogystal â'r canfyddiad fod y Democratiaid o blaid 'cyfaddawd teg' rhwng y taleithiau rhydd a'r taleithiau caeth, ffactor arall a hybai'r broses hon oedd y ffaith mai Gogleddwr o Loegr Newydd, Franklin Pierce, oedd eu hymgeisydd arlywyddol yn 1852.[65] Fel sy'n digwydd yn aml ym myd gwleidyddiaeth bleidiol, roedd awydd llawer o Ddemocratiaid i drechu'u prif wrthblaid, y Chwigiaid, yn drech na'u daliadau moesol unigol. Ar lawer cyfrif, roedd yr *antislavery Democrats* a ddychwelodd i'r blaid yn 1852 yn eu twyllo'u hunain. Gogleddwr neu beidio, roedd y caethfeistri deheuol yn cefnogi Franklin Pierce, a hynny am reswm da. Coleddai Pierce faniffesto'i blaid, ac roedd y maniffesto hwnnw'n cynnwys datganiad diamwys: 'Congress has no power . . . to interfere with questions of slavery.' Yr unig eithriad i'r datganiad hwn oedd addewid Pierce y byddai'i lywodraeth Ddemocrataidd ef yn gweithredu ar y *Fugitive Slave Act* (a roddai i'r caethfeistri'r hawl i ymyrryd â'r modd yr oedd y taleithiau gogleddol yn deddfu ynghylch caethwasanaeth).[66] Yn wir, gan fod safiad Pierce mor gadarn ar y pwynt hwn, heidiai'r Chwigiaid deheuol a gefnogai'r drefn gaeth i gefnogi'r Democratiaid yn 1852.

Hwn fyddai'r tro olaf i'r Chwigiaid sefyll etholiad arlywyddol. Tra oedd y *Cotton Whigs* deheuol yn ymuno â'r Democratiaid, roedd llawer o 'Chwigiaid cydwybodol' y gogledd yn parhau i bleidleisio dros y *Free Soil Party*. Dyma a roddodd ddwy dalaith ogleddol, Connecticut ac Ohio, i'r Democratiaid y flwyddyn honno.[67] Roedd dadleuon mewnol ynghylch caethwasanaeth wedi rhwygo'r hen blaid yn rhacs, ac roedd tirlun gwleidyddol yr Unol Daleithiau wedi newid am byth. Yn ddarn bach o'r tirlun hwnnw, roedd y Cymry a fuasai'n gefnogol i'r Chwigiaid ar un adeg wedi ymadael â'u hen blaid er mwyn pleidleisio 'dros ryddid.'[68]

Ond grŵp bychan iawn oedd y Cymry ar y lefel genedlaethol. Er i lawer o gyn-Chwigiaid eraill bleidleisio dros y *Free Soil Party*, nid oedd yn ddigon i wrthbwyso llwyddiant y Democratiaid ac felly collodd y *Free Soil Party* dir yn 1852 hefyd. Wedi bachu 14% o'r cyfanswm cenedlaethol yn 1848, ni chafodd ond 6% o'r pleidleisiau ym mis Tachwedd 1852.[69] Etholwyd y Democrat Pierce yn arlywydd y mis Tachwedd hwnnw, ond cymerodd Robert Everett gysur yn y ffaith fod nifer o 'bleidwyr rhyddid' wedi'u hethol i'r Gyngres (neu'r 'Gydgynghorfa') y flwyddyn honno. Anogodd ddarllenwyr *Y Cenhadwr Americanaidd* i wireddu 'egwyddorion rhyddfreiniol' eu cyndadau Cymreig drwy barhau i weithio dros achos rhyddid yn yr Unol Daleithiau:

> Yn America, ein gwlad fabwysiadol, nid ydym heb obaith mai cryfhau ac ymledu ychydig y mae gwawr rhyddid ar ein hawyrgylch gwladwriaethol. Mae yr etholiad diweddar, mae yn wir, wedi terfynu yn newisiad boneddwr i'r gadair Lywyddol nas gallwn ddysgwyl ei ddylanwad o du rhyddid y gorthrymedig, ond yr ydym yn ofni yn gwbl i'r gwrthwyneb. Eto cynyddu y mae pleidwyr rhinwedd a rhyddid yn y wlad o hyd. Etholwyd rhai i'r Gydgynghorfa ac ail-etholwyd rhai eraill, ac y bydd yr Eisteddfod [sef y Gyngres] nesaf a'r holl wlad yn rhwym o deimlo dylanwad eu hegwyddorion a'u hyawdledd. . . . . Hoff genedl, deliwch at egwyddorion rhyddfreiniol eich tadau, a gadewch i'ch banerau ymchwareu yn uchel ac amlwg o du rhinwedd a daioni tra parhao eich dyddiau ar y ddaear.[70]

Cyhoeddwyd yr anerchiad hwn ym mis Ionawr 1853, yn yr un rhifyn o'r *Cenhadwr* a gyflwynodd y bennod gyntaf o *Bwthyn F'Ewythr Tom* i ddarllenwyr y cylchgrawn. Fel y dengys cynnwys *Y Cenhadwr Americanaidd*, sicrhâi Robert Everett fod y gwleidyddol a'r llenyddol yn gweithio law-law, yn ddwy wedd ar ei ymgyrch i gadw Cymry America'n gadarn eu cefnogaeth i 'achos rhyddid.' Ond erbyn i'r wasg deuluol gyhoeddi *Caban F'Ewythr Twm* ar ffurf cyfrol yn 1854 roedd mab hynaf Robert Everett, John, wedi gadael y busnes teuluol er mwyn symud i diriogaeth Kansas. Fel y gwelir yn y bennod nesaf, byddai'r hyn a welai John Everett yn y gorllewin yn ei orfodi i godi cwestiynau anodd ynglŷn â rhai agweddau ar ymgyrch ei dad.

NODIADAU

[1] D. Davies [Dewi Emlyn] (gol), *Cofiant y Diweddar Barch. Robert Everett*, D. D. (Utica, 1879), 121-2.

[2] Milton C. Sernett, *Abolition's Axe: Beriah Green, Oneida Institute, and the Black Freedom Struggle* (Syracuse [Efrog Newydd], 1986), 106.

[3] D. Davies (gol), *Cofiant y Diweddar Barch. Robert Everett*, 198. 14 Tachwedd 1844 oedd dyddiad y briodas.

[4] Ibid., 192; hefyd papurau M. Everett.

[5] Papurau M. Everett.

[6] 'Pressed Leaves From the Everett "Bush" By Rev. J. E. Everett Written for his son Robert in or about 1912,' 71.

[7] Papurau M. Everett; D. Davies (gol), *Cofiant y Diweddar Barch. Robert Everett*, 195.

[8] Papurau M. Everett; *Cofiant y Diweddar Barch. Robert Everett*, 149.

[9] Gw., e.e., ysgrif Robert Everett, 'Treulio'r Sabboth', *Y Cenhadwr Americanaidd*, Ionawr 1840.

[10] Wedi'i gyhoeddi'n wreiddiol yn y *Cenhadwr*, cynhwysodd Dewi Emlyn yr ymadrodd hwn mewn casgliad o ddywediadau poblogaidd a gyhoeddodd o dan y teitl *Gemau Everett*; gw. *Cofiant y Diweddar Barch. Robert Everett*, 354.

[11] *Y Dyngarwr*, Ionawr 1843.

[12] Ibid.

[13] Dim ond yn 1860 y pasiwyd the *Married Women's Proptery Act* yn nhalaith Efrog Newydd, y gyntaf mewn cyfres o ddeddfau arloesol a fyddai'n agor y drysau cyfreithiol hyn i ferched yr Unol Daleithiau.

[14] Pasiwyd y *19th Amendment* i gyfansoddiad yr Unol Daleithiau yn 1920, sef y mesur sy'n caniatáu i ferched bleidleisio.

[15] *Y Dyngarwr*, Mehefin 1843.

[16] Ibid.

[17] Milton C. Sernett, *North Star Country[:]Upstate New York and the Crusade for African American Freedom* (Syracuse [Efrog Newydd], 2002), 115-17.

[18] William S. McFeely, *Frederick Douglass* (Efrog Newydd, 1991), 156.

[19] 'Literary notices'; *Frederick Douglass' Paper*, 3 Tachwedd 1854.

[20] Dechreuwyd cyhoeddi *Y Drych* ar 2 Ionawr 1851. Gw. Aled Jones a Bill Jones, *Welsh Reflections [:] Y Drych & America 1851-2001* (Llandysul, 2001).

[21] Gw. y drafodaeth yn y bennod ddiwethaf.

[22] Golygyddion *Y Seren Orllewinol* oedd: W. F. Phillips (1844-5), J. P. Harris (1845-8) a Richard Edwards (o 1849 ymlaen).

[23] Mae casgliad M. Everett yn cynnwys copïau gwreiddiol nifer o lythyrau a ysgrifennwyd at Robert Everett gan ddarllenwyr *Y Cenhadwr Americanaidd*; nid yw'r un ohonynt yn cwyno am ddeunydd gwrthgaethiwol y cylchgrawn.

[24] Dywed cyfrifiad yr Unol Daleithiau yn 1850 fod 29,868 o bobl a oedd wedi'u geni yng Nghymru bellach yn byw yn y wlad. Gw. David Maldwyn Ellis, 'The Assimilation of the Welsh in Central New York', *New*

York History, Gorffennaf 1972, 311.
[25] Roedd papur Cymraeg, *Cymro America*, wedi'i ddechrau yn ninas Efrog Newydd yn 1832, ond methodd gan ddod i ben cyn diwedd y flwyddyn honno.
[26] *Y Drych*, 18 Ionawr 1851.
[27] Ibid.
[28] Dyma gyfieithiad golygydd y papur. Fel y gwelir isod yn y bennod hon, roedd awduron Cymraeg eraill yn America yn ei throsi fel 'Cyfraith [neu 'Ddeddf'] y Caeth Ffoedig.'
[29] *Y Drych*, 2 Ionawr 1851.
[30] Stanley W. Campbell, *The Slave Catchers [:] Enforcement of the Fugitive Slave Law 1850-1860* (Chapel Hill, 1970).
[31] *Y Cenhadwr Americanaidd*, Rhagfyr 1850. Traddododd John Howes yr araith hon i 'gyfarfod mawr a chyffrous' a gynhaliwyd gan Gymry Pittsburgh er mwyn gwrthwynebu'r ddeddf.
[32] *Y Drych*, 2 Ionawr 1851.
[33] *Y Cenhadwr Americanaidd*, Hydref 1852.
[34] Cyhoeddid *Uncle Tom's Cabin* fesul pennod mewn papur gwrthgaethiwol, *The National Era*, yn 1851-2 ac fe gyhoeddwyd y nofel ar ffurf llyfr gyntaf yn 1852. Gw., e.e., rhagymadrodd Elizabeth Ammons yn Harriet Beecher Stowe, *Uncle Tom's Cabin [:] A Norton Critical Edition* (Efrog Newydd, 1994), vii-ix.
[35] Ibid., viii.
[36] 'Rhagymadrodd,' *Caban F'Ewythr Twm; neu, Fywyd yn mhlith yr Iselradd. Gan Harriet Beecher Stowe. Gyda Naw-ar-hugain o Gerfluniau.* (Remsen, 1854).
[37] E. G. Millward, *Cenedl o Bobl Ddewrion [:] Agweddau ar Lenyddiaeth Oes Victoria* (Llandysul, 1991), 90; William Rees (Gwilym Hiraethog), *Aelwyd F'Ewythr Robert: Neu, Hanes Caban F'Ewythr Tomos* (Dinbych, 1853). Cyhoeddwyd nifer o gyfieithiadau Cymraeg eraill, e.e.: *Crynodeb o Gaban 'Newyrth Tom, neu, Fywyd Negroaidd yn America* (Abertawe, 1853); *Caban F'ewyrth Twm* (Wrecsam, 1853); *Caban F'ewythr Tomos, neu, Hanes Caethwas Cristnogol* (Caernarfon, 1862).
[38] Gw. erthygl arloesol Melinda Gray, 'Uncle Tom's Welsh Dress: Ethnicity, Authority and Translation' yn Alyce von Rothkirch a Daniel Williams (goln), *Beyond the Difference [:] Welsh Literature in Comparative Contexts* (Caerdydd, 2004), 173-85.
[39] Fe ymddengys fod Robert Everett a William Rowlands, golygydd *Y Cyfaill o'r Hen Wlad*, wedi defnyddio'r un cyfieithiad gwreiddiol fel sylfaen.
[40] *Y Cyfaill o'r Hen Wlad*, Ionawr 1853.
[41] *Y Cenhadwr Americanaidd*, Ionawr 1853. Teitl cyflawn y nofel wreiddiol oedd *Uncle Tom's Cabin; Or, Life Among the Lowly* (Boston, 1852). Gwelir felly fod Robert Everett wedi cyfieithu isdeitl Stowe air wrth air hefyd. Yn wahanol i olygydd y *Cyfaill*, a gyflwynodd y nofel heb eglurhad, rhagflaenodd Robert Everett y bennod gyntaf yn rhifyn Ionawr 1853 o'r *Cenhadwr* gyda chyflwyniad yn nodi pwy oedd Harriet Beecher Stowe ac yn disgrifio ychydig o hanes y nofel.
[42] Llythyr wedi'i ddyddio 'November 22, 1852, Andover.' Papurau M. Everett.
[43] Casgliad Llyfrgell Newberry (Everett Papers, bocs 1, ffeil 8).
[44] *Caban F'Ewythr Twm; neu, Fywyd yn mhlith yr Iselradd. Gan Harriet Beecher Stowe. Gyda Naw-ar-hugain o Gerfluniau.* (Remsen, 1854). Noder mai 'Remsen' a geir ar holl gynnyrch gwasg yr Everettiaid er ei bod wedi'i lleoli yn y cartref yn Steuben erbyn hyn. Yn ogystal â newid 'Bwthyn' i 'Caban,' aeth 'Tom' y teitl cyntaf yn 'Twm' ar gyfer y fersiwn newydd.
[45] Sylwer mai 'Caban' (ac nid 'Bwthyn') a geid gan Hugh Williams hefyd: *Caban F'Ewyrth Twm. Gan Harriet Beecher Stowe. gyda Saith-ar-hugain o Gerfluniau, gan George Cruikshank, Ysw. Cyfieithad [sic] Hugh Williams, Gynt Golygydd "Y Cymro"* (Llundain, 1853).
[46] *Caban F'Ewythr Twm* (Remsen, 1854).
[47] 'Pressed Leaves,' 10.
[48] Mae'n deg nodi na fyddai darllenwyr heddiw'n cytuno â rhai o'r 'diwygiadau' hyn; er enghraifft, newidiodd Robert Everett 'hynny' i 'hyny' a 'mynno' i 'myno' (ar y llaw arall, newidiodd 'tippyn' i 'tipyn' a 'matter' i 'mater'!).
[49] E.e., *Caban F'Ewythr Twm* (Remsen, 1854), 9 a 12.
[50] Mae'n bosibl hefyd fod Robert Everett wedi dewis lluniau eraill am resymau ideologol, h.y., y modd y maent yn darlunio'r caethweision duon.
[51] *Caban F'Ewythr Twm* (Remsen, 1854). Mae'r rhagymadrodd wedi'i arwyddo 'R. E., Remsen, N.Y., Chwefror 14, 1854.'
[52] Gw. y drafodaeth ym mhennod 5.
[53] 'Rhagymadrodd,' *Caban F'Ewythr Twm* (Remsen, 1854).
[54] Ibid.
[55] Er bod y modd y mae Robert Everett yn canmol rhinweddau'r nofel yn estyn gwahoddiad inni

ddefnyddio'r term 'realaeth,' byddai rhai beirniaid heddiw yn gwahaniaethu rhwng y math yma o ffuglen (sydd ar lawer cyfrif yn nodweddiadol o felodrama Oes Fictoria) a ffuglen realaidd fodern.

[56] 'Rhagymadrodd,' *Caban F'Ewythr Twm* (Remsen, 1854).

[57] Ibid.

[58] D. Davies (gol), *Cofiant y Diweddar Barch. Robert Everett*, 30. Nid yw'r holl fanylion ar gael, ond fe ymddengys fod *Y Detholydd* wedi ymddangos rhwng 1850 a 1852.

[59] Gw. y bennod gyntaf.

[60] Rwyf yn trosi ymadrodd Joy Jordan-Lake yma. Ceir yn ei chyfrol ddiweddar ymdriniaeth fanwl â'r ffenomen lenyddol hon: Joy Jordan-Lake, *Whitewashing Uncle Tom's Cabin: Nineteenth-Century Women Novelists Respond to Stowe* (Nashville, 2005).

[61] Mary Henderson Eastman, *Aunt Phillis's Cabin: or, Southern Life* as it is (Philadelphia, 1852); W. L. G. Smith, *Life at the South*; or, *'Uncle Tom's Cabin' As It is* (Buffalo, 1852).

[62] *Y Cenhadwr Americanaidd*, Tachwedd 1852.

[63] *Y Cenhadwr Americanaidd*, Ionawr 1852: 'Cyfarchiad at ein Darllenwyr ar Ddechreu y Flwyddyn 1852.'

[64] *Y Cenhadwr Americanaidd*, Gorffennaf 1852.

[65] Gw. Roy a Jeannette Nichols, 'The Election of 1852' yn Arthur M. Schlesinger (gol), *History of American Presidential Elections 1789-1968*, cyf. 2 (Efrog Newydd, 1971), 943-44.

[66] James M. McPherson, *Battle Cry of Freedom* (Llundain, 1988), 118.

[67] Ibid., 199.

[68] Gw. y ddwy bennod ddiwethaf.

[69] McPherson, *Battle Cry of Freedom*, 199. Roedd rhai ymgeiswyr, megis Gerrit Smith, yn sefyll yn enw'r *Liberty League*, sef aelodau o'r hen *Liberty Party* nad oedd wedi ymuno â'r *Free Soil Party*. Ond lluniwyd cynghrair rhwng y ddwy garfan. Gw., e.e., Richard J. Carwardine, *Evangelicals and Politics in Antebellum America* (New Haven, 1993), 192-3.

[70] *Y Cenhadwr Americanaidd*, Ionawr 1853: 'Cyfarchiad ar Ddechreu y Flwyddyn 1853.'

PENNOD 10:

'Pe gallech deimlo fel yr ydym ni yn teimlo'

(Kansas a'r ymrafael rhwng heddychiaeth a diddymiaeth, 1854-1856)

Ymwelodd John Everett â thiriogaeth Kansas yn ystod hydref 1854. Nid oedd teithio'n beth newydd i fab hynaf Robert Everett. Roedd ganddo gof plentyn bychan am y fordaith hir o'r Hen Wlad i'r Unol Daleithiau, ac ar nifer o achlysuron roedd wedi teithio cannoedd o filltiroedd er mwyn casglu tanysgrifiadau ar gyfer *Y Cenhadwr Americanaidd* gan fynd mor bell â thaleithiau Pennsylvania ac Ohio. Ond ar lawer cyfrif, hon oedd y daith bwysicaf ym mywyd John Everett. O ganlyniad, byddai'n penderfynu symud ei deulu o swydd Oneida, Efrog Newydd, i diriogaeth Kansas, ac o ganlyniad i'r penderfyniad hwnnw byddai'n dyst i ddigwyddiadau hanesyddol a fyddai'n ei orfodi i ailfeddwl rhai o'i ddaliadau moesol sylfaenol.

Ar ôl teithio dros fil o filltiroedd o swydd Oneida i'r 'gorllewin pell,' ymwelodd John â nifer o gymunedau newydd yn y diriogaeth cyn dewis safle yn Osawatomie, Kansas. Comisiynodd un o sylfaenwyr y gymuned honno i adeiladu caban ar y safle cyn dychwelyd i swydd Oneida. Ffarweliodd â'i hen gartref yn gynnar yn 1855 gan symud gyda'i wraig Sarah a'u dau blentyn bychan i Osawatomie. Cyrhaeddodd y teulu eu cartref newydd tua chanol mis Mawrth, 1855.[1] Roedd John Everett yn 35 mlwydd oed, ac roedd wedi bod yn ymgyrchu yn erbyn caethwasanaeth ers pan oedd yn ei arddegau. Ond er ei fod wedi profi rhai o'r peryglon a wynebai'r diddymwyr – er enghraifft, wrth geisio amddiffyn ei dad rhag llid y dorf yn ystod rhai o'r cyfarfodydd gwleidyddol tymhestlog hynny ar ddechrau'r 1840au – gwyddai John wrth symud i'r gorllewin ei fod yn mynd â'i deulu i ganol sefyllfa a allai brofi'n fwy peryglus o lawer nag unrhyw beth a brofasai yn ôl yn nhalaith Efrog Newydd.

Ar 30 Mai 1854 roedd arlywydd yr Unol Daleithiau, Franklin Pierce, wedi arwyddo'r *Kansas-Nebraska Act*, gan droi'r ddeddf yn gyfraith. Democrat oedd Pierce, ac roedd ei blaid wedi llwyddo'n rhannol drwy gefnogi diddordebau taleithiau caeth y de. Er bod 'Cyfaddawd Missouri' (a basiwyd yn ôl yn 1820) wedi datgan na ellid ffurfio talaith gaeth newydd yn y dyfodol i'r gogledd o linell *(latitude)* 36.30 ar y map, diddymodd 'Deddf Kansas-Nebraska' y rhan honno o'r hen fesur yn 1854.[2] Byddai tiriogaethau Kansas a Nebraska yn cael eu troi'n daleithiau a'u derbyn i undeb yr Unol Daleithiau cyn hir, a datganodd y ddeddf newydd mai trigolion y tiriogaethau eu hunain a gâi benderfynu a fyddent yn ymrestru yn rhengoedd y taleithiau caeth neu beidio. Roedd yn amlwg mai talaith rydd fyddai Nebraska, ond mater arall oedd Kansas; gan fod y diriogaeth yn rhannu ffin o dros 200 o filltiroedd â thalaeth gaeth Missouri, ni ellid osgoi dylanwad y drefn gaeth. Dechreuodd Missouriaid lithro dros y ffin honno rai dyddiau ar ôl i Pierce arwyddo'r mesur newydd. Eu bwriad oedd hawliau tiroedd yn y diriogaeth a sicrhau bod mwyafrif Kansas yn pleidleisio dros gaethwasanaeth.[3] *'Border ruffians'* oedd term y gogleddwyr gwrthgaethiwol ar gyfer y Missouriaid hyn gan eu bod yn arfog yn amlach na pheidio ac yn defnyddio'u harfau i fygwth yr ymfudwyr hynny a obeithiai droi Kansas yn dalaith rydd.

Er bod y Missouriaid a'r caethfeistri wedi achub y blaen, aeth diddymwyr y taleithiau gogleddol ati i geisio gwrthbwyso'u gafael ar y diriogaeth. Dechreuwyd ffurfio *'Emigrant Aid Societies'* er mwyn denu a chefnogi pobl a oedd yn fodlon ymfudo i'r diriogaeth a'i throi'n dalaith rydd. Mae Stepehn B. Oates yn crynhoi'r hanes:

> At the border town of Weston in slaveholding Missouri, a pro-Southern lawyer told a cheering crowd on July 4, 1854, that he would hang with his own hands any 'free soil' emigrant who came to Kansas. And in the North . . . emigrant aid societies were feverishly at work recruiting colonists who would go out and fill up Kansas with 'free men' – men who hated slavery, who would 'drive the hideous thing from the broad and beautiful plains where they go to raise their free homes.' The most energetic leader in the save-Kansas movement was Eli Thayer, an educator and businessman . . . in central Massachusetts. Convinced that . . . the Kansas-Nebraska Act was a Southern plot to take over the West, Thayer had formed the Massachusetts Emigrant Aid Society[.][4]

Os oedd y *border ruffians* yn arfog, roedd llawer o'r ymfudwyr gwrthgaethiwol hyn yn ymarfogi hefyd. Yn wir, roedd y grwpiau cyntaf o *free soil settlers* a ymsefydlodd yn y diriogaeth wedi dechrau paratoi o'r cychwyn cyntaf ar gyfer y trais a oedd yn debygol o ddod:

> In July, thirty colonists migrated there under the auspices of Thayer's society and built a town called Lawrence on the southern bank of the Kaw River, a town . . . [with] a massive 'Free State' hotel which could double as a fortress.[5]

Lawrence oedd prif ganolfan yr ymfudwyr 'tir rhydd' yn y diriogaeth. Ond nid caerfa'r *Free State Hotel* oedd eu hunig ffordd o wrthsefyll y grymoedd caeth. Gan fod y wasg argraffu eisoes wedi profi'n arf hollbwysig yn yr ymgyrch yn erbyn caethwasanaeth, dechreuwyd cyhoeddi dau bapur gwrthgaethiwol yn Lawrence ryw dri mis ar ôl i'r fintai gyntaf ymgartrefu yno, gyda'r *Kansas Tribune* yn dechrau ar 15 Hydref 1854 a'r *Herald of Freedom* yn dilyn wythnos yn ddiweddarach.[6] Dyma'r adeg y daeth John Everett i'r diriogaeth gyntaf. Arhosodd yn Lawrence, ac er na chofnododd fanylion ei ymweliad, gellid meddwl bod y datblygiadau yno wedi'i gyffroi. Roedd wedi bod yn argraffu deunydd gwrthgaethiwol ers bron hanner ei oes
ac felly rhaid bod gweithgareddau llenyddol yr ymfudwyr tir rhydd wedi'i blesio.[7]

Ond yn hytrach nag arddel crefft yr argraffydd yn ei gartref newydd roedd John Everett yn gobeithio ffermio yno. Dyna'i reswm dros symud i'r tyddyn ger Osawatomie, sefydliad amaethyddol tua 35 milltir o Lawrence a oedd wedi denu nifer o'r *free soiler settlers*.[8] Roedd mab hynaf Robert Everett felly ymysg arloeswyr y mudiad tir rhydd; roedd wedi ymweld â'r diriogaeth pan oedd y fintai gynaf o ymfudwyr tir rhydd yn ymgartrefu yn Lawrence ac ymfudodd â'i deulu'n fuan ar ôl hynny. Tra oedd y tad yn parhau i ymgyrchu yn y dwyrain – yn defnyddio'r pulpud, yr ysgrifbin, y wasg argraffu a'r blaid wleidyddol er mwyn ymrestru Cymry America yn y frwydr yn erbyn caethwasanaeth – roedd y mab wedi symud i'r gorllewin pell er mwyn troi'r tir hwnnw'n dir rhydd. Ac roedd Sarah Everett yn bartner yn y fenter; yn debyg i fam a chwiorydd John, roedd ei wraig hefyd yn ymroi'n egnïol i'r achos.

Camu i rengoedd blaen y frwydr dros ryddid oedd ymfudwyr fel John a Sarah Everett. Roeddynt yn ffeirio diogelwch y gogledd-ddwyrain am beryglon y diriogaeth orllewinol lle roedd eu cartrefi a'u teuluoedd dan fygythiad. Ffurfiai diddymwyr eraill elusennau er mwyn sianelu adnoddau o'r dwyrain i ymfudwyr tir rhydd Kansas. Cyfrannai llawer o Gymry'n ariannol at yr elusennau hyn, gyda rhai'n ffurfio'u cymdeithasau elusennol bychain eu hunain er mwyn helpu'r Cymry hynny a symudasai i'r diriogaeth. Aeth dau o weinidogion amlycaf Annibynwyr Cymraeg yr Unol Daleithiau – Robert Everett a Ben Chidlaw – ati i sicrhau bod trwch eu henwad yn gefnogol i'r achos.[9] Annibynnwr gweithgar arall oedd y Parch. George Lewis. Yn enedigol o Sir Gaerfyrddin, bu'n weinidog ar gyfres o gapeli Cymraeg yn Ohio ac Iowa. Ond yn gynnar yn 1856 ymfudodd George Lewis gyda'i deulu i diriogaeth Kansas.[10] Roedd grŵp bychan o Gymry wedi ymgartrefu yn Lawrence, ac er nad oeddynt wedi adeiladu capel eto dechreuodd y

Parch. Lewis gynnal cyfarfodydd gweddi Cymraeg yn eu cartrefi.[11]

Er bod cymunedau tir rhydd Kansas – a Lawrence yn enwedig – yn tyfu'n gyflym, lleiafrif oedd y *free soil settlers* ar y dechrau.[12] Trwy rym niferoedd – a thrwy lygredd llywodraethol a chwyddai'u mwyafrif yn etholiadau cyntaf y diriogaeth – llwyddodd yr ymfudwyr a oedd yn bleidiol i gaethwasanaeth i reoli llywodraeth Kansas.[13] Felly roedd y *border ruffians* arfog a aflonyddai ar y sefydliadau tir rhydd yn gweithredu'n aml gyda sêl bendith yr awdurdodau. Ymosododd mintai o'r terfysgwyr trwyddedig hyn ar Lawrence ym mis Mai 1856.[14] Yn ogystal â llosgi'r *Free-State Hotel*, aeth y Missouriaid ati i ddifetha gweisg argraffu'r ddau bapur gwrthgaethiwol. Ysgrifennodd George Lewis lythyr at Robert Everett dridiau ar ôl yr ymosodiad hwn a chyhoeddodd yntau y cyfan yn *Y Cenhadwr Americanaidd:*

> Lawrence, Mai 24, 1856
> Anwyl Frawd Everett, – Yn nghanol cynhwrf a swn arfau eisteddaf i lawr i ysgrifenu atoch ychydig o helyntion pethau yn Kansas. Yr oeddym wedi meddwl fod y cynhwrf drosodd . . . ond . . . wele y cynhwrf a'r aflonyddwch mwyaf, a dychryn ac arswyd yn llawn pob mynwes trwy yr holl ororau. [. . . .] Ar y 21 o Fai ymosodasant ar Lawrence; rhoisant rybudd i bawb i fyned allan o'r dref, a gorchymynasant iddynt roddi eu cyflegrau a'u rhych-ddrylliau i fyny. [. . . .] Gosodasant y cyflegrau o flaen gwesty y Dalaeth rydd, (adeilad cerig mawr tair llofft o uchder perthynol i'r *Gymdeithas gynorthwyol* i Ymfudwyr, wedi costio $14,000.) Ni wnai y cyflegrau fawr niwaid i'r adeilad, gan hyny cymerasant fariled o bylor a gosodasant yr holl adeilad ar dân. [. . . .] Dinystriwyd argraffweisg Swyddfa yr *Herald of Freedom,* a swyddfa y Free State; llosgwyd tŷ y llywodraethwr Robinson yn ulw i'r llawr a'r cwbl oedd ynddo, ysbeiliwyd tai anedd, a'r masnachdai o lawer o eiddo gwerthfawr; bernir y golled yn $100,000.[15]

Noder bod George Lewis yn manylu ar y golled ariannol. Roedd rhai o ddarllenwyr y *Cenhadwr* wedi cyfrannu at y Gymdeithas Gynorthwyol i Ymfudwyr, ac felly roedd y Parch. Lewis yn eu hatgoffa o'r ffaith eu bod yn gysylltiedig yn uniongyrchol â sefyllfa'r ymfudwyr yn y diriogaeth. Awgrymodd yn y modd hwn fod ymosodiad y terfysgwyr ar Lawrence hefyd yn ymosodiad ar y diddymwyr yn y dwyrain a gefnogai'r mudiad tir rhydd. Pwysleisiodd y cysylltiad rhwng darllenwyr y *Cenhadwr* a'r ymfudwyr tir rhydd gyda brawddeg ymbilgar: 'Dymunwn ni sydd yma yn nghanol y cynhwrf gael ein cofio gan ein cyfeillion yn y dwyrain.'[16]

Wrth ddehongli arwyddocâd y digwyddiad ar gyfer darllenwyr y *Cenhadwr,* tynnodd George Lewis eu sylw at y ffaith fod y terfysgwyr yn gweithredu yn enw'r llywodraeth:

> Meddyliwn . . . wrth weld eu gwregysau, a sylwi ar y darn pres oedd arnynt a'r ddwy lythyren fawr, U. S., y gallesid cael arwyddocad mwy priodol iddynt yr engraifft hon, na *United States,* a'r awyddocad a briodolais iddynt oedd, *Ugly Satan.*[17]

Mae llawer o lenyddiaeth Gymraeg a gyhoeddwyd yn yr Unol Daleithiau yn y cyfnod hwn yn wladgarol iawn. Ymffrostiai ymfudwyr Cymreig yn eu dinasyddiaeth newydd ac roeddynt yn aml yn mynegi'u gwladgarwch Americanaidd mewn modd ystrydebol o amlwg. Ar y llaw arall, roedd diddymwyr fel Robert Everett a George Lewis yn gofyn i Gymry America ystyried yr agweddau negyddol ar eu gwlad fabwysiedig; ceir enghraifft drawiadol o'r broses honno yn y llythyr printiedig hwn.

Dyna i bob pwrpas ddiwedd y gymuned Gymreig newydd a oedd wedi dechrau bwrw'i gwreiddiau yn Lawrence, Kansas. Ar ôl yr ymosodiad, penderfynodd George Lewis a'r rhan fwyaf o'r Cymry eraill a fuasai'n byw yn Lawrence mai gwell fyddai symud i sefydliadau eraill yn y diriogaeth.[18] Er gwaethaf dwyster y sefyllfa, ni laddwyd neb yn Lawrence ar 21 Mai 1856; ond roedd chwech o'r ymfudwyr tir rhydd wedi'u llofruddio gan y Missouriaid mewn nifer o ardaloedd eraill yn y diriogaeth y gwanwyn hwnnw.[19] Roedd y cylch dieflig o ladd a dial a fyddai'n esgor ar yr enw *Bleeding Kansas* wedi dechrau. Chwaraeodd John Brown ran ganolog yn y datblygiadau gwaedlyd hyn. Fel y gwelwyd ym mhennod 3, roedd Brown ymysg y rhai a oedd wedi dyrchafu'r Parch. Elijah Lovejoy yn ferthyr dros yr achos yn ôl yn 1837 pan laddwyd y diddymwr arfog hwnnw. Erbyn mis Mai 1856 roedd John Brown a'i feibion yn byw yng nghyffiniau Osawatomie, nid nepell o gartref John a Sarah Everett. Aeth y Browniaid ati i helpu arfogi'r ymfudwyr tir rhydd a'u troi'n filisia.

Wedi'i gythruddo gan yr ymosodiad ar Lawrence, penderfynodd 'Capten Brown' ddial:

> He said it was time to "fight fire with fire," to "strike terror in the hearts of the proslavery people." He said "it was better that a score of bad men should die than that one man who came here to make Kansas a Free State should be driven out."[20]

Dilynodd y geiriau hyn â gweithredoedd ar nos Sadwrn, 24 Mai 1856. Ymwelodd John Brown a'i feibion â chartrefi nifer o'r ymfudwyr *pro-*

slavery a oedd wedi ymgartrefu ar lannau'r Pottawatomie. Nid oedd y dynion hyn yn byw ond rhyw bum milltir o gartref John a Sarah Everett yn Osawatomie, ffaith sy'n dangos mor agos yr oedd pleidwyr y mudiadau gwrthwynebus yn byw mewn rhai ardaloedd. Aeth y Browniaid o gaban i gaban y noson honno gan lusgo pump o ddynion o'u gwelâu a'u lladd â chleddyfau. Er mai'r grymoedd caeth oedd wedi dechrau'r rhyfel gerila yn y diriogaeth, gyda'r *Pottawatomie Massacre* sicrhaodd John Brown fod dwylo pleidwyr rhyddid wedi'u staenio â gwaed hefyd.

Cafodd y digwyddiadau gwaedlyd hyn gryn dipyn o sylw yn y llythyrau a ysgrifennodd John Everett at ei dad. Cymraeg oedd iaith yr aelwyd yn Steuben ond roedd yr Everettiaid yn gohebu â'i gilydd yn Saesneg ar y cyfan (fel y gwelwyd ym mhennod 3). Mae cyfran sylweddol o'r llythyrau Saesneg gwreiddiol a deithiodd rhwng Osawatomie, Kansas, a Steuben, Efrog Newydd, wedi goroesi mewn nifer o gasgliadau preifat a chyhoeddus. Gadawodd yr holl ohebiaeth olion printiedig hefyd gan fod Robert Everett wedi cyhoeddi cyfieithiadau Cymraeg o nifer o lythyrau'i fab yn *Y Cenhadwr Americanaidd*. Dyma lythyrau a deithiodd dros nifer o ffiniau; yn ogystal â theithio'r holl ffordd o'r gorllewin pell i dalaith Efrog Newydd, teithiodd llawer o'r llythyrau hyn o'r Saesneg i'r iaith Gymraeg ac hefyd o fyd preifat yr epistol personol i fyd cyhoeddus y wasg argraffu.

Ysgrifennodd John lythyr at ei dad ychydig o ddyddiau'n unig ar ôl cyflafan Pottawatomie a chyhoeddodd Robert Everett gyfieithiad ohono yn rhifyn Gorffennaf 1856 o'r *Cenhadwr*:

> Osawatomie, Mai 29, 1856
> Fy Anwyl Dad, – Yr ydych yn derbyn newyddion Kansas o'r Papyrau yn llawer gwell nag y gallaf fi eu cyfleu i chwi. Mae hysbysiadau amryw yn cylchredig o gymydogaeth i gymydogaeth y dyddiau, rhai tra arswydol, am sefyllfa pethau yma.[21]

Mae'r brawddegau agoriadol hyn yn ein helpu i ddeall union resymau Robert Everett dros gyhoeddi'r ohebiaeth hon. Nid hwn oedd y cyfrwng gorau er mwyn trosglwyddo 'newyddion Kansas'; fel y dywed John ei hun, gallai darllenwyr droi at y 'Papyrau'– y papurau dyddiol Saesneg a phapur wythnosol Cymraeg yr Unol Daleithiau, *Y Drych* – er mwyn cael y newyddion diweddaraf. Mewn cymhariaeth, roedd y newyddion a gâi Cymry America ar dudalennau misolion fel *Y Cenhadwr Americanaidd* yn hen.

Na, nid ffeithau moel y datblygiadau diweddar oedd yn bwysig, ond yn hytrach y modd yr oedd John Everett (a George Lewis) yn dehongli 'newyddion Kansas.' Ac felly wrth drafod y datblygiadau gwaedlyd diweddar, pwysleisiodd John fod ei gymdogion gwrthgaethiwol yn Osawatomie yn wahanol iawn i'r diddymwyr treisgar a oedd yn gyfrifol am y gyflafan:

> Mae y preswylyddion yn y sefydlfa yma yn hollol wrthwynebol i dywallt gwaed a therfysg, ac ni chydiant mewn arfau angeuol fodd yn y byd, oddieithr o orfod ac yn gwbl mewn hunanamddiffyniad o'u bywydau. Lladdwyd pump o ddynion pleidiol i gaethiwed nos Sadwrn diweddaf, i fyny ar y crigyll Pottawattoie. Yr oedd hyn yn cael ei hollol anghymeradwyo a'i gondemnio gan y gymydogaeth yma oll. Cynaliasant gyfarfod i gondemnio yr ymddygiad yn yr ymadroddion cryfaf[.][22]

Dyma John Everett yn sicrhau'i dad – a'i dad drwy gyfrwng y wasg yn sicrhau darllenwyr Cymraeg ar draws America – ei fod yn byw mewn cymuned heddychlon, cymuned a aeth i gryn drafferth er mwyn collfarnu gweithredoedd gwaedlyd John Brown. Nid oedd yn gorddweud ychwaith; yn wir, roedd rhai o'i gymdogion yn Osawatomie yn Grynwyr a fynnai weld y gymuned yr oeddynt yn rhan ohoni'n arddel y math o heddychiaeth ddiamod a oedd yn ganolog i'w Cristnogaeth hwy.[23]

Bid a fo am safbwynt Crynwyr Osawatomie, mae'n bwysig nodi nad yw llythyr John Everett yn dadlau o blaid heddychiaeth ddiamod. Aeth i gryn drafferth wrth geisio
cyfiawnhau'r ffaith fod rhai o'r ymfudwyr tir rhydd wedi ymarfogi er mwyn hunanamddiffyniad:

> Yr ydym wedi neillduo Pwyllgor o ddiogelwch *(committee of safety)* i edrych dros ddiffyniad y Sefydlfa os bydd angenrheidrwydd, fel y byddo i bob un o'r preswylwyr fyned yn mlaen yn dawel gyda ei orchwylion arferedig. Yn ol fy marn i mae yr holl derfysg arswydol yn ein plith yn awr wedi ei achosi gan y lladron deheuol (a gam enwir ymfudwyr) y rhai a ddaethant i mewn o'r deheu pell y gwanwyn hwn.[24]

Ceir gwrthddywediad trawiadol yma. Mae John – trwy ddisgrifio gweithredoedd John Brown – yn cyfaddef yn rhan gyntaf ei lythyr fod rhai diddymwyr wedi dechrau tywallt gwaed yn y diriogaeth. Ond mae'n newid ei gân erbyn diwedd yr epistol; dywed yn y frawddeg olaf a ddyfynnir uchod mai'r ochr arall – 'y lladron deheuol' – oedd yn gyfrifol am 'yr holl derfysg arswydol'! Wrth iddo symud yn ddisymwth o'r safbwynt cyntaf (collfarnu'r trais a gyflawnwyd gan ymfudwyr tir rhydd fel John Brown) i'r ail safbwynt (honni nad yr ymfudwyr tir rhydd oedd yn gyfrifol am yr holl drais), mae rhesymeg y llythyr yn dadfeilio o flaen ein llygaid.

Mae'r gwrthddywediad hwn – y nam hwn ar resymeg John Everett – yn tystio i dyndra ideolegol a oedd yn rhwygo'r mudiad gwrthgaethiwol. Roedd yr ymfudwyr tir rhydd wedi symud i'r diriogaeth er mwyn ceisio plannu'u gweledigaeth foesol nhw yn naear Kansas, ond roedd ceisio cysoni'u holl ddaliadau moesol â realiti Kansas yn creu penbleth. Coleddai llawer o ddiddymwyr yr Unol Daleithiau heddychiaeth yn ogystal â'r achos gwrthgaethiwol. Gwelsom ym mhennod 3 fod yr archddiddymwr hwnnw, William Lloyd Garrison, wedi gosod y dull di-drais yn rhan ganolog o ethos y Gymdeithas Wrthgaethiwol. Er bod rhai diddymwyr wedi gwanhau gafael yr egwyddor heddychlon hon ar y mudiad gwrthgaethiwol drwy ddyrchafu Elijah Lovejoy yn ferthyr, ceid cysylltiad cryf rhwng diddymiaeth a heddychiaeth o hyd. Roedd llawer o ddiddymwyr selocaf yr Unol Daleithiau'n parhau i ddadlau dros y dull di-drais, gan gynnwys Robert Everett ei hun. 'Ein arwyddair gaiff fod o hyd, "Heddwch, heddwch, i bell ac i agos,"' meddai yn ei 'ragyfarchiad' i gyfrol gyntaf *Y Cenhadwr Americanaidd* yn 1840.[25]

Yn ogystal â phleidio heddwch yn y modd cyffredinol hwn, cyhoeddodd ddeunydd yn y 1840au a'r 1850au yn cefnogi mudiad penodol, y Gymdeithas Heddwch. Gan fod erthyglau'n cyflwyno safbwynt y Gymdeithas Heddwch yn ymddangos yn y *Cenhadwr* ar yr un tudalen ag ysgrifau gwrthgaethiwol ar adegau, mae'n deg dweud bod y ddau achos yma'n rhan o'r un 'pecyn moesol' yr oedd Robert Everett yn ceisio'i werthu i'w ddarllenwyr.[26] Mewn ysgrif a gyhoeddodd yn 1846 gresynodd nad oedd Cymry America wedi mynd mor bell â'r 'brodyr' hynny yn yr Hen Wlad a gefnogai'r *British Peace Movement:*

> Mae ein brodyr yn Nghymru . . . yn ymroi fel gwyr nerthol i wrthwynebu yr *ysbryd rhyfela* sydd hyd yma yn meddianu meddyliau a chalonau dynion. Dymunol fyddai canfod ein Cyhoeddiadau ninau yn America yn yfed yr un ysbryd llednais a rhesymol, ac yn adseinio yn ol yr un egwyddorion dyngarol ac efengylaidd.[27]

Ac wrth gyhoeddi traethawd William R. Jones o Neenah, Wisconsin, ar 'Ragorfraint Heddwch' yn 1851 tynnodd Robert Everett sylw ei ddarllenwyr at arwyddocâd yr ysgrif:

> Yr ydym yn ddiolchgar i ysgrifenydd y llinellau canlynol . . . am ei sylwadau ar yr egwyddor werthfawr a bleidir yma ganddo. Credym nad oes eisiau dim i roi terfyn effeithiol ar ryfeloedd a thywallt gwaed, ond i'r werin yn gyffredinol gael ei dwyn i ddeall, i goleddu ac i fabwysiadu egwyddorion heddwch ac i sefyll yn gadarn mewn gwrthwynebrwydd i ryfel.[28]

Roedd John Everett wedi arddel yr heddychiaeth hon hefyd cyn ymadael â Remsen, ond roedd y sefyllfa a'i wynebai ar ôl symud i Osawatomie yn ei orfodi i ailfeddwl y safiad hwnnw. Roedd y ffaith seml fod John a Sarah Everett yn ymfudwyr tir rhydd yn eu gwneud yn darged i drais y dynion hynny a oedd yn cefnogi caethwasanaeth. Felly yn hytrach na siarad o blaid heddychiaeth ddiamod ac ymwrthod â thrais yn gyfan gwbl, roedd John Everett bellach yn ceisio amddiffyn gweithredoedd yr ymfudwyr tir rhydd hynny a oedd wedi ymarfogi er mwyn hunanamddiffyniad.

Gallai heddychiaeth a diddymiaeth gydeistedd yn gyfforddus yn Efrog Newydd, ond gwahanol iawn oedd y sefyllfa yn nhiriogaeth Kansas; roedd heddychiaeth ddiamod yn fygythiad i lwyddiant diddymiaeth yn y diriogaeth. Gan fod amgylchiadau Kansas yn rhedeg y naill safiad yn erbyn y llall, nid yw'n syndod fod gwrthddywediad mor amlwg i'w weld yn llythyr John Everett. Roedd cysoni'r ddau safiad yn weithred gynyddol anodd. Yn ddiddorol ddigon, ni thrafodwyd yr ymrafael hwn rhwng heddychiaeth a diddymiaeth ar dudalennau'r *Cenhadwr Americanaidd* y tu allan i ffiniau'r llythyrau hyn. Ni chyhoeddodd Robert Evertt ysgrif ar y pwnc; y cwbl a wnaeth oedd cyfieithu a chyhoeddi rhai o lythyrau John gan adael i eiriau'i fab gyflwyno'r dadleuon a'r problemau hyn i'w ddarllenwyr.

Ar y llaw arall, trafododd Robert Everett y tyndra hwn mewn llythyr a ysgrifennodd at ei fab. Epistol personol yn unig ydoedd – ni chyhoeddodd fersiwn ohono yn y *Cenhadwr* – ond mae'n dystiolaeth hollbwysig sy'n ein helpu i ddeall y modd yr oedd Robert Everett ei hun yn ymateb i helyntion Kansas. Cyfeiria yn y frawddeg gyntaf at y llythyr a ddyfynnir uchod, sef yr epistol a ysgrifennodd John rai dyddiau ar ôl cyflafan Pottawatomie:

> Remsen, June 11, 1856.
> My dear Son,
> [Your] letter dated May 31st was received last evening – very welcome indeed – Since the occurrence on Pottawattomie Creek which we had seen in the papers we were very much alarmed for your safety – and

we are still so, as I saw last evening that about 100 armed men were preparing to come over from Westport to 'Scour Southern Kansas of all Abolitionists &c,' which must include your little spot – I fear you will not be safe – And I do not think Sarah would be safe, as she hints, to remain alone to take care of the place! Oh no, if you have to flee, you had better all come. But I hope this storm may yet in some way be averted. Take your neighbors the Quakers' position of non-resistance – calmness – and kindness to your bitterest foes, – and in the Lord's hands you will be safe. [. . . .]
Your father
Robert Everett.[29]

Gan gyfeirio at y Crynwyr a oedd wedi adeiladu caban yn ymyl cartref John a Sarah, mae Robert Everett yn erfyn ar ei fab i arddel heddychiaeth ddiamod o hyd. Noder hefyd ei fod yn defnyddio'r ymadrodd *non-resistance* wrth ddisgrifio'r heddychiaeth hon; dyma un o allweddeiriau William Lloyd Garrison. Roedd dros bymtheng mlynedd wedi mynd heibio ers i Robert Everett gefnu ar un o hanfodion Garrisoniaeth, sef y gred na ddylai'r diddymwyr ymhel â gwleidyddiaeth.[30] Ar y llaw arall, dengys rhychwant o ffynonellau ei fod wedi parhau i fynnu bod diddymiaeth a heddychiaeth yn cydgerdded; yn ogystal â chyhoeddi deunydd yn y *Cenhadwr* o blaid y Gymdeithas Heddwch, roedd Robert Everett yn dweud wrth ei fab ei hun y dylai arddel y dull di-drais – hyd yn oed yn wyneb amgylchiadau a allai fygwth ei fywyd.

Mae nifer o lythyrau a ysgrifenodd John yn ystod yr haf hwnnw yn dangos beth oedd ei ymateb i ddyheadau heddychlon ei dad. Yn ogystal, bu'n rhaid iddo ateb ei frawd iau Robert a oedd yn rhannu safbwynt eu tad:

Osawatomie, June 19, 1856
Dear Father,
Your and Roberts of June 4 received . . . very glad to hear Robert is so well. [. . . .] Dear father and Robert, I cannot agree with your reasonings on the peace question. The same principle which would constrain us to leave Kansas for the sake of peace would carry slavery triumphant over the whole country. Would you leave your home because the slaveholder wished to make New York a Slave State? [. . . .] For all free state men to leave now would be to surrender Kansas inevitably to slavery. This we cannot do. We should thus commit a crime against God and humanity which a thousand lifetimes would not suffice to expiate. I think liberty for the teeming population which

is yet destined to fill this middle land of our country would be cheaply purchased by the blood of every settler now on it.[31]

Yn debyg i'r llythyr arall hwnnw y cyhoeddwyd cyfieithiad ohono yn y *Cenhadwr*, pwysleisiodd John ei fod o blaid ymarfogi er mwyn hunanamddiffyniad yn unig:

> But do not suppose we are going to enlist in an indiscriminate crusade to take up arms for the mere sake of hitting somebody. We mean . . . to stay here, to avoid collision if possible, if attacked of course to defend ourselves if we can. Such an attitude will keep assailants off. But I think we will be left alone. We are inclined about here to be very peaceable.[32]

Dywedodd John bethau tebyg mewn nifer o lythyrau eraill hefyd. Er bod geiriau'i fab yn cwestiynu'r egwyddorion heddychlon yr oedd Robert Everett yntau yn eu coleddu, cyhoeddodd gyfieithiadau o rai o'r llythyrau hyn yn y *Cenhadwr*. Er enghraifft, mewn epistol a ysgrifennwyd ar 10 Gorffennaf 1856 mae John yn manylu ar weithredoedd 'y cyffinwyr gorwyllt' (dyna gyfeithiad Robert Everett o'r ymadrodd Saesneg *'border ruffians'*) a 'gweision gorwael caethfeistri Missouri.'[33] Dywed fod 'amynedd' yr ymfudwyr tir rhydd 'yn gwisgo allan yn fawr.'[34] Mae goslef y frawddeg yn awgrymu bod John Everett yn rhannu'r teimladau hyn; roedd ei amynedd yntau – ac, o bosibl, ei awydd i barhau'n heddychwr – yn dechrau 'gwisgo allan.'

Ysgrifennodd John lythyr arall wythnos yn ddiweddarach sy'n cynnwys parhad o'r drafodaeth hon.[35]

> Osawatomie, Gorf. 17, 1856
> Fy Anwyl Dad. – Y mae cryn lawer o selni yn yr ardal yma yn awr, yn enwedig yn mhlith ymfudwyr diweddar. Yr ydym yn clywed fod llawer o selni yn mhlith y Deheuwyr. [. . . .] Nid llywodraeth o eiddo y bobl sydd yma, ond llywodraeth wedi ei gosod yn orfodol arnom gan derfysglyd ymosodiad y dyhirwyr gwaelaf o'n talaeth gymydogaethol [h.y., Missouri.][36]

Â rhagddo gan fanylu ar droseddau'r Deheuwyr:

> Yr ydym wedi gorfod dioddef y sarhad darostyngol, cael llosgi ein tai, goddef y pethau ffieiddiaf mewn terfysgiadau, gwragedd yn cael eu treisio, dynion yn cael eu curo i farwolaeth a'u saethu mewn gwaed

oer, dynion yn cael eu crogi am fod eu hiaith yn eu cyhuddo o fod wedi dyfod oddiar fryniau rhyddion Lloegr Newydd, a'u llofruddion mewn gwawd yn ail adrodd eu gweddiau at Dduw tra yr oedd y meirw yn crogi wrth y pren![37]

Pwysleisiodd fod trais a therfysg yn teyrnasu yn y diriogaeth. Roedd yr ymfudwyr tir rhydd yn ddigon niferus bellach i ethol eu swyddogion eu hunain, ond roedd y dynion 'a etholwyd yn heddychol . . . yn cael eu gwasgaru wrth fin y cleddyf.'[38]

Dywedasai mewn llythyr cynharach fod amynedd diddymwyr heddychlon Kansas 'yn gwisgo allan.' Dewisodd John Everett ymadrodd arall y tro hwn: 'Y pethau hyn a grogant fel y pwysau trymaf ar ein hysbrydoedd.'[39] Ac roedd y pwysau trymion hynny'n dechrau troi'r fantol foesol yn erbyn heddychiaeth:

Yr ydym yn teimlo iau fustlaidd y gorthrymwr – yr haiarn a ddaeth hyd at ein henaid. Gobeithiasom y buasai y Dalaeth hon yn rhydd fel awyr y nefoedd, ond yn awr yr ydym yn gaethion. Pe gallech deimlo fel yr ydym ni yn teimlo, byddech yn barod i esgusodi y rhai sydd wedi cymeryd arfau i fyny i 'wneud neu farw' dros ryddid. Gollyngech ddeigryn uwch ben eu gormodaeth, a'ch tosturi a flotiai ymaith eu bai.[40]

Cyfieithu'r ymadrodd Saesneg *'do or die'* y mae'r geiriau 'gwneud neu farw.' Dyma ddweud mai un dewis yn unig oedd ar gael i ddiddymwyr Kansas bellach, sef 'marw
. . . dros ryddid' neu 'wneud . . . dros ryddid,' ac ystyr 'gwneud' yn y cyd-destun hwn yw codi arfau yn erbyn 'y gorthrymwyr.'

Roedd Robert Everett a'r rhan fwyaf o ddarllenwyr *Y Cenhadwr Americanaidd* yn byw'n bell o helyntion 'Kansas waedlyd.' Mae'n wir fod diddymwyr y gogledd wedi dioddef dirmyg – a thrais ar adegau – ond roedd yn anodd iddynt ddychmygu'r peryglon a oedd yn bygwth bywydau ymfudwyr tir rhydd Kansas yn barhaus. Dyna'r cyd-destun sy'n egluro'r frawddeg olaf ond un a ddyfynnir uchod: 'Pe gallech deimlo fel yr ydym ni yn teimlo, byddech yn barod i esgusodi y rhai sydd wedi cymeryd arfau i fyny i "wneud neu farw" dros ryddid.' Mae John Everett yn defnyddio'r person cyntaf yma ('fel yr *ydym ni* yn teimlo'); awgrymodd yn y llythyr arall hwnnw fod ei amynedd ef yn 'gwisgo allan' hefyd, ond dywed yn blwmp ac yn blaen yn y llythyr hwn ei fod ymysg y rhai sy'n 'teimlo' fel hyn.

Tybed a oedd John ei hun wedi codi arfau erbyn hyn? Gwyddom iddo ymaelodi â milisia yn 1861 ar ôl i'r Rhyfel Cartref ddechrau, ond ni ddaethpwyd o hyd i dystiolaeth hyd yn hyn sy'n profi'n ddigamsyniol ei fod wedi dechrau cario arfau yn 1856.[41] I'r gwrthwyneb, mae'r frawddeg olaf yn y dyfyniad uchod yn awgrymu nad oedd ymysg y diddymwyr arfog. Cyfeiria atynt yn y trydydd person ('eu gormodaeth') gan awgrymu nad oedd yn un ohonynt er ei fod yn cydymdeimlo â nhw. Fodd bynnag, mae un ffaith yn sicr; erbyn mis Gorffennaf 1856 roedd John Everett yn credu y gellid cyfiawnhau – neu o leiaf 'esgusodi' – y rhai a oedd yn codi arfau er mwyn 'gwneud neu farw dros ryddid.' Mae ymateb y tad i farn y mab yr un mor arwyddocaol; er bod John yn tynnu'n groes i'w ddaliadau heddychlon ei hun, cyhoeddodd Robert Everett y brawddegau huawdl hyn gan sicrhau bod darllenwyr Cymraeg ar draws yr Unol Daleithiau yn edrych o'r newydd ar y berthynas – a'r tyndra – rhwng heddychiaeth a diddymiaeth.

Fe dâl inni graffu ymhellach ar y frawddeg olaf honno: 'Gollyngech ddeigryn uwch ben eu gormodaeth, a'ch tosturi a flotiai ymaith eu bai.' Dywed John Everett y bydd dagrau'i dad – a dagrau diddymwyr heddychlon eraill – yn golchi pechodau'r diddymwyr arfog i ffwrdd ('blotio ymaith eu bai'). Mae'r trosiad hwn yn rhan o gysyniad a oedd yn ganolog i'r Brotestaniaeth efengylaidd yr oedd John Everett a'i dad yn ei phroffesu. Y sail yw'r gred fod gwaed Iesu Grist yn golchi neu'n 'blotio' pechodau dynoliaeth ymaith. Gwelwn broses ddiwinyddol gymhleth ar waith yn y frawddeg hon. Y man cychwyn yw'r ymrafael oddi mewn i'r mudiad gwrthgaethiwol rhwng y diddymwyr a oedd yn codi arfau yn erbyn y drefn gaeth a'r diddymwyr hynny a oedd yn arddel heddychiaeth o hyd. Roedd y ffaith fod y naill garfan yn tywallt gwaed yn peri i'r llall ollwng dagrau. Ond dywed hefyd fod y dagrau y mae'r heddychwyr yn eu gollwng yn golchi ymaith yr union 'fai' sy'n eu hachosi. Mewn geiriau eraill, mae dagrau'r diddymwr heddychlon yn golchi pechodau'r diddymwr arfog ymaith. Os oedd y mudiad gwrthgaethiwol wedi'i rwygo gan y tyndra rhwng heddychiaeth a diddymiaeth, mae John Everett yn disgrifio proses ysbrydol a allai'i gyfannu eto.

Bid a fo am resymeg ddiwinyddol y llythyr hwn, roedd John Everett yn achub cam y diddymwyr hynny a oedd wedi cefnu ar heddychiaeth ddiamod. Yr hyn sydd o'r pwys mwyaf o safbwynt ymgyrch Robert Everett yw'r ffaith ei fod wedi cyfieithu a chyhoeddi'r llythyrau hyn. Er ei fod yn arddel heddychiaeth o hyd, ac er nad oedd yn amddiffyn y diddymwyr arfog yn uniongyrchol gyda'i eiriau'i hun, dewisodd gyflwyno dadleuon ei fab i ddarllenwyr *Y Cenhadwr Americanaidd*. Er nad oedd yn cytuno â'r dadleuon hyn, gwyddai Robert Everett fod profiadau diweddar ei fab yn enghraifft o sefyllfa y byddai'n rhaid i holl ddiddymwyr y wlad ei hwynebu. Dengys y llythyrau a ysgrifennodd at John nad oedd wedi cefnu ar ei heddychiaeth ei hun eto, ond yn hytrach na gwrthod ei thrafod yn feirniadol roedd yn fodlon ei harchwilio a'i chwestiynu ar dudalennau'i gylchgrawn. Ni ellir gorbwysleisio'r ffaith fod Robert Everett wedi cyhoeddi cyfieithiadau o'r llythyrau hyn: mae'n amlwg ei fod yn credu y dylai Cymry America yn gyffredinol fynd drwy'r un broses o hunanholi.

Gwelwn fod arwyddocâd y llythyrau printiedig hyn yn dwysáu wrth nodi na chyhoeddodd Robert Everett holl ohebiaeth ei fab. Wrth reswm, nid aeth ati i gyhoeddi'r llythyrau hynny sy'n trafod materion teuluol yn unig. Ar y llaw arall, mae rhai o'r llythyrau anghyhoeddedig hyn yn trafod materion y gellid meddwl eu bod o ddiddordeb i Gymry America'n gyffredinol. Er enghraifft, mae nifer ohonynt yn trafod hanes Osawatomie a thwf y gymuned wrthgaethiwol honno.[42]

Ond cyn diwedd 1856 byddai Robert Everett yn cyhoeddi cyfres o lythyrau'n disgrifio'r modd y cafodd y pentref hwnnw ei losgi. Daeth 'iau fustlaidd y gorthrymwr' i stepan drws John a Sarah Everett ar 30 Awst 1856 pan ymosododd y Missouriaid ar Osawatomie ei hun. Er bod nifer o drigolion y gymuned wedi cynnal cyfarfod cyhoeddus ddiwedd Mai i gollfarnu gweithredoedd John Brown, daeth Brown a'i fintai arfog i geisio amddiffyn Osawatomie. Lladdwyd saith ohonynt yn ystod y frwydr a llosgwyd tai llawer o'r ymfudwyr tir rhydd. Felly ar agor *Y Cenhadwr Americanaidd* ym mis Hydref 1856 câi Cymry America ddarllen cyfieithiad o lythyr arall gan fab y golygydd:

> LLYTHYR ODDIWRTH J. R. EVERETT.
> Dyddiedig oddiar lwch Osawatomie, Medi 2, 1856.
> Fy anwyl Dad,
> Ysgrifenais atoch ddeuddydd neu dri yn ol yn nghylch llosgiad Osawatomie, ar ol amddiffyniad grymus ond aneffeithiol. Y Missouriaid a ddaethant i'r golwg ychydig wedi toriad y dydd boreu Sadwrn diweddaf. Saethasant Frederick Brown [sef un o feibion John Brown] tua 1½ milldir i'r gorllewin oddiwrth y pentref, yr hyn oedd yr arwydd cyntaf eu bod ar ein gwarthaf. Nifer y gelynion oedd tua 320. I wrthwynebu y grym hwn nid oedd ond 30 o'r rhydd-dalaethwyr yn yr ymdrechfa. Yr oedd gan y gelyn 2 fagnel. Ein dynion ni nid oedd ganddynt ond rhychddrylliau a gynau cyffredin. [. . . .] [Roedd] yr anghyfartalwch . . . yn rhy fawr. Ein gwyr dewrion a orchfygwyd a gorfodwyd hwy i gilio dros yr afon. [. . . .] Yr oedd un dyn yn ein tŷ heddyw ag yr aeth bwled drwy ei het a chyffyrddodd â'i wallt. Un cyfaill ffyddlon i ryddid a gafwyd yn yr afon heddyw, wedi ei saethu

> drwy ei ben. Ond y rhan fwyaf, i'r Arglwydd y bo'r diolch, a ddaethant drosodd yn fyw. Y gelynion a ddychwelasant, a gosodasant y dref ar dân. [. . . .] Collodd rhai teuluoedd yr oll a feddent yn y byd, drwy i'r dref gael ei llosgi. [. . . .] Mae y dyn a glwyfwyd drymaf yn ein tŷ ni. Mae asgwrn ei glun wedi ei dori. Aeth o 20 i 30 o beleni i'w goesau – y rhan fwyaf o honynt yn myned yn hollol drwodd. Pe gellid clywed llais Kansas yn y Gogledd, byddai yn grochlef a gwaedd ingol am gymhorth. [. . . .] Mae ein cwch bach yn nofio mewn dyfroedd enbydus. Dichon y deuwn drwodd yn ddiogel, neu dichon mai suddo a wnawn. Yr ydym yn llaw yr Arglwydd ac ymddiriedwn yn ei ragluniaeth Ef. Mae genym achos i ddiolch ein bod fel teulu mewn iechyd cyffredin. Gyda serch atoch oll, ydwyf eich mab, JOHN.[43]

Dywedodd John Everett ei fod yn ymddiried 'yn llaw yr Arglwydd,' ond roedd yn ddiolchgar i John Brown a'i feibion hefyd. Roedd wedi ymuno â'i gymdogion yn y cyfarfod cyhoeddus hwnnw a gynaliasid ddiwedd mis Mai er mwyn collfarnu gweithredoedd treisgar Brown, ond yn y llythyr hwn mae'n diolch i Dduw am y ffaith fod Brown a'r rhan fwyaf o'i fintai wedi dianc yn fyw o frwydr Osawatomie ('Ond y rhan fwyaf, i'r Arglwydd y bo'r diolch, a ddaethant drosodd yn fyw'). Tebyg yw'r argraff a geir mewn llythyr arall a ysgrifennodd John ar ôl y frwydr; mae'n canmol John Brown gan ei ddisgrifio fel 'cadben selog o'r rhydd dalaethwyr.'[44]

Wrth ysgrifennu'r geiriau 'pe gallech deimlo fel yr ydym ni yn teimlo' mewn llythyr cynharach, roedd John wedi gofyn i'w dad esgusodi diddymwyr arfog Kanas. Trwy gyhoeddi'r geiriau hynny ym mis Medi 1856 roedd Robert Everett yntau'n gofyn i Gymry ar draws y wlad eu hesgusodi hefyd. 'Pe gellid clywed llais Kansas yn y Gogledd, byddai yn grochlef a gwaedd ingol am gymhorth' oedd yr apêl a gyhoeddodd ym mis Hydref y flwyddyn honno. Cydweithiai John a Robert Everett drwy gyfrwng *Y Cenhadwr Americanaidd* i greu llais Cymraeg grymus a allai siarad ar ran ymfudwyr tir rhydd Kansas. Erbyn diwedd 1856 roedd y llais hwnnw'n canu clodydd y 'cadben selog' John Brown.

Yn ei eiriau'i hun, *'to strike terror in the hearts of the proslavery people'* oedd bwriad John Brown, ac roedd yn arddel trais dilyffethair er mwyn gwneud hynny.[45] Ni ddywedodd Robert Everett yntau ddim byd am y newid cyfeiriad hwn ar y pryd, ond roedd wedi camu dros drothwy hynod bwysig ryw dro rhwng haf a hydref 1856. Nid oedd pum mlynedd wedi mynd heibio ers iddo ofyn i ddarllenwyr y *Cenhadwr* 'fabwysiadu egwyddorion heddwch ac i sefyll yn gadarn mewn gwrthwynebrwydd i ryfel.'[46] Yn yr un modd, nid oedd yn hanner blwyddyn ers iddo ofyn i'w fab John arddel heddychiaeth ddiamod yn null y Crynwyr. Ond cyn diwedd 1856 roedd golygydd y *Cenhadwr* yn cyhoeddi llythyrau'n canmol 'y Cadben Brown.' Nid yw hyn yn golygu bod Robert Everett wedi cefnu'n gyfan gwbl ar ei heddychiaeth yn ystod helyntion 1856. Eto i gyd, roedd yn defnyddio'i gylchgrawn er mwyn sicrhau bod llais Cymraeg Kansas yn cyrraedd Cymry America, ac roedd y llais hwnnw'n dweud wrthynt nad oedd yn hawdd iddynt gysoni'u diddymiaeth â'u heddychiaeth bellach.

NODIADAU

[1] 'Pressed Leaves From the Everett "Bush" By Rev. J. E. Everett Written for his son Robert in or about 1912', 59: 'Father came to Kansas in the fall of 1854 to look around. He went to Osawatomie and filed on a homestead . . . and engaged a man O. C. Brown [noder nad oedd yn perthyn i John Brown], to have a house or cabin built on the land by Spring'; 'they [John, Sarah a'r plant] reached Osawatomie in February or March 1855.'

[2] *The Missouri Compromise* oedd y cyfaddawd deddfwriaethol yn 1820. Roedd gan Senedd yr Unol Daleithiau gydbwysedd rhwng y taleithiau caeth a'r taleithiau rhydd yn ystod sesiwn 1818-1819, gyda 22 seneddwr Gogleddol (yn cynrhychioli 11 talaith rydd y Gogledd) a 22 seneddwr o'r De (yn cynrhychioli'r 11 talaith gaeth). Ond gan fod talaith newydd – Missouri – ar fin cael ei derbyn i'r Unol Daleithiau, roedd y cydbwysedd perffaith hwnnw dan fygythiad. Penderfynwyd cadw'r cydbwysedd drwy dderbyn Missouri yn dalaith gaeth a chreu ar yr un pryd dalaith rydd newydd – Maine – allan o diriogaeth a fuasai'n rhan o hen dalaith Massachusetts. Yn ogystal â chadw'r cydbwysedd mathmategol yn y Senedd yn y modd hwn, penderfynwyd hefyd na ddylid o hynny allan dderbyn taleithiau caeth newydd i'r gogledd o linell (latitude) 36.30 ar y map. Gw. James A. Rawley, *Race and Politics: 'Bleeding Kansas' and the Coming of the Civil War* (Philadelphia, 1969), 20-64.

[3] Ibid.

[4] Stephen B. Oates, *To Purge this Land with Blood [:] A Biography of John Brown* (Amherst, 1970), 82-3.

[5] Ibid., 83.

[6] Dechreuwydd yr *Herald of Freedom* ar 21 Hydref 1854.

[7] Wedi helpu argraffu *The Friend of Man* tra oedd yn bwrw'i brentisiaeth ar wasg argraffu Coleg Oneida, aeth John Everett i helpu rhedeg gwasg wrthgaethiwol ei dad ar ddechrau'r 1840au. Gw. y drafodaeth ym mhenodau 4 a 5.

[8] 'Pressed Leaves', 60-65.

[9] Gw., e. e., ysgrif Ben Chidlaw, 'Kansas a'r Cymry Sydd Yno,' *Y Cenhadwr Americanaidd*, Medi 1856.

[10] Carolyn B. Berneking, 'The Welsh Settlers of Emporia: A Cultural History,' *Kansas Historical Quarterly* (Hydref, 1971). Enw gwraig George Lewis oedd Matilda. Roedd ganddynt ddau blentyn ar y pryd, William a Samuel.

[11] Yn ôl Ben Chidlaw, roedd '16 o deuluoedd Cymreig yn Lawrence' erbyn gwanwyn 1856; *Y Cenhadwr Americanaidd*, Medi 1856. Nid dyma'r unig lythyr a gyhoeddodd George Lewis, gw., e.e., *Y Cenhadwr Americanaidd*, Hydref 1856.

[12] James A. Rawley, *Race and Politics: 'Bleeding Kansas' and the Coming of the Civil War*, 21-60.

[13] Ibid. Cafwyd etholiadau cynnar ar gyfer llywodraeth y diriogaeth ym Mawrth a Mai 1855.

[14] Stephen B. Oates, *To Purge this Land with Blood*, 108-10.

[15] *Y Cenhadwr Americanaidd*, Gorffennaf 1856.

[16] Ibid.

[17] Ibid.

[18] R. D. Thomas, *Hanes Cymry America* (Utica, 1872), 127: 'Bu yn y ddinas hon [Lawrence], cyn ei llosgi â thân gan y gwrthryfelwyr o Missouri yn Mai, 1856, amrai o Gymry yn byw; a phregethwyd yr efengyl iddynt gan y diweddar Barch. George Lewis. Ond nid oes gan y Cymry yno yn awr nac eglwys na chapel Cymreig, ac nid yw eu rhifedi yno ond ychydig.' Ymgartrefodd George Lewis a'i deulu yn Emporia wedyn. Gw. R. D. Thomas, 122: '*Eglwys yr Annibynwyr yn Emporia.* - Bu y Parch. George Lewis . . . yn llafurio gyda'r Annibynwyr yn y lle hwn.'

[19] Bu farw rhai o'r Missouriaid drwy ddamwain wrth iddynt geisio tanio ffrwydron yn y dref, ond ni laddwyd neb yn ystod yr ymosodiad ei hun. Gw. Stephen B. Oates, *To Purge this Land with Blood*, 137.
[20] Ibid.,133.
[21] *Y Cenhadwr Americanaidd*, Gorffennaf 1856. Mae'r llythyr wedi'i ddyddio: 'Osawatomie, Mai 29, 1856.'
[22] Ibid. Ystyr 'crigyll' yw nant neu afonig; *creek* yn Saesneg yr Unol Daleithiau.
[23] Mae ffynonellau eraill yn disgrifio'r cyfarfod cyhoeddus a gynhaliwyd yn Osawatomie er mwyn collfarnu John Brown (er na chafodd ei enwi yn y *'resolutions'* swyddogol a basiwyd, roedd yn amlwg mai Brown a'i feibion oedd dan sylw). Gw. Stephen B. Oates, *To Purge this Land with Blood*, 140-1.
[24] *Y Cenhadwr Americanaidd*, Gorffennaf 1856.
[25] *Y Cenhadwr Americanaidd*, 'Rhagyfarchiad' y gyfrol gyntaf (Rhagyfr 1840).
[26] Gw., e.e., *Y Cenhadwr Americanaidd*, Mehefin 1844: ceir erthyglau o dan y penawdau 'Cymdeithas Heddwch' ac 'Y Gymdeithas Wrthgaethiwol' ar yr un tudalen. Am enghreifftiau eraill o ddeunydd o gyhoeddodd Robert Everett o blaid y Gymdeithas Heddwch yn y 1840au, gw. *Y Cenhadwr Americanaidd*, Gorffennaf 1846, 'Cymdeithas Heddwch'; Awst 1846, 'Anerchion ar Heddwch - Gohebiaeth o Gymru'; Rhagfyr 1846, 'Rhyfel a Heddwch'; Chwefror 1851, 'Rhagorfraint Heddwch.' Roedd y Cymro Henry Richard ('Apostol Heddwch') yn chwarae rhan ganolog yn y Gymdeithas Heddwch, ac roedd Cymry amlwg eraill fel Samuel Roberts, Llanbrynmair, hefyd yn sianelu deunydd o blaid heddychiaeth i wasg Gymraeg America. Gw. Lewis Appleton, *Henry Richard [:] The Apostle of Peace* (Llundain, 1889); D. Ben Rees (gol), *Oriel o Heddychwyr Mawr y Byd* (Llandysul, 1983).
[27] *Y Cenhadwr Americanaidd*, Awst 1846.
[28] *Y Cenhadwr Americanaidd*, Chwefror 1851.
[29] Casgliad Cymdeithas Hanes Kansas.
[30] Gw. Pennod 6.
[31] Casgliad Llyfrgell Newberry (Everett Papers, bocs 7, ffeil 13).
[32] Ibid.
[33] Cyhoeddwyd y cyfieithiad Cymraeg hwn yn *Y Cenhadwr Americanaidd*, Awst 1856.
[34] Ibid.
[35] Ysgrifennodd John y llythyr hwn yn Osawatomie ar 17 Gorffennaf 1856. Cyhoeddodd Robert Everett gyfieithiad ohono yn *Y Cenhadwr Americanaidd*, Medi 1856.
[36] Ibid.
[37] Ibid.
[38] Ibid.
[39] Ibid.
[40] Ibid.
[41] Gw., e.e., *Y Cenhadwr Americanaidd*, Hydref 1862.
[42] Er enghraifft, ceir llythyr yng nghasgliad M. Everett wedi'i ddyddio 'Osawatomie, M[a]r[ch] 26, 1856,' sy'n dechrau 'Dear Father.'
[43] *Y Cenhadwr Americanaidd*, Hydref 1856.
[44] *Y Cenhadwr Americanaidd*, Tachwedd 1856: 'Llythyr Oddiwrth John R. Everett. A ysgrifenwyd Dranoeth ar ol Llosgi Osawatomie.' Er i John ysgrifennu'r llythyr hwn ar 31 Awst 1856 (sef diwrnod yn unig ar ôl yr ymosodiad), aeth ar goll yn y post ac felly ni chyhoeddodd Robert Everett y cyfieithiad Cymraeg tan rifyn Tachwedd.
[45] Stephen B. Oates, *To Purge this Land with Blood*, 133.
[46] *Y Cenhadwr Americanaidd*, Chwefror 1851.

PENNOD 11:
Y Dewin Mwyn a'r Gweriniaethwyr
(gwleidydda, 1856-1861)

Traddododd y seneddwr Charles Sumner araith ar destun *'The Crime Against Kansas'* ym mis Mai 1856. Un o areithwyr enwocaf y mudiad gwrthgaethiwol oedd Sumner, a hon oedd araith bwysicaf ei yrfa. Yn ogystal â chollfarnu'r *'Murderous robbers from Missouri'* a oedd yn aflonyddu ar y diriogaeth, cyhuddodd y gwleidyddion deheuol a oedd yn gweithio mor galed er mwyn cynnal breichiau'r drefn gaeth yn y llywodraeth yn Washington.[1] Gan fod nifer o seneddwyr a chyngreswyr o Dde Carolina wedi bod yn arbennig o uchel eu cloch, ymosododd Sumner ar gynrychiolwyr y dalaith honno gan ddisgrifio'n fanwl *'its shameful imbecility from Slavery.'*[2] Penderfynodd un cyngreswr o Dde Carolina, Preston Brooks, ddial gyda gweithredoedd yn hytrach na geiriau.

> Two days after the speech Brooks walked into the nearly empty Senate chamber after adjournment and approached the desk where Sumner was writing letters. 'Your speech', he told the senator, 'is a libel on South Carolina . . . .' As Sumner started to rise, the frenzied Brooks beat him over the head thirty times or more with a gold-headed cane as Sumner, his legs trapped under the bolted-down desk, finally wrenched it loose from the floor and collapsed with his head covered by blood.[3]

Cwynodd Robert Everett am 'y Brooks hwnw o South Carolina a geisiodd ladd yr enwog Charles Sumner yn y Senedd, yn unig am draethu ei feddwl mewn araeth yn erbyn Caethiwed,' a daethpwyd â sawl achos yn erbyn y Deheuwr gan gyfeillion Sumner.[4] Ond roedd diffyg ymateb yr arlywydd a'i gabinet bron mor syfrdanol â gweithredoedd treisgar Brooks. Enillodd y cyngreswr lysenw newydd, 'Bully Brooks,' ond yr unig gosb a gafodd oedd dirwy o $300.

Cyfieithiwyd araith Sumner i'r Gymraeg, ac fe'i cyhoeddwyd ar ffurf pamffled ar wasg *Y Seren Orllewinol.*[5] Aeth pob un o fisolion Cymraeg America ati i ddyrchafu'r seneddwr clwyfedig yn arwr. Er bod cylchgrawn y Methodistiaid Calfinaidd, *Y Cyfaill o'r Hen Wlad*, wedi troedio'n ofalus yng nghanol y ffordd o'i gymharu â *Seren* y Bedyddwyr a *Cenhadwr* yr Annibynwyr, ymdaflodd y *Cyfaill* yn egnïol i'r achos y tro hwn, gan gyflwyno ysgrif i'w ddarllenwyr yn dwyn y teitl 'Y Trosedd yn erbyn Kansas – Araeth Sumner':

> Cawsom trwy garedigrwydd rhywun, gopi trwy'r *Post* o'r araeth gynhyrfiol a gwerthfawr uchod, wedi ei chyfieithu i'r Gymraeg; ac erbyn myned i Scranton, gwelsom gan ein cyfaill Lewis . . . sypyn o honynt yn cael eu gwasgaru gyda haelfrydedd arferol y gwr da hwnw. Byddai yn hoff genym glywed iddynt gael lledaeniad helaeth trwy yr holl sefydliadau Cymreig, a hyny ar frys.[6]

Wrth gwrs, mae'r ffaith fod cyhoeddiadau Cymraeg America wedi'u huno yn eu cefnogaeth i Sumner yn dangos eu bod wedi'u huno y tu ôl i'r mudiad gwleidyddol yr oedd yn ei gynrychioli.[7]

Erbyn 1856 roedd plaid wrthgaethiwol newydd arall wedi dilyn y *Liberty Party* a'r *Free Soil Party* i'r maes gwleidyddol. Dechreuasid hi yn ôl yn 1854 gan nifer o gyn-arweinwyr y *Free Soilers* a rhai gwleidyddion gwrthgaethiwol a adawsai'r Chwigiaid a'r Democratiaid.[8] Er bod peth anghytundeb ynglŷn â'r enw ar y dechrau, daethpwyd i alw cefnogwyr y blaid newydd yn *Republicans.* Deuai'r gair hwnnw â chynodiadau radicalaidd iawn yn y cyfnod, ffaith y dylai darllenwyr ei chofio wrth wahaniaethu rhwng Gweriniaethwyr y 1850au a'r blaid wleidyddol sy'n arddel yr un enw heddiw.[9] Byddai'r blaid newydd hon yn profi'n gryfach o lawer na'r hen bleidiau gwrthgaethiwol bychain a aethai i'r maes o'i blaen.[10] Dwysaodd trafferthion y Chwigiaid gyda dyfodiad y blaid newydd. Tra oedd Chwigiaid gwrthgaethiwol yn rhuthro i ymuno â'r Gweriniaethwyr, roedd y *cotton Whigs* deheuol yn ymrestru yn rhengoedd y Democratiaid.

1856 oedd y tro cyntaf i'r Gweriniaethwyr sefyll etholiad arlywyddol. Heidiodd y Cymry i ymuno â'r blaid newydd, fel y dengys tystiolaeth y wasg.[11] Roedd cylchgronau crefyddol Cymraeg y wlad – *Y Cenhadwr Americanaidd, Y Cyfaill o'r Hen Wlad* a'r *Seren Orllewinol* – yn gefnogol iawn i'r Gweriniaethwyr. Tebyg oedd safiad prif bapur newydd Cymry America, fel y dywed Aled Jones a Bill Jones: '*Y Drych* asserted that never before had the Welsh in America shown so much interest in politics. Particular emphasis was put on the Republican opposition to slavery.'[12] Roedd papur wythnosol Cymraeg arall, *Y Cymro Americaidd,* wedi'i sefydlu'n ddiweddar er mwyn cystadlu â'r *Drych*, ac roedd y cyhoeddiad hwnnw'n fwy cefnogol i'r achos hyd yn oed.[13] Ymgeisydd y Gweriniaethwyr oedd John Charles Frémont.[14] Deheuwr oedd Frémont, wedi'i eni yn Georgia a'i fagu yn Ne Carolina, a chan ei fod wedi troi'n erbyn y sefydliad anfoesol a oedd mor ganolog i economi'r taleithiau hyn gwelai Robert Everett gymhariaeth Feiblaidd amlwg:

> Ymddengys i ni fod y Fremont hwn yn debyg i Moses, gwaredwr Israel, – wedi ei fagu gan y Pharao Gaethiwol yn y South, ac i fod yn llaw Rhagluniaeth yn waredwr i'r bobl o'r wlad o dan awdurdod yr hen Pharao[.][15]

Wrth annog ei ddarllenwyr i gefnogi Frémont a'r Gweriniaethwyr, rhoddodd Robert Everett grynodeb Gymraeg o faniffesto'r blaid newydd: 'Tir rhydd, argraffwasg rydd, ymadrodd rhydd, a llafur rhydd.'[16] Mewn ysgrif arall a gyhoeddwyd yn y *Cenhadwr* y flwyddyn honno, dyfynnodd Ben Chidlaw ryfelgri Saesneg y blaid: 'I'r maes! i'r maes! gyfeillion anwyl. Mawrygwn ein braint fel dinasyddion Americanaidd, trwy bleidleisio dros "Free Soil, Free Speech a FREMONT."'[17]

Fel y cofir, credai Robert Everett fod gan feirdd Cymraeg yr Unol Daleithiau ran bwysig i'w chwarae yn yr ymgyrch, ac nid oedd y gefnogaeth farddonol honno'n brin yn 1856. Yn ôl un prydydd, roedd dyfodiad y Gweriniaethwyr i'r maes etholiadol yn arwydd fod yr 'angyles' honno, Rhyddid, yn dod i ddryllio cadwyni'r caethion:

> Tra'r awel yn ysgwyd gwyrdd îr-ddail y goedwig,
> A'r duon gymylau yn gwisgo y nen,
> Chwimdeithia angyles mewn agwedd fawreddig,
> Gan wasgar goleuni ysblenydd uwchben!
>
> Gan faint ei gorwychder, cadwyni ddatodant,
> Caethiwed ymgilia fel ellyll i'w ffau;
> Cenedloedd y ddaear o'i thu a gyfodant;
> I ddymchwel hen orthrwm mae'i dydd yn neshau.[18]

Roedd y bardd hwn, William Thomas, yn astudio yn Oberlin, coleg radicalaidd yn Ohio a ddenodd nifer o gyn-fyfyrwyr yr *Oneida Institute.* Nid yw'n syndod ei fod wedi taro nodyn mor orfoleddus o obeithiol: roedd yn fyfyriwr mewn coleg a oedd yn gefnogol iawn i'r mudiad gwrthgaethiwol ac roedd yn gynyddol amlwg fod ei 'gydgenedl' – sef Cymry America – yn uno y tu ôl i'r ymgyrch yn erbyn y drefn anfoesol. Gallai William Thomas ddatgan yn hyderus fod 'Rhyddid yn gryfach na'r heiyrn gadwyni' a nodi'n fuddugoliaethus fod y 'dydd wedi gwawrio.'[19]

Nid y bardd hwn oedd yr unig Gymro yn Oberlin; roedd un o gyfeillion Cymreig plant Robert Everett, y Parch. Thomas Jones, yn gweithio yno.[20] Ysgrifennodd lythyr at y teulu sy'n dangos ei fod wedi mynd ati'n egnïol i ymgyrchu dros Frémont:

> I feel I ought to go West, Especially this Fall, in view of the present issue, between the Democrats and Republicans. I shall feel it an imperative duty to lecture on Politics this Fall. Every honest preacher of the gospel, will speak aloud for Fremont, and every mercenary preacher will speak for Buchanan [sef ymgeisydd y Democratiaid]. I never was so much interested . . . in Politics as at present.[21]

Gan adleisio'r modd yr oedd Robert Everett yntau wedi amddiffyn y ffaith ei fod yn pregethu 'gwleidyddiaeth' y diddymwyr o'r pulpud, dywedodd y gweinidog Cymreig hwn fod y 'Nefoedd' wedi galw arno i weithio dros ryddid yn ystod yr ymgyrch etholiadol:

> This is a time when Heaven calls upon every true, and noble heart to send forth all efforts to secure the election of John C. Fremont. In my part, I shall speak loudly and boldly. . . . . I was a few days ago present at a great Fremont gathering . . . . Upwards of 300 students . . . marched . . . headed by the Oberlin brass band.[22]

Cyn dirwyn ei epistol i ben, ychwanegodd y dylai 'pob llais' siarad o blaid Frémont; 'I should myself, until my throat was sore.'[23]

Saesneg oedd cyfrwng y *Fremont gathering* a drefnwyd gan fyfyrwyr Coleg Oberlin, ond roedd cyfarfodydd tebyg yn cael eu cynnal trwy gyfrwng yr iaith Gymraeg mewn nifer o gymunedau yn Ohio, Pennsylvania, Wisconsin ac Efrog Newydd. Lewis, trydydd mab Robert Everett, oedd trefnydd y cyfarfodydd Cymraeg a gynhelid gan y Gweriniaethwyr yn Steuben.[24] Fel y nodwyd ar dudalennau'r *Cenhadwr,* cynhaliwyd 'Cyfarfod Republicanaidd Cymreig' yn Holland Patent, swydd Oneida, ar 21 Medi 1856.[25] Nid cyfarfod cangen leol y blaid oedd hwn, ond ymdrech i drefnu a chydlynu'r ymgyrch etholiadol yn holl gymunedau Cymraeg yr ardal: 'cynaliwyd Cynadledd gan nifer o Gymry . . . yn rhagbaratoawl i gyfarfodydd ereill a fwriedir eu cynal er pleidio yr achos Republicanaidd gyda golwg ar yr etholiad Llywyddol nesaf.'[26] Roedd y Gweriniaethwyr Cymreig hyn wedi bod yn canfasio o ddrws i ddrws yn ddiwyd, ac roeddynt yn hyderus y byddai'r rhan fwyaf o Gymry'r ardal yn pleidlesio 'dros Frémont a Rhyddid':

> [c]afwyd tystiolaeth eu bod yn gyffredinol gydag ychydig eithriadau, yn bleidiol i achos rhyddid, ac yn benderfynol o sefyll dros y blaid Republicanaidd. Y Pwyllgor, pan ddeallasant fod y Cymry eisoes mor unllais dros yr achos ag yr ydym wedi ymgyfarfod o'r herwydd, a

roddasant yr Adroddiad hwn, nad oes angen am Gyfarfod Cyffredinol mewn rhyw un lle, eto ein bod yn anog fod cyfarfodydd *lleol* yn cael eu cynal yn y gwahanol gymygodaethau i bleidio yr achos hwn[.][27]

Mae'r dystiolaeth hon – sy'n dangos bod y Cymry'n 'unllais dros yr achos' – yn hynod arwyddocaol, ac mae ffynonellau eraill yn cefnogi asesiad y Gweriniaethwyr hyn. Nid oedd gan bwyllgor canolog y blaid reswm i boeni am y Cymry ac felly trosglwyddwyd yr holl waith i'r pwyllgorau lleol. Gwyddom ychydig am waith y pwyllgorau hyn; ymysg pethau eraill, roedd eu haelodau'n dosbarthu cyfieithiad Cymraeg o'r *Life of Fremont*.[28]

Gyda Chymry America yn dangos y ffasiwn gefnogaeth, nid yw'n syndod fod y Democratiaid wedi dechrau poeni am y bleidlais Gymreig. Gan fod gwasg Gymraeg y wlad mor gefnogol i'r Gweriniaethwyr, penderfynodd y Democratiaid lansio'u cyhoeddiad eu hunain, *Y Gwron Democrataidd*. Daeth o'r wasg ar 29 Hydref 1856. Er bod diwyg y *Gwron* yn awgrymu'i fod yn bapur newydd, pamffled bropagandyddol yn esgus ei bod hi'n bapur newydd ydoedd.[29] Roedd yn ymgais wan i gogio bod gan y Democratiaid droedle oddi mewn i fyd y wasg Gymraeg; stynt bropagandyddol gyn-etholiadol oedd *Y Gwron Democrataidd*, nid papur newydd go iawn. Gan geisio denu sylw'r Cymry gydag ymadrodd cyfarwydd, gosododd golygydd y *Gwron*, Thomas Jones, y geiriau ' Y Gwir yn Erbyn y Byd' ar frig ei 'bapur.'[30] Yn ôl y Democrat Cymreig hwn, roedd 'Y Gwir' yn syml iawn: maentumiodd fod pynciau megis dinasfraint y Cymry a 'chyflogau y gweithwyr' yn bwysicach na'r berthynas rhwng etholiad 1856 a'r ymgyrch yn erbyn caethwasanaeth.[31] Ychwanegodd fod y Gweriniaethwyr yn pwysleisio sefyllfa'r caethweision gymaint er mwyn tynnu sylw'r Cymry oddi ar y pynciau pwysig eraill hyn. Aeth i eithafion wrth geisio dychryn ei ddarllenwyr Cymraeg:

> Yn yr ymdrech presennol am allu politicaidd, ceisiwyd denu eich sylw oddiwrth gadwraeth a pharhad eich hawliau politicaidd, i'r ochr gynhyrfiol o'r frwydr diriogaethol, yn nhgylch caethiwed y Negro, a'r rhai, tra y proffesant ryddhau a llesoli y Negro, a'ch caethiwent chwi a phob tramoriad gwyn arall.[32]

Ceisiodd eu dychryn ymhellach drwy honni bod cysylltiad rhwng 'Anffyddiaeth [a'r] Gwrthgaethiwyr.'[33] Ymosododd yn fileinig ar rai o ddiddymwyr enwocaf yr Unol Daleithiau – a William Lloyd Garrison yn enwedig – ond nid enwodd Robert Everett (na'r un Cymro arall). Mae hon yn ffaith bwysig iawn gan na ellir gweld *Y Gwron Democrataidd* ond fel ymdrech i wrthweithio llwyddiant Robert Everett a'i gydymgyrchwyr Cymreig. Gwyddai Thomas Jones fod llawer o Gymry America'n 'ystyried Mr. Everett yn un o ddynion mwyaf rhagorol y ddaear.'[34] Roedd Chwig Cymreig wedi ymosod yn uniongyrchol ar Robert Everett drwy gyfrwng *Seren Oneida* yn ôl yn 1844, ond nid oedd y Democrat hwn am elyniaethu'i ddarllenwyr drwy bardduo gweinidog a oedd mor fawr ei barch yn eu mysg. Yn yr un modd, ni cheisiodd Thomas Jones gyfiawnhau'r drefn gaeth yr oedd ei blaid ef yn ei chefnogi. Dengys hyn oll fod golygydd y *Gwron* yn gwybod yn iawn na allai newid barn Cymry America ynghylch y pynciau hyn.

Yn ôl y dystiolaeth sydd wedi goroesi, ni chafodd *Y Gwron Democrataidd* nemor ddim effaith ar y bleidlais Gymreig. Daeth rhai Americanwyr a fuasai'n sefyll ar ganol y ffordd wleidyddol i gefnogi'r mudiad gwrthgaethiwol yn sgil ymosodiad treisgar 'Bully Brooks' ar Charles Sumner. Yn yr un modd, mae'n bosibl iawn fod ymdrechion amlwg y *Gwron* i bardduo Frémont a'r Gweriniaethwyr wedi gyrru nifer o Gymry canol y ffordd yn bellach i ffwrdd oddi wrth y Democratiaid ac yn agosach at yr union blaid yr oedd y Gwron yn ymosod arni.[35] Fe ymddengys mai dau rifyn yn unig o'r 'papur' Democrataidd Cymraeg a ddaeth o'r wasg. Diflannodd gyda'r etholiad, ac ni fyddai'n ymddangos eto.

Er nad oedd eu niferoedd yn fawr o'u cymharu â grwpiau neu 'genedlaethau' eraill yn yr Unol Daleithiau, roedd Robert Everett yn gobeithio y byddai cefnogaeth y Cymry yn helpu'r Gweriniaethwyr ar ddiwrnod yr etholiad:

> Anwyl a Pharchus Gydgenedl, – Yr ydym ni y Cymry yn un o'r llawer cenedlaethau sydd yn gwneyd i fynu ddinasyddion America; ac er nad ydym ond cenedl fechan mewn cydmariaeth, eto yr ydym yn 'Benjamin fychan' yn mysg y llwythau, ac mae yr un un rhwymedigaethau pwysig yn gorphwys arnom ni, y rhai ydym ddinasyddion, ac ar eraill, er dwyn yn y blaen ddaioni, heddwch, a llwyddiant ein gwlad, ag sydd ar neb pwy bynag. Gallai y cyfan, neu y mesurau pwysicaf droi ar fwyafrif bychan, a gallwn ni fod yn gwneud i fynu y mwyafrif hwnw.[36]

Gallai golygydd *Y Cenhadwr Americanaidd* ragdybio bod ei ddarllenwyr yn gyfarwydd â'r straeon Beiblaidd am feibion Jacob.[37] Gwyddai Cymry crefyddol fod gan Jacob ddeuddeg o feibion, sef 'y deuddeg patriarch' a sefydlodd lwythau'r Iddewon. Nid oedd mor enwog â'i frawd Joseph, ac 'yn ôl traddodiad Iddewig, [ef oedd] yr ieuangaf o'r deuddeg patriarch,' ond gwnaeth 'Benjamin fychan' ei ran yr un fath gan helpu 'gwneud i fyny' y niferoedd.[38]

Yn fuan ar ôl i'r ysgrif hon ymddangos yn *Y Cenhadwr Americanaidd* cafodd ei hailgyhoeddi yn *Y Cymro Americaidd* a'r *Seren Orllewinol*. Roedd y golygyddion yn awyddus i ddangos bod holl gyhoeddiadau Cymraeg yr Unol Daleithiau yn sefyll gyda'i gilydd y tu ôl i'r Gweriniaethwyr (ar wahân i'r *Gwron Democrataidd*, wrth gwrs).[39] 'Byddin Rhyddid' oedd cefnogwyr Frémont yn ôl Robert Everett, ac eglurodd pam yr oedd Cymry America yn heidio i ymrestru yn y fyddin honno:

> Yr ydym yn credu felly yn gyntaf, oddiwrth dueddfryd Genedlaethol y Cymry at Ryddid. Mae y Cymry yn caru Rhyddid, – yn caru ei gael a charu i eraill ei gael hefyd. Mae mwy o ysbryd rhydd a thros ryddid yn perthyn i'r Cymry yn mhob gwlad, nag i un genedl arall. Cafwyd elfennau rhyddid yn eu plith er's llawer o ganrifoedd, megys prawf trwy reithwyr, &c.; ac o'u plith hwy y daeth i blith cenedloedd eraill. Maent yn Nghymru yn sefyll dros y blaid fyddo fwyaf dros ryddid, a gwnaent hyny yn fil mwy pe caent ryddid i wneyd fel y dewisant. Maent felly yn y wlad hon hefyd; hyny yw, yn gyffredin ceir hwynt yn pleidleisio gyda y blaid fyddo fwyaf dros ryddid ac yn erbyn caethiwed.[40]

Nod Robert Everett oedd cysylltu'r drafodaeth ar ryddid â'r profiadau hanesyddol a oedd yn ganolog i hunaniaeth genedlaethol Cymry America. Cyfeiriodd felly at y rhesymau pam oedd cynifer ohonynt wedi dewis ymadael â'r Hen Wlad:

> Yr ydym wedi mabwysiadu y wlad hon yn lle gwlad anwyl ein genedigaeth, am y Rhyddid yr ydym yn ei fwynhau ynddi. Yr ydym yn rhyddion oddiwrth lawer o lyffetheiriau caeth oedd yno, ac sydd yno; ac yr ydym yn mawrhau ein braint. . . . . Yr ydym yn rhydd yn gyffredin oddiwrth y rhenti uchel, trethoedd trymion, a rhai anghyfiawn. Yr ydym yn rhydd o orfod talu i gynal crefydd nad ydym yn ei charu.[41]

A hwythau wedi ymfudo i'r Unol Daleithiau er mwyn torri'n rhydd o ormes yr hen drefn Brydeinig, ni allai Cymry America ond cefnogi'r blaid a oedd yn sefyll dros ryddid holl drigolion y wlad. Fel y gwnaeth mewn cynifer o ffyrdd eraill mewn cynifer o ysgrifau eraill, mynnodd Robert Everett fod cysylltiad rhwng hunaniaeth Gymreig-Americanaidd ei ddarllenwyr a'r safiad gwrthgaethiwol a ddeuai'n rhan gynyddol amlwg o'u diwylliant gwleidyddol.

Ers o leiaf 1843 bu Robert Everett yn erfyn ar ymfudwyr Cymreig i hawlio'u dinasyddiaeth Americanaidd er mwyn pleidleisio'n erbyn y caethfeistri.[42] Ailadroddodd yr un hen bregeth honno ar drothwy etholiad 1856: 'Crefwn ar y Cymry i ymbaratoi erbyn dydd y frwydr fawr, trwy i'r rhai sydd heb hawl i bleidleisio i ymofyn am gael yr hawl hono[.]'[43] Ailadroddodd thema gyfarwydd arall yn yr ysgrif hon hefyd:

> Wrth wneuthur hyn, ddarllenydd, tydi a wnei wasnaeth i Dduw a dyn, ie ti a geri dy gymydog fel tydi dy hun, dy gymydog yn Kansas yn gystal a manau eraill; tydi a gedwi gydwybod ddirwystr tuag at Dduw a dyn; . . . ac ni bydd edifar genyt am hyn pan fyddi yn marw.[44]

Dywedodd yr un peth mewn geiriau eraill yn rhifyn Medi: 'Mae yn ddyledswydd ar bob Cristion i bleidleisio yn erbyn darostwng llywodraeth yr Unol Dalaethau . . . i fod yn offeryn yn llaw gormes[.]'[45]

Cyhoeddodd Robert Everett gerdd gan J. D. Morgan yn dwyn y teitl 'Fremont a Rhyddid' fis cyn yr etholiad.[46] Fe ymddengys mai cân i'w chanu yng nghyfarfodydd y Gweriniaethwyr Cymraeg oedd hon. Dechreua'r gân drwy gyfeirio at y 'cynhwrf sydd heddyw drwy'r wlad,' sef awydd y caethfeistri i gryfhau'u gafael ar 'ein tir.'[47] Yn debyg i'r modd yr oedd Robert Everett yntau'n trafod y sefyllfa, pwysleisiodd y bardd hwn ragrith y wlad honedig rydd a ganiatâi i'r drefn gaeth barhau:

> Mae'n syndod i'r gwledydd fod tyrfa mor fawr
> Yn pleidio lledaeniad caethwasiaeth yn awr
> Mewn gwlad a gysegrwyd i Ryddid gan wa'd
> Gwroniaid syrthiasant wrth bleidio rhyddhad.[48]

Disgrifiodd y waredigaeth wleidyddol a welai ar y gorwel gyda'r un trosiad milwrol yr oedd Robert Everett yn ei ddefnyddio, gan ofyn i'r Cymry – neu'r 'Gomeriaid' – ymrestru yn y fyddin newydd hon:

> Ond gwelaf ddewr fyddin ddiofn o'r dorf front,
> Ac ar eu banerau mae enw FREMONT,
> Yn rhuthro i'r frwydr fel cefnllif dibaid,
> I ymladd dros ryddid – a'r Nef sydd o'i phlaid.
>
> O deuwch, Omeriaid, ymunwch â hon –
> Mae cariad at ryddid fel tân yn eich bron;

Tra pery yn ddysglaer yr haul yn y ne',
Na foed i un Cymro ymgrymu i'r De.[49]

Ceir ym mhennill olaf cân J. D. Morgan fersiwn o ddadl foesol y bu Robert Everett a'i gydweithwyr yn ei chyflwyno i Gymry America ers blynyddoedd:

Gogoniant yn dragywydd a fydd ein hoff wlad
Ar ol i'r holl gaethion gael dedwydd ryddhad;
Yn gynllun i'r gwledydd, pryd hyny fe fydd
Yn deilwng i'w galw'n *Weriniaeth y Rhydd*.[50]

Nid oedd yn anghyffredin i Gymry America wrthgyferbynnu 'rhyddid' eu gwlad fabwysiedig â'r amgylchiadau a oedd yn eu gormesu yn yr Hen Wlad, fel y gwelwyd uchod. Ac felly cyhoeddodd Robert Everett gân J. D. Morgan ar drothwy'r etholiad gan obeithio y byddai'r Cymry a ganai'r geiriau hyn yn gweld pleidleisio 'dros Frémont a Rhyddid' fel ffordd o wireddu'r delfryd Americanaidd yr oeddynt yn ymfalchïo ynddo.

Erbyn iddo gyhoeddi'r gerdd hon roedd yn pregethu i'r cadwedig rai. Fel y dengys y dystiolaeth a drafodwyd uchod, unodd Cymry America y tu ôl i'r Gweriniaethwyr yn ystod ymgyrch 1856, ac felly nid yw'n syndod eu bod wedi pleidleisio dros Frémont ar ddiwrnod yr etholiad. Fel y casglodd Paul D. Evans, roedd etholiad 1856 yn garreg filltir yn hanes gwleidyddol Cymry America:

The Welsh were now united in one party and that party organized on the principle of opposition to slavery. It was what Everett and his supporters had worked for and the work, once done, was permanent.[51]

Mae'n bosibl hefyd fod y Benjamin bach Cymreig wedi effeithio mewn modd arwyddocaol ar y canlyniad cenedlaethol. Enillwyd Efrog Newydd, Ohio a Wisconsin gan y Gweriniaethwyr, ac roedd niferoedd cymharol uchel o Gymry'n byw yn y taleithiau hynny.[52] Ond nid oedd yn ddigon: ymgeisydd y Democratiaid, James Buchanan, a orfu. Eto, roedd gafael y blaid fuddugol ar y wlad yn ansicr gan mai dim ond 45% o'r bleidlais boblogaidd a gafodd Buchanan. Roedd canlyniad Frémont – 33% – yn barchus iawn o ystyried y ffaith mai hwn oedd y tro cyntaf i'w blaid sefyll etholiad arlywyddol.[53]

Yn ogystal ag ymffrostio yn y ffaith eu bod yn cefnogi plaid a wrthwynebai'r caethfeistri, gallai Cymry America ymffrostio yn y ffaith fod eu plaid newydd – yn wahanol i bleidliau gwrthgaethiwol bychain y gorffennol – yn brif wrthblaid. Deuai cefnogaeth i'r Gweriniaethwyr yn rhan bwysig o'r cyfuniad o ffactorau a oedd yn diffinio hunaniaeth genedlaethol Cymry America. Pan gynhaliwyd Eisteddfod Ebensburg, Pennsylvania, yn y flwyddyn newydd, enillodd H. H. Hughes gyda cherdd am 'Hynodion y Flwyddyn Aeth Heibio – 1856.'[54] Cystadlodd o dan y ffugenw 'Gwerinwr' ac amlygodd ei gefnogaeth i'r achos Gweriniaethol yn y gerdd ei hun hefyd:

Hynodrwydd yr ymgyrch gwleidiadol a fu'n
Cynhyrfu'n Talaethau yn gyfan
Drwy gym'ryd CAETHIWED a RHYDDID y du
I'r pwnc, yn *Fremont* a *Buchanan*.

A'r modd yr enillodd caethwasiaeth y dydd
Er ei holl ffieidd-dra anniwair;
'R angyles hardd RHYDDID, hi wylodd yn brudd
Pân godwyd *Buchanan* i'r gadair.[55]

Cyhoeddwyd y penillion hyn gan Robert Everett yn *Y Cenhadwr Americanaidd*, a hynny ym mis Mai 1858. Deuai etholiad canol-y-tymor *(mid-term)* y flwyddyn honno, ac roedd am sicrhau bod tân Gweriniaethol y Cymry'n llosgi o hyd.

Fis yn ddiweddarach cyhoeddodd ysgrif danbaid gan Joseph H. Jones yn hoelio sylw ar y cysylltiad rhwng y drefn gaeth a llywodraeth y Democratiaid:

> Mae amgylchiadau anghysurus ein Llywodraeth a'r cynhyrfiadau sydd yn ein plith o herwydd caethiwed, yn hysbys i'r byd, ac nid gwiw i ni ymdrechu eu cuddio, ac ofer yw i ni ddysgwyl am dawelwch, hyd nes y symudir yr achos o'r anghyfod o'n plith. Tra mae dwy gyfundrefn mor wrthwynebol i'w gilydd (sef caethiwed a rhyddid,) yn cydfodoli dan yr un Cyfansoddiad gwladwriaethol, a'r un Gydgynghorfa, a'r un Llywydd, dan rwymau llw swyddogol, i ymgeleddu ac amddiffyn y ddau drefniant, pa fodd y gallwn ddysgwyl i'r ddwyblaid gael eu boddloni.[56]

Mae'r ysgrif Gymraeg hon yn debyg iawn i araith Saesneg sy'n cael ei dyfynnu'n aml mewn llyfrau hanes Americanaidd:

> A house divided against itself cannot stand. I believe this government cannot endure, permanently half *slave* and half *free*. I do not expect the

> Union to be *dissolved* – I do not expect the house to *fall* – but I *do* expect it will cease to be divided. It will become all one thing, or *all* the other.[57]

Abraham Lincoln biau'r geiriau hyn; maent yn rhan o araith a draddododd ar 16 Mehefin 1858, ychydig dros bythefnos ar ôl i Robert Everett gyhoeddi ysgrif Joseph H. Jones. Gan nad oedd y Rhyfel Cartref yn bell i ffwrdd, mae'n anodd darllen geiriau Joseph Jones ac Abraham Lincoln heddiw heb deimlo'u bod yn broffwydol.[58]

Ond nid trafod rhyfel go iawn oedd Lincoln yn 1858, eithr y rhyfel gwleidyddol yn Washington. Ac yntau'n gyn-Chwig a aethai'n gyngreswr i Washington yn ôl yn y 1840au, roedd Abraham Lincoln bellach yn sefyll yn enw'r Gweriniaethwyr i gynrychioli talaith Illinois yn y Senedd.[59] Ei wrthwynebydd oedd Stephen Douglas, un o areithwyr enwocaf y Democratiaid a phrif arweinydd y blaid honno yn y taleithiau gogleddol. Cynhelid saith o ddadleuon cyhoeddus rhwng Lincoln a Douglas yn ystod yr ymgyrch etholiadol. Eglura James McPherson arwyddocâd hanesyddol y dadleuon hyn:

> These debates are deservedly the most famous in American history. They matched two powerful logicians and hard-hitting speakers, one of them nationally eminent [sef Douglas] and the other little known outside his region. To the seven prairie towns came thousands of farmers, workers, clerks, lawyers, and people from all walks of life to sit or stand outdoors for hours in sunshine or rain, heat or cold, dust or mud. . . . . The stakes were higher than a senatorial election, higher even than the looming presidential contest of 1860, for the theme of the debates was nothing less than the future of slavery and the Union. Tariffs, banks, internal improvements, corruption, and other staples of American politics received not a word in these debates – the sole topic was slavery.[60]

Er na ddaeth llwyddiant i ran Lincoln yn etholiad 1858, sicrhaodd ei berfformiad yn y dadleuon cyhoeddus hyn fod ganddo ddyfodol gwleidyddol disglair:

> For Lincoln the election was a victory in defeat. He had battled the famous Douglas on at least even terms, clarified the issues between Republicans and northern Democrats more sharply than ever, and emerged as a Republican spokesman of national stature.[61]

Gwelid Lincoln fel lladmerydd prif ffrwd ei blaid. Yn ystod etholiad 1858 ceisiai Douglas gysylltu Lincoln â'r diddymwyr radicalaidd, ond gwrthododd y Gweriniaethwr y gymhariaeth. Tra oedd Robert Everett a'i debyg yn dadlau o blaid cyfartaledd hiliol, roedd Lincoln yn cynrychioli'r Americanwyr hynny a oedd yn coleddu rhagfarn hiliol er eu bod hefyd yn erbyn caethwasanaeth:

> There is a physical difference between the . . . [white and black races], which in my judgement will probably forever forbid living together upon the footing of perfect equality, and inasmuch as it becomes a necessity that there must be a difference, I, as well as Judge Douglas, am in favor of the race to which I belong, having the superior position.[62]

Ar y llaw arall, dywedodd Lincoln y dylid rhoi rhagor o hawliau i'r Americanwyr duon a phwysleisiodd drosodd a thro ei farn fod y drefn gaeth yn anfoesol.[63] Ond yn wahanol i Robert Everett a diddymwyr eraill ar begwn radicalaidd y blaid a oedd yn mynnu'i dileu'n syth a dyrchafu'r caethweision i'r un statws â'u cyd-Americanwyr gwynion, siaradai Lincoln ar ran y Gweriniaethwyr canol-y-ffordd nad oeddynt am fynd mor bell.

Dengys ei ohebiaeth bersonol mai gyda radicaliaid y blaid – unigolion fel y newyddiadurwr Horace Greeley a'r seneddwr Henry Wilson – oedd calon Robert Everett.[64] Disgrifiodd Wilson y modd y gwelai ef agenda'r Gweriniaethwyr mewn geiriau digamsyniol: 'wherever and whenever we have the power to do it, I would give to all men, of every clime and race, of every faith and creed, freedom and equality before the law.'[65] Ysgrifennodd nai Robert Everett lythyr ato a'i wraig Elizabeth yn disgrifio cyfarfod a gynhaliwyd gan y Gweriniaethwyr hyn yn Efrog Newydd: 'Last night had the pleasure to listen to Senator Wilson and Mr. Greeley speak on republicanism. I wish you had been with us[;] you would be delited.'[66]

Ond er gwaethaf y gwahaniaeth barn oddi mewn i'r blaid, ymataliai Robert Everett rhag beirniadu Lincoln a'r Gweriniaethwyr cymedrol. Ni fu'n hawdd uno Cymry America mewn plaid wrthgaethiwol; daethai llawer o wrthwynebiad i ran Robert Everett a'i gydymgyrchwyr wrth iddynt weithio ar y talcen caled hwnnw. Ond ar ôl pymtheng mlynedd o ymgyrchu, daeth y llwyddiant mawr yn 1856 pan heidiodd y Cymry i gefnogi'r Gweriniaethwyr. Roedd tŷ'r Gweriniaethwyr Cymreig wedi'i adeiladu ar sylfeini cedyrn, ac nid oedd Robert Everett am ddechrau dadleuon gwleidyddol a allai rannu'r tŷ hwnnw. Parhâi i bleidio'r un agenda radicalaidd, ond gan fod y rhan fwyaf o'r Cymry'n pleidleisio dros blaid a oedd yn gwrthwynebu caethwasanaeth, nid aeth ati ar dudalennau'r *Cenhadwr* i feirniadu aelodau canol-y-ffordd y blaid honno.[67]

Gyda'i gydgenedl mor gefnogol i'r Gweriniaethwyr erbyn 1858, gallai Robert Everett bwyso ychydig ar ei rwyfau gwleidyddol. Fe ymddengys na threuliodd gymaint o'i amser a'i egni ar wleidyddiaeth bleidiol y flwyddyn honno. Yn hytrach, aeth ar daith bregethu i Ohio, Wisconsin ac Illinois.[68] Roedd llawer o Gymry'n byw yn yr ardaloedd yr ymwelodd â hwy, a chan fod cynifer ohonynt am weld y gweinidog enwog bu'n rhaid iddo bregethu nifer o weithiau bob dydd am fis cyfan. Disgrifiodd y daith mewn llythyr at ei gyfaill Thomas Edwards:

> Y mis diweddaf o'n taith . . . yr oedd y teithiau yn lled feithion. Yr oeddem yn pregethu ddwy neu dair gwaith yn fynych yn y dydd i gynulleidfaoedd lluosog o'n cenedl yn y gwahanol fanau. Cawsom wrandawiad tra siriol yn mhob man, a chawsom dderbyniad croesawus gan y gweinidogion a'r eglwysi. Ni chefais siwrnai mwy dymunol yn mhob ystyr erioed.[69]

Roedd Robert Everett wedi bod yn cysylltu â'r cymunedau Cymreig hyn drwy gyfrwng *Y Cenhadwr Americanaidd* ers deunaw mlynedd, ond diolch i'r daith hon gallai gysylltu llawer o wynebau ag enwau'i gyfranwyr a'i danysgrifwyr: 'Gwelsom lawer ar y daith hon nas cawn eu gweled hyd ddydd y cwrdd cyffredinol, a'r cyfrif diweddaf.'[70] Un o'r rhai hyn oedd y Parch. David Davies, gweinidog yn Ohio yr oedd Cymry llengar y wlad yn ei adnabod fel Dewi Emlyn. Profai'r cyfarfyddiad hwn yn dyngedfennol; ymhen ugain mlynedd byddai Dewi Emlyn yn ysgrifennu *Cofiant* Robert Everett ac yn cofio'r ymweliad ag Ohio:

> Dyna yr unig dro i ni ei weled a'i glywed. Yr oedd yn myned ar ei wyth-a-thri-ugain oed, ac yn ymddangos braidd yn eiddil a gwanaidd o ran cyfansoddiad corphorol; ond eto synasom lawer ei weled mor heinif a bywiog.[71]

Gan nad oedd Dewi Emlyn wedi'i weld erioed o'r blaen, ni wyddai nad 'ei wyth-a-thri-ugain oed' oedd yn gyfrifol am ei eiddilwch ymddangosiadol. Yr un fu ymateb llawer o'r gynulleidfa a welsai'r Robert Everett ifanc yn pregethu am y tro cyntaf yng Nghapel Lôn Swan, Dinbych, dros ddeugain mlynedd ynghynt. Bu llawer yn synnu ar hyd y blynyddoedd wrth nodi bod y dyn bach 'musgrell' hwn yn berchen ar angerdd ac egni mor sylweddol. Yn ôl un arall a welodd y Parch. Everett yn pregethu yn Ohio:

Dwys, tan nef, a dystaw'n awr – yw Everett,
A llyfr-gynwysfawr;
Corph bach heb anach unawr,
Dewin mwyn a doniau mawr.[72]

Fel yr oedd y daith yn gyfle i Robert Everett ymgydnabod â'i ddarllenwyr yn well, felly hefyd roedd yn gyfle i'w ddarllenwyr hwythau brofi rhagor o 'ddoniau mawr' y 'dewin mwyn' nad oeddynt yn ei adnabod fel arall ond trwy gyfrwng ei waith fel awdur a golygydd. Bu'r daith bregethu faith honno'n fodd i'r Parch. Everett gryfhau'r gymuned Gymraeg ehangach yr oedd wedi bod yn helpu i'w chreu a'i chynnal drwy gyfrwng y wasg argraffu.

Daeth etholiad arlywyddol arall yn 1860 ac unwaith eto roedd gwasg Gymraeg yr Unol Daleithiau yn gadarn ei chefnogaeth i'r Gweriniaethwyr. Ni cheisiwyd ail-lansio *Y Gwron Democrataidd*. Gan fod y Democratiaid wedi methu'n llwyr â rhwystro'r don Weriniaethol Gymreig yn ôl yn 1856, mae'n amlwg eu bod wedi penderfynu yn 1860 mai gwastraff arian fyddai cyhoeddi rhagor o bropaganda yn yr iaith Gymraeg. Cydnabu'r Democratiaid gydag absenoldeb *Y Gwron* fod gan y Gweriniaethwyr afael ddiysgog ar ddiwylliant cyhoeddus Cymry America. Ymgeisydd arlywyddol y blaid oedd yr areithiwr huawdl hwnnw, Abraham Lincoln. Yn ogystal â'i gefnogi ar dudalennau gwasg gyfnodol Gymraeg y wlad, cyhoeddwyd nifer o bamffledi propagandyddol Cymraeg, fel yr eglura Huw Griffiths:

> Two different sixteen-page biographical pamphlets on Abraham Lincoln . . . were published in Welsh. The first was published in Pottsville, Pennsylvania and distributed free of charge to subscribers of *Y Seren Orllewinol* and included a biography . . . as well as editorials and an outline of the Republian Party principles. The second pamphlet was published in the office of *Y Drych* in Utica[.][73]

Aeth Robert Everett ati unwaith eto i ddweud wrth ddarllenwyr *Y Cenhadwr Americanaidd* fod ganddynt gyfle i bleidleisio 'dros ryddid.' Fis cyn yr etholiad cyhoeddodd draethawd gan Dewi Emlyn yn tanlinellu'r cysylltiad rhwng caethwasanaeth a'r sefyllfa wleidyddol gyfoes:

> Un o brif bynciau y dydd yw hwn ['Caethiwed']. Dengys ei ben yn mhob man. Ar yr agerfadau; yn y rheilgerbydau; yn y sefydliadau llenorol; yn y cymdeithasau crefyddol; yn yr eglwysi; ac yn y

Gydgynghorfa yn Washington. Ceisiwyd ei fogi mewn eglwysi ac mewn enwadau crefyddol; ond ni wnaeth yr ymgeisiadau hyny ond cynyrchu ffrwydriadau erchyll yn eu mysg. Penderfynodd gwleidyddion yn eu cyrddau mawrion ei gladdu yn ddyogel a sicr; ond ni byddai yn aros yn ei fedd cyhyd ag yr arosodd Jonah yn mol y pysgodyn.[74]

Cyfeiriodd hefyd at y llais gwrthgaethiwol a oedd yn sicr o gael ei glywed ddiwrnod yr etholiad: 'Nis gellir ei ddystewi nes dryllio llyffetheiriau y bobl dduon, ddim mwy nag y gellir dystewi cydwybod Judas yn y gollfa fythol.'[75]

Yn debyg i'r ysgrif honno a gyhoeddasai Joseph Jones yn *Y Cenhadwr Americanaidd* yn 1858 – ac yn debyg i'r araith gofiadwy honno a draddodasai Abraham Lincoln yn yr un flwyddyn – cafwyd proffwydoliaeth o fath yn ysgrif Dewi Emlyn. Credai na allai rhyddid a chaethiwed gydfodoli am byth: 'Cyn ceir tawelwch yn ei gylch, rhaid i gaethiwed ddiwreiddio egwyddorion rhyddid a Christionogaeth allan o'r Unol Dalaethau, neu i'r egwyddorion hyny ddiwreiddio caethiwed allan o honynt.'[76] Er bod cynifer o sylwebwyr yn rhagweld trafferth, credai'r Parch. Ben Chidlaw fod 'haul rhyddid wedi toddi calon fawr y Gogledd a chryfhau ei hasgwrn cefn' mewn modd a fyddai'n sicrhau nad 'oes ofn yr ymrana y talaethau[.]'[77]

Bid a fo am 'haul rhyddid,' gwawriodd dydd y Gweriniaethwyr. Enillodd Abraham Lincoln yr etholiad y mis Tachwedd hwnnw, ond ni châi'r darpar arlywydd ei sefydlu yn y swydd tan 4 Mawrth 1861. Yn y cyfamser teflid tipyn go lew o ddŵr oer ar ddathliadau'r Gweriniaethwyr gan y taleithiau deheuol. Cynhaliodd llywodraeth De Carolina gyfarfod fis ar ôl yr etholiad gan bleidleisio o blaid mesur ymneilltuol neu *secession ordinance*; roedd y dalaith gaeth am ymadael ag Undeb yr Unol Daleithiau. Dilynodd deg arall o'r taleithiau deheuol ei hesiampl hi yn ystod yr wythnosau nesaf.[78] Yn unol â'i arfer, cyfarchodd Robert Everett ddarllenwyr *Y Cenhadwr Americanaidd* ar ddechrau'r flwyddyn newydd. Er ei fod yn gweld drycin y rhyfel a ddeuai dros y gorwel, credai hefyd fod gwawr rhyddid i'w chanfod y tu hwnt i'r cymylau duon hynny:

Pan edrychom yn mlaen, y mae rhai pethau mewn ystyriaethau cyhoeddus y Wladwriaeth Americanaidd yn edrych yn wgus, tra ar yr un pryd y dichon, y tu hwnt i'r cwmwl, fod gwawr i dori cyn bo hir. Mae rhai o'r talaethau deheuol yn bwgwth cilio mewn gwrthryfel o'r Undeb; nid ydynt wedi cael eu boddhau; gan mai cyfeillion rhyddid ac nid pleidwyr y sefydliad deheuol a etholwyd yn ein hetholiad diweddar, ymddangosant yn awr yn benderfynol i ddryllio yr Undeb.[79]

Mae'n bwysig craffu ar sail yr optimistiaeth a fynegir yma. Nid oedd Robert Everett yn credu y deuai'r taleithiau deheuol yn ôl i fynwes yr Undeb yn rhwydd – nid dyna'r 'wawr' y cyfeiriodd ati. Credai yn hytrach fod buddugoliaeth 'cyfeillion rhyddid' yn etholiad 1860 yn rhan o ddatblygiad hanesyddol ehangach, datblygiad a fyddai'n esgor ar ryddid y caethweision yn y diwedd. Ni wyddai eto beth yn union fyddai'r llwybr, ond gwyddai i ble'r oedd y llwybr hwnnw'n arwain: 'un peth sydd sicr, y mae y sefydliad caeth i gael ei ddiddymu ryw dro gyda sicrwydd. Mae ysbryd yr oes yn ei erbyn, ac y mae wyneb yr Arglwydd yn ei erbyn.'[80]

Pan sefydlwyd Lincoln yn swyddogol ar 4 Mawrth 1861 roedd yr arlywydd newydd yn gymodlon. Ailadroddodd safbwynt y Gweriniaethwyr cymedrol, sef y gred nad oedd gan yr arlywydd a'r llywodraeth ffederal yr hawl i newid cyfreithiau'r taleithiau unigol. Er bod Lincoln wedi dweud y byddai'i lywodraeth yn rhwystro caethwasanaeth rhag ymestyn i diriogaethau newydd, ni chredai fod ganddo'r hawl i ddileu caethwasanaeth oddi mewn i'r taleithiau deheuol eu hunain. Eto, er gweithio'n galed er mwyn ceisio osgoi rhyfel, ni cheisiodd osgoi'r broblem sylfaenol: 'One section of our country believes slavery is *right*, and ought to be extended, while the other believes it is *wrong*, and ought not to be extended.'[81] Wrth gloi'i araith gyntaf fel Arlywydd yr Unol Daleithiau, pwysleisiodd Lincoln na fyddai'i lywodraeth ef yn dechrau rhyfel â'r Deheuwyr anfoddog:

> In *your* hands, my dissatisfied fellow-countrymen, and not in *mine*, is the momentous issue of civil war. The government will not assail you. You can have no conflict, without being yourselves the aggressors. . . . . We are not enemies, but friends. We must not be enemies. Though passion may have strained, it must not break our bonds of affection. The mystic chords of memory, stretching from every battle-field, and patriot grave, to every living heart and hearth-stone, all over this broad land, will yet swell the chorus of the Union, when again touched, as surely they will be, by the better angels of our nature.[82]

Mae'r brawddegau olaf hynny ymysg y rhai mwyaf cofiadwy a dyfynadwy yn hanes yr Unol Daleithiau. Ond ni lwyddodd yr araith bwerus hon i ddod â'r taleithiau Deheuol yn ôl i rengoedd yr Undeb.

Os oedd cenhadaeth Lincoln yn gymydlon ar ddechrau Mawrth 1861, roedd *Y Cenhadwr Americanaidd* fel pe bai'n sefyll ar y trothwy rhwng heddwch a rhyfel. Ar agor rhifyn Mawrth y flwyddyn honno gwelai darllenwyr englyn gan M. L. Jones yn disgrifio rhinweddau'r cylchgrawn:

I'r Cenhadwr
Misolyn mawr ei sylwedd – un cywir
Yn cario gwirionedd,
Da ranu o du rhinwedd
A wna hwn, i weini hedd.[83]

'Gweini hedd' neu beidio, tystia cerdd arall a gyhoeddwyd yn yr un rhifyn fod gweini rhyddid ar frig agenda'r *Cenhadwr.* Gan ddechrau â chwestiwn – 'Pa beth yw'r llais a glywaf? / Mae'n swnio'n bruddaidd iawn' – â'r bardd rhagddo i ddisgrifio'r drefn gaeth anfoesol yr oedd y taleithiau 'encilgar' yn ymneilltuo o'r Undeb er mwyn ei hamddiffyn.[84] Nododd Robert Everett ei hun mewn erthygl fod 'Y Cynghrair Deheuol' yn paratoi ar gyfer rhyfel, ac ychwanegodd sylwadau pellach i'r un perwyl o dan y pennawd 'Yr Olwg Bresenol ar Bethau yn Ein Gwlad.'[85] Mae'n amlwg ei fod yn croesawu'r farn mai 'gweini hedd' oedd swyddogaeth y cylchgrawn o hyd, ond ni ellir darllen rhifyn Mawrth 1861 heb deimlo bod golygydd *Y Cenhadwr Americanaidd* yn ymbaratoi – ac yn paratoi'i ddarllenwyr – ar gyfer rhyfel. Bu'r dewin mwyn yn pleidio heddychiaeth am flynyddoedd lawer ond roedd yn dechrau ystyried rhoi'i ddoniau mawr at wasanaeth rhyfel a allai ddiwreiddio caethiwed Americanaidd am byth.

NODIADAU

[1] James M.McPherson, *Battle Cry of Freedom [:] The American Civil War* (Rhydychen, 1988), 149.
[2] Ibid, 149.
[3] Ibid., 150.
[4] *Y Cenhadwr Americanaidd*, Awst 1856.
[5] Cyhoeddwyd hi hefyd yn *Y Seren Orllewinol*, Medi 1856.
[6] *Y Cyfaill o'r Hen Wlad*, Hydref 1856.
[7] A bod yn fanwl gywir, aethai Charles Sumner i'r Senedd i gynrychioli cynghrair rhwng dwy blaid, sef y *Free Soil Party* a'r Gweriniaethwyr. Ond yn ystod y blynyddoedd 1854-6 roedd y blaid newydd, y Gweriniaethwyr, yn derbyn i'w rhengoedd niferoedd cynyddol o wleidyddion a phleidleiswyr gwrthgaethiwol a fuasai'n cefnogi'r *Free Soil Party* mewn etholiadau cynharach.
[8] Eric Foner, *Free Soil, Free Labor, Free Men* (Oxford and New York, 1995), 127.
[9] Ibid., 201.
[10] Un rheswm dros lwyddiant y blaid oedd y ffaith fod ganddi faniffesto eang a gynhwysai lawer o bwyntiau ar wahân i'r gred na ddylid ymestyn caethwasanaeth. Ond ei gwrthwynebiad i gaethwasanaeth oedd yr hyn a ddenodd gynifer o Gymry America i'r blaid newydd.
[11] Mae mathau eraill o dystiolaeth yn cefnogi'r gosodiad hwn hefyd; gw.,e.e., Paul D. Evans, 'The Welsh in Oneida County, New York', (traethawd M.A., Prifysgol Cornell, 1914), 47-8.
[12] Aled Jones and Bill Jones, *Welsh Reflections Reflections [:] Y Drych & America 1851-2001* (Llandysul, 2001),

17.
[13] Paul D. Evans, 'The Welsh in Oneida County,' 37. Gw. hefyd Jerry Hunter, *Sons of Arthur, Children of Lincoln [:] Welsh Writing from the American Civil War* (Caerdydd, 2007), pennod 2.
[14] Sillefir yr enw 'Frémont' heddiw gan amlaf, ond mae ffynonellau o'r cyfnod (gan gynnwys rhai Cymraeg) yn amrywio; ceid 'Fremont,' 'Freemont' a 'Frémont' yn 1856.
[15] *Y Cenhadwr Americanaidd*, Awst 1856.
[16] Ibid.
[17] *Y Cenhadwr Americanaidd*, Medi 1856.
[18] *Y Cenhadwr Americanaidd*, Awst 1856; 'Rhyddid' gan Wm. W. Thomas, Oberlin College, Gorph. 3, 1856.
[19] Ibid.
[20] Ysgrifennai at John, mab hynaf Robert Everett, yn aml, ond dengys ei ohebiaeth ei fod yn gyfeillgar iawn â'r holl deulu. Papurau M. Everett, ac hefyd y cyfeiriad isod (nodyn 21).
[21] Casgliad Llyfrgell Newberry (Everett Papers, bocs 1, ffeil 11): 'from Thomas W. Jones, Oberlin' [dim dyddiad; ond mae'n amlwg ei fod wedi'i ysgrifennu ryw dro yn ystod gwanwyn neu haf 1856].
[22] Ibid.
[23] Ibid.
[24] *Y Cenhadwr Americanaidd*, Hydref 1856.
[25] Ibid.
[26] Ibid.
[27] Ibid.
[28] Paul Evans, 'The Welsh in Oneida County,' 47. Gw. hefyd *Y Cymro Americaidd*, 11 Hydref 1856.
[29] Gellid cymharu'r *Gwron* â *Seren Oneida*, 'papur' y Chwigiaid Cymreig; gw. y drafodaeth ym mhennod 7. Rwyf yn ddiolchgar iawn i Huw Griffiths am ei gymorth wrth olrhain hanes *Y Gwron Democrataidd*.
[30] *Y Gwron Democrataidd*, 29 Hydref 1856. Thomas Jones oedd y golygydd. Cyhoeddwyd y Gwron yn swyddfa'r *Drych* yn ninas Efrog Newydd.
[31] *Y Gwron Democrataidd*, 29 Hydref 1856: 'Buchanan a Chyflogau y Gweithwyr.'
[32] *Y Gwron Democrataidd*, 29 Hydref 1856: 'At Ein Brodyr Cymreig yn y Talaethau Unedig.'
[33] *Y Gwron Democrataidd*, 29 Hydref 1856: 'Anffyddiaeth a Gwrthgaethiwyr.'
[34] E. Davies yn D. Davies [Dewi Emlyn] (gol), *Cofiant y Diweddar Barch. Robert Everett, D. D. a'i Briod, Steuben, Swydd Oneida, N Y. Yn Nghyd a Detholion o'i Weithiau Llenyddol* (Utica, 1879), 80.
[35] Ceir rhagor o fanylion yn Jerry Hunter, *Sons of Arthur, Children of Lincoln*, pennod 2.
[36] *Y Cenhadwr Americanaidd*, Awst 1856.
[37] Gw., e.e., Genesis 35.16-26.
[38] Thomas Rees, D. Francis Roberts, J. T. Evans, David Williams ac Ifor Williams (goln), *Geiriadur Beiblaidd [:] Y Gyfrol Gyntaf* (Wrecsam, 1926), 230.
[39] Jerry Hunter, *Sons of Arthur, Children of Lincoln*, pennod 2.
[40] *Y Cenhadwr Americanaidd*, Awst 1856: 'Anogaethau i Ymuno A Byddin Rhyddid.' Mae'n ddiddorol nodi bod Robert Everett yn defnyddio'r gair 'byddin' yn y modd hwn; roedd yn dal i goleddu heddychiaeth yn 1856, fel y gwelwyd yn y bennod ddiwethaf.
[41] Ibid.
[42] *Y Dyngarwr*, Ionawr 1843: 'Beth all y Cymry ei wneud.'
[43] *Y Cenhadwr Americanaidd*, Awst 1856.
[44] Ibid.
[45] *Y Cenhadwr Americanaidd*, Medi 1856.
[46] *Y Cenhadwr Americanaidd*, Hydref 1856. Wrth gwrs, nid dyma'r tro cyntaf i feirdd Cymraeg yr Unol Daleithiau helpu ymgyrch(oedd) Robert Everett. Gw., e.e., y trafodaethau ym mhenodau 5 a 9.
[47] *Y Cenhadwr Americanaidd*, Hydref 1856.
[48] Ibid.
[49] Ibid.
[50] Ibid.
[51] Paul D. Evans, 'The Welsh in Oneida County,' 47.
[52] Eric Foner, *Free Soil, Free Labor, Free Men*, 107-8; James M. McPherson, *Battle Cry of Freedom*, 162.
[53] Enillwyd 22% o'r bleidlais genedlaethol gan Millard Fillimore, ymgeisydd yr *American Party*. Hon oedd plaid wleidyddol y *Know Nothings*, yr Americanwyr rhagfarnllyd hynny a oedd yn gwrthwynebu ymfudwyr a Chatholigion. Er bod Protestaniaeth filwriaethus y mudiad hwn yn debyg ar un olwg i ddiwylliant crefyddol llawer o'r Cymry, roedd y ffaith fod y *Know Nothings* am rwystro ymfudwyr yn golygu bod Cymry America'n chwyrn yn eu herbyn. Am etholiad 1856, gw. Eric Foner, *Free Soil, Free Labor, Free Men*, 107-8; James M. McPherson, *Battle Cry of Freedom*, 162.
[54] *Y Cenhadwr Americanaidd*, Mai 1858. Roedd y beirniad, Eos Glan Twrch, wrth ei fodd ag ergyd y gerdd:

'Mae Gwerinwr yn dechreu yn dda . . . . Mae ei benillion yn cynwys rhestr o 'Hynodion' wedi eu gosod yn drefnus, gan ddechreu gyda yr eira yn y gogledd, a diweddu gyd ag etholiad Buchanan, buddugoliaeth *Caethwasiaeth*, a siomedigaeth yr angyles *Rhyddid*.'
[55] *Y Cenhadwr Americanaidd*, Mai 1858.
[56] 'Y Caethiwed yn America', *Y Cenhadwr Americanaidd*, Mehefin 1858.
[57] 'Speech Delivered at Springfield, Illinois, at the Close of the Republican State Convention, June 16, 1858'; John Grafton (gol), *Abraham Lincoln [:] Great Speeches* (Efrog Newydd, 1991).
[58] Mae'n ddiddorol nodi ymateb rhai Gweriniaethwyr eraill i'r araith hon. Gw. Richard Carwardine, *Lincoln [:] A Life of Purpose and Power* (Efrog Newydd, 2006), 78: 'Advisers who heard a draft of the House Divided speech urged caution. . . . . A Chicago Republican editor feared that Lincoln seemed to pledge the party to a war on southern slavery. Lincoln denied this intention, but later conceded that he might have been engaged in a "foolish" prediction.'
[59] Am hanes gwleidyddol cynnar Lincoln, gw. Richard Carwardine, *Lincoln [:] A Life or Purpose and Power*, 4-14.
[60] James McPherson, *Battle Cry of Freedom*, 182.
[61] Ibid., 188.
[62] Wedi'i ddyfynnu gan Richard Carwardine, *Lincoln [:] A Life or Purpose and Power*, 79.
[63] Ibid., 79.
[64] Papurau M. Everett.
[65] Wedi'i ddyfynnu gan Eric Foner, *Free Soil, Free Labor, Free Men*, 291.
[66] Llyfrgell Newberry (Robert Everett Papers, bocs 1, ffeil 11): wedi'i ddyddio 'Brooklyn, Oct 29, 1859' ac yn dechrau 'Dear Aunt and Uncle.' Mae wedi'i lofnodi 'Your dutifull nephew, Thomas.'
[67] Gellid cymharu hyn â gweithredoedd y Gweriniaethwr Horace Greeley. Mor gynnar â 1856 roedd Greeley'n cyhoeddi deunydd a oedd yn codi gwrychyn y Gweriniaethwyr cymedrol a cheidwadol. Gw. Eric Foner, *Free Soil, Free Labor, Free Men [:] The Ideology of the Republican Party Before the Civil War* (Rhydychen, 1995), 118-9.
[68] Dewi Emlyn (gol), Cofiant Robert Everett, 32-33; papurau M. Everett.
[69] Llythyr a ysgrifennodd Robert Everett at Thomas Edwards; Dewi Emlyn (gol), *Cofiant Robert Everett*, 33-4. Aeth y Parch. David Price (sef y bardd Dewi Dinorwig) gyda Robert Everett ar y daith hon.
[70] Ibid., 34.
[71] Ibid., 32.
[72] Ibid., 33. Dyfynnir yr englyn hwn gan y Parch. Thomas Edwards wrth ddisgrifio ymweliad Robert Everett â Cincinnati: 'Fe gyfansoddodd rhwy fardd yr englyn . . . iddo.' Mae'n bosibl iawn mai'r Parch. Edwards ei hun oedd y bardd hwnnw!
[73] Robert Huw Griffiths, 'The Welsh and the American Civil War c.1840-1865' (traethawd Ph.D., Prifysgol Caerdydd, 2004), 60-1. Ceir copïau o'r ddwy bamffled yng nghasgliad y Boston Athenaeum: *Hanes Bywyd Abraham Lincoln, o Illinois, a Hannibal Hamlin, o Maine; Yr Ymgeisyddion Gwerinaidd am Arlywydd ac Islywydd yr Unol Dalaethau erbyn yr Etholiad yn Tachwedd, 1860* (Pottsville, 1860); *Hanes Bywyd Abraham Lincoln, o Illinois, a Hannibal Hamlin, o Maine, Yr Ymgeisgwyr Gwerinol am yr Arlywyddiaeth a'r Is-Lywyddiaeth* (Utica, 1860).
[74] Dewi Emlyn, 'Caethiwed'; *Y Cenhadwr Americanaidd*, Hydref 1860.
[75] Ibid.
[76] Ibid.
[77] *Y Cenhadwr Americanaidd*, Ebrill 1860.
[78] Gw., e.e., James McPherson, *Battle Cry of Freedom*, 234-7.
[79] 'Cyfarchiad ar Ddechrau y Flwyddyn'; *Y Cenhadwr Americanaidd*, Ionawr 1861.
[80] Ibid.
[81] John Grafton (gol), *Abraham Lincoln [:] Great Speeches*, 59.
[82] Ibid., 61.
[83] *Y Cenhadwr Americanaidd*, Mawrth 1861.
[84] Y Bardd oedd 'Didymus' o Mifflin, Wisconsin, a theitl y gerdd yw 'Y Negro Du'; *Y Cenhadwr Americanaidd*, Mawrth 1861.
[85] *Y Cenhadwr Americanaidd*, Mawrth 1861.

PENNOD 12:
'Cleddyf yr Arglwydd'
(Y Rhyfel Cartref, 1861-1865)

Cychwynnodd y Rhyfel Cartref gyda'r wawr ar 12 Ebrill 1861 wrth i'r gwrthryfelwyr Deheuol ddechrau saethu at Gaerfa Sumter yn Harbwr Charleston, De Carolina. Ildiodd gwarchodlu'r gaerfa y diwrnod wedyn. Gan fod darllenwyr Robert Everett wedi clywed llawer am gwymp Sumter erbyn i'r *Cenhadwr* ddod o'r wasg ar ddechrau mis Mai, ni chyhoeddodd ond disgrifiad moel o frwydr gyntaf y rhyfel: 'Mae dinystr Amddiffynfa Sumter yn Carolina Ddeheuol . . . yn adnabyddus bellach trwy'r holl wlad. Digon yw dweyd yma fod yr Amddiffynfa yn awr yn ngafael y gwrthryfelwyr.'[1] Mae'n hawdd dychmygu beth oedd natur y sgwrs ar aelwyd yr Everettiaid. Roedd y ferch hynaf, Elizabeth, a'i gŵr, y Parch. John Jay Butler, yn aros yn y cartref teuluol yn Steuben pan ddechreuodd y rhyfel. Yn debyg i'w dad-yng-nghyfraith, roedd John Butler yn ddiddymwr tanbaid, ac aeth ati'n syth i grisialu'i ymateb i'r newyddion mewn erthygl.[2] Gan fod y llith Saesneg yn disgrifio'i ymateb yntau i'r newyddion, cyfieithodd Robert Everett eiriau'i fab-yng-nghyfraith ar gyfer darllenwyr *Y Cenhadwr Americanaidd:* 'Mae ein tynged wedi dyfod arnom, yr awr wedi dyfod i fyny. Pa mor ofidus bynag y meddwl, felly y mae, mae ein gwlad yn wlad rhyfel[.]'[3]

Mae'n ddiddorol cymharu'r modd yr aeth Robert Everett ati i ddehongli'r Rhyfel Cartref â'i ymateb i helyntion gwaedlyd Kansas bum mlynedd yn gynharach. Fel y cofir, ceid amrywiaeth barn ymysg y diddymwyr a oedd yn byw yn yr un gymuned â John Everett a'i deulu yn Osawatomie, Kansas; tra oedd rhai o'r *free soil settlers* yn ymarfogi, roedd Crynwyr yr ardal yn glynu wrth eu heddychiaeth. Pan ddechreuodd y tywallt gwaed yn 1856, cyngor Robert Everett i'w fab oedd: 'Take your neighbors the Quakers' position of non-resistance[.]'[4] Ond ar ôl i'r Rhyfel Cartref ddechrau cyhoeddodd stori am Grynwr o fath gwahanol:

> Y CRYNWR GONEST A'R RHYFEL.
> Ymofynwyd ag un o'r cwaceriaid cyfoethog yn Indiana, (yr hwn oedd gyfaill i'r caeth a gelyn i ormes) am gymhorth i ffurfio catrawd o feirchfilwyr. Ei ateb oedd, 'Gyfaill, ti a wyddost nas gallaf trwy arian . . . gynorthwyo rhyfel – peth drwg yw rhyfel – ond am fy mhedwar ceffyl, mae'n wir y gwnai *dau* y tro i mi; y dywedaf wrthyt, fy nghyfaill, nid oes clô ar fy ystabl; ac os gwelaf di ar un o'm ceffylau,

a'th gyfaill James ar un arall, gofalaf finau i gadw'r heddwch rhyngof â chwi eich dau.'[5]

Fel y gwnaeth y 'Crynwr Gonest' â'i geffylau, felly hefyd y gwnaeth Robert Everett â'i wasg. Wedi 'gweini hedd' am flynyddoedd lawer, rhoes *Y Cenhadwr Americanaidd* at wasanaeth achos rhyfel yr Undeb.

Fel y dengys ei ymateb i helyntion Kansas, nid oedd yn hawdd i'r Parch. Everett gefnu ar ei heddychiaeth.[6] Ond gan fod y grymoedd caeth wedi dechrau rhyfel yn erbyn Undeb yr Unol Daleithiau, credai mai rhyfela oedd yr unig ddewis a oedd gan y 'Talaethau Rhyddion' bellach; fel arall, byddai'n rhaid iddynt ildio 'eu hegwyddorion, ac ail feddwl a chydnabod nad yw caethiwed yn bechod yn erbyn Duw, nac yn wadiad o iawnderau annileadwy dynoliaeth.'[7] Aeth y cyn-heddychwr gam ymhellach hefyd gan ddweud yn blwmp ac yn blaen ei fod yn credu y dylai'r Undeb ddefnyddio 'grym y cleddyf' i ddarostwng y caethfeistri gwrthryfelgar:

> Pan byddo gwrthryfel yn cyfodi yn erbyn llywodraeth gyfiawn . . . fel y gwneir yn awr, i helaethu gallu pendefigaidd gormeswyr i ddal eu gafael mewn miliynau o bobl – i'w prynu a'u gwerthu fel anifeiliaid yn y farchnad . . . credwyf y dylai y fath lywodraeth yn y fath amgylchiadau amddiffyn ei hawdurdod a darostwng yn llwyr y gwrthryfel, er gorfod gwneyd hyny trwy rym y cleddyf.[8]

Pe bai heddychwr o ddiddymwr yn gyndyn o dderbyn y ddadl hon, roedd gan Robert Everett ffordd arall o resymu'i benderfyniad; dywedodd fod 'Caethiwed yn Sefyllfa o Ryfel Parhaus.' Cyhoeddodd ysgrif yn dwyn y teitl hwnnw ym mis Gorffennaf 1861. Dechreua drwy gydnabod mai 'sefyllfa adfydus yw rhyfel' cyn cymharu'r adfyd hwnnw â hanfod caethwasanaeth: 'Onid yw wedi bod ac yn bod yn sefyllfa o ryfel parhaus . . . ?'[9] Bu'r caethfeistri'n cynnal eu trefn anfoesol ers blynyddoedd 'trwy rym y fflangell a'r drylliau a'r gwaedgwn a mesurau cyffelyb,' ac felly nid oedd yn anfoesol i'r 'Taleithiau Rhyddion' hwythau godi arfau'n erbyn y fath drefn dreisgar.

Yn ogystal â chyfiawnhau'i gefnogaeth i'r rhyfel yn y modd hwn, gosododd Robert Everett y gwrthdaro â'r gwrthryfelwyr Deheuol mewn cyd-destun hanesyddol ehangach. Noder ei fod yn disgrifio grym y 'gormeswyr' fel 'gallu *pendefigaidd*' yn yr ysgrif a ddyfynnir uchod. Felly hefyd mae'r ysgrif hon yn diffinio'r caethfeistri fel gelynion *aristocrataidd*: 'Rhyfel parhaus ydyw rhwng y blaid aristocrataidd a'r gweithwyr mewn caledwaith[.]'[10] Fel y gwelwyd yn y bennod ddiwethaf, lluniodd Robert

Everett gysylltiad rhwng sefyllfa wleidyddol yr Unol Daleithiau â'r amgylchiadau a fuasai'n gormesu'r Cymry ym Mhrydain. Un o'i strategaethau ar drothwy etholiad 1856 oedd atgoffa ymfudwyr eu bod 'yn rhyddion oddiwrth lawer o lyffetheiriau caeth oedd yno [sef, Cymru],' gan gyfeirio at y 'rhenti uchel . . . anghyfiawn' a'r ffaith fod Cymry tlawd yn '[g]orfod talu i gynal crefydd nad ydym yn ei charu' yn yr Hen Wlad.[11] Awgrymodd Robert Evertt drosodd a thro fod y Rhyfel Cartref yn rhan o'r ymrafael bydeang rhwng yr aristocratiaid gormesol a'r werin ryddgarol.[13]

Wrth gwrs, aeth y dehongliad gwleidyddol hwn law-law â'i ddehongliad crefyddol. Yn ogystal â gofyn i Gymry America weld tebygrwydd rhwng y caethfeistri Deheuol a'r aristocratiaid a oedd yn gormesu'r werin ym Mhrydain, lluniai Robert Everett gymhariaeth â'r gormeswyr sy'n ganolog i straeon y Beibl. Roedd ganddo bregeth dra phoblogaidd ar y testun 'Gorseddfainc Anwiredd'; fe'i cyhoeddid fesul rhan yn *Y Cenhadwr Americanaidd* yn 1862 a châi'i hadargraffu yn ei chyfanrwydd ar ôl i Robert Everett farw.[13] Mae rhan gyntaf y bregeth yn egluro arwyddocâd ei theitl:

> Mae llawer eisteddle trais a llawer gorseddfainc anwiredd i'w cael yn y byd pechadurus hwn. Gorseddfainc anwiredd oedd gorseddfainc Pharaoh, pan y gorthrymai genedl Israel yn yr Aipht . . . Gorseddfainc anwiredd oedd gorseddfainc Jeroboam fab Nebat, ac Ahab, ac Ahaziah, a Herod, a Nero, a llawer o'u bath a welir yn estyn eu teyrnwialen dros eu deiliaid gorthrymedig. . . . . Cyfyngwn ein sylwadau at y caethiwed Americanaidd, fel y mae yn nodweddiad hwn.[14]

Fel y dengys llawer o'i ysgrifau eraill, gwelai Robert Everett y drefn gaeth fel pechod Americanaidd, fel nam moesol difrifol a oedd yn llygru cymeriad cenedlaethol yr Unol Daleithiau. Dyletswydd pob Americanwr – gan gynnyws y Cymry hynny a oedd wedi ymfudo i'r Unol Daleithiau – oedd ymroi i ddileu'r nam hwnnw a rhyddhau'u gwlad o'i phechod marwol hi.[15] Ceid yn y Rhyfel Cartref gyfle i ymroi i'r eithaf. Gellid dweud bod y wedd hon ar ei ddehongliad yn pwysleisio ystyron 'lleol' neu 'genedlaethol' y rhyfel. Ond roedd yn cryfhau'r wedd honno drwy'i gosod mewn plethwaith o gyd-destunau ehangach; gallai gyfeirio at y lefel wleidyddol fydeang yn ogystal â dyfynnu hanesion Beiblaidd er mwyn cryfhau ergyd foesol ei ddehongliad.

Cyflwynai felly gytser o ddadleuon i'w ddarllenwyr, a'r cyfan yn cydweithio er mwyn dangos yn glir mai rhyfel cyfiawn oedd y rhyfel yn erbyn y caethfeistri.

Yn debyg i'r Parch. Everett, penderfynodd y rhan fwyaf o'r gweinidogion a fuasai'n pregethu heddychiaeth i Gymry America gefnu ar y safiad hwnnw a chefnogi'r fyddin yr oedd Abraham Lincoln yn ei galw i'r maes.[16] Ond ceid un eithriad nodedig, a'r eithriad hwnnw oedd y Parch. Samuel Roberts, Llanbrynmair. Yn aelod iau o'r un cylch o Annibynwyr radicalaidd yr oedd ei dad, John Roberts, a Robert Everett yntau'n perthyn iddo, enillasai Samuel Roberts – neu 'S. R.' – enw iddo'i hun fel gweinidog ac awdur cyn ymfudo i'r Unol Daleithiau.[17] Er ei fod yn gwrthwynebu caethwasanaeth, ac er bod Cymry eraill wedi ceisio'i berswadio i symud i un o daleithiau rhydd y Gogledd, penderfynodd S. R. sefydlu cymuned Gymreig newydd yn nwyrain Tennessee. Arweiniodd fintai fechan o Gymry i'r dalaith gaeth honno yn 1857, pan oedd cymylau'r Rhyfel Cartref yn dechrau hel ar y gorwel.[18]

Heddychwr digymrodedd oedd S. R. a chollfarnodd y ddwy ochr a oedd yn ymladd yn y Rhyfel Cartref. Roedd gwasg Gymraeg yr Unol Daleithiau'n gadarn ei chefnogaeth i achos rhyfel y Gogledd, a chan fod S. R. yn 'elyn i'r achos' hwnnw ymosododd nifer o awduron Cymraeg America – a golygyddion *Y Drych* yn enwedig – yn chwyrn arno. Er bod cyfran o'r feirniadaeth yn deg, roedd llawer a gyhoeddid amdano'n gelwyddau noeth; er enghraifft, awgrymai rhai fod S. R. wedi diarddel diddymiaeth a'i fod bellach yn cefnogi'r drefn gaeth.[19] Gan fod Robert Everett yntau wedi beirniadu S. R. mewn print, aeth un o'i frodyr, John Roberts, ati i gyhuddo'r Parch. Everett o 'anfrawdgarwch' ar dudalennau'i gyhoeddiad ef, *Y Cronicl*.[20] Ond nid aeth golygydd *Y Cenhadwr Americanaidd* mor bell â llawer o Gymry Americanaidd eraill; yn wir, ceisiai Robert Everett sicrhau bod y *Cenhadwr* yn cynnig llwyfan i S. R. gyflwyno'i ochr ef i'r ddadl. Cyhoeddodd y llythyr hwn o'i eiddo yn rhifyn Medi 1861:

> Diolch yn fawr i chwi am y CENHADWR. . . . . Yr oedd CENHADWR Gorphenaf wedi cyrhaedd yma yn ddiangol o'r blaen drwy ganol maes rhyfel Virginia! . . . . Yr wyf fi yn teimlo yn serchog ac yn gynes at y brodyr yn y Gogledd sydd wedi fy nghondemnio drymaf am i mi feio ysbryd rhyfel y Gogledd. Yr oeddwn yn bur gydwybodol, ac yn lled bwyllog yn ysgrifenu hyny a ysgrifenais ar bwnc y rhyfel. Yr wyf yn credu y gall y Gogledd orchfygu y De, ond yr wyf yn ofni y bydd y goncwest yn *ddrud*, ddrud iawn, a'r amcan *proffesedig*, sef meddyginiaethu y rhwyg, heb ei gyrhaedd yn y diwedd. . . . . Ydwyf, &c, SAMUEL ROBERTS.[21]

Byddai rhai o eiriau S. R. yn cael eu profi'n gywir. Y Gogledd fyddai'n ennill y rhyfel a byddai'r fuddogoliaeth honno'n 'ddrud, ddrud iawn.'

Mae'n wir hefyd mai 'amcan *proffesedig*' Lincoln a'i lywodraeth ar y dechrau oedd cadw neu adfer Undeb yr Unol Daleithiau ac nid dymchwel y drefn gaeth. *Realpolitik* a gyfrifai am y safiad hwn, fel y noda Peter Kolchin:

> Lincoln had promised that the new Republican Administration, though opposed to the *expansion* of slavery, would pose no threat to slavery in the states where it already existed . . . Lincoln's caution stemmed not from moral equivocation – he consistently reiterated his belief that slavery was wrong and ought to be abolished – but from potent practical considerations.[22]

Cyn i'r Rhyfel Cartref ddechrau, roedd yr 'ystyriaethau ymarferol' hyn yn canoli ar ymdrech i osgoi rhyfel. Prif reswm Lincoln dros arddel yr un safbwynt ar ôl i'r rhyfel ddechrau oedd awydd i beidio â gelyniaethu Kentucky, Maryland a Missouri, sef taleithiau caeth 'ffiniol' nad oedd wedi ymneilltuo'n swyddogol o'r Undeb.

Ond credai diddymwyr y Gogledd – gan gynnwys rhai Gweriniaethwyr mwy radicalaidd a oedd yn aelodau o gabinet yr arlywydd – y dylid cau'r bwlch rhwng agenda swyddogol Lincoln a'u hagenda hwythau.[23] Mae araith a draddodwyd gan Frederick Douglass ym mis Mehefin 1861 yn nodweddiadol o'r modd yr oedd diddymwyr yn dehongli'r rhyfel:

> not a slave should be left a slave in the returning footprints of the American army gone to put down this slave-holding rebellion. Sound policy, not less than humanity, demands the instant liberation of every slave in the rebel states.[24]

Yn debyg i Douglass a llawer o ddiddymwyr eraill, dadleuodd Robert Everett o'r dechrau y dylai byddin yr Undeb ddefnyddio'r 'ddeddf filwrol' i ryddhau caethweision yn y taleithiau gwrthryfelgar.[25]

Mae rhychwant eang o ffynonellau o'r cyfnod yn awgrymu bod y rhan fwyaf o Gymry America wedi derbyn dehongliad Robert Everett o'r rhyfel.[26] Ar y llaw arall, er bod y rhan fwyaf o drigolion y taleithiau Gogleddol yn cefnogi achos rhyfel Lincoln, lleiafrif oedd yr Americanwyr Saesneg eu hiaith a gredai'u bod yn ymladd yn erbyn caethwasanaeth.[27] Bid a fo am ei resymau dros gefnogi byddin Lincoln, roedd y ffaith seml fod Robert Everett yn cefnogi'r rhyfel yn ei osod ar yr un ochr â thrwch poblogaeth y Gogledd. Tybed a oes a wnelo hyn â'r ffaith mai yn ystod misoedd cyntaf y rhyfel yr aeth y Parchedig Everett yn Barchedig *Ddoctor*? Dyfarnwyd doethuriaeth mewn diwinyddiaeth er anrhydedd iddo gan Athrofa Hamilton, fel y dengys tystysgrif yn llaw prifathro'r coleg hwnnw sydd wedi goroesi hyd heddiw:

> Hamilton College,
> Clinton New York
> These Presents certify, that the following is a true copy of a Resolution, adopted by the Board of Trustees of Hamilton College, at the Annual Meeting held on the seventeenth day of July 1861 -
> Resolved, that the Honorary Degree of Doctor of Divinity, be and the same is hereby conferred on Rev. Robert Everett.[28]

Ni wyddom beth yn union a oedd wedi ysbrydoli'r *Board of Trustees* i gymryd y cam hwn. Nid oedd Athrofa Hamilton yn bell o gartref yr Everettiaid yn Steuben, ac felly nid yw'n syndod ar un olwg fod y coleg wedi dyfarnu gradd er anrhydedd i weinidog a fu'n gweithio'n egnïol i gynnal crefydd yn yr ardal ers 38 o flynyddoedd. Roedd Robert Everett yn 70 oed erbyn hyn, ac mae'n bosibl iawn fod rhai o'i gydnabod wedi mynd ati i lobïo'r coleg er mwyn sicrhau'r anrhydedd iddo.

Eto i gyd, sefydliad Presbyteraidd oedd Athrofa Hamilton, un a droediai ar ganol y ffordd wleidyddol.[29] Mae'n ddiddorol felly fod eu *Trustees* wedi dewis anrhydeddu Annibynnwr radicalaidd, a hynny'n fuan ar ôl i'r Rhyfel Cartref ddechrau. Gellid awgrymu mai'r hyn a wnaeth Robert Everett yn wyneb y rhyfel hwnnw oedd yn bennaf gyfrifol am benderfyniad y Presbyteriaid. Roedd llawer o fyfyrwyr Athrofa Hamilton yn ymadael er mwyn ymuno â byddin yr Undeb, ac fel y rhan fwyaf o drigolion talaith Efrog Newydd, roedd staff y coleg yn gefnogol iawn i'r achos.[30] Er na fyddai pob un ohonynt wedi cytuno ag ymgyrch wrthgaethiwol Robert Everett yn ôl yn y 1840au ac hyd yn oed y 1850au, gallai Gogleddwyr canol-y-ffordd gymeradwyo'r modd yr oedd golygydd *Y Cenhadwr Americanaidd* yn ieuo'i ddiddymiaeth danbaid â chefnogaeth i achos yr Undeb.

Roedd John Everett yn aelod o filisia a geisiai amddiffyn Kansas rhag milwyr gerila Deheuol yn ystod y rhyfel, ac nid yw'n syndod ei fod wedi codi arfau yn 1861 o gofio'r profiadau a ddaethai i'w ran yn ystod helyntion y 1850au.[31] Ar yr un pryd roedd ei dad yn cyhoeddi deunydd yn *Y Cenhadwr Americanaidd* a anogai Gymry ifainc America i ymrestru ym myddin yr Undeb. Dyna, er enghraifft, gerdd gan 'Ab Morydd' a gyhoeddwyd ym mis Hydref 1861: 'Yr Achlysur o Ddyrchafiad y Lluman Undebol yn Floyd.'[32] Cymuned Gymraeg yn Efrog Newydd oedd Floyd, ac yn ôl y bardd hwn roedd mamau'r gymuned honno'n fodlon 'aberthu' eu 'meib(ion)' er mwyn amddiffyn yr Undeb a rhyddhau'r caethweision:

Aberthu'n meib a wnawn i'r gâd;
Er cynydd rhif ein sêr,
A dwyn gwir ryddid trwy'n holl wlad,
Wrth gynllun doeth ein Nêr.

Ni welodd haul y nef erioed,
Fath Undeb mewn un wlad;
Hen famau serchog ar fryn Floyd,
Yn foddlawn uno'r gâd![33]

Oedd, roedd y cyn-heddychwr bellach yn cyhoeddi *recruiting songs* milwrol.[34] Fel pob un o olygyddion Cymraeg yr Unol Daleithiau, roedd hefyd yn cyhoeddi deunydd a ganmolai'r milwyr Cymreig ifainc am eu dewrder ar faes y gad. Enghraifft drawiadol yw'r englynion hyn gan Eos Glan Twrch yn canu clodydd Cymro ifainc o swydd Oneida a enillodd enw iddo'i hun ym mrwydr Bull Run:

Dyna waed o Oneida, – gwaed Eidiol,
  Godidog ei wala,
  Aed byddin i Virginia,
  Wedi dod o'r un gwaed da.

I'r wb eithaf os y frwydr boethodd, – Parry
  Perygl ddiystyrodd;
  A gwyr meirch, goreu y modd,
  Yn feirw a ddiferodd.[35]

Yn ôl yn 1846 roedd Robert Everett wedi canmol y 'brodyr' hynny a oedd 'yn ymroi fel gwyr nerthol i wrthwynebu yr *ysbryd rhyfela* sydd hyd yma yn meddianu meddyliau a chalonau dynion.'[36] Ond cyn diwedd 1861 roedd yn cyhoeddi barddoniaeth a ganmolai'r Cymry hynny a oedd yn 'diferu' rhengoedd y gelyn 'yn feirw' ar faes y gad.

Pe bai rhai o'i ddarllenwyr wedi anghytuno â hyn oll – ac nid oes tystiolaeth fod yr un ohonynt wedi anghytuno (ar wahân i S. R.) – caent ddarllen yn rhifyn Ionawr 1862 ddau beth a drafodai resymau'r cyn-heddychwr dros gefnogi lluoedd arfog yr Undeb. Y cyntaf oedd cerdd gan G. O. Jones ar destun 'Y Rhyfel.' Dechreuodd y bardd â nodyn yn canmol y *Cenhadwr* a'i olygydd am gymryd y fath safiad:

> Cyflwynir y llinellau hyn i ofal y CENHADWR fel arwydd syml o barch i un sydd wedi codi ei lais mor hyf o blaid ei Wlad; a hyny heb lychwino ei gymeriad â *blagardiaeth* ac anfoneddigeiddrwydd.[37]

Trwy gyfrwng y gerdd y clywir llais milwr Gogleddol yn llefaru, un sydd 'wedi dechreu *caru maes y gwaed!*'[38] Ond nid ymladd er mwyn ymladd y mae, fel y dywed gyda'r llinellau hyn:

> 'Dos' medd Dyngarwch, a phryderus lef,
> 'Mae'r caeth yn awr yn dysgwyl dod yn rhydd,'
> 'Dos,' medd Cyfiawnder llidiog, 'dial ef!'[39]

Rhydd wrthddadleuon i'r heddychwyr hynny a fynnai ymwrthod â'r rhyfel 'cyfiawn' hwn:

> Gall gelyn Rhyfel alw am weinio'r cledd,
> A gwaeddi, 'Dychwel Heddwch' – y gwir yw, –
> Nid mewn budreddi a llaid y triga Hedd,
> [. . . .]
> Mae gwenwyn tawch Caethiwed – waeth pa le,
> Yn gyfryw na all Rhinwedd ynddo fyw;
> Gwnai ladd Archangel pura' cryfa'r Ne',
> Neu'i droi yn gythraul o aflanaf ryw.
> [. . . .]
> Nid *gweinio'r cledd* adfera Hedd i wlad
> Lle byddo Rhyddid a Dyngarwch wedi eu lladd[.][40]

Os oedd Robert Everett yn disgrifio'r Rhyfel Cartref fel ffordd o atal 'rhyfel parhaus' y Deheuwyr yn erbyn Americanwyr duon, credai G. O. Jones na ellid sôn am heddwch cyn trechu llygredd a thrais y drefn gaeth.[41]

Wrth annerch ei ddarllenwyr ar ddechrau'r flwyddyn newydd cyflwynodd golygydd y *Cenhadwr* ei resymau personol ei hun dros gefnogi rhyfel yn erbyn y caethfeistri: 'Dyma ryfel wedi ei gynyrchu mewn gwlad rydd, gan gaethddalwyr, – ie, y caethiwed ffieiddiaf yn ei lygredigaethau moesol ac yn ei anghyfiawnder cywilyddus, o ddim caethiwed a fodolodd erioed ar ddaear Duw.'[42] Nododd hefyd fod y Rhyfel Cartref wedi dechrau gwneud yr hyn yr oedd dulliau heddychlon wedi methu â'i gyflawni:

> Yn yr amgylchiadau hyn y mae y pwnc o ryddid dynoliaeth a iawnder hanfodol y gwaelaf o ddynion wedi dyfod i fwy o sylw nag erioed o'r blaen. . . . . Gwnaed ymdrech, mae'n wir, er's blynyddau lawer, trwy'r weinidogaeth, a thrwy'r wasg, a thrwy ddylanwad y bleidlais i ryw raddau, i ddeffroi ysbryd y wlad at y peth hyn; ond yn lled araf yr oedd y gwaith yn myned yn mlaen . . . . Ond yn awr . . . deffrowyd teimlad ac effeithiwyd cyffroad na welwyd ei fath yn ein gwlad erioed o'r blaen.[43]

Dyma ddisgrifio'r union gyfryngau heddychlon y bu Robert Everett yntau'n eu defnyddio 'ers blynyddau lawer' yn ei ymgyrch ef – y weinidogaeth, y wasg argraffu a'r blaid wleidyddol ('dylanwad y bleidlais'). Mae'n wir nad oedd y rhan fwyaf o drigolion yr Unol Daleithiau wedi talu llawer o sylw i 'ryddid dynoliaeth' cyn i'r rhyfel 'ddeffro ysbryd y wlad,' ond roedd y Parch. Everett a'i gydymgyrchwyr wedi llwyddo'n rhyfeddol i ddeffro ysbryd Cymry America 'at y peth hyn' flynyddoedd cyn cwymp Caerfa Sumter.

Roedd bywyd milwrol yn gwbl estron i'r rhan fwyaf o'r Cymry hyn, ond byddai cyfuniad o'u hawydd i brofi'u bod yn ddinasyddion Americanaidd da a'u gwrthwynebiad i gaethwasanaeth yn sicrhau bod miloedd ohonynt yn ymuno â byddin yr Undeb erbyn diwedd y rhyfel.[44] Ffactor arall oedd y modd y trawsffurfid diwylliant crefyddol Cymry America; roedd y rhan fwyaf o'r gweinidogion Cymreig a fuasai'n pleidio heddychiaeth yn y gorffennol bellach yn cefnogi achos rhyfel yr Undeb. Gyda'i fab John yn aelod o filisia arfog yng Nghansas, roedd nifer o gydnabod Robert Everett yn swydd Oneida yn codi arfau hefyd. Ymrestrodd tri brawd a fu'n addoli ers eu plentyndod yn ei gapel yn Steuben; byddai Edward, John ac Evan Ellis yn gwasanaethu yn yr un cwmni, a byddai'r tri'n goroesi nifer o frwydrau poeth gan fyw i weld diwedd y rhyfel.[45]

Robert Everett oedd enw un o'r milwyr Cymreig newydd hyn. A bod yn fanwl gywir, nid y Parchedig Ddoctor Everett ydoedd, ond dyn ifanc a enwyd ar ôl golygydd *Y Cenhadwr Americanaidd*. Roedd Robert Everett Williams yn fab i John Williams, gweinidog Cymraeg yn Harrison, Ohio. Fel y nododd y Parch. Williams mewn llythyr: 'mae fy unig fab, Robert Everett, wedi uno â'r *Independent Company*, ac yn awr [mae] yn Martinsburgh, Virginia.'[46] Yn debyg i'r Cymro hwnnw o swydd Oneida a ddywedodd fod ei rieni wedi'i fagu 'i ystyried Mr. Everett yn un o ddynion mwyaf rhagorol y ddaear,' mae'r enw a ddewisodd y Parch. Williams ar gyfer ei unig fab yn tystio'n huawdl i awydd Cymry America i ddysgu'r genhedlaeth nesaf am rinweddau'r diddymwr.[47]

Rhoes y Parch. Everett ei gylchgrawn at wasanaeth y *Christian Commission* ac elusennau tebyg, gan annog ei ddarllenwyr i gefnogi'r mudiadau hynny a oedd yn helpu gyda gofal meddygol y milwyr.[48] Roedd ei ferch ieuangaf, Cynthia, yn wirfoddolwraig weithgar gyda'r *Commission*, fel y tystia'i gohebiaeth bersonol hi.[49] Yn briodol i un o arloeswyr gwasg Gymraeg yr Unol Daleithiau, cynigiai Robert Everett gefnogaeth lenyddol i'r milwyr. Gofynnodd i'w ddarllenwyr helpu sicrhau bod ganddo gyfeiriadau'r milwyr hynny a fynnai ddeunydd darllen Cymraeg: 'Pe caem y cyfarwyddyd priodol at ein milwyr Cymreig danfonem rifynau o'r CENHADWR iddynt yn awr ac eilwaith, mor aml ag y gallem fforddio i wneud hyny.'[50] Diolchwyd iddo gan ddyn a arwyddodd ei lythyr 'Milwr mewn Hysbytty':

> Barch. Gyfaill. – Teimlwyf yn dra diolchgar i chwi am ddanfon rhifynau Ebrill a Mai o'r CENHADWR i mi yn y lle anghysbell yma. Yr ydwyf wedi bod yn ddarllenydd cyson o'r CENHADWR er's blynyddau bellach. Cefais lawer o ddyddordeb a bendith i'm henaid wrth ei ddarllen, a theimlais y golled yn fawr ar ol fy ymddifadu o hono yr Hydref diweddaf. Gan hyny gellwch amgyffred i raddau fy llawenydd wrth gyfarfod â hen gyfaill yr hwn a fedrai siarad â mi yn iaith fy mam yma yn mhlith dyeithriaid, ac yn glaf hefyd yn yr Hysbytty. Derbyniwch fy niolch mwyaf cynhes. Ar ol darllen y rhifenau yn ofalus, danfonais hwynt i'm cyd-filwyr Cymreig yn Tennessee[.][51]

Troes caplan yr *117th New York Infantry* at Robert Everett pan oedd yn chwilio am 'tua dwsin o Destamentau Cymreig' ar gyfer milwyr ei gatrawd, a phan oedd y Parch. Ben Chidlaw yn casglu 'Cymhorth i'r Milwr Mewn Llyfrau' cafodd yntau help gan olygydd *Y Cenhadwr Americanaidd*.[52]

Wrth i ddifrod y rhyfel fynd rhagddo gwnâi Robert Everett un gymwynas olaf ag aml i filwr drwy gyhoeddi hanes ei farwolaeth a thalu teyrnged iddo ar dudalennau'r *Cenhadwr*.[53] Felly pan gyhoeddodd ei 'Gyfarchiad ar Ddechrau'r Flwyddyn 1863' ychwanegodd isbennawd: 'At Blant Drallod yn Benaf.'[54] Yn rhinwedd ei swydd fel gweinidog bu ers dros flwyddyn yn claddu dynion ifainc a fu farw yn y rhyfel. Fel yr oedd yn gwasanaethu'r gymuned leol, felly hefyd yr oedd yn cyhoeddi ysgrifau fel hon er mwyn helpu Cymry mewn cymunedau eraill ar draws y wlad i drin a thrafod eu galar:

> Gyfeillion caredig a thrallodus, – Ar ddechreu y fl[wyddyn] 1863 anturiwn gyfeirio ychydig o ymadroddion atoch. Mae y flwyddyn

newydd yn ein cael fel gwladwriaeth o bobl mewn trallod. Erioed ni welsom y fath gyfnod a'r un presenol. O bob rhyfel yr un cartrefol yw y mwyaf alaethus. Ond nid ar y rhyfel yn gymaint y mae ein bwriad i ysgrifenu y tro hwn – yr achos o hono na'i erchylldra – ond dywedwn ychydig eriau wrth y teuluoedd a'r unigolion hyny ag y mae effeithiau y rhyfel wedi eu llanw â thrallod nas gellir ei ddarlunio. Trallod mawr a gyfyd yn mhob meddwl ystyriol o herwydd fod ein gwlad yn y fath sefyllfa ag y mae. Trallod annirnadwy i deuluoedd ydyw canfod eu meibion yn troi allan i faes y rhyfel, heb wybod beth a ddaw o honynt. A mwy fyth ydyw yr alaeth pan glywir am rai o honynt, eu bod wedi cwympo ar y maes yn ebyrth i glefydau y gwerysll, neu i'r arfau angeuol. Pe gallem ddweyd gair o gysur gwnaem hyn; ond anhawdd iawn yw gwneud. 'Rachel a wylai am ei phlant, ac ni fynai ei chysuro am nad oeddynt.' Felly y gwna llawer yn ein gwlad y dyddiau hyn.[55]

Cynigiodd gysur i'r rhieni hynny a gollasai'u meibion drwy fanylu ar faintioli, arwyddocâd a chanlyniad eu haberth. Roeddynt wedi aberthu'u bywydau er mwyn dileu pechodau'u gwlad: 'Wrth edrych ar y rhyfel fel barn oddiwrth yr Arglwydd, rhaid i ni addef ei bod yn farn gyfiawn.'[56]

Troes sylw'i ddarllenwyr at y cysylltiad rhwng caethwasanaeth a'r rhyfel wrth fanylu ar y 'pechodau' cenedlaethol hyn:

Heblaw ei phechodau eraill (ac y maent yn ddi-rif) gwnaeth ein gwlad gam mawr â'r Affricaniaid. Lladratawyd hwy o'u gwlad yn greulon. Ymddygwyd yn greulon at eu hiliogaeth. Ymddifadwyd hwy o'u hiawnderau dynol. Ymosodwyd ar eu cysylltiadau teuluaidd mewn modd rhy gywilyddus i'w ddarlunio. . . . . Nid rhyfedd i'r Arglwydd ollwng ei gleddyf dysglaer yn rhydd arnom.[57]

Roedd llawer o'r Protestaniaid efengylaidd a fuasai'n ymgyrchu yn erbyn caethwasanaeth cyn 1861 yn gweld y Rhyfel Cartref fel dial dwyfol ar wlad nad ymwrthodai â'r pechod ofnadwy hwnnw. Nid Robert Everett oedd yr unig un ohonynt i ddisgrifio'r dial hwnnw fel 'cleddyf yr Arglwydd.' Mae'r ddelwedd hon yn ganolog i gân boblogaidd Julia Ward Howe, 'The Battle Hymn of the Republic':

Mine eyes have seen the glory of the coming of the Lord;
He is trampling out the vintage where the grapes of wrath are stored;
He hath loosed the fateful lightening of His terrible swift sword;
His truth is marching on.[58]

Cenid y geiriau hyn gan filwyr yr Undeb wrth iddynt fartsio i wersyllfa neu frwydr. Mae'r ysgrif gan Robert Everett a drafodwyd uchod yn ceisio cysuro sifiliaid a gollasai anwyliaid yn y rhyfel, ac mae'n cyfuno'r math o ieithwedd Feiblaidd Gymraeg a oedd yn ganolog i ddiwylliant y sifiliaid hynny â delwedd y byddai'r milwyr meirwon hwythau wedi'i chymeradwyo. Mae'r cyfan yn fodd iddo bwysleisio'i brif bwynt, sef ei gred fod y milwyr wedi marw er mwyn troi'u gwlad 'yn esiampl fel Gweriniaeth rydd' ac er mwyn sicrhau na fyddai'r 'trefniant caeth wedi ei sefydlu yn egwyddor sylfaenol y Weriniaeth fawr Americanaidd' honno.[59] Unwaith eto, roedd y gwleidyddol a'r crefyddol yn ddwy ochr i'r un geiniog.

Os oedd Robert Everett yn cyfarch 'plant trallod' ar ddechrau 1863, daeth y flwyddyn newydd ag achos dathlu hefyd. Fel y gwelwyd uchod, ers dechrau'r rhyfel bu diddymwyr yn ymgyrchu er mwyn cau'r bwlch rhwng agenda swyddogol eu llywodraeth a'u hagenda hwythau. Dechreuodd Lincoln newid ei feddwl yn ystod haf 1862 a chyn diwedd y flwyddyn honno daeth yn hysbys fod yr arlywydd wedi ysgrifennu'r *'Emancipation Proclamation'* a fyddai'n rhyddhau'r caethweision yn y taleithiau gwrthryfelgar. Arwyddodd y 'Cyhoeddiad Rhyddid' ar 1 Ionawr 1863 gan ei droi'n ddeddf. Roedd yn swyddogol bellach; roedd byddin yr Undeb yn ymladd er mwyn rhyddhau'r caethweision. Aeth beirdd Cymraeg yr Unol Daleithiau ati i ddathlu'r achlysur ar ffurf cerdd, carol a chân.[60] Enghraifft nodweddiadol yw 'Rhyddid i'r Caethion,' cerdd a gyfansoddwyd gan Evan ab Owen 'ar ol clywed am gyhoeddiad rhyddid i'r caethion gan A. Lincoln yn nechreu y fl[wyddyn] hon, 1863':

> Awen lesg dihuna'r awrhon,
> Paid a hepian dim yn hwy
> Cyfod gwrando cenad Lincoln
> Yn cyhoeddi rhyddid mwy,
> I ddu gaethion rai di-gysur
> Sydd yn gweithio yn ddidrefn;
> Heb gael gwobr am eu llafur,
> Ond y fflangell ar y cefn.[61]

Cyhoeddwyd y llinellau hyn yn *Y Cenhadwr Americanaidd*. Ac yntau wedi gofyn i'r beirdd gynorthwyo'i ymgyrch yn ôl yn y 1840au cynnar, roedd Robert Everett bellach yn gallu cyhoeddi cerddi a ymfalchïai yn y ffaith fod rhyddid wedi'i gyhoeddi gan lywodraeth yr Unol Daleithiau.

Ond ni ellid gwireddu addewid y datganiad hwnnw'n llawn cyn trechu'r gwrthryfelwyr Deheuol, a deuai rhagor o drallod i Gymry America cyn y caent ddathlu'r fuddugoliaeth fawr honno. Claddwyd milwr deunaw oed o'r enw David Williams ym mis Gorffennaf 1864.[62] Ef oedd plentyn ieuangaf y Parch. William D. Williams, gweinidog gyda'r Annibynwyr Cymraeg yn swydd Oneida. Daeth tri o fawrion ei enwad i helpu claddu'i fab: 'gweinyddwyd yn ei angladd gan y brodyr James Griffiths, Morris Roberts, a R. Everett.'[63] Dyma'r tri gweinidog a fu'n gyfrifol am ddechrau'r 'Diwygiad Mawr' yn 1838; roedd Robert Everett yn dal i gydweithio'n agos â Morris Roberts a James Griffiths dros chwarter canrif yn ddiweddarach.[64] Roedd y Parch. Griffiths yntau wedi claddu mab o filwr ychydig dros flwyddyn yn gynharach.[65] Fe gofir mai James Griffiths oedd olynydd Robert Everett yn Eglwys Gynulleidfaol Gymraeg Utica a'i fod wedi'i helpu yn ystod dyddiau cynnar ei ymgyrch i ymrestru Cymry'r ddinas yn yr achos gwrthgaethiwol.[66] Roedd ymysg y diddymwyr crefyddol hynny a welai'r Rhyfel Cartref fel 'cleddyf yr Arglwydd,' ond erbyn iddo weinyddu yn angladd ei fab Thomas roedd wedi dysgu bod y cleddyf hwnnw'n ddaufiniog.[67]

Er na fyddai'r rhyfel yn dirwyn i ben am rai misoedd eto, roedd diddymwyr Cymreig America'n gallu ymfalchïo mewn buddugoliaeth o fath arall erbyn diwedd 1864. Bu'n rhaid i Abraham Lincoln sefyll ei ail etholiad arlywyddol y mis Tachwedd hwnnw, a chan ei fod wedi ieuo achos rhyfel yr Undeb ag achos y diddymwyr gyda'i *Emancipation Proclamation*, roedd etholiad 1864 i bob pwrpas yn refferendwm ar gyfeiriad newydd y rhyfel.[68] Rhoddodd Annibynwyr Cymraeg y wlad adnoddau eu henwad at wasanaeth y Gweriniaethwyr fel y gwnaethent yn 1856 a 1860, ac roedd Cymry America'n gyffredinol yn gadarn eu cefnogaeth i Lincoln a'i blaid unwaith eto.[69] Ysgrifennodd Robert Everett lith fuddugoliaethus ar ôl yr etholiad :

> Llawer o bobl yr Hen Wledydd a dybiant nad oes grym mewn Gweriniaeth, ond mai gyda y Pencoronog y mae grym, ac o herwydd hyny mai dyna y ffurflywodraeth oreu. Ond galwn sylw gwyr yr Hen Wledydd at ein hetholiad Llywyddol yn 1864, er eu hargyhoeddi o'u camgymeriad yn hyn.[70]

Dyma enghraifft arall o'r modd yr aeth golygydd *Y Cenhadwr Americanaidd* ati'n gyson i osod ei ddehongliad o'r rhyfel mewn cyd-destun gwleidyddol rhyngwladol.

Pan gyfarchodd ei ddarllenwyr ar ddechrau'r flwyddyn newydd roedd y gorfoledd buddugoliaethus hwn wedi chwyddo ymhellach: 'Mawr yw ein rhwymau i ddiolch am drugareddau yr Arglwydd tuag atom – bob bore y deuant o newydd a mawr yw ei ffyddlondeb.'[71] Wrth fanylu ar ei resymau dros fod mor ddiolchgar i'r Arglwydd cyfeiriodd

Robert Everett at y caethfeistri fel 'aristocratiaid' gormesol unwaith eto:

> Teimlwn rwymau i ddiolch nad yw y gwrthryfel . . . a godwyd yn ein gwlad gan Aristocratiaid y De ddim wedi darostwng yr holl wlad. A mwy eto yw ein rhwymau i gydnabod rhagluniaeth ddaionus yr Arglwydd am y gobaith sydd genym y try yr ymosodiad yn siomedigaeth i'r bradwyr, ac y bydd iddo Ef yr hwn sydd a'i lywodraeth yn oruchel dros y drygau mwyaf, beri mai rhyddid trwy yr holl wlad i'r holl drigolion fydd canlyniad y gyflafan fawr hon. Os nad ydym yn cam ddeall arwyddion yr amseroedd yn fawr, mae y tebygolrwydd yn gryf mai felly fydd cyn bo hir iawn. Mae y rhyddid a roddwyd er's tro bellach i'r holl diriogaeth fel nad oes defnydd talaeth gaeth mwyach o fewn ein terfynau . . . yn peri i ni obeithio nad yw blwyddyn y Jubili cyffredinol ddim yn mhell iawn o'n blaen. Henffych i'r bore y bydd America . . . yn wlad rydd trwyddi oll[.][72]

Ond er ei fod yng ngafael y llawenydd heintus hwn, nid anghofiodd am y rhai a oedd yn galaru. Cyn gorffen ei lith, cyflwynodd Robert Everett ddehongliad o aberth y milwyr a'u teuluoedd sy'n adleisio nifer o'i ysgrifau cynharach:

> Ceir llawer yn ein hoff wlad y dyddiau hyn yn nyffryn trallod a galar – ac nid hawdd sychu y dagrau. Collasant eu hanwyliaid ar faes yr ymdrechfa fawr, ac fel Rahel ni fynant eu cysuro am nad ydynt. Ond nid cwympo wrth godi terfysg a wnaethant, ond wrth geisio yn ffyddlon ei wrthsefyll a'i ddarostwng. Safasant ar yr adwy gyfyng i amddiffyn eu gwlad a'u llywodraeth a saif, yn llywodraeth rydd cyn bo hir, a bydd yn fendith anraethol i oesoedd a chenedlaethau eto i ddod. Bellach terfynwn hyn o anerchiad. Bydded ein hymddiried yn yr Arglwydd, a'n gwyliadwriaeth yn ddyfal hyd oni ddelo. Byddwch wych. Robert Everett.[73]

Parhâi'r gorfoledd a'r trallod i gydgerdded. Daeth diwedd y Rhyfel Cartref ym mis Ebrill 1865; dyma'r 'Jiwbili' a sicrhaodd fod pedair miliwn o Americanwyr duon bellach yn bobl rydd. Ond cyn diwedd y mis hwnnw roedd Abraham Lincoln wedi'i lofruddio.

Traddododd yr arlywydd ei araith gyhoeddus olaf ar 11 Ebrill 1865. Diolchodd am y ffaith fod prif fyddinoedd y gwrthryfelwyr wedi ildio a chyhoeddodd *'a national thanksgiving'* i gydnabod dyfodiad heddwch.[74] Roedd un o'r taleithiau Deheuol a fuasai'n gwrthryfela, Louisiana, wrthi'n ffurfio llywodraeth newydd er mwyn ailymuno'n llawn â'r

Undeb. Dywedodd Lincoln ei fod o blaid rhoi'r bleidlais i o leiaf rai o'r cyn-gaethweision:

> It is . . . unsatisfactory to some that the elective franchise is not given to the colored man. I would myself prefer that it were now conferred on the very intelligent, and on those who serve our cause as soldiers.[75]

Er nad oedd yr arlywydd wedi mynd mor bell â Robert Everett a'r diddymwyr radicalaidd eraill hynny a gredai y dylai pob Americanwr du fod yn hollol gyfartal â phob Americanwr gwyn, roedd Lincoln wedi dechrau symud i'r cyfeiriad hwnnw.[76] Aeth gam arall i'r un cyfeiriad drwy awgrymu'i fod o leiaf yn fodlon derbyn y mesurau chwyldroadol yr oedd y llywodraeth daleithiol newydd wedi'u mabwysiadu:

> [they have] organized a free-state constitution, giving the benefit of public schools equally to black and white, and empowering the Legislature to confer the elective franchise upon the colored man. . . . . Now, if we reject, and spurn them, we do our utmost to disorganize and disperse them.[77]

Yn ôl James McPherson, roedd darpar lofrudd yr arlywydd yn gwrando'n astud ar y geiriau hyn:

> At least one listener interpreted this speech as moving Lincoln closer to the radical Republicans. 'That means nigger citizenship,' snarled John Wilkes Booth to a companion. 'Now, by God, I'll put him through. That is the last speech he will ever make.'[78]

Saethwyd Abraham Lincoln gan y dyn a ofnai *nigger citizenship* dridiau'n ddiweddarch.

Sicrhaodd golygydd *Y Cenhadwr Americanaidd* fod ei gylchgrawn yn gyforiog o ysgrifau teyrnged, pregethau angladdol a marwnadau i'r diweddar arlywydd.[79] Sicrhaodd hefyd fod y cylchgrawn yn gwasanaethu'r elusennau hynny a roddai addysg a chymorth ymarferol i'r cyn-gaethweision, ac aeth ei ferch Cynthia'n athrawes yn un o'r ysgolion a sefydlwyd ar eu cyfer.[80] Cadwai'i lygad ar ddatblygiadau gwleidyddol hefyd. Hyd yn oed cyn i'r Rhyfel Cartref orffen roedd llywodraeth Lincoln wedi dechrau llunio'r *Constitutional Amendment* a fyddai'n gorffen gwaith yr *Emancipation Proclamation* drwy wneud gwaharddiad parhaol ar gaethwasanaeth yn rhan ddiymwad o gyfreithiau'r wlad. Trafododd Robert Everett hynt y 'gwellhad' mewn llythyr a ysgrifennodd at ei hen gyfaill, y Parch. Thomas Edwards:

> Newyddion da a glywir y dyddiau hyn o'r *Congress.* Gobeithiaf cyn pen llawer o fisoedd y bydd tair rhan o beidair o'r *Legislatures* wedi rhoi eu llais dros y gosodiad o wellhad ar y Cyfansoddiad.[81]

Dyna a ddigwyddodd. Pan gyfarchodd golygydd *Y Cenhadwr Americanaidd* ei ddarllenwyr ar ddechrau 1866 roedd wedi'i feddiannu gan y gorfoledd buddugoliaethus hwnnw unwaith eto: '*Cwbl Ddilead Caethiwed yn America.* – I'r Arglwydd byddo clodydd tragywyddol am hyn! . . . . Mae America yn wlad rydd – De a Gogledd dan yr un drefn.'[82]

Tra oedd y teulu'n brysur yn dosbarthu'r rhifyn hwnnw o'r *Cenhadwr* ar ddechrau mis Ionawr 1866 roeddynt hefyd yn dathlu pen blwydd Robert Everett yn bymtheg a thrigain oed. Fel y gwelir mewn llythyr a ysgrifenasai at Thomas Edwards yr haf blaenorol, roedd wedi dechrau myfyrio ynghylch ei farwolaeth ei hun:

> Mae'r tymor wedi pasio heibio fel gwyliadwriaeth nos . . . . Wel, mae'r awr i roi cyfrif yn nesu; mae fy nghobaith, anwyl frawd . . . . am gael derbyniad adref yn ddiogel at y teulu sydd wedi blaenu i dy ein Tad.'[83]

Ysgrifennodd y llythyr hwnnw ar 6 Mehefin 1865; roedd yn hanner canrif i'r diwrnod ers iddo gael ei urddo'n weinidog yng Nghapel Lôn Swan, Dinbych.[84] Cyfrodd ei fendithion wrth i'r 'awr i roi cyfri nesu,' gan gynnwys y ffaith ei fod wedi cael 'haner canrif dan yr enw o weinidog gyda . . . breintiau tŷ Dduw . . . cydmar anwyl, a phlant anwyl a roddes Tad nefol i mi.'[85]

Ychwanegodd un arall at ddiwedd y rhestr o freintiau yr oedd yn diolch amdanynt: 'cefais y fraint o fod gydag achosion daionus yn eu cychwiniad allan cyntaf mewn gwendid.'[86] Er ymroi i nifer o wahanol achosion moesol, cysegrodd y rhan fwyaf o'i amser a'i egni i ymgyrchu yn erbyn caethwasanaeth. Fel y nododd un arall o'i gyfeillion, roedd Robert Everett wedi '[t]aflu ei holl ddylanwad o blaid y caethwas gorthrymedig' yn y dyddiau cynnar hynny 'pan oedd yr achos yn ei ddirmyg iselaf.'[87] Ac ar ôl dros chwarter canrif o ymgyrchu, 'cafodd y pleser gogoneddus o weld y gadwyn gaethiwol olaf yn cael ei dryllio, a'r caethwas olaf yn cael ei ryddhau.'[88]

NODIADAU

[1] *Y Cenhadwr Americanaidd*, Mai 1861.

[2] Cyhoeddwyd llith Butler mewn papur Saesneg, *The Morning Star*, ar ôl i'r cyfieithiad Cymraeg hwn

ymddangos yn *Y Cenhadwr Americanaidd*. Am ragor o fanylion, gw. Jerry Hunter, *Sons of Arthur, Children of Lincoln [:] Welsh Writing from the American Civil War* (Caerdydd, 2007), pennod 3.

[3] *Y Cenhadwr Americanaidd*, Mai 1861.

[4] Casgliad Cymdeithas Hanes Kansas.

[5] *Y Cenhadwr Americanaidd*, Mai 1862.

[6] Gw. y manylion ym mhennod 10.

[7] *Y Cenhadwr Americanaidd*, Medi 1861.

[8] *Y Cenhadwr Americanaidd*, Hydref 1861.

[9] *Y Cenhadwr Americanaidd*, Gorffennaf 1861.

[10] Ibid.

[11] *Y Cenhadwr Americanaidd*, Awst 1856: 'Anogaethau i Ymuno A Byddin Rhyddid.' Mae'n ddiddorol nodi bod Robert Everett yn defnyddio'r gair 'byddin' yn y modd hwn; roedd yn dal i goleddu heddychiaeth yn 1856, fel y gwelwyd yn y bennod ddiwethaf.

[12] Trafodir enghreifftiau eraill o'r math yma o ddisgwrs isod yn y bennod hon. Gw. hefyd Jerry Hunter, *Llwch Cenhedloedd [:] Y Cymry a Rhyfel Cartref America* (Llanrwst, 2003), 87-8 a 205-6.

[13] Gw., e.e., *Y Cenhadwr Americanaidd*, Medi a Hydref 1862. Cyhoeddwyd y bregeth hefyd yn D. Davies (gol), *Cofiant y Diweddar Barch. Robert Everett*, 306-320. Mân cychwyn y bregeth oedd Salm 94.20: 'A fydd cydymdeithas i ti â gorseddfainc anwiredd, yr hon a lunia anwiredd yn lle cyfraith?' (Neu, yn ôl cyfieithiad newydd 1988, 'A fydd cynghrair rhyngot ti a llywodraeth distryw, sy'n cynllunio niwed trwy gyfraith?') Ni chyhoeddodd Robert Everett lawer o'i bregethau'i hun (o gofio'r ffaith fod ganddo ddigon o gyfle, ac yntau'n golygu'r *Cenhadwr* am 35 o flynyddoedd). Mae ei bapurau personol yn cynnwys olion llawer iawn o bregethau anghyhoeddedig (a geir heddiw ymysg papurau M. Everett). Mae pob pregeth a gyhoeddwyd ganddo yn ystod ei oes felly'n mynnu sylw arbennig.

[14] Rwyf yn defnyddio'r fersiwn a argraffwyd yn D. Davies (gol), *Cofiant y Diweddar Barch. Robert Everett*, 306-7.

[15] Gw., e.e., y drafodaeth isod yn y bennod hon ar 'GYFARCHIAD' Robert Everett 'AT EIN DARLLENWYR'; *Y Cenhadwr Americanaidd*, Ionawr 1862.

[16] Am nifer o enghreifftiau penodol, gw. Jerry Hunter, *Sons of Arthur, Children of Lincoln*, pennod 3.

[17] Gw. pennod 1. Roedd Samuel Roberts naw mlynedd yn iau na Robert Everett.

[18] Wilbur S. Shepperson, *Samuel Roberts [:] a Welsh Colonizer in Civil War Tennessee* (Knoxville, 1961).

[19] Gw. Jerry Hunter, *Llwch Cenhedloedd*, pennod 10.

[20] *Y Cronicl*, Awst 1861; *Y Cenhadwr Americanaidd*, Medi 1861.

[21] *Y Cenhadwr Americanaidd*, Medi 186. Mewn nodyn sy'n cyflwyno'r geiriau hyn dywed Robert Everett fod llythyr S. R. 'yn gyfrinachol . . . eto gallwn yn briodol gyhoeddi cyfran o hono.' Ni ellir ond dyfalu beth oedd natur y rhan 'gyfrinachol.'

[22] Peter Kolchin, *American Slavery* (Efrog Newydd, 1993), 201-2.

[23] Enghraifft amlwg yw Salmon P. Chase, a oedd yn aelod o gabinet Lincoln yn rhinwedd ei swydd fel *Secretary of the Treasury*. Am y gwahaniaeth barn rhwng Lincoln a Chase, gw., e. e., James M.McPherson, *Battle Cry of Freedom [:] The American Civil War* (Rhydychen, 1988), 499.

[24] Araith yn Rochester, Efrog Newydd, 16 Mehefin 1861, wedi'i dyfynnu gan William S. McFeely, *Frederick Douglass* (Efrog Newydd, 1991), 212.

[25] Gw., e.e., *Y Cenhadwr Americanaidd*, Mehefin 1861, 'Y Gallau i Gyhoeddi Rhyddhad i'r Caethion dan y ddeddf filwrol'; Gorffennaf 1861, 'Y Gyfraith Filwrol yn ei Pherthynas a Chaethiwed.' Disgrifiodd ymdrechion y Cadfridog Benjamin Butler i arddel y fath bolisi yn *Y Cenhadwr Americanaidd*, Medi 1861, 'Y Caethion Ffoedig yn y Gwersylloedd.' Dengys gohebiaeth bersonol y teulu Everett eu bod yn cefnogi'r cadfridogion hynny a oedd yn ceisio achub y blaen a dechrau rhyddhau'r caethweision ar eu liwt eu hunain. Roeddynt felly hefyd yn cwyno – drwy gyfrwng cyfrinachol y llythyr personol yn unig – am y ffaith nad oedd Lincoln yn cefnogi'r mesurau hyn ar y dechrau. E. e., dyna lythyr a ysgrifennodd Robert Everett at ei wraig a'i blant tra oedd yn ymweld â Chymry Troy, Efrog Newydd (Casgliad Llyfrgell Newberry, Papurau Robert Evertt, bocs 9, ffeil 1): 'the N.Y. Times of Yesterday says that the order to Gen Fremont has been sent to have him resign, and Hunter to take his place - Lincoln's reasons are his in confiding as a General . . . . But we hope the next telegraphic dispatch from Washington [will be different].'

[26] Gellir dosbarthu'r modd yr oedd y rhan fwyaf o Gymry America yn ymateb i'r Rhyfel Cartref drwy nodi tair ffordd o'i ddehongli: (i) fel rhyfel yn erbyn caethwasanaeth; (ii) fel cyfle i brofi'u bod yn deilwng o'u dinasyddiaeth Americanaidd (h.y., profi'u bod yn ffyddlon i'r Undeb); (iii) cyfuniad o'r ddau uchod. Cofier mai Americanwyr sy'n siarad Cymraeg yw ystyr 'Cymry America' yma. Am drafodaeth fanylach, gw. Jerry Hunter, *Sons of Arthur, Children of Lincoln* (penodau 3 a 4 yn enwedig).

[27] Gw. James McPherson, *For Cause and Comrades [:] Why Men Fought in the Civil War* (Efrog Newydd a

Rhydychen, 1997), 121-3 yn enwedig.
[28] Papurau M. Everett.
[29] Yn wir, bu rhai o gyfeillion Robert Everett, Beriah Green a Gerrit Smith, yn beirniadu'r ffaith nad oedd Athrofa Hamilton mor gadarn yn erbyn caethwasanaeth. Gw. Milton C. Sernett, *Abolition's Axe: Beriah Green, Oneida Institute, and the Black Freedom Struggle* (Syracuse [Efrog Newydd], 1986), 104.
[30] Fe ymddengys fod y rhan fwyaf ohonynt wedi ymuno â'r *117th New York Volunteer Infantry* (a elwid hefyd y 4th Oneida). Gw. Milton C. Sernett, *North Star Country [:] Upstate New York and the Crusade for African American Freedom* (Syracuse [Efrog Newydd], 2002), 231-2; J. A. Mowris, *A History of the 117th Regiment, N. Y. Volunteers* (adargraffiad: Hamilton, 1996), 13-25. Roedd gan y gatrawd hon nifer sylweddol o Gymry hefyd, gan gynnwys y caplan, J. D. Jones; gw. Mowris, *A History*, 129, 223 a 237 ac hefyd Jerry Hunter, *Llwch Cenhedloedd*, 142 a 187-8. Am y cysylltiad rhwng y Parch. Jones a Robert Everett, gwelir nodyn 52 isod.
[31] Gw., e.e., *Y Cenhadwr Americanaidd*, Hydref 1862. Roedd Kansas wedi troi'n dalaith rydd erbyn hyn.
[32] *Y Cenhadwr Americanaidd*, Hydref 1861.
[33] Ibid.
[34] Am drafodaeth fanwl, gw. Jerry Hunter, *Sons of Arthur, Children of Lincoln*, pennod 3.
[35] *Y Cenhadwr Americanaidd*, Medi 1861.
[36] *Y Cenhadwr Americanaidd*, Awst 1846.
[37] *Y Cenhadwr Americanaidd*, Ionawr 1862.
[38] Ibid.
[39] Ibid.
[40] Ibid.
[41] Am drafodaeth fanylach ar y gerdd hon, gw. *Sons of Arthur, Children of Lincoln*, pennod 8.
[42] 'CYFARCHIAD AT EIN DARLLENWYR,' *Y Cenhadwr Americanaidd*, Ionawr 1862.
[43] Ibid.
[44] Ymrestrodd o leiaf 3,000 o Gymry ym myddin yr Undeb, ac mae'n bosibl iawn fod y nifer mor uchel â 10,000. Gw. *Llwch Cenhedloedd*, pennod 3.
[45] Gw., e.e., 'Llythyr Milwr Cymreig' yn *Y Cenhadwr Americanaidd*, Mai 1865: 'Gwersyll ger Goldsboro, N.C., Ebrill 1af, 1865. Anwyl Ewythyr Edward Humphreys[:] . . . . Mae gennyf i'ch hysbysu y waith hon eto ein bod ni ein tri heddyw eto yn fyw, iach, a chysurus[.] . . . . Buom ni mewn dwy o'r brwydrau diweddaf, ond ni chawsom ni yr un niwed – cafodd un Cymro o'n cwmni ei glwyfo yn ei fraich. Mae fy mrodyr John ac Evan a minau yn cofio atoch yn garedig. Ydwyf eich diffuant fab yn yr Efengyl, Edward Ellis.'
[46] *Y Cenhadwr Americanaidd*, Gorffennaf 1864.
[47] E. Davies yn D. Davies (gol), *Cofiant y Diweddar Barch. Robert Everett*, 80.
[48] Gw., e.e., *Y Cenhadwr Americanaidd*, Ionawr 1862: 'CYMDEITHAS ER CYNORTHWYO Y MILWYR, Y CLAF A'R CLWYFUS'; Tachwedd 1864, 'Y Christian Commission.'
[49] Ganed Cynthia 'tua 1840,' felly roedd yn 21oed pan ddechreuodd y Rhyfel Cartref. Ceir deunydd sy'n deillio o'i gwaith hi gyda'r *Christian Commission* ymhlith papurau M. Everett, gan gynnwys llythyrau a ysgrifennodd milwyr ati er mwyn diolch am ei gwaith.
[50] *Y Cenhadwr Americanaidd*, Hydref 1862.
[51] *Y Cenhadwr Americanaidd*, Mehefin 1863.
[52] 'Llythyr oddiwrth y Parch. J. D. Jones,' *Y Cenhadwr Americanaidd*, Hydref 1863; Ben Chidlaw, 'Cymhorth i'r Milwr Mewn Llyfrau,' *Y Cenhadwr Americanaidd*, Ionawr 1862.
[53] Gw., e.e., *Y Cenhadwr Americanaidd*, Ebrill 1862: 'Angau Milwr Ieuanc' (sef, Thomas Lewis, Delware, Ohio); ac hefyd Tachwedd 1862: 'Cofiant Milwr Cymreig' (sef, William Rees, Brady's Bend, Pennsylvania).
[54] *Y Cenhadwr Americanaidd*, Ionawr 1863: 'Cyfarchiad ar Ddechreu y Flwyddyn 1863. At Blant Drallod yn Benaf.'
[55] Ibid. Roedd y dyfyniad Beiblaidd hwn ('Rachel a wylai am ei phlant . . .') yn ganolog i lawer o ysgrifau a gyhoeddid yn ystod y rhyfel. Gw. Jerry Hunter, *Llwch Cenhedloedd*, pennod 11; *Sons of Arthur, Children of Lincoln*, pennod 7.
[56] *Y Cenhadwr Americanaidd*, Ionawr 1863.
[57] Ibid.
[58] Richard Marius a Keith Frome (goln), *The Columbia Book of Civil War Poetry* (Efrog Newydd, 1994), 55-6.
[59] *Y Cenhadwr Americanaidd*, Ionawr 1863.
[60] Gw. Jerry Hunter, *Llwch Cenhedloedd*, pennod 8; *Sons of Arthur, Children of Lincoln*, pennod 10.
[61] *Y Cenhadwr Americanaidd*, Awst 1863.
[62] *Y Cenhadwr Americanaidd*, Awst 1864: 'David W. Williams, Deerfield, N.Y.'

[63] Ibid.
[64] Gw. Pennod 4 am hanes Diwygiad 1838.
[65] *Y Cenhadwr Americanaidd*, Mawrth 1863: 'Marwolaeth Milwr, sef Thomas Griffiths, mab y Parch. James Griffiths, Utica, N.Y.'
[66] Gw. Pennod 3.
[67] *Y Cenhadwr Americanaidd*, Mawrth 1863: 'Marwolaeth Milwr, sef Thomas Griffiths, mab y Parch. James Griffiths, Utica, N.Y.'
[68] Gw. Jerry Hunter, *Llwch Cenhedloedd*, pennod 23 a *Sons of Arthur, Children of Lincoln*, pennod 12.
[69] Gw., e.e., *Y Cenhadwr Americanaidd*, Rhagfyr 1864: 'Cymanfa y Cynulleidfaolion yn PA' (a gynhaliwyd ganol mis Hydref, 1864).
[70] *Y Cenhadwr Americanaidd*, Rhagfyr 1864: 'Yr etholiad Llywyddol diweddar.'
[71] *Y Cenhadwr Americanaidd*, Ionawr 1865: 'Cyfarchiad at Ein Darllenwyr ar Ddechreu y Flwyddyn Newydd.'
[72] Ibid.
[73] Ibid.
[74] John Grafton (gol), *Abraham Lincoln [:] Great Speeches* (Efrog Newydd, 1991), 109.
[75] Ibid, 112.
[76] Mae'r brawddegau hyn yn ddyledus i ddehongliad James McPherson o'r manylion hanesyddol dan sylw; gw. McPherson, *Battle Cry of Freedom*, 852.
[77] John Grafton (gol), *Abraham Lincoln [:] Great Speeches*, 112.
[78] James McPerhson, *Battle Cry of Freedom*, 852.
[79] Am drafodaeth fanwl, gw. Jerry Hunter, *Sons of Arthur, Children of Lincoln*, pennod 14.
[80] Papurau M. Everett. Ceir un o'r llythyrau a ysgrifennodd Robert Everett at Cynthia yn ystod y cyfnod hwn yn Llyfrgell Newberry (Everett Papers, bocs 9, ffeil 1.)
[81] Wedi'i ddyfynnu yn D. Davies (gol), *Cofiant y Diweddar Barch. Robert Everett*, 40.
[82] *Y Cenhadwr Americanaidd*, Ionawr 1866.
[83] Dyfynnir yn D. Davies (gol), *Cofiant y Diweddar Barch. Robert Everett*, 41-2, ond ceir copi yn llaw Robert Everett yn Llyfrgell Newberry (Everett Papers, bocs 9, ffeil 1.)
[84] Ibid: 'Anwyl Frawd Edwards, Ddoe oedd y 5ed o *June*, ac ar y 4ydd neu y 5ed o *June*, 1815, y cefais fy ordeinio i waith pwysig y weinidogaeth yn Ninbych yn ngwydd torf fawr o bobl – ac yn ngwydd y Meister mawr! – llawer o feddyliau difrifol a dramwysant trwy fy mynwes ddoe, a neithiwr yn oriau y nos[.]'
[85] Ibid.
[86] Ibid.
[87] Erasmus Jones yn D. Davies (gol), *Cofiant y Diweddar Barch. Robert Everett*, 77.
[88] Ibid., 78.

EPILOG:

Y Llythyr Olaf

Yn debyg i gynifer o bobl eraill a oedd wedi'u synnu dros y blynyddoedd gan egni rhyfeddol y dyn bach a ymddangosai mor eiddil, nid oedd Robert Everett yn llawn werthfawrogi'i nerth ei hun. Roedd yn anghywir pan ddywedodd fod 'yr awr i roi cyfri' yn agos yr haf hwnnw; ni fyddai'n marw am agos at ddeng mlynedd eto. Parhaodd i ofalu am ei ddau gapel, ond gan ei fod yn 'llesghau ac yn colli ei lais, yn y flwyddyn 1866 daeth y brawd Sem Phillips i fod yn gydweinidog ag ef[.]'[1] Disgrifiodd y pregethwr ifanc hwn y Parch. Everett fel 'dyn llawn o ddaioni . . . pleidiwr pob achos daionus, ac un nas gall dim ei ddenu na'i ddychrynu oddiar lwybr cydwybod[.]'[2]

Yn ystod y blynyddoedd olaf hynny roedd meddwl hen weinidog Steuben yn troi'n ôl at yr 'achos daionus' hwnnw a fu agosaf at ei galon. Roedd wedi bod yn gohebu'n achlysurol â chynulleidfa'i hen gapel yn Ninbych yn ystod yr hanner canrif diwethaf, ac ysgrifennodd ei lythyr olaf atynt ar 10 Gorffennaf 1871. Er bod pum mlynedd wedi mynd heibio ers i waharddiad parhaol ar gaethwasanaeth gael ei orseddu'n rhan o Gyfansoddiad yr Unol Daleithiau, roedd y 'tro rhyfedd' hwn yn hanes ei wlad fabwysiedig yn dal i'w gyffroi. Wrth iddo ddehongli'r hanes ar gyfer ei hen gyfeillion yng Nghymru, ni allai ymatal rhag taranu unwaith eto yn erbyn 'cywilydd mawr America':

> Tro rhyfedd yn America oedd rhyddhad diweddar y caethion, a llwyr ddilead y drefn felldigedig o ymddwyn at y Negroaid fel anifeiliaid y maes. Mae yn gywilydd mawr i America, yr hon a ymffrostia mor fawr yn ei rhyddid, ei bod wedi cynal yn ei phlith drefn mor felldigedig am dymor mor faith. Ond trwy drugaredd fawr y nef mae hyny i'w gyfrif yn mhlith y pethau a fu – diolchwn yn fawr am hyny.[3]

Nodiadau

[1] D. Davies (gol), *Cofiant y Diweddar Barch. Robert Everett* (Utica, 1879), 42.

[2] Ibid.

[3] Papurau M. Everett; gw. hefyd D. Davies (gol), *Cofiant y Diweddar Barch. Robert Everett*, 44-5 (mae'r llythyr yn dechrau 'At Eglwys Gynulleidfaol Dinbych').

Mynegai

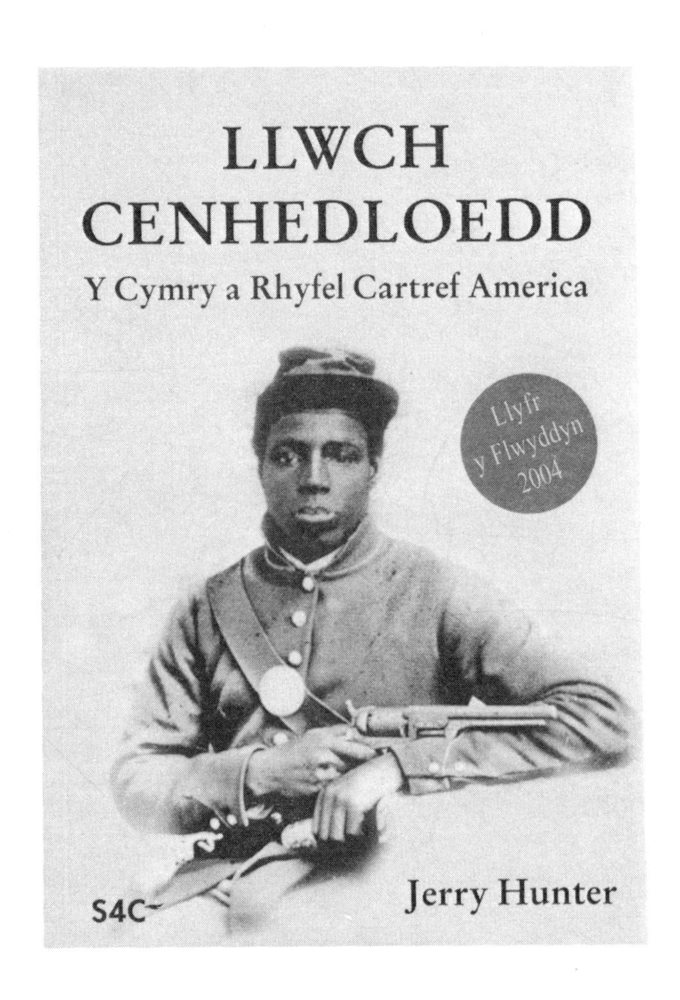

Enillydd Gwobr Llyfr y Flwyddyn